Noah Gordon wurde am 11. November 1926 in Worcester, Massachusetts, geboren. Nach dem Studium der Zeitungswissenschaft und der Anglistik arbeitete er als Journalist. Mit »Der Rabbi« und »Die Klinik« begann sein Siegeszug als Romancier. Sein Erfolgsroman »Der Medicus« wurde allein in Deutschland millionenfach verkauft. »Der Schamane« erreichte auf Anhieb Platz 1 der deutschen Bestsellerliste. Noah Gordon hat drei erwachsene Kinder und lebt mit seiner Frau Lorraine auf einer Farm im westlichen Massachusetts.

Von Noah Gordon sind außerdem erschienen:

Der Rabbi (Band 1546)
Die Klinik (Band 1568)
Der Medicus (Band 2955)
Der Schamane (Band 63058)

Dieses Buch wurde auf chlor- und säurefreiem Papier gedruckt.

Deutsche Erstausgabe September 1993

Titel der Originalausgabe »The Jerusalem Diamond«

Originalverlag Random House, New York
Umschlaggestaltung Adolf Bachmann, Reischach
Satz Franzis-Druck, München
Druck und Bindung Ebner Ulm
Printed in Germany
ISBN 3-426-60152-4

9 10

Noah Gordon

Der Diamant des Salomon

Roman

Aus dem Amerikanischen
von Thomas A. Merk

INHALT

Dieses Buch ist für
Lise, Jamie und Michael
und für Lorraine.

DANKSAGUNG

Bei diesem Buch haben mir Dutzende von Leuten geholfen. Ich kann sie hier nicht alle aufzählen, aber ich möchte meinem Agenten Pat Schartle Myrer und meiner Lektorin Charlotte Leon Mayerson danken, ebenso wie Lise Gordon und Lorraine Gordon, die mir mit ihrem Rat zur Seite gestanden haben.

Außerdem bin ich Albert Lubin, dem leitenden Direktor des *Diamond Dealers Club of New York,* für seine Einführung in die Welt der Diamanten dankbar; ebenso Dr. Cyrus H. Gordon, *Gottesman Professor of Hebraic Studies* an der *New York University,* für seine Hilfe in archäologischen Fragen; Louisa und Emanuel W. Munzer dafür, daß sie sich für mich an einige von Europas dunkelsten Stunden erinnert haben, und Dr. Yigael Yadin in Jerusalem dafür, daß er mit mir über Masada diskutiert hat.

Besonders tief stehe ich bei Yisrael Lazar, meinem Lehrer und Freund, in der Schuld, der meine nicht enden wollenden Fragen über sein Geburtsland Israel stets mit Humor und Geduld beantwortet hat.

Alle Fehler, die dieses Buch in den oben genannten Wissensgebieten aufweisen mag, stammen ausschließlich von mir.

NOAH GORDON

Erster Teil

Verluste

1

Genisa

Immer wenn Baruch erwachte, erwartete er, verhaftet zu werden.
Die leere Schriftrolle bestand aus gutem Kupfer, das so lange gehämmert worden war, bis es so dünn und glatt wie ein Stück Leder war. Sie steckten sie in einen Sack und brachten sie, heimlich wie die Diebe, die sie ja eigentlich auch waren, zu ihrem Versteck am Rand eines verlassenen Stoppelfelds. Im Inneren der kleinen Höhle war es trotz des stahlblauen Himmels draußen, der durch den Eingang zu sehen war, dunkel, und so füllte Baruch die Lampe mit Öl, zündete sie an und stellte sie auf einen flachen Stein.
Drei der jüngeren Verschwörer hielten draußen Wache, indem sie mit einem Schlauch Wein Betrunkene spielten. Der alte Mann in der Höhle hörte sie kaum. Er spürte wieder den Schmerz in der Brust, und seine Hände zitterten, als er sich zwang, den Schlegel und die Ahle zu ergreifen.

Dies sind die Worte des Baruch, Sohn des Neriah ben Maasiah, Sproß der Priester aus Anatoth im Lande Benjamins, der im neunten Jahr der Regierung des Zedekiah, Sohn des Josias, König von Judäa, von Jeremias, dem Sohn des Hilkiahu Kohen den Befehl erhielt, den Schatz des Herrn zu verstecken.

Das war alles, was Baruch am ersten Tag in die Schriftrolle hämmerte. Diese Einleitung würde später, nachdem er das Dokument beendet hatte, wie ein Geständnis wirken und sein eigenes Todesurteil bedeuten, sollte die Schriftrolle vor dem Eintreffen der Invasoren entdeckt werden. Aber Baruch mußte einfach festhalten, daß sie keine gewöhnlichen Verbrecher waren.

Jeremias hatte Baruch gesagt, was der Herr von ihnen verlangte. Nur langsam war ihm klargeworden, daß sein Freund nichts anderes von ihm verlangte, als den Tempel zu bestehlen, diesen heiligen Ort zu entweihen. »Nebukadnezar ist gerade dabei, den Pharao Necho zu besiegen, und wenn seine Horden Ägypten ausgeplündert haben, dann werden sie zu uns kommen. Der Tempel wird gebrandschatzt und seine Schätze fortgeschleppt oder vernichtet werden. Deshalb hat uns der Herr aufgetragen, die heiligen Gegenstände in Sicherheit zu bringen und zu verstecken, bis sie eines Tages wieder zu Seiner Anbetung verwendet werden können.«
»Dann sag es den Priestern.«
»Das habe ich. Aber wann hat das Haus von Bukki je auf die Worte des Herrn gehört?«
Baruch war so schnell, wie es ihm sein krankes Bein erlaubte, von dannen gehumpelt.
Er würde bald sterben, aber das machte die Tage, die ihm noch blieben, nur um so wertvoller, und die Risiken, die er einging, erfüllten ihn mit Schrecken.
Es gelang ihm, sie aus seinen Gedanken zu verbannen, aber als eines Tages die halbwilden Nomaden, die normalerweise die Stadt in einem weiten Bogen umgingen, an die Tore kamen und um Zuflucht baten, konnte er das nicht mehr. Innerhalb weniger Stunden füllten sich die nach Jerusalem führenden Straßen mit Menschen, die auf

der Flucht vor der schrecklichsten Armee der Welt waren. Als Jeremias ihn schließlich fand, sah Baruch das Leuchten in den Augen des Sehers, das manche für den Wahnsinn und andere für die Erleuchtung des Herrn hielten.
»Ich höre jetzt Seine Stimme. Immerzu.«
»Kannst du dich denn nicht vor ihr verstecken?«
»Ich habe es versucht. Aber die Stimme folgt mir überall hin.«
Baruch streckte die Hand aus und berührte den Bart des anderen Mannes, der ebenso weiß war wie sein eigener. Er spürte, wie es ihm das Herz brach. »Was will Er, daß ich tue?« fragte er.

Jeremias hatte noch andere zu Mitverschwörern gemacht. Sie waren zwei mal sieben und hatten deshalb vielleicht doppelt Glück, aber Baruch befürchtete, daß schon zu viele zu ihren geheimen Treffen kamen. Ein einziger Verräter konnte alles zunichte machen.
Baruch war erstaunt, als er sah, wer sich alles gegen das Haus Bukki, die Priesterfamilie, welcher der Tempel unterstand, verschworen hatte. Da waren Shimor der Levit, der Hüter der Schatzkammer, und sein Sohn Hilak, der für die Erhaltung der heiligen Kultgegenstände verantwortlich war. Hesekiel war Befehlshaber der Tempelgarde, Zecheraia kommandierte die Torwächter, und Haggai war für die Packtierherden zuständig. Andere hatte Jeremias rekrutiert, weil sie jung, kräftig und muskulös waren.
Über ein paar der Dinge, die versteckt werden mußten, waren sie sich sofort einig:
die Gesetzestafeln,
die Bundeslade mit ihrem Deckel,
die goldenen Cherubim.
Aber dann entbrannte ein erbitterter Streit.

Auch wichtige Stücke mußten zurückgelassen werden, so die schweren Gegenstände wie die Menorah, *der Opferaltar, das eherne Meer, das auf zwölf wundervollen Messingtieren ruhte, und die mit Lilien und Granatäpfeln aus Messing verzierten bronzenen Säulen.*
Sie waren übereingekommen, das Tabernakel zu verstecken. Es war bereits zerlegt und transportfähig verpackt worden.
Auch die Beschläge und Zapfen des Tabernakels, die vor neunhundert Jahren von Bezalel ben Uri, dem Handwerker des Herrn, aus massivem Gold angefertigt worden waren, warteten auf den Abtransport.
Ebenso versteckt werden sollte der Brustschild des Hohenpriesters mit den zwölf Edelsteinen, von denen jeder einzelne von einem der zwölf Stämme Israels gestiftet worden war.
Die goldenen Posaunen, die einst das Volk Israel zusammengerufen hatten.
Die alten, wundervoll gewebten Wandteppiche, die am Tor der Sonne gehangen hatten.
Zwei Harfen, auf denen David gespielt hatte.
Zehntgefäße und Weihwasserbecken aus Silber.
Opferschalen aus getriebenem Gold.
Silberne und goldene Talente, die von der Kopfsteuer von einem halben Schekel jährlich, die jeder Jude zu bezahlen hatte, aufgelaufen waren.
»Lassen wir doch das Geld hier und verstecken dafür mehr von den heiligen Gegenständen«, sagte Hilak.
»Wir müssen auch Schätze in Sicherheit bringen, die nicht heilig sind«, sagte Jeremias. »Eines Tages können wir davon vielleicht ein neues Haus für den Herrn bezahlen.«
»Wir haben Goldbarren, die viele Talente wert sind«, sagte Hilak und blickte zu seinem Vater, dem Hüter der Schatzkammer.

»Was ist von den nicht geheiligten Gegenständen denn am wertvollsten?«
»Ein riesiger Edelstein«, antwortete Shimor sofort.
Hilak nickte. »Ein großer, gelber Diamant.«
»Den nehmen wir auch mit«, sagte Jeremias.
Sie saßen da, blickten sich an, und als sie an die vielen Gegenstände dachten, die sie nicht würden mitnehmen können, wurden sie trübsinnig.

An drei aufeinanderfolgenden Nächten zog Hesekiel die Tempelwachen in der Mitte der Nacht vom Neuen Tor ab. Der Haupteingang zum Heiligtum der Heiligtümer durfte nur vom Hohenpriester selbst benutzt werden, damit dieser dort am Feiertag des Yom Hakippurim *zum Wohl des Volkes Zwiesprache mit dem Allmächtigen halten konnte. Aber vom oberen Geschoß des Tempels gab es noch einen verborgenen Zugang, aus dem ab und zu Priester heruntergelassen wurden, um das Heiligtum zu reinigen und zu polieren.*
Diesen Weg wählten auch die vierzehn Verschwörer, um die Bundeslade samt ihrem Inhalt, den Tafeln mit den Zehn Geboten, die der Herr Moses auf dem Berg Sinai gegeben hatte, zu stehlen.

Ein junger Priester namens Berechia wurde an einem Seil hinabgelassen.
Baruch hielt sich bei dieser Aktion in gebührendem Abstand vom Allerheiligsten entfernt. Er stammte zwar wie die anderen aus einer Priesterfamilie, aber er war mit zwei ungleich langen Beinen geboren worden, und das hatte ihn zu einem Haya Nega *gemacht, einem Fehler Gottes. Als solcher durfte er die Heiligtümer nicht berühren, diese Ehre war den Makellosen vorbehalten.*
Trotzdem konnte, während die anderen das Seil mit Be-

rechia vorsichtig hinabließen und dieser daran, langsam schwingend wie eine riesige Spinne, in der Dunkelheit des Heiligtums verschwand, die Angst des Jungen kaum größer sein als die, welche Baruch verspürte.
Das schwache Licht, das von oben auf die am Seil baumelnde Gestalt fiel, wurde von einem Paar goldener Flügel reflektiert. Der Cherub war das erste, was Berechia die anderen nach oben ziehen ließ, und Baruch wandte seine Augen ab, denn am feierlichsten aller Tage saß der Unnennbare selbst zwischen den beiden goldenen Wächterengeln und hörte sich das Flehen des Hohenpriesters an. Dann kam der Deckel der Arche herauf. Er bestand aus massivem Gold und ließ sich nur mit Mühe hochziehen. Schließlich die Arche selbst. Und in ihr die Tafeln mit den Zehn Geboten!
Als sie schließlich Berechia wieder hochzogen, war er kreidebleich und zitterte. »Ich mußte dauernd an Uzzah denken«, keuchte er.
Baruch kannte die Geschichte. Als König David die Lade nach Jerusalem hatte bringen lassen, war einer der Ochsen, die sie getragen hatten, ins Straucheln gekommen. Uzzah, der in der Nähe gegangen war, hatte nach der heiligen Truhe gegriffen, um sie nicht herunterfallen zu lassen, und hatte damit den Herrn so erzürnt, daß dieser ihn augenblicklich niederschmetterte.
»Uzzah starb nicht deshalb, weil er die Arche berührt hatte«, sagte Jeremias, »sondern weil er daran gezweifelt hatte, daß der Herr sie beschützen würde.«
»Aber tun wir nicht das gleiche, wenn wir sie jetzt verstecken?«
»Jahwe ist es, der auch jetzt die Lade beschützt, und wir sind dabei nur seine Werkzeuge«, sagte Jeremias scharf zu dem Jungen. »Und nun komm. Unsere Arbeit hat eben erst begonnen.«

Shimor und Hilak führten sie auf direktem Weg zu den Schätzen und den anderen heiligen Dingen, auf die sie sich geeinigt hatten.
Es war Baruch, der die kupferne Schriftrolle entdeckte und vorschlug, sie mitzunehmen und auf ihr die Verstecke der Schätze festzuhalten. Kupfer war haltbarer als Pergament und ließ sich auch besser reinigen, wenn es einmal im Sinne der Riten unrein geworden war.
Ein Kamel schleppte die Lade und die Tafeln mit den Geboten fort vom Tempel Salomons, ein Esel trug den Dekkel. Wie knorrige Stöcke, die aus einer Ladung von Reisigbündeln herausragen, beulten die Flügel der Cherubim das rauhe Tuch aus, das man über sie gezogen hatte.

Baruch war in die Verschwörung eingeweiht worden, weil er ein Schreiber war. Jetzt befahl ihm Jeremias, jeden der Orte, zu denen er die dreizehn anderen Männer einen nach dem anderen schickte, um dort die heiligen Gegenstände zu verstecken, auf der Schriftrolle festzuhalten. Die Männer kannten nur die Genisot, *zu denen sie persönlich geschickt wurden, ansonsten wurde ihnen keines der Schatzverstecke verraten. Nur Baruch kannte alle Verstecke und was sie beinhalteten.*
Warum vertraute man ihm als einzigem so sehr?
Die Antwort auf diese Frage wurde Baruch erst klar, als er von einem heftigen Anfall seiner Krankheit heimgesucht wurde, bei dem der Schmerz ihm den Atem in der Brust gefrieren ließ und seine Hände zu blutleeren, blau angelaufenen Klauen wurden.
Jeremias hatte erkannt, daß Malach ha-Mavet, *der Todesengel, bereits wie eine Prophezeiung über Baruch schwebte. Sein nahender Tod war ein Teil der Verantwortung, die Baruch trug.*

Die Bukki-Priester konnten immer noch nicht einsehen, daß sich ihre Welt verändern würde, aber alle anderen konnten den Krieg förmlich nahen sehen. Holzstapel wurden auf die Stadtmauern gebracht, damit man im Falle einer Belagerung Öl erhitzen und von oben auf die Angreifer gießen konnte. Jerusalem verfügte über ausreichend Quellwasser, aber Nahrungsmittel waren knapp. Also wurde das gesamte Getreide, das sich in der Stadt befand, zusammengeholt und bewacht, und alle Viehherden wurden angesichts der drohenden Gefahr von den Behörden beschlagnahmt.
Baruch taten diejenigen leid, die diese Belagerung überleben mußten, deshalb verschwendete er auch kein Mitleid an sich selbst, obwohl ihn die Schmerzen schließlich so sehr schwächten, daß er weder die Ahle halten noch den Hammer heben konnte.
Ein anderer würde die Arbeit zu Ende bringen müssen.
Von den dreizehn anderen Männern hätte sich Abiathar, der Levit, wohl am besten zum Schreiber geeignet, aber Baruch dachte mittlerweile selbst schon so wie Jeremias, und deshalb fiel seine Wahl auf Hezekiah. Dieser fand seine neue Aufgabe beschwerlich, denn er war Soldat und kein Schreiber, aber als Anführer der Schwertkämpfer würde er zweifellos beim Kampf auf den Mauern ums Leben kommen und sein Geheimnis mit ins Grab nehmen.

An dem Morgen, an dem die Stadttore verbarrikadiert worden waren, ließ Baruch sich auf die Mauer tragen und sah, daß über Nacht der Feind gekommen war. Seine Zelte erstreckten sich wie die Steinchen eines riesigen Mosaiks bis zum Horizont.
Baruch und Hezekiah begaben sich zur Höhle und schrieben den letzten Absatz:

In der Grube unter der Sakhra, nördlich des Großen Kanals, liegt in einem Rohr, dessen Öffnung nach Norden zeigt, dieses Dokument mit einer Aufstellung und Erklärung aller versteckten Gegenstände.

Baruch wartete, bis Hezekiah den letzten Buchstaben ins Kupfer gehämmert und das Dokument zusammengerollt hatte. Draußen vor der Mauer galoppierten bereits fremde Männer mit kurzen Bärten und hohen Spitzhüten auf struppigen Ponys um die Stadt Davids.
»Und jetzt versteck die Schriftrolle«, sagte er.

2

Der Diamanten-Mann

In Harry Hopemans Büro gab es einen von einer Seite her durchsichtigen Spiegel, der es ihm erlaubte, unbeobachtet auf den gediegenen Reichtum in den Verkaufsräumen der Firma Alfred Hopeman & Sohn nebenan hinabzublicken. Wände, Teppiche und Möbel waren in sanftem Schwarz oder sattem Grau gehalten, und die Beleuchtung bestand aus klarem, weißem Licht, das der Hopeman-Kollektion ihr einzigartiges Funkeln verlieh und den ganzen Laden wie eine mit Samt ausgeschlagene Schmuckschatulle erscheinen ließ.

Harrys Besucher war ein Engländer namens Sawyer, von dem Harry wußte, daß er eben für verschiedene OPEC-Staaten Aktien von amerikanischen Firmen gekauft hatte. Es war allgemein bekannt, daß Sawyer die OPEC außer mit Aktien auch noch mit Informationen für deren schwarze Liste belieferte, auf der alle amerikanischen Firmen standen, die Geschäfte mit Israel machten.

»Einer meiner Kunden hat Interesse an einem großen Diamanten«, sagte Sawyer.

Vor acht Monaten hatte ein Kunde aus Kuwait bei Hopeman & Sohn eine Halskette bestellt, dann aber den Auftrag von einer Minute auf die andere storniert. Seitdem hatte die Firma nichts mehr in die arabischen Länder verkauft. »Ich lasse Ihnen gerne von einem meiner Angestellten etwas Passendes zeigen«, sagte Harry gedankenverloren.

»O nein. Meine Auftraggeber wollen einen ganz bestimmten Diamanten, der im Heiligen Land zum Verkauf angeboten wird.«
»Wo?«
Sawyer hob eine Hand. »In Israel. Meine Auftraggeber möchten gerne, daß Sie dorthin fliegen und den Diamanten für sie kaufen.«
»Es ist schön, wenn man gebraucht wird.«
Sawyer zuckte mit den Achseln. »Sie sind eben Harry Hopeman.«
»Und wer sind Ihre Auftraggeber?«
»Ich bin nicht befugt, das zu sagen. Sie verstehen schon.«
»Dieser Auftrag interessiert mich nicht«, sagte Harry.
»Mr. Hopeman. Es wäre ja nur eine kurze Reise, die Ihnen wichtige Türen öffnen und eine Menge Geld einbringen würde. Wir sind doch Geschäftsleute. Lassen Sie doch bitte die Politik aus ...«
»Mr. Sawyer! Wenn Ihre Auftraggeber wollen, daß ich für sie arbeite, dann müssen sie mich schon selber fragen.«
Der Besucher seufzte. »Guten Tag, Mr. Hopeman.«
»Auf Wiedersehen, Mr. Sawyer.«
Aber der Mann drehte sich noch einmal um. »Könnten Sie mir vielleicht jemanden empfehlen, der über eine ähnlich große Sachkenntnis verfügt wie Sie?«
»Würde man dann meine Firma von der Liste der boykottierten Unternehmen streichen?«
»Was für eine Liste?« fragte Sawyer verschlagen. Weil er aber ein Geschäft witterte, entfaltete sich ein zuvorkommendes Lächeln auf seinem Gesicht.
Auch Harry lächelte. »Ich fürchte, daß ich einmalig bin«, sagte er.

Am Nachmittag war die Befriedigung über den Verlauf dieser Begegnung bereits wieder verflogen.
Auf Harrys Tisch lagen Bestandsverzeichnisse und Verkaufszahlen, der ganze Papierkrieg, den er so haßte. Der Mann, der die Juwelenschleiferei in der West Forty-seventh Street leitete, und die Frau, der das elegante Schmuckgeschäft von Alfred Hopeman & Sohn in der Fifth Avenue unterstand, waren beide darauf getrimmt, ohne seine Hilfe zurechtzukommen. Dadurch konnte er sich darauf konzentrieren, den Grundbesitz der Firma zu verwalten und sich einem erlesenen Kreis von persönlichen Kunden zu widmen, der hauptsächlich aus Superreichen, die seltene Juwelen kauften, und Museumskuratoren, die an Edelsteinen von religiöser und historischer Bedeutung interessiert waren, bestand. Diese Geschäfte waren es, die den meisten Profit abwarfen, aber solche Transaktionen fanden nicht jede Woche statt. Und so mußte es eben auch Tage wie diesen geben.
Tot und leer.
Harry wählte ohne den Umweg über seine Sekretärin eine Telefonnummer.
»Hallo. Soll ich für ein Weilchen zu dir rüberkommen?«
Zögerte sie, bevor sie zustimmte?
»Schön«, sagte er.

Als er auf dem Rücken lag, die Wange an den Rand der Matratze gepreßt, sagte ihm die Frau, deren lange Haare wie ein Fächer über das Kissen gebreitet waren, daß sie umziehen wolle.
»Wohin denn?«
»In eine kleinere Wohnung. Meine eigene.«
»Aber hier ist doch deine Wohnung.«
»Ich will sie nicht mehr. Und ich will auch keine

Schecks mehr von dir, Harry.« Sie mußte ihre Stimme erheben, damit er sie durch das Geräusch aus dem Fernseher überhaupt hören konnte. Sie bestand darauf, daß jedes Mal, wenn sie sich liebten, der Fernseher lief, denn die Wände ihrer Wohnung waren zwar teuer, aber dünn. Trotz der Lautstärke war kein Ärger in ihrer Stimme.

»Was soll denn das?« wollte Harry wissen.

»Ich habe neulich etwas über Rehe gelesen. Kennst du dich mit Rehen aus, Harry?«

»Nicht die Bohne.«

»Rehe vögeln nicht in der Gegend herum. Sie tun es nur, wenn sie brünftig sind. Dann bespringt der Bock irgendein weibliches Reh, und sobald er fertig ist, haut er wieder ab.«

»Wenn er Bock drauf hat ...«

Sie lächelte nicht. »Entdeckst du da nicht eine gewisse ... Ähnlichkeit?«

»Verschwinde ich etwa auch wie der Blitz im Unterholz?«

»Harry Hopeman ist kein Tier, er ist Geschäftsmann. Er sorgt dafür, daß die Dinge in Ordnung sind, damit er sie später wieder benützen kann. *Erst dann* geht er fort.«

Harry stöhnte.

»Ich bin kein Ding, Harry.«

Er hob den Kopf. »Wenn du den Eindruck hast, daß ich dich ... *benütze*, wie erklärst du dir dann die vergangenen zwei Monate?«

»Du hast mich fasziniert«, sagte sie ruhig und sah ihn an. »Dein Haar, diese bronzene Farbe mit den rötlichen Strähnen. Und um deine Haut würden dich die meisten Frauen beneiden.«

»Dann müßten sie sich aber zweimal am Tag rasieren.«

Sie lächelte nicht. »Mir gefallen deine Raubtierzähne.

Sogar deine zerdrückte Nase, die aussieht wie die eines Footballstars.«
Harry schüttelte den Kopf. »Ein Typ hat mir draufgeschlagen. Vor langer Zeit.«
Jetzt lachte sie. »Das paßt. Du schaffst es, sogar solche kleinen Tragödien in Aktivposten zu verwandeln.« Sie fuhr mit ihren Fingerspitzen über die schwarzen Härchen auf seinem Handgelenk. »Ich brauchte bloß deine Hände ansehen, um ... Du hast perfekte Hände. Und du bewegst sie so kontrolliert. Wie oft habe ich mitten unter der Arbeit dir zugesehen, wie du eine Perle oder einen Stein ans Licht gehalten hast.« Sie lächelte. »Ich war bereit für dich, lange bevor du es wußtest. Ich dachte, ich könnte dich an Land ziehen. So jung und schon so reich. So schön auf deine schlichte Art. Ich dachte, daß deine Frau entweder den Verstand oder ihre Anziehungskraft auf dich verloren haben mußte, als sie aus eurem Haus auszog.«
Er sah sie an.
»Ich hatte vor, genau den passenden Moment abzuwarten, um den ganz großen Treffer zu landen.«
»So ein Hauptgewinn bin ich ja nun auch wieder nicht«, sagte er. »Es kam mir nie in den Sinn, daß du es wirklich so ernst gemeint hast.«
Die Finger, die früher seine Briefe getippt hatten, streichelten jetzt seine Wange. »Der passende Moment wird nie kommen. Brauchst du mich denn, Harry? Willst du mich überhaupt?«
Harry verspürte Gewissensbisse. »Hör zu«, sagte er, »mußt du uns das wirklich antun?«
Sie nickte. Nur ihre Augen verrieten sie.
»Zieh dich an und sag Lebwohl, Harry«, sagte sie fast zärtlich.

Die Forty-seventh Street zwischen der Fifth und der Sixth Avenue hatte Harry bereits fasziniert, als er noch ein junger Mann gewesen war, der, wie alle, die das Diamantengeschäft erlernen wollten, hart arbeiten mußte. Irgendwie hatte ihm diese Straße ein Gefühl der Geborgenheit gegeben. Sie war eines der reichsten Pflaster der Welt, aber Harry war die Reihe von schäbigen, schmuddeligen Geschäften immer wie ein abgerissener Einsiedler vorgekommen, der Säcke voller Geld unter seiner Matratze versteckt hatte. Es gab ein paar Ausnahmen – einen berühmten, alten Buchladen, zum Beispiel, und eine Schreibwarenhandlung. Der Rest der Straße aber gehörte der Diamantenindustrie, die hier selbstbewußter auftrat als in der Oberstadt. Hier – und an ein paar anderen, von diesem grundverschiedenen Orten – fühlte sich Harry Hopeman zu Hause.
Er ging an einem gerade dem Jünglingsalter entwachsenen Mann vorbei, der wie ein Wasserfall auf einen Mann einredete, der sein Großvater hätte sein können. Am Fenster des Ladens, vor dem die beiden standen, klebte ein zerrissener, verblichener Zettel:

Das Ansprechen
von
Passanten
zum
Zweck des Geschäftemachens
ist

PER GESETZ VERBOTEN

Lizenz Nummer
435-10.1

Komitee zur Selbstkontrolle der Juweliere

»Nein, aber ich habe etwas ganz Ähnliches«, sagte der Junge mit ernster Miene. »Und außerdem gebe ich Ihnen einen Riesenrabatt drauf.«
Harry grinste und dachte an seine eigene Lehrzeit auf diesem Gehsteig.
Die Läden hier waren buchstäblich nur Fassade. Die wirkliche Forty-seventh Street fand man in den kleinen Gruppen orthodoxer Juden, die wie Inseln im Strom der Menge auf dem Trottoir standen und in ihren langen, graubraunen Kaftans und breitkrempigen, pelzbesetzten Hüten, die sie *Streimel* nannten, wie semitische Quäker wirkten. Manche von ihnen hatten auch dunkle Filzhüte und moderne, schwarze oder dunkelblaue Anzüge an. Harry nickte denjenigen, die er kannte, grüßend zu. Manche untersuchten den Inhalt kleiner Päckchen aus verknittertem Seidenpapier, wie kleine Jungen, die Murmeln tauschten – nur daß sie mit diesen Murmeln die Ausbildung ihrer Kinder, Goldzähne, Miete, Essen und die monatliche Spende für die Synagoge, die *Schul*, finanzierten.
Ein oberflächlicher Betrachter hätte das, was diese Männer da beäugten, nicht wahrgenommen. Diamanten sind der einfachste Weg, um eine große Summe Geld auf kleinstem Raum zusammenzupressen. Die Mehrzahl der Männer waren Zwischenhändler, die die Steine – oft auf Kredit – von Importeuren wie Harrys Vater bekamen und sie dann an die Juweliere weiterverkauften. Die meisten von diesen Zwischenhändlern hatten keine Verkaufsräume, ja oft nicht einmal ein Büro. Bei schlechtem Wetter machten sie ihre Geschäfte statt auf der Straße bei einer Tasse Kaffee oder in den Gängen und im Schauraum des *Diamond Dealers Club*, wo auch viele ihre Schätze über Nacht im Tresorraum einschlossen.

Manche von diesen Händlern brachten es irgendwann zu einem winzigen Büro im Straßengewirr beiderseits der Forty-seventh Street. Nur wenige kamen noch weiter nach oben. Ein paar der wirklich reichen Männer Amerikas hatten als einer dieser kleinen Diamantenhändler begonnen, die ihre Geschäfte auf dem Gehsteig abwickelten, ihr Büro in der Tasche mit sich herumtrugen und auf Jiddisch verhandelten, bis schließlich statt eines Vertrags ein Handschlag das Geschäft besiegelte.

Harry ging die Fifth Avenue hinauf in die Gegend, in der der mehr offizielle Diamantenhandel zu Hause war, und bewunderte im Schaufenster von Tiffany & Co. kurz einen wunderschönen, als Brosche gefaßten weißen Solitär, der gut und gerne seine 58 Karat hatte. Es war ein beeindruckender Stein, aber kein Diamant, um den sich Legenden ranken konnten. Harry aber handelte mit genau diesen Legenden.

Er genoß jeden Blick, auch wenn er noch so flüchtig sein mochte, den er von einem der wenigen sagenumwobenen Steine erhaschen konnte. Schon in seiner Kindheit hatte er all die Geschichten über die Halskette der Queen, den *Großmogul*, den *Orloff*, den *Stern von Afrika* und das *Auge des Brahma* begierig aufgesogen. Die meisten dieser berühmten Diamanten waren für immer in tiefen Tresorgewölben weggeschlossen und in diesem Jahrhundert nur ganz wenigen Menschen zu Gesicht gekommen, aber die Männer, die sich am Sonntag vormittag zu einer Tasse schwarzen Tee in der Wohnung von Harrys Vater trafen, sprachen ganz vertraut von ihnen, so, wie ihre Väter es ihnen erzählt hatten.

Manche der alten Diamantenhändlerfamilien erinnerten Harry an die Waldmurmeltiere, die an den Ufern des Hudson gediehen. Die Familien wuchsen, und wenn es zu Hause zu eng wurde, suchten sich die Jungen, ganz wie bei den Murmeltieren, ein neues Revier, und so kam es, daß französische, englische, deutsche, italienische, holländische und belgische Zweige derselben Familie zur gleichen Zeit das Juweliergeschäft betrieben.

Ein paar Diamantenhändler können ihre Familie viele Generationen zurückverfolgen, was in einer Zeit, in der die meisten Menschen nicht einmal mehr etwas von ihren Urgroßeltern wissen, recht beachtlich ist. Von solchen Leuten sagt man auf Jiddisch, sie hätten *Yikhus Avot*, eine hohe Abstammung. Alfred Hopeman, Harrys Vater, sagte immer voller Stolz, daß er ein Nachfahre von Lodewyk van Berken sei.

Bis zum Auftreten dieses jüdischen Edelsteinschleifers aus Brügge war es einem glücklichen Zufall der Natur zu verdanken gewesen, wenn ein Diamant geglitzert hatte; polieren hatte man sie damals nur durch das Aneinanderreiben von zwei Steinen können. Van Berken hatte Mathematik studiert und klügelte 1467 eine präzise Anordnung von Facetten aus, die er mit Hilfe einer sich schnell drehenden, mit einer Mischung aus Diamantenstaub und Olivenöl beschichteten Scheibe in die Steine schliff. Mit dieser Methode, die er fortan als ein Familiengeheimnis hütete, war es ihm möglich, jeden Diamanten so zu schleifen, daß er sein ganz spezielles Feuer offenbarte. Van Berkens Nachkommen wurden aufgrund der von ihm weitergegebenen Kunst zu den Begründern der holländischen und der belgischen Diamantenindustrie und den führenden Juwelenlieferanten vieler europäischer Höfe. Einer von ihnen hatte einen Stein geschliffen, der später als der *Diamant der Inquisition* Berühmtheit erlangen sollte,

und zwar im Tausch gegen das Leben eines spanischen Vetters, der andernfalls als Ketzer verbrannt worden wäre.
Diese und ähnliche Geschichten hörte der junge Harry in einem Alter, in dem anderen Kindern Märchen erzählt wurden.
In den Sommerferien seines zweiten Jahres auf der *Columbia University* kam Harry zum ersten Mal nach Europa. In Antwerpen, wo die Diamantenindustrie bis heute einer der wichtigsten Wirtschaftsfaktoren ist, fand er damals ein Denkmal von Lodewyk van Berken, das den Meister in dem für seinen Beruf typischen Lederwams darstellte. Er hatte den linken Arm in die Hüfte gestützt und betrachtete aufmerksam einen Diamanten, den er sich mit rechtem Daumen und Zeigefinger vors Auge hielt.
Harry konnte in den hausbackenen Gesichtszügen der Statue nur wenig Familienähnlichkeit erkennen, aber er mußte daran denken, wie ihm sein Vater Van Berkens Methode zum Edelsteinschleifen, die sich in den vergangenen fast fünfhundert Jahren so gut wie nicht verändert hatte, beigebracht hatte. Alfred Hopeman hatte diese Methode wiederum von seinem Vater gelernt, ebenso wie unzählige Generationen vor ihm, die von Lodewyck van Bergen abstammten.
»Bist du wirklich mit dem verwandt?« fragte das Mädchen, mit dem er damals für ein paar Tage unterwegs gewesen war.
Sie war eine kühle Blondine, die Enkelin eines Bischofs der Episkopalkirche. Sie hielt Juden für etwas aufregend Exotisches, und Harry hatte von dieser Auffassung profitiert.
»Das sagt jedenfalls mein Vater.«
»Dann mach uns bitte miteinander bekannt.«

Mit feierlicher Förmlichkeit stellte Harry das Mädchen der Statue vor.
Eine Woche später, als sie sich in Polen das Konzentrationslager in Auschwitz ansahen, wo die tschechischen Verwandten seines Vaters umgebracht worden waren, war Harry überwältigt von Trauer und Schmerz über diese toten Juden, die sein eigen Fleisch und Blut gewesen waren, und das kühle, blonde Mädchen war zu Harrys Überraschung so tief ergriffen, daß es fast hysterisch wurde. Ein paar Tage vorher, in Antwerpen, hatte sie noch ein Geschichtsverständnis wie ein Fernsehkomiker gehabt. »Komisch, der sieht nicht jüdisch aus«, hatte sie mit einem Blick auf das Denkmal gesagt.

Als Harry zurück in sein Büro kam, waren einige Anrufe für ihn eingegangen. Zuerst rief er bei einer Nummer in Kalifornien zurück.
»Harry? ›Mit Gott für Harry, England und den heiligen Georg!‹«
Die Stimme, die sonst Millionen von Menschen begeisterte, war ein undeutliches Genuschel. Der Schauspieler war einer der leidenschaftlichsten Diamantensammler der Welt. Momentan allerdings befand er sich in einer von den Medien hämisch kommentierten Persönlichkeitskrise.
»Was gibt es, Charles?«
»Harry, Sie müssen mir helfen. Ich brauche wieder mal einen Stein.«
Harry fragte sich, was es wohl diesmal sein sollte: Ein Versöhnungsgeschenk an eine laufende oder ein Pflichtgeschenk an eine vorübergehende Affäre? »Soll es etwas Großes sein, Charles? Oder eher etwas Nettes, Kleines?«
Der Schauspieler verstand sofort, worauf Harry hinaus-

wollte. »Groß soll er sein, Harry. Und außergewöhnlich obendrein. Ich brauche etwas wirklich Beeindruckendes.«
Also ein Versöhnungsgeschenk. »Das höre ich gerne, Charles. Aber so einen Stein kann man nicht von heute auf morgen besorgen. Wie eilig ist es denn?«
»Sie ist grade nach Spanien geflogen. Wir haben also ein wenig Zeit.«
»Wunderbar. Und, Charles ...« Harry zögerte. »Ich freue mich für Sie.«
»Vielen Dank, Harry. Sie sind ein wahrer Freund.«
Als nächstes rief Harry eine Frau aus Detroit an, die schon seit einiger Zeit versuchte, ihren Ehemann davon zu überzeugen, einen Teil ihres gemeinsamen Kapitals in einen blauweißen Diamanten von 38,26 Karat anzulegen.
»Und Sie halten das nach wie vor für eine gute Investition?« wollte die Frau von Harry wissen.
»In den vergangenen fünf Jahren hat sich der Wert solcher Steine praktisch verdreifacht.«
»Dann schätze ich, daß ich meinen Mann herumbekommen kann«, sagte sie.
Harry war sich da nicht so sicher.
Als er dreiundzwanzig Jahre alt war, hatte er einmal einen großen weißen Diamanten aus Indien als Kommissionsware verkaufen können. Der Händler, der ihm den Stein ohne Hinterlegung von Sicherheiten anvertraut hatte, hatte das nur getan, weil er ein langjähriger Bekannter von Harrys Vater war. Es hatte keine zwei Wochen gedauert, bis er den Diamanten einer Ölmillionärin, der Mutter einer Kommilitonin aus Tulsa, Oklahoma, verkauft hatte. Bei diesem, seinem ersten erfolgreichen Diamantenhandel hatte Harry eine fast sexuelle Erregung verspürt. Aber das Gefühl, das Harry

zunächst für eine körperliche Empfindung gehalten hatte, war nichts anderes als das Prickeln seiner Intuition gewesen, das er damals zum erstenmal präzise und intensiv verspürt hatte.
Als jetzt dieses innere Radar nicht anschlug, hatte Harry den starken Verdacht, daß die Frau aus Detroit wohl eher nicht seine Kundin werden würde.
»Drängen Sie Ihren Gatten nicht, Mrs. Nelson. Einen so großen Stein kauft man nicht auf die Schnelle. Er wird Ihnen schon nicht weglaufen.«
Sie seufzte. »Ich melde mich wieder bei Ihnen.«
»Tun Sie das.«
Der nächste Anruf ging an Saul Netscher bei *S.N. Netscher & Co., Import und Export von Industriediamanten.*
»Harry, ein Mann namens Herzl Akiva würde sich gerne mit dir treffen.«
»Herzl Akiva?« Harry blätterte durch die Gesprächsnotizen und fand diejenige, nach der er suchte. »Ja, der hat bereits hier im Büro angerufen. Der Name klingt israelisch.« Harry schwante nichts Gutes. Netscher war der beste Freund seines Vaters und ein hartnäckiger Spendeneintreiber für die Sache des Staates Israel.
»Er ist im New Yorker Büro einer Textilfirma. Schau doch mal bei ihm vorbei.«
Textilfirma? Harry war erstaunt. »Natürlich werde ich das, wenn ich dir damit einen Gefallen tun kann.«
»Danke. Und wann sehen wir uns wieder einmal?«
»Laß uns zusammen zu Mittag essen. Ende der Woche vielleicht? Halt, das geht bei mir nicht. Anfang nächster Woche wäre besser.«
»Wann du willst. Du kennst ja meine Einstellung. Ich überlasse deinem Vater die Kopfschmerzen bei deiner Erziehung und heimse bloß die Freuden ein.«

Harry lächelte. Er hatte Saul sehr gerne, aber manchmal war es auch von Nachteil, zusätzlich zu einem leiblichen Vater noch einen anderen alten Mann zu haben, der Ansprüche an einen stellte. »Ich ruf dich an.«
»Okay. Bleib gesund, mein Junge.«
»Du auch, Saul.«
Aus einem Impuls heraus rief Harry als nächstes seine Frau an, obwohl von ihr keine Nachricht vorlag.
»Della?«
»Harry?« Ihre Stimme klang wie immer warm und lebendig. Aber er war lange genug mit ihr verheiratet, um nicht zu hören, wie sie kaum hörbar schnaufte. »Wie geht es dir?«
»Mir geht es gut. Ich wollte nur wissen ob du ... etwas brauchst.«
»Ich glaube nicht, Harry. Aber es ist lieb, daß du dir Gedanken machst. Ich bin am Dienstag zu Jeff ins Internat gefahren und habe ihn besucht«, sagte sie. »Das Wochenende mit dir hat ihm gut gefallen.«
»Ich war mir nicht ganz sicher, weil ich am Sonntag arbeiten mußte.«
»O Harry«, sagte sie matt. »Es war doch schon schlimm genug für Jeff, daß wir ihn wegen deiner ... Situation ein Jahr früher aufs Internat schicken mußten. Diese Trennung hat ihn am meisten von uns allen mitgenommen.«
»Das weiß ich. Aber Jeff ist in Ordnung.«
»Das hoffe ich. Ich bin froh, daß du angerufen hast«, sagte sie. »Können wir heute abend zusammen essen? Wir sollten ein paar Dinge wegen Jeffs *Bar-Mizwa* besprechen.«
»Wegen der *Bar-Mizwa*? Du meine Güte, bis zu seiner *Bar-Mizwa* ist es doch noch Monate hin.«
»Harry, solche Sachen muß man Monate im voraus or-

ganisieren. Würdest du lieber morgen abend mit mir essen?«
»Morgen bin ich zum Abendessen bei meinem Vater. Aber ich könnte ihn ja anrufen und ...«
»Tu das bitte nicht«, sagte sie rasch. »Aber grüße ihn ganz herzlich von mir, tust du das?«
»Das werde ich. Und über Jeffs *Bar-Mizwa* sprechen wir bald einmal.«
»Danke, daß du angerufen hast. Das meine ich ernst.«
»Auf Wiedersehen, Della.«
»Bis bald, Harry«, sagte sie mit ihrer klaren Stimme.

Der Lamborghini, den Harry selber fuhr, war gerade in einer Werkstatt in East Nyack zur Inspektion, und so kam Sid Lawrenson, Harrys Mädchen für alles, herein nach Manhattan und holte ihn mit dem zweiten Wagen, einem drei Jahre alten Chrysler, ab. Lawrenson fuhr, so schnell er konnte, durch die verhaßte Stadt nach Norden, bis schließlich der Verkehr immer dünner wurde und sie im Westchester County waren. Hier bogen sie auf einer Nebenstraße in eine elegante, überteuerte Wohngegend ab, deren Häuser auf sanften Hügeln zwischen alten Lorbeerbäumen und Rhododendronbüschen standen. An einem Torhaus vorbei fuhren sie eine serpentinenförmig gewundene Auffahrt hinauf, die von einem kleinen Wäldchen aus hohen Eichen, Platanen und Nadelbäumen vor neugierigen Blicken von der Straße her verborgen wurde.
Die Hälfte des herrschaftlichen Wohnhauses war Anfang des 18. Jahrhunderts vom Nachkommen eines Mitglieds der holländischen westindischen Kompanie erbaut worden; die andere Hälfte hatte man mehr als ein Jahrhundert später hinzugefügt, aber so geschickt, daß man kaum sagen konnte, wo der eine Teil des hüb-

schen Kolonialgebäudes endete und der andere begann.
»Ich brauche Sie heute abend nicht mehr, Sidney«, sagte Harry, als er aus dem Wagen stieg.
»Sind Sie ... äh ... sicher, Mr. Hopeman?«
Harry nickte. Lawrensons Frau Ruth, die im Hopemanschen Haus als Haushälterin fungierte, hatte einen ziemlich beherrschenden Charakter, und so vermutete Harry schon seit längerer Zeit, daß sich Sidney irgendwo, vielleicht sogar im nahegelegenen Dorf, eine etwas weniger kratzbürstige Freundin hielt.
»Dann werde ich ein paar Besorgungen machen.«
»Viel Spaß dabei.«
Harry zog sich um und aß in Jeans und Pullover das Abendessen, das Ruth gekocht hatte. Nach der Trennung der Hopemans hatte die mürrische Haushälterin, die Della geliebt, Harry aber lediglich gemocht hatte, keinen Zweifel daran gelassen, für wen sie und ihr Ehemann lieber gearbeitet hätten. Aber Della war in eine kleine Wohnung in der Stadt gezogen, wo sie nur noch zweimal die Woche eine Putzfrau brauchte, und so waren die Lawrensons im Haus geblieben, und Harry – ebenso wie Sidney, dachte er mit plötzlichem Amüsement – hatte allen Grund, dafür dankbar zu sein.
Nach dem Essen ging er in sein gemütliches, vollgestopftes Arbeitszimmer im ersten Stock. In einer Ecke stand ein Arbeitstisch zum Edelsteinschleifen, auf dem sich neben Sägen, Feilen und einer Poliermaschine auch einige Bergkristalle und Halbedelsteine in verschiedenen Stadien des Schliffs befanden. Der Rest des Raumes war eher ein Studierzimmer als eine Werkstatt. Auf einem Tisch stapelten sich mit handschriftlichen Kommentaren versehene Bücher und Manuskriptseiten, und in den Regalen befand sich eine merkwürdige Sammlung unterschiedlichster Zeitschriften – BIBLISCHE

Archäologie, Edelsteine und Mineralien, Oriens Antiquus, das Journal für den Edelsteinschleifer, das Archiv der Israelischen Forschungsgesellschaft und die Zeitschrift der Deutschen Morgenländischen Gesellschaft.
Die Nacht versprach für eine Frühlingsnacht sehr mild zu werden, und so öffnete Harry das Fenster, um die vom Fluß heraufwehende Brise hereinzulassen, bevor er sich an den Tisch setzte und zu arbeiten begann. Heute abend wollte er noch die Recherchen für einen Zeitschriftenartikel mit dem Titel: »*Kaiserlich-russische Juwelen von der Kasan-Krone Iwans bis zum edelsteinbesetzten Brustharnisch von Michail Feodorowitsch Romanow*« zu Ende bringen. Immer wenn Harry sich mit dieser Epoche beschäftigte, wußte er es besonders zu schätzen, daß er als freier Mann im Amerika des zwanzigsten Jahrhunderts lebte, Hunderte von Jahren nachdem jene slawischen Juwelenliebhaber, die sogar ihre Pantoffeln mit kostbaren Steinen versahen, sich ihren kaiserlichen Prunk mit dem Blut von Millionen ihrer Untertanen erkauft hatten. Er las schnell, machte sich auf kleinen Karteikarten in seiner sauberen, wenn auch ein wenig verkrampften Handschrift Notizen und war zum erstenmal an diesem Tag glücklich.

Ein paar Stunden später klopfte es an der Tür.
»Es ist jemand für Sie am Telefon«, sagte Ruth Lawrenson.
»Worum geht's denn?« Normalerweise störte sie ihn nie bei der Arbeit.
»Ich weiß es nicht. Es ist ein Mann namens Akiva dran, der sagt, es sei sehr wichtig.«
»Sagen Sie ihm, er soll mich morgen anrufen. Im Büro.«
»Das habe ich schon. Er besteht darauf, daß es dringend sei.«

Harry ging zum Telefon und sagte ziemlich knapp: »Hallo?«
»Mr. Hopeman? Ich glaube, Mr. Saul Netscher hat Ihnen von mir erzählt.«
Die Stimme hatte einen Akzent, den Harry normalerweise mochte. Sie klang wie die eines Mannes, der Englisch als zweite Sprache bei den Briten gelernt hatte. »Ja. Aber im Moment bin ich leider sehr beschäftigt.«
»Ich bitte Sie aufrichtig um Entschuldigung für die Störung. Aber ich muß mich in einer höchst wichtigen Angelegenheit mit Ihnen treffen.«
»Geht es um etwas Geschäftliches, Mr. Akiva?«
»Das könnte man sagen, Mr. Hopeman.« Er zögerte. »Aber es geht außerdem um noch viel mehr.«
»Dann kommen Sie bitte morgen vormittag in mein Büro.«
»Das wäre höchst unklug. Könnten wir uns nicht woanders treffen?« Die Stimme hielt inne. »Ich müßte übrigens auch dringend mit Ihrem Vater sprechen.«
Harry seufzte. »Mein Vater hat sich praktisch zur Ruhe gesetzt.«
»Bitte, haben Sie ein wenig Geduld mit mir. Sie werden alles verstehen, wenn wir uns getroffen haben.«
Harry spürte, wie sein inneres Radar ganz leicht anschlug.
»Ich werde morgen abend in der Wohnung meines Vaters in der East Sixty-third Street Nummer 725 sein. Könnten Sie um acht Uhr dort hinkommen?«
»Das paßt mir wunderbar, Mr. Hopeman. *Shalom.*«
»*Shalom,* Mr. Akiva«, sagte er.

Das Telefon weckte Harry um vier Uhr morgens. Als er abhob, hörte er ein Rauschen und zweisprachiges Wortgewirr.

»*Pronto?* Mr. Hopeman?«
»Hallo? Hallo?«
»Mr. Hopeman?«
»Ja. Wer, zum Teufel, spricht dort?«
»Bernardino Pesenti. Kardinal Pesenti.«
Bernardino Kardinal Pesenti war der Verwalter der Vatikanischen Kunstsammlungen. In seiner Obhut befanden sich neben unzähligen Gemälden und Statuen auch die vielen unbezahlbaren Antiquitäten des Vatikans – juwelenbesetzte Kreuze, byzantinisches Geschmeide, Altarbilder, Opferkelche und Taufschalen. Auf Kardinal Pesentis Vermittlung hin war es Harry vor ein paar Jahren gelungen, die Edelsteinkrone der Madonna von Tschenstochau käuflich zu erwerben. Er hatte damit der Erzdiözese von Warschau eine Erleichterung ihrer drückenden Schuldenlast und der Firma Alfred Hopeman & Son ein funkelndes Kleinod für ihre schwarzgraue Schmuckschatulle verschafft.
»Wie geht es Ihnen, Eminenz?«
»Meine Gesundheit erlaubt es mir, dem Heiligen Vater weiterhin zur Hand zu gehen. Und wie ist Ihr wertes Befinden, Mr. Hopeman?«
»Ausgezeichnet, Eminenz. Kann ich irgend etwas für Sie tun?«
»Das können Sie in der Tat. Haben Sie vielleicht in naher Zukunft einmal vor, nach Rom zu kommen?«
»Das plane ich eigentlich nicht. Aber ich kann es mir natürlich jederzeit einrichten.«
»Wir würden Sie gerne zu unserem Repräsentanten machen.«
»Bei einem Ankauf?« Die Kirche bekam ihre Schätze normalerweise vererbt. Ab und zu verkaufte sie einen Edelstein, aber Harry hatte noch nie erlebt, daß sie etwas käuflich erwerben wollte.

»Bei der Wiederbeschaffung eines gestohlenen Gegenstands.«
»Handelt es sich dabei um einen Edelstein oder um eine Antiquität, Eminenz?«
»Es geht um einen Diamanten, der im Heiligen Land zum Verkauf angeboten wird.« Kardinal Pesenti hielt inne. »Es ist *Das Auge Alexanders*, Mr. Hopeman.«
»Ist es wieder aufgetaucht?« Der Stein wurde seit Jahrzehnten, als man ihn aus dem Museum des Vatikans gestohlen hatte, vermißt. Sofort war Harrys Interesse geweckt. »Meine Familie hat viel mit diesem Stein zu tun gehabt.«
»Dessen sind wir uns bewußt. Einer Ihrer Vorfahren hat den Stein geschliffen, und ein anderer hat ihn als Teil der Tiara von Papst Gregor für die Heilige Mutter Kirche gefaßt. Ihr Vater selbst hat vor Jahren die Tiara und den Diamanten gereinigt. Und jetzt wären wir Ihnen dankbar, wenn Ihre Familie uns abermals zu Diensten sein könnte. Bringen Sie als unser Bevollmächtigter den Stein dorthin zurück, wo er hingehört.«
»Darüber muß ich erst nachdenken«, sagte Harry.
Es gab eine kurze, ungeduldige Pause. »Nun gut«, sagte Bernardino Pesenti schließlich. »Sie sollten hierherkommen und die Sache mit uns besprechen. In Rom ist es im Moment herrlich warm. Wie ist das Wetter in New York?«
»Ich weiß nicht. Draußen ist es stockfinster.«
»Ach, du meine Güte«, sagte der Kardinal schließlich.
Harry lachte.
»Daran denke ich nie«, sagte Kardinal Pesenti. »Ich hoffe, daß Sie schnell wieder einschlafen können.«
»*Prego*«, sagte Harry. »Ich werde Sie in ein oder zwei Tagen anrufen. Auf Wiedersehen, Eminenz.«
»*Buona notte*, Mr. Hopeman.«

Harry stand auf und legte den Hörer wieder auf die Gabel. Das Prickeln seiner Intuition war jetzt so stark, daß er es fast hören konnte. Er setzte sich auf die Bettkante und wartete darauf, daß es nachließ und er in Ruhe darüber nachdenken konnte, was eigentlich los war.

3

Die Verabredung

Seitdem Harry sich bewußt war, daß er die stillen Freuden eines Gelehrten ebenso liebte wie den Trubel und den Verdienst eines Geschäftsmannes, war er sich ebenfalls darüber im klaren, daß er nur mit außerordentlicher Selbstdisziplin diese beiden Berufungen davon abhalten konnte, sich gegenseitig aufzufressen. Trotzdem begrüßte der Gelehrte in ihm immer wieder, ohne zu zögern, dankbar das Geschenk eines freien Tages, und so war er glücklich, als er aus seinem Büro erfuhr, daß heute sein Kalender ohne Termine war. Nach dem Frühstück ging er ins Arbeitszimmer und schrieb den Artikel über die russischen Juwelen, wobei er sich auf die Notizen vom Vorabend stützte. Er überarbeitete den Artikel mehrmals und las ihn, während er beim Mittagessen saß, das Ruth Lawrenson ihm auf einem Tablett hereingebracht hatte, noch ein letztes Mal durch, bevor er ihn am Nachmittag in einen an die SLAVIK REVIEW adressierten Umschlag steckte.

Danach zog Harry Trainingsanzug und Joggingschuhe an und ging durch den Obstgarten und den Wald zum Fluß, wo sich ein schmaler Pfad am Ufer entlangschlängelte. Hier begann Harry zu joggen, wobei er ab und zu den Hudson durch Gebüsch und Bäume blitzen sah. Seit mehr als dreieinhalb Jahren lief er nun fast täglich diese Strecke, zwei Meilen flußabwärts und dann wieder zurück, über das Land eines halben Dutzend von

Nachbarn. Nur selten traf er dabei einen Menschen, und auch heute begegnete ihm niemand. Auf dem Rückweg forcierte er das Tempo, und als sein Haus wieder ins Blickfeld kam, war er in vollem Lauf und kämpfte gegen die Luft an, als strömte sie ihm entgegen wie der Fluß. Als er durch den Obstgarten rannte, schreckte er ein Reh auf, das sich dort an den jungen Blättern gütlich getan hatte. Es sprang zur Seite davon, wobei sein weißer Schwanz kurz aufblitzte, und Harry verschwendete Sauerstoff, weil er lachen mußte. Jetzt wußte er schon wieder mehr über Rehe: Sie fraßen Apfelbäume. Sein Sohn Jeff wollte immer ein Jagdgewehr, aber das würde er nur über Harrys Leiche bekommen.

»Hau ab, du verdammter Wüstling!« rief er dem Rehbock hinterher.

Während Harry schwitzend durchs Haus ging, kam ihm in den Sinn, daß das Reh ja nicht unbedingt ein Bock gewesen sein mußte. Sein fröhliches Gelächter handelte ihm einen mißbilligenden Blick von Ruth Lawrenson ein, die es unpassend fand, wenn sich jemand mit gebrochenem Herzen so offensichtlich amüsierte.

Sein Vater trug einen dunkelblauen Blazer aus englischem Kammgarn, ein maßgeschneidertes Seidenhemd, dessen weiße Farbe ein Tribut an Alfred Hopemans Alter war, eine seidene Krawatte in Braun mit einem Paisley-Muster in gedämpftem Blau, hellgraue Hosen und leichte Sommerschuhe aus schwarzem Leder, das matt, aber nicht aufdringlich glänzte. Alfred Hopeman war auf eine dezente, natürliche Art perfekt gekleidet, so, wie es normalerweise nur Europäer sind. Sein guter Geschmack war noch ein Überbleibsel aus der Zeit, als er Besitzer der Firma Hauptmann, eines der damals be-

kanntesten Diamantengeschäfte in Berlin, gewesen war. Als er Deutschland 1931 verlassen hatte, hatte er außer dem feinen Anzug, den er am Leibe getragen hatte, nicht viel Gepäck bei sich gehabt. So war eine seiner ersten Aufgaben, deren er sich in New York gewidmet hatte, die Suche nach einem guten Schneider gewesen. Damals war die Entführung und Ermordung des Lindbergh-Babys noch in aller Munde und die Exekution des mutmaßlichen Täters Bruno Hauptmann noch jedermann frisch im Gedächtnis gewesen, und Harrys Vater hatte jedes Mal, wenn er es sich vorgestellt hatte, gemeint, den Stromstoß eines kleinen elektrischen Stuhls durch das Gesicht seines Gegenübers zucken sehen zu können. Und so hatte er auf seiner Einbürgerungsurkunde seinen Nachnamen in Hopeman geändert.
In der Forty-seventh Street war es ungehobelter und lauter zugegangen als in der Leipziger Straße in Berlin, aber trotz seines maßgeschneiderten Anzugs hatte Alfred sich dort auf Anhieb wohl gefühlt. Die Ereignisse seines bisherigen Lebens hatten es ihm auf eine Weise, die er vorher nie für möglich gehalten hatte, unmißverständlich klargemacht, daß er ein Jude war, und so hatte ihm die jüdische Atmosphäre in New Yorks Diamantenviertel auf Anhieb gefallen. Vier Jahre lang hatte er für andere gearbeitet, sein Geld zusammengehalten und darauf gewartet, daß er sich in einem günstigen Augenblick auf die eigenen Füße stellen konnte. Danach hatte er weitere acht Jahre auf der Forty-seventh Street Diamanten geschliffen, poliert, gekauft und verkauft. Obwohl die neue Firma nie dieselbe Bedeutung erlangt hatte wie sein elegantes Geschäft in Deutschland, war sie trotzdem recht gut gelaufen, bis eines Tages das Schicksal an seine Tür geklopft und sein ganzes Leben verändert hatte.

Die *De Beers Consolidated Mines Ltd.* kontrolliert fünfundneunzig Prozent aller Edelsteine, die jährlich auf der Welt geschürft werden. Nur wenige Leute bei De Beers wissen, wie groß die riesigen Reserven der Firma sind, von denen nur ein winziger Bruchteil auf den Markt gebracht wird, um die Preise für Diamanten stabil zu halten. Zehnmal im Jahr tritt in einem achtstöckigen Bürohaus an der Londoner Fleet Street die zentrale Verkaufsorganisation von De Beers, im Volksmund »das Syndikat« genannt, zusammen und verteilt einen großen Haufen Rohdiamanten sorgfältig in zweihundertfünfzig kleinere Häufchen, die in etwa alle dieselbe Menge von Diamanten vergleichbarer Größe und Qualität enthalten und für die sogenannten »Zweihundertfünfzig«, die weltweite Elite der Diamantenhändler, bestimmt sind. Diese bevorzugten Händler haben zwar die Möglichkeit, sich ihre Steine persönlich bei einem »Sichtung« genannten Termin abzuholen, weil aber dort jegliches Handeln und Feilschen verpönt ist und erwartet wird, daß jeder ohne Diskussion die ihm zugeteilten Diamanten entgegennimmt, bleiben viele gleich zu Hause und lassen sich die Steine mit der Post schicken. Vor jedem »sight«-Termin und dem anschließenden Verschicken der Diamanten muß jeder der zweihundert Händler eine Million Dollar Vorschuß an De Beers bezahlen. Meistens liegt dann in dem Kistchen, das er erhält, neben den Steinen auch ein Scheck, denn die Lieferung enthält immer ungeschliffene Rohdiamanten in einem Wert von nicht weniger als einer viertel, aber auch nicht mehr als einer Million Dollar.
Neue Mitglieder gelangen nur dann auf die Liste dieser auserwählten Bruderschaft, wenn einer der Namen wegen Tod oder schwerer Krankheit gestrichen werden muß. Alfred Hopeman hatte nicht die geringste Ahnung

gehabt, daß man ihn für die Aufnahme in den erlauchten Kreis der Zweihundertfünfzig für würdig befinden würde. Und so wich seine anfängliche Freude darüber rasch der bangen Sorge, ob er auch das nötige Kapital für die erste Lieferung aufbringen könne. Glücklicherweise war allein die Tatsache, daß sein Name auf der De-Beers-Liste stand, Sicherheit genug, um einen Kredit in beliebiger Höhe zu erhalten. Die ersten sechs Kistchen mit Rohdiamanten verkaufte er, ohne überhaupt die Siegel geöffnet zu haben, an Großhändler zu einem Betrag, der im Schnitt siebzehn Prozent über dem Preis lag, den er an De Beers hatte zahlen müssen. Nach achtzehn Monaten hatte er alle seine Schulden zurückbezahlt.

Als Harry den neuen, eleganten Laden von Alfred Hopeman & Son in der Fifth Avenue eröffnete, leitete er bereits die Diamantenschleiferei in der Forty-seventh Street, und sein Vater schickte die aus London ankommenden Kistchen direkt an ihn. Das verschaffte Harry einen enormen Vorteil. Er zahlte Alfred den ihm zustehenden Profit, suchte sich die schönsten Steine aus der Lieferung heraus, um sie im eigenen Betrieb schleifen zu lassen, und verkaufte den Rest an Großhändler in der ganzen Welt. Diese Regelung machte Harrys Vater zu einem sehr wohlhabenden Privatier.

»Wollt ihr Männer jetzt euren Tee haben?« rief Essie.

»Das Mittagessen war so gut, daß ich noch völlig satt bin.« Die Kochkünste seiner Stiefmutter waren eines der wenigen Themen, über die Harry sich mit ihr unterhalten konnte. Seine Mutter war gestorben, als er neun Jahre alt war, und während seiner Jugend hatte Harry eine ganze Reihe von Frauenbekanntschaften seines Vaters miterlebt. Einige von ihnen waren schöne Frauen gewesen, aber dennoch hatte sein Vater im Alter die

hausbackenste, langweiligste, häßlichste Hausfrau geheiratet, die man sich nur vorstellen konnte.
Und er hatte noch nie zuvor einen so zufriedenen Eindruck gemacht, das mußte selbst Harry zugeben.
»Wann erwartet ihr denn diesen Mann?« wollte Essie wissen.
»So gegen acht.«
»Dann sage ich am besten dem Portier Bescheid. Seit es diese Einbrüche hier gab, paßt er besonders auf, Gott sei Dank.«
»Der Name unseres Besuchers ist Herzl Akiva. Ist bei euch denn eingebrochen worden?«
»Mr. Akiva«, wiederholte sie und hob das Telefon ab. »Nicht bei uns, bei Nachbarn.«
»Hier im Haus?« Harry sah seinen Vater an.
Alfred zuckte mit den Achseln.
Als Harry elf gewesen war, hatten seine rissigen Finger in einem Töpfchen mit Vaseline, das sein Vater in der unteren rechten Schreibtischschublade aufbewahrte, einen merkwürdigen, harten Klumpen gespürt. Direkt unter der Oberfläche des Petroleumgelees hatte er einen enorm großen, protzigen Klunker entdeckt, der zu zwei Dritteln mit Goldfarbe angestrichen gewesen war, was ihm das Aussehen einer aufgeblähten Münze verliehen hatte. Unter diesem Stein waren sechs kleine, gelbe Diamanten versteckt. Von Harry darauf angesprochen, hatte Alfred erklärt, daß der große Stein eine Imitation sei, ein Glücksbringer, den ihm sein eigener Vater einmal geschenkt habe. Er steckte in der Vaseline, hatte Alfred gesagt, um einem Dieb zu suggerieren, daß in dem Töpfchen nur wertloser Tand sei; dabei waren die sechs Diamanten, trotz ihrer geringen Größe, von ausgezeichneter Qualität und eine Menge Geld wert. Harry hatte es damals kaum glauben können, daß in

diesem Töpfchen, das er schon so oft auf der Suche nach Gummibändern, Heftklammern und anderen wertvollen Dingen achtlos zur Seite gestoßen hatte, ein so wertvoller Inhalt schlummerte.
»Warum hebst du denn die Diamanten ausgerechnet dort auf?« hatte er seinen Vater gefragt.
»Kümmer dich nicht drum.«
Aber Harry hatte nicht nachgegeben und schließlich erfahren, daß auf ähnliche Weise versteckte Juwelen vor Jahren Alfreds Flucht aus Deutschland ermöglicht hatten. »Diese Bestien in ihren braunen Hemden. Ich hoffe, die Pest hat sie dafür geholt, daß sie meinen Laden ausgeraubt haben.«
Harry hatte seinen Vater angestarrt und die Gegenwart der Nazis direkt gespürt.
»Und laß die Finger von meinem Schreibtisch, hast du mich verstanden?«
Ein paar Jahre später hatte Harry Alfreds Präservative in einem Schuhkarton gefunden. Nachdem das Fehlen einiger dieser Prophylaktika entdeckt worden war, war der Schuhkarton verschwunden, und Harry war in seiner orthodoxen Tagesschule an der Westside aus der Klasse geholt worden und hatte sich bei Mr. Sternbane, dem Schulpsychologen, einigen frostigen Gesprächen über Sex unterziehen müssen. Aber auch nach diesem Ereignis war das Vaseline-Töpfchen nicht von seinem Platz entfernt worden. Es war nach wie vor in der rechten unteren Schreibtischschublade geblieben, offensichtlich hatte Harrys Vater sich dazu entschlossen, sein Geheimnis mit ihm zu teilen. Harry hatte erkannt, was für ein Kompliment Alfred ihm damit gemacht hatte. Das Wissen um dieses Geheimnis hatte Harry von seinen anderen Mitschülern unterschieden. Er machte das Töpfchen danach nie wieder auf. Es genügte ihm, daß

es vorhanden war und daß er wußte, was sein Inhalt war. Die Diamanten im Schreibtisch waren nie wieder zur Sprache gekommen, bis Harry Jahre später plötzlich begriffen hatte, daß keine Versicherungsgesellschaft eine Police für Diamanten ausstellen würde, die lediglich durch einen Portier und Vaseline vor New York geschützt waren.

Daraufhin hatte Harry Alfred gebeten, die Diamanten doch im Tresor des Geschäftes aufzubewahren. Sein Vater hatte das abgelehnt, und seitdem stritten sie manchmal wegen der Steine.

»Es hat also Einbrüche gegeben«, sagte Harry auch jetzt.

Sein Vater überhörte das. »Wann werde ich endlich wieder einmal meinen Enkel sehen?«

»Du tust ja so, als ginge er dir aus dem Weg. Dabei hat er lediglich in der Schule so viel zu tun.«

»In der *gojischen* Schule. Und wie geht es Della?«

»Ich habe gestern mit ihr gesprochen. Sie läßt dich schön grüßen.«

Alfred nickte säuerlich. Er seufzte, als das Telefon schnarrte.

»Mr. Akiva ist auf dem Weg nach oben«, rief Essie.

»Was können wir für jemanden tun, der in Textilien macht?« fragte Harry.

Herzl Akiva war mittelgroß, hatte graumeliertes Haar und einen dünnen Schnurrbart, der bereits fast vollständig grau war. »Ich widme dem Textilgeschäft nur sehr wenig von meiner Zeit. Eigentlich arbeite ich für die Regierung, Mr. Hopeman.«

Alfred beugte sich vor. »Für die Regierung der Vereinigten Staaten?«

»Für die israelische Regierung.«

»Wenn mein Freund Netscher Sie schickt, dann wollen Sie uns bestimmt israelische Staatsanleihen verkaufen.«
Akiva grinste. »Das nicht gerade. Wieviel wissen Sie über die kupferne Schriftrolle?«
»Die kupferne Schriftrolle vom Toten Meer?« fragte Harry.
Akiva nickte.
»Sie wurde Anfang der fünfziger Jahre gefunden, etwas später als die Pergament-Fragmente. Sie ist nicht bei den anderen Schriftrollen vom Toten Meer im Schrein der Bücher in Jerusalem. Sie ist in Amman, stimmt's?«
»Im Jordanischen Museum. Wissen Sie, was in dieser Rolle steht?«
»Beschreibungen von Orten, wo Heiligtümer und Schätze versteckt sein sollen. Die Gelehrten streiten sich immer noch darüber, ob die Gegenstände, die in ihr aufgeführt sind, aus dem Tempel von Jerusalem oder aus der Klostergemeinde von Qumran stammten, nicht wahr?«
»Was ist Ihre Meinung dazu?«
Harry zuckte mit den Achseln. »Das fällt nicht in mein Spezialgebiet. Aber mir erschien es immer irgendwie unwahrscheinlich, daß die Männer von Qumran so viele und so prächtige Schätze angehäuft haben sollten, wie sie in dieser Schriftrolle beschrieben werden.«
»Was wäre, wenn ich Ihnen erzählen würde, daß man eine weitere kupferne Schriftrolle gefunden hat? Und daß aus dieser hervorgeht, daß die versteckten Schätze ziemlich sicher aus dem Jerusalemer Tempel stammten?«
In der Stille, die folgte, konnte Harry seinen Vater atmen hören.
»Ist es das, was Sie uns sagen wollen?«
»Ja«, antwortete Akiva.

Vor mehr als einem Jahr, so erzählte Akiva den beiden, hatte David Leslau, ein Professor für Biblische Geschichte vom *Hebrew Union College* in Cincinnati an der südlichen Mauer des zweiten Tempels in Jerusalem Ausgrabungen durchgeführt. In sechs Metern Tiefe hatte er Schutt gefunden – Tonscherben, Münzen, Handwerkszeug. Eineinhalb Meter weiter unten waren dann seine Grabungsarbeiter auf einen offenen Abwassergraben aus herodianischer Zeit gestoßen.
»Instinktiv wollte der Archäologe in der Hoffnung auf einen Fund, der ihn dem Rätsel von Ursprung und Untergang von Gottes großem Tempel einen Schritt näherbringen würde, dem Abwassergraben sofort durch die Tempelmauer folgen«, erzählte Akiva. »Aber das war verboten. Es hatte ihn schon vorher monatelanges Warten und einen Papierkrieg mit unzähligen Formularen gekostet, bis er überhaupt die Erlaubnis für seine Grabungen erhalten hatte. Zweimal bereits waren seine Arbeiter von fanatischen orthodoxen Studenten mit Steinen beworfen worden, so daß Leslau zu ihrem Schutz die Polizei hatte holen müssen. Außerdem war ihm zu Ohren gekommen, daß im arabischen Teil der Stadt das Gerücht umging, seine Ausgrabung sei in Wirklichkeit nichts weiter als der Bau eines Tunnels unter dem Tempelberg hindurch zu dem Zweck, auf der anderen Seite die Omar-Moschee am Felsendom in die Luft zu sprengen.
Leslau hatte keine andere Wahl. Er mußte dem Teil des Abwassergrabens folgen, der vom Tempel wegführte, fast direkt nach Süden, in Richtung auf die Davidsstadt.
Nach etwa zwanzig Metern sah Leslau, daß die Erbauer des offenen Abwassergrabens diesen mit einem noch älteren Abwassersystem verbunden hatten, einem

großen Kanal aus massiven Steinen, von denen ein jeder innen ausgehöhlt worden war. Um diese Bohrungen herum waren die Steine so geschickt behauen, daß sie fast nahtlos einer in den nächsten paßten und sich so zu einem langen, erstaunlich dichten Rohr zusammenfügten.

Als Leslau mit einer Taschenlampe in dieses Rohr stieg, bemerkte er darin zunächst nichts Ungewöhnliches, außer daß das Oberteil eines der Teile durch zwei kleinere Steine ersetzt worden war. Aber als seine Arbeiter diese Steine entfernten, fanden sie dahinter etwas, was aussah wie ein verrostetes Auspuffrohr.« Der Israeli blickte die beiden an. »Es war eine kupferne Schriftrolle.«

»Das ist unmöglich«, sagte Harry überrascht.

Akiva wartete.

»Ich stehe in regelmäßiger Korrespondenz mit Max Bronstein, einem von Leslaus engsten Mitarbeitern an der Fakultät. Er hätte mir bestimmt davon berichtet.«

»Man hat die beiden aus politischen Gründen zum Schweigen verpflichtet«, sagte Akiva. »Der Vatikan und die moslemische Gemeinde sind gleichermaßen gegen alles, was dazu beitragen könnte, den jüdischen Anspruch auf Ost-Jerusalem noch weiter zu untermauern, und sie werden nicht müde in ihrem Bemühen, es zu einer internationalen Stadt erklären zu lassen. Leslau fand seine Rolle zu einem Zeitpunkt, an dem Kirche und Omar-Moschee einen gemeinsamen diplomatischen Vorstoß für ein absolutes Grabungsverbot am oder in der Nähe des Tempelberges unternahmen. Zunächst dachte man noch, man könnte den Fund der Öffentlichkeit mitteilen, wenn sich die Dinge ein wenig beruhigt haben. Aber als es soweit war, war die Rolle bereits übersetzt worden.«

Harry nickte. »Den Islam dürfte die Entdeckung dieser Rolle ziemlich in Verlegenheit bringen, denn sie ist ein handfester Beweis dafür, daß sich der Tempel vor der Moschee an dieser Stelle befand. Und außerdem hätte die voreilige Veröffentlichung des Textes einer Schatzrolle vermutlich eine Art Goldrausch ausgelöst, und dann hätten die Archäologen mit den Glücksrittern um die Wette graben müssen.«
»Es gibt sogar einen noch wichtigeren Grund, die Sache geheimzuhalten«, sagte Akiva. »Man nimmt an, daß sich einige der *Genisot*, der rituellen Verstecke, in der Samarischen Wüste, irgendwo ostwärts von Nablus befinden.«
Harry ließ einen leisen Pfiff hören.
»Ich komme da nicht ganz mit«, sagte Alfred.
»Diese Gegend ist heute die Westbank. Einige Leute wollen dort einen palästinensischen Staat errichten«, erwiderte Akiva ruhig. »Unsere Feinde hätten es alles andere als gern, wenn ausgerechnet an einem solchen Ort alte jüdische Kunstgegenstände entdeckt würden. Ein solcher Fund würde den Anspruch des heutigen Israel auf dieses besetzte Land untermauern.«

»Im vergangenen Jahr«, fuhr Akiva fort, »hat ein Ägypter in Jordanien Kontakt mit einigen ihm bekannten Leuten aus dem Westen aufgenommen und versucht, zwei Edelsteine zu verkaufen. Er sagt, es handle sich dabei um Steine von biblischer Bedeutung.«
»Aha, und hier kommen *wir* ins Spiel«, sagte Alfred und zündete sich eine Zigarre an.
»Einer der Steine ist ein roter Granat.«
Alfred Hopeman lächelte. »Mit Halbedelsteinen handeln wir eigentlich nur selten.«
Akiva nickte. »Dafür wird Sie der andere Stein um so

mehr interessieren. Es ist ein großer Diamant. Ein gelber, den man in Ihren Kreisen einen *Canary-Diamanten* nennt.«

»Und warum interessieren Sie sich für diesen gelben Diamanten?« fragte Alfred arglos.

»Wie ich schon sagte, man nimmt an, daß die kupferne Schriftrolle ein Verzeichnis von versteckten Tempelschätzen aus Jerusalem ist. Und David Leslau glaubt nun, daß es sich bei diesem gelben Diamanten um einen dieser Schätze handelte.«

»Aus dem Tempel?« Obwohl Harry den Umgang mit Juwelen von religiöser Bedeutung gewöhnt war, weckte der Gedanke an einen Gegenstand aus dem Tempel Scheu in ihm.

»Leslau meint zu wissen, wo das rituelle Versteck dieses Diamanten gewesen sein könnte, und sagt, daß der Stein aus einer geplünderten *Genisa* stamme.«

»Wie groß ist dieser Stein?« brummte Harry.

»Ziemlich groß.« Akiva schlug in einem kleinen Notizbuch nach. »Zweihundertundelf Karat.«

Alfred Hopeman sah ihn mit einem merkwürdigen Blick an. »Das ist der *Diamant der Inquisition*«, sagte er sofort. »Ich hatte ihn in Berlin drei Monate lang in meinem Safe. Das muß so 1930 oder 31 gewesen sein.«

»Unseren Informationen nach war es 1931«, sagte Akiva. »Wenn es derselbe Stein ist. Die Verkäufer nennen ihn den *Kaaba-Diamanten*«.

»So heißt er bei den Moslems«, sagte Alfred, »nach dem Gebäude in Mekka, dem sich alle Mohammedaner im Gebet zuwenden. Als der Diamant der Kirche gehörte, hieß er *Das Auge Alexanders* – benannt nach einem Papst. Was für ein Diamant! 211,31 Karat, als Briolette mit 72 Facetten geschliffen. 1931 wurde er mir von der Firma Sidney Luzzatti & Söhne aus Neapel zur Reinigung übergeben. Er gehört eigentlich in eine dieser hohen Mützen – wie heißen sie gleich noch mal, Harry, Mitra oder so ähnlich?«

»Beim Papst ist das eine Tiara. Die Tiara des heiligen Gregor.«

»Genau. Jahre später hat dann ein Dieb den Stein aus dieser Tiara herausgelöst und ist mit ihm einfach aus dem Vatikanischen Museum spaziert. Das war das letzte, was ich von diesem Diamanten gehört habe. Bis heute.«

»Er wurde 1946 aus dem Vatikan gestohlen«, sagte Akiva, »und 1949 still und leise vom ägyptischen König Faruk gekauft.«

»Ah«, sagte Alfred.

»Das erklärt einiges«, sagte Harry zu seinem Vater. Alfred machte auf ihn plötzlich einen ziemlich benommenen Eindruck. »Pa«, sagte er. »Geht es dir gut?«

»Ja, ja. Natürlich geht es mir gut.«

»Der Diamant ist aber nicht in der Liste von Faruks Besitztümern, die die ägyptische Regierung aufgestellt hat, als er seinen Thron verließ und floh«, sagte Harry. »Ich habe mir die Berichte von der Faruk-Auktion genau angesehen. Manche der dort versteigerten Dinge waren wunderschön, aber das meiste davon war Kitsch. Er muß einen furchtbaren Geschmack gehabt haben. Seine einzige wirklich außergewöhnliche Sammlung war die pornographische.«

»Für kleine Jungs vielleicht«, murmelte sein Vater. »Es gibt ein paar Dinge, die ein Mann mit einer Frau machen sollte, der Rest sind sinnlose Verrenkungen.« Alfred schloß die Augen und strich sich mit der Hand über die Wange. »Mein Gott«, sagte er.

»Nein, der Diamant tauchte nicht in den Auktionsberichten auf«, sagte Akiva. Er sah Harry an. »Wir wollen, daß Sie uns diesen Diamanten beschaffen.«

»Da muß ich Sie auf die Warteliste setzen«, sagte Harry.
Essie, die mit einem Tablett voller Gebäck gerade auf sie zukam, und das Dienstmädchen, das mit dem Kaffeeservice vor ihr ging, blieben abrupt stehen und schrien auf.
Harry folgte ihren Blicken zum Gesicht seines Vaters, dessen linke Hälfte auf einmal aussah wie ein Teig aus schlechtem Mehl. Das Auge hing, geschlossen, nach unten, und die Mundwinkel waren fast bis zum Kinn herabgesackt.
»Pa?« flüsterte Harry. Obwohl er nicht wußte, was bei einem Schlaganfall im Körper eines Menschen vorging, war ihm sofort klar, daß sein Vater eben einen solchen erlitt.
Alfred begann zu schwanken, und Harry fing ihn auf. Eine Scheibe Kuchen war von dem Tablett gefallen, und aus irgendeinem unerfindlichen Grund bückte sich Essie und hob sie auf. »Laß das!« herrschte Harry die Frau mit dem plumpen, verschreckten Gesicht an. »Ruf den Doktor.« Er hielt seinen Vater fest in den Armen und wiegte ihn langsam hin und her.
Der arrogante, alte Bastard.
Das weiße Haar unter Harrys Lippen schmeckte stumpf. Einer von ihnen, entweder er oder sein Vater, hatte zu zittern begonnen.

4

Alfreds Notizbücher

Man hatte Harrys Vater in ein Zimmer am Ende des Korridors gelegt, das voller Monitore zur Überwachung der Herzfunktionen war. Jetzt kam Alfred seinem Sohn nicht mehr arrogant vor. Die linke Hälfte seines Körpers war gelähmt. Er hatte sein Gebiß nicht mehr im Mund, gähnte viel, und wenn er ausatmete, dann flatterte seine Oberlippe auf eine Weise, die Harry kaum ertragen konnte.

Eine Krankenschwester kam ins Zimmer und beugte sich über das Bett. »Mr. Hopeman«, sagte sie laut, aber Alfred befand sich immer noch im Koma.

Als sie gegangen war, versuchte es Harry.

»Papa.«

Die Augen seines Vaters öffneten sich und starrten Harry an, ohne ihn wirklich zu sehen. *»Ich bitte um Entschuldigung, Doktor Silberstein«*, sagte er auf Deutsch. Warum entschuldigte sich sein Vater bloß mit Panik in der Stimme, und wer war dieser Silberstein? Alfred träumte und murmelte unverständliche, deutsche Sätze vor sich hin.

In seiner Lunge staute sich Flüssigkeit, die hörbar blubberte, wenn er atmete, und die Ärzte kamen und steckten einen häßlichen, kleinen Schlauch in seinen Hals und saugten damit die Gifte aus seinem Körper.

Später öffnete er die Augen und erkannte Harrys Gesicht. Er blickte gehetzt herum. »Ich ...« versuchte

Alfred zu flüstern, aber es kam kein weiterer Laut. Die Augäpfel traten ihm hervor, seine Hand auf dem Laken zitterte. Verzweifelt versuchte er, seinem Sohn etwas mitzuteilen. Harry hob das Kissen und hielt Alfred ein Glas Wasser an die Lippen, aber dieser war zu schwach, um zu trinken. Trotzdem gab ihm die Feuchtigkeit seine Stimme wieder.
»... hätte ich dir erzählen müssen ...«
»Was denn, Pa?«
»... *Diamant der Inquisi...*«
»Sprich nicht, Pa. Ruh dich aus.«
»Makel.« Alfred bemühte sich zu sprechen, bekam aber nicht mehr als dieses eine Wort heraus.
»Der *Diamant der Inquisition* hat einen Makel?«
Der alte Mann drückte die Augen zu und öffnete sie schnell wieder.
Harry wollte sicher sein.
»Der *Diamant der Inquisition* hat wirklich einen Fehler?«
Sein Vater atmete heftig und nickte.
»Das ist mir egal«, sagte Harry. »Zum Teufel mit Diamanten. Ruh dich jetzt aus, damit du wieder gesund wirst. Hast du verstanden?«
Alfred ließ den Kopf sinken. Seine Augenlider fielen wie Garagentore zu.
Harry schlief, neben dem Bett sitzend, ebenfalls ein. Kurze Zeit später tippte ihm die Krankenschwester nervös auf die Schulter. Als er hinüber zum Bett blickte, kam es ihm so vor, als wäre sein Vater nur mal eben spazierengegangen und hätte seinen Körper zurückgelassen.

Jeff kam nach Hause und fühlte sich nicht wohl in seinem dunklen Anzug, aus dem er schon fast herausgewachsen war. Er trat auf Harry zu und umarmte ihn wortlos. Sie schickten ihn gleich nach dem Begräbnis wieder zurück ins Internat, und obwohl er protestierte, merkte man ihm seine Erleichterung an. Della, die den alten Mann sehr lieb gehabt hatte, weinte bitterlich an seinem Grab. Zusammen mit Harry und Essie hielt sie die *Schiwe*, die hebräische Trauerwoche, genauestens ein. Mit den Füßen in Pantoffeln empfingen sie die Besucher vor einem verhängten Spiegel, und sie setzten sich statt auf Stühle auf kleine Bänkchen aus Pappendeckel, die ihnen das Begräbnisinstitut zu diesem Zweck geliefert hatte. Als Harry ein Junge gewesen war, saß man in einem *Schiwe*-Haus noch auf harten Holzkisten, streng nach der Vorschrift, daß Trauernde sich keine Bequemlichkeit gönnen dürfen. Die wegwerfbare Pappendeckelbank war eine degenerierte moderne Variante dieser alten Tradition, dachte Harry. Irgendwie wäre er lieber auf einer echten Holzkiste gesessen. Die ersten beiden Abende der Trauerwoche über war die Wohnung voller Leute aus der Industrie gewesen, die sich mit gedämpften Stimmen auf Englisch, Jiddisch, Hebräisch, Französisch und Flämisch unterhalten hatten. Dieses babylonische Sprachengewirr hatte so sehr dem Murmeln an der Diamantenbörse geähnelt, daß Harry es sogar als einen gewissen Trost empfunden hatte.

Essie war entschlossen, in orthodoxer Weise die vollen sieben Tage der Trauer einzuhalten, aber Harry fühlte sich am dritten Tag bereits eingesperrt. Am Nachmittag kam Akiva.

»Ich hoffe, daß mein Herumwühlen in alten Erinnerungen Ihren Vater nicht zu sehr aufgeregt hat.«

»Er hatte einen ungeheuer hohen Blutdruck und hat, obwohl seine Frau immer geschimpft hat, nie regelmä-

ßig seine Tabletten eingenommen. Die Ärzte sagen, daß es so hatte kommen müssen.«
Der Israeli schien erleichtert zu sein.
»Sie haben ihm nicht mehr das sagen können, was Sie wollten.«
»Wir wollten mit Ihrem Vater über den *Diamanten der Inquisition* sprechen. Und dann hätten wir es gerne, wenn Sie diesen Stein für uns kaufen würden.«
»Das hätten auch andere Leute gerne.«
»Sie sind Jude, Mr. Hopeman, und Sie würden doch in dieser Angelegenheit niemand anderen vertreten?«
Harry seufzte. »Wahrscheinlich nicht.«
»Israel ist wie eine müde Frau mit drei Verehrern«, sagte Akiva. »Wir Juden sind mit ihr verheiratet – seit 1948 haben wir sozusagen das legale Anrecht auf ihren Körper. Aber die Araber und Christen haben, wie eifersüchtige Liebhaber, die Frau Israel an je einem ihrer Knöchel gepackt. Alle drei zerren sie sie wie wild in verschiedene Richtungen, und manchmal sieht es so aus, als würde sie von ihnen in der Luft zerrissen. Und jetzt will jeder dieser Verehrer den Diamanten, so, wie er auch das Land haben will. Gewisse Gruppen von Arabern sehen in ihm ein Propaganda-Objekt, eine Art Talisman, der ihnen dabei helfen könnte, den nächsten Krieg zu einem wirklichem *Dschihad*, einem Heiligen Krieg, zu machen. Und glauben Sie mir, der Diamant könnte wirklich dazu benutzt werden.« Er schüttelte den Kopf. »Es ist wie der Kampf ums Heilige Land, nur in einem kleineren Maßstab. Den Arabern ist es egal, daß der Diamant eine jüdische Vergangenheit hat. Sie halten sich an Quellen, aus denen hervorgeht, daß der Stein Sultan Saladin selbst gehört hat. Fast ein Jahrhundert lang war er in der Krone gefaßt gewesen, die die *Maksura*, den Sitz des höchsten Glaubensführers, in

der Moschee von Acre schmückte. Dort hat Saladin zwei Jahre lang den Heeren der Kreuzfahrer aus Frankreich und England getrotzt und ist damit zum größten militärischen Helden in der Geschichte des Islam aufgestiegen.«

»Der katholische Anspruch auf den Stein ist sogar noch besser untermauert und außerdem jüngeren Datums«, sagte Harry. »Er kam zur Zeit der Inquisition in Spanien in den Besitz der katholischen Kirche und hat ihr, bis er vor nicht allzulanger Zeit aus dem Vatikan gestohlen wurde, seitdem gehört. Jetzt will sie ihn zurückhaben.«

Der Israeli nickte. »Eine lange Zeit war er ein Teil der großen Sammlungen des Vatikan.«

»Und warum glaubt David Leslau, daß der Stein ursprünglich aus dem Tempel stammt?«

Akiva zögerte. »Das kann ich Ihnen erst mitteilen, wenn Sie sich zur Zusammenarbeit mit uns verpflichtet haben.«

»Ich werde mich zu überhaupt nichts verpflichten. Ich habe eben meinen Vater begraben.«

»Daran brauchen Sie mich wirklich nicht zu erinnern. Lassen Sie sich so viel Zeit, wie Sie wollen. Aber wir brauchen Sie, Mr. Hopeman. Der Mann, der diese Aufgabe für uns übernimmt, muß nämlich außer Sachkenntnis noch ein paar andere Voraussetzungen erfüllen. Wir müssen da Loyalität, Alter und körperliche Verfassung mit berücksichtigen. Und die Bereitschaft, ein gewisses Risiko einzugehen.«

»Ein Käufer, der genau weiß, was er tut, dürfte wohl kein allzu großes Risiko eingehen.«

»Und Sie müßten dabei nicht einmal Ihr eigenes Kapital einsetzen. Wir haben das Finanzielle bereits arrangiert. Das Geld für den Kauf kommt aus den Spenden von wohlhabenden Leuten aus Frankreich und den USA. Ich

habe eigentlich ein ganz anderes Risiko gemeint«, sagte Akiva sanft.
Harry zuckte mit den Achseln. »Vergessen Sie die Sache. Manche von uns Diamantenhändlern würden zwar für einen großen Stein alle möglichen Unannehmlichkeiten auf sich nehmen, aber niemand, den ich kenne, würde riskieren, daß er dabei verletzt oder gar getötet würde.«
»Das Risiko ist wirklich gering. Und es winkt großer Profit, Mr. Hopeman.«
»Zum Teufel mit Ihrem Mist. Ich bin Geschäftsmann, sonst nichts.«
Der Israeli betrachtete ihn nachdenklich. »Mir kommt es so vor, daß Sie immer dann nur Geschäftsmann sind, wenn es Ihnen nützt, nur Geschäftsmann zu sein. Wenn es wichtiger ist, ein Gelehrter zu sein, dann werden Sie zum Gelehrten.«
Harry verspürte auf einmal einen mächtigen Groll gegen den Israeli, vielleicht, weil dessen Einschätzung allzusehr der Wahrheit entsprach. »Im Moment habe ich ein ziemlich klares Bild davon, was für mich wichtig ist und was nicht.«
Akiva seufzte. Er holte eine Visitenkarte aus der Tasche und legte sie auf Essies polierten Eßtisch.
»Rufen Sie mich so bald wie möglich an«, sagte er. »Bitte!«

Im Testament wurde Essie großzügig bedacht, alles andere erbte Harry. Er brachte es nicht übers Herz, die Kleidung seines Vaters nach etwas Tragbarem für sich selbst durchzusehen. So behielt er sich lediglich eine Krawatte zur Erinnerung, den Rest gab er der Heilsarmee, die nun eine Zeitlang ein paar außergewöhnlich gutgekleidete Schützlinge haben würde. Alfreds Briefe und persönliche Papiere packte Harry in zwei Papp-

kartons, die er mit einer Schnur zuband. Das Vaseline-Töpfchen steckte er in eine Papiertüte, dann rief er einen Kurier und ließ die Tüte mitsamt Töpfchen in seinen Tresorraum bringen.
Am Abend des vierten Tages füllte sich die Wohnung mit Essies Freunden, verschrumpelten Großvätern mit Augen voller Trauer und gehbehinderten alten Frauen.
»Ich muß hier raus«, sagte Harry zu Della.
Essie folgte ihnen zur Tür und war wütend, weil ihrer Meinung nach Harry durch sein Gehen das Andenken seines Vaters beleidigte. »Wir müssen noch über das Silber reden, über das Geschirr ...«
»Es gehört alles dir.«
»Sei nicht so großzügig. Was soll ich damit? Ich ziehe zu meiner Schwester nach Florida. In eine kleine Wohnung.«
»Ich komme morgen wieder vorbei«, sagte Della, »und kümmere mich um alles.«
Essie sah Harry an. »Sitzt du deine *Schiwe* daheim zu Ende?«
Er nickte.
»Und du gehst jeden Tag in die Synagoge? Oder machst den *Minjan* im Diamanten-Klub mit? Und du betest ein Jahr lang den *Kaddisch*?«
»Ja«, log Harry, der allem zugestimmt hätte, wenn er nur dem Hauch des Todes in dieser Wohnung entrinnen konnte.

Mit einem Taxi fuhren sie zu Dellas Wohnung und gingen ins Bett. Hastig, wie Frischverliebte.
»Du verdammter Kerl«, keuchte sie.
Mit seinem Orgasmus kamen in Harry sämtliche Gefühle hoch, und er sank in Dellas Armen zusammen.
»Harry. Harry.« Sie drückte ihn so lange an sich, bis er

aufhörte zu weinen. Dann lagen sie stumm nebeneinander. Einmal blickte Harry Della an, sah, was in ihrem Gesicht war, und haßte sich dafür. Er war es leid, ihr weh zu tun.
Als sie einschliefen, lag seine Hand zwischen ihren Schenkeln, so, wie er wußte, daß sie es mochte. Ein paar Stunden später wachte er auf und bemerkte, daß seine Hand bis zum Gelenk taub war. Aber wenn er sie weggezogen hätte, hätte er Della aufgeweckt.
Schließlich tat er es doch.
»Geh nicht«, flüsterte Della.
»Psst.« Er berührte ihre Schultern, zog die Decke über sie.
»Wirst du den Platz deines Vaters bei den ›Zweihundertfünfzig‹ übernehmen?«
»Möglicherweise.«
»Er würde dir mehr einbringen, als du zum Leben brauchst.«
Harry suchte verzweifelt in der Dunkelheit nach seinen Socken.
»Du könntest Vorlesungen halten. Oder einfach nur schreiben. Dann hättest du endlich Zeit für Jeff und mich.«
Er nahm seine Kleider und trug sie ins Wohnzimmer.
»Was willst du eigentlich?«, fragte ihre Stimme aus dem Schlafzimmer.
Harry war sich durchaus bewußt, daß sie sofort zu ihm gekommen war, als er sie gebraucht hatte. Sie war in diesen schwierigen Tagen voll und ganz seine Frau gewesen. »Ich weiß es nicht. Alles, vielleicht«.«
Eine kurze Weile später stand er allein auf der East Eighty-sixth Street, hielt die beiden Pappschachteln an der Schnur und winkte ein Taxi herbei. In Westchester setzte er sich noch vor der Morgendämmerung ins Ar-

beitszimmer und öffnete die Schachteln. Sein Vater hatte so gut wie alles aufgehoben. Es waren eine Menge längst bezahlter Rechnungen dabei, ebenso einige Briefe. Manche davon, in deutscher Sprache, waren von Essie. Harry war der Sprache genügend mächtig, um herauszufinden, daß die beiden, Jahre bevor sie geheiratet hatten, bereits eine Affäre miteinander hatten. Im Gegensatz zu ihrem gesprochenen Englisch war Essies geschriebenes Deutsch klar und leidenschaftlich. Während draußen der Himmel eine perlgraue Farbe annahm, wurde Harry für die fette, alte Frau zum ersten Mal zu einer interessanten Persönlichkeit.
In den Kartons waren auch Kontobücher, die sein Vater sorgfältig geführt hatte und die jetzt so alt waren, daß sich nicht einmal mehr die Steuerfahndung dafür interessieren würde. Aber drei Notizbücher, in denen Harry ebenfalls finanzielle Aufzeichnungen vermutet hatte, enthielten statt dessen Diagramme zur Berechnung von Edelsteinschliffen. Kristallflächen und -achsen, die für die Brechung und Verteilung des Lichts in einem Stein wichtig waren, waren hier sorgfältig niedergeschrieben und mit detaillierten Anmerkungen in Alfred Hopemans spinnenfadenfeiner Schrift versehen. Während er so die Seiten durchblätterte, fiel Harry auf, daß sein Vater jeden wichtigen Edelstein, der jemals durch seine Hände gegangen war, in exakten Zeichnungen und Notizen beschrieben hatte. Diese Bücher enthielten die Geschichte der Diamantenindustrie: Alfred Hopemans sagenumwobenes Gedächtnis.

Harry mußte sich bis zur Hälfte des zweiten Notizbuches durcharbeiten, bis er die Aufzeichnungen seines Vaters zum *Diamanten der Inquisition* fand. Sie waren detailliert und genau, aber Harry war dennoch über-

rascht, denn er fand keinen Hinweis auf einen Makel in dem Stein, von dem sein Vater auf dem Sterbebett gesprochen hatte.
Es war immer noch zu früh, deshalb ging Harry erst einmal unter die Dusche und machte sich ein Frühstück, bevor er Herzl Akiva anrief und ihm von den Aufzeichnungen seines Vaters erzählte.
»Soll ich Ihnen das Notizbuch schicken?«
»Bitte behalten Sie es bei sich, Mr. Hopeman. Wie ich Ihnen bereits sagte, wollten wir diese Informationen von Ihrem Vater ja nur, damit Sie selbst den Stein besser erkennen können, wenn Sie ihn kaufen.«
»Ich habe es mir aber immer noch nicht anders überlegt.«
»Möchten Sie sich einmal diese neue kupferne Schriftrolle ansehen?«
Harry zögerte einen Moment und hatte schon verloren.
»Nicht so sehr, als daß ich deshalb zu Ihnen nach Israel kommen würde.«
»Aber nach Cincinnati würden Sie doch kommen, oder?«
»Natürlich.«
»Gehen Sie dort ins Büro Ihres Freundes Dr. Bronstein. Er wird Sie erwarten«, sagte Akiva.

5

Die kupferne Schriftrolle

Harry stand zwar in regelmäßigem Briefwechsel mit Max Bronstein, aber er hatte ihn seit Jahren nicht mehr gesehen. Als Jungen waren sie zusammen in die *Jeschiwa* in Brownsville gegangen und hatten gemeinsame Erinnerungen an lange Abende, an denen sie stundenlang vor ihren Kaffeetassen gesessen waren und sich gegenseitig in ihrer Rebellion bestärkt hatten, bis sie schließlich beide in der Lage gewesen waren, ihr Leben, das Eltern und Lehrer bereits für sie verplant hatten, selbst in die Hand zu nehmen.

Harry hatte sich in dieser seltsamen Zeit oft gefühlt wie ein Schwimmer, der gegen zwei gegenläufige Strömungen ankämpfen muß. Sein Vater hatte sich mit seiner Flucht aus Deutschland selbst entwurzelt, aber in Amerika hatte Alfred Hopeman plötzlich erkannt, wer er wirklich war. Hitler hatte aus einem Berliner Bonvivant einen Juden gemacht, der sich fest an sein ethnisches Erbe klammerte und wollte, daß auch sein Kind niemals den Holocaust vergaß. Und so mußte Harry auf eine hebräische Tagesschule gehen und durfte nicht auf eine normale New Yorker Schule oder eines der vornehmen Internate in Neuengland wie die meisten seiner Freunde. In seinem letzten Jahr auf der *Covenant Orthodox High School* fand ein regelrechtes Tauziehen um Harrys Seele statt. Der Direktor der Schule, ein energischer Mann namens Reb Label Fein hatte Alfred Hopeman erzählt, daß sein Sohn sämtliche Prüfungen so gut bestanden habe wie kein anderer. »Ein junger *Gaon*, ein genialer Student der *Gemara*. Die Zukunft eines solchen Jungen zu bestimmen ist keine leichte Verantwortung.«

Alfred hatte lange darüber nachgedacht und schließlich seinen besten Freund, Saul Netscher, um Rat gefragt.

»Schicke ihn zu meinem Bruder Itzikel«, hatte der ihm geantwortet.

Als man ihm das mitgeteilt hatte, war Harry so geschmeichelt gewesen, daß er sofort einwilligte, schließlich hatte man auf der *Sons of the Covenant Orthodox High School* schon viel vom ehrfurchtgebietenden Reb Yitzhak Netscher gehört, einem der geistigen Führer der *Chassidim* und dem Direktor der *Torat Moshe Jeschiwa*, einer der angesehensten religiösen Akademien in der neuen Welt.

Und während seine Mitschüler nach Amherst oder Harvard oder auf die *New York State University* gingen, wurde aus Harry ein Scholastiker, der jeden Morgen, außer am Sabbat, in seinem dunklen Anzug mit der U-Bahn von der Park Avenue nach Brooklyn fuhr. In einem Ziegelgebäude mit knarzenden Dielen saß er zusammen mit Max Bronstein und vier anderen Novizen bei den Gelehrten und Weisen und führte endlose Diskussionen und Auseinandersetzungen über den Talmud und die rabbinische Literatur.

Es war eine seltsame Welt voller Mühen um die Gelehrsamkeit, eine Schule, auf der selbst die besten Studenten kein Abschlußzeugnis erhielten. Manche der Männer dort studierten bereits fünfzehn Jahre lang an denselben verkratzten Eichentischen, nicht um Wohlstand oder Ehre, sondern um die Liebe Gottes zu erlangen. Andere, die auf der Flucht vor den Nazis von

Litauen nach Brownsville gekommen waren, hatten sie sogar noch länger besucht. Reb Yitzhak hatte das Recht der *Smicha*, konnte also andere zum Rabbi ernennen, aber er tat das nur, wenn extreme Armut einen Mann zwang, seine mystische Versenkung für die rabbinische Arbeit aufzugeben, oder wenn der Studieneifer des Betreffenden nicht ganz makellos war.

Damals war Bronstein dürr und blaß gewesen, mit denselben Augen, die El Greco seinem Christus gegeben hatte. Nach sechs Monaten und einer Menge Kaffee aus der Cafeteria hatten er und Harry sich gegenseitig davon überzeugt, daß Gott, ebenso wie Whisky und Krieg, eine Erfindung des Menschen war. Verwirrt und voller Angst vor seiner eigenen Courage hatte Harry schließlich die *Torat Moshe Jeschiwa* verlassen und in der Werkstatt seines Vaters Diamanten geschliffen, bevor er das nächste Semester an der *Columbia University* begann.

Familientradition hin oder her, Alfred hatte nie versucht, Harry ins Diamantengeschäft zu ziehen. Als er aber aus eigenem Antrieb kam, war ihm sein Vater ein sorgfältiger Lehrer. Obwohl Harry bis zu dieser Zeit bereits selbst vieles aufgeschnappt hatte, begann Alfred ganz von vorn und zeigte ihm einen geschliffenen Diamanten als Lehrstück.

»Jede dieser kleinen Ebenen, jede sorgfältig polierte Oberfläche des Steines nennt man eine Facette. Die achteckige Facette oben auf einem runden Stein heißt Tafel. Das Unterteil eines Brillanten ist die Kalette, und die Außenseiten eines bearbeiteten Steins – das, was bei einer Frau die Hüften sind – nennt man die Rondiste ...«

»Ja, Pa.«

Bronstein, dessen Vater den Glauben enger auslegte als der von Harry, mußte, um vor den stürmischen Auseinandersetzungen in seiner Familie einigermaßen sicher zu sein, bis auf die *University of Chicago* fliehen. Obwohl er sich dort sein Studium selbst verdienen mußte – ironischerweise durch Arbeit in einem koscheren Schlachthof –, schaffte er in nur zweieinhalb Jahren einen Abschluß in Linguistik, und dann brauchte er, der verrückte Max Bronstein, die nächsten acht Jahre für seine Promotion. Bis dahin hatte ihm ein nicht abreißender Strom von gleichbleibend gescheiten Aufsätzen einen soliden wissenschaftlichen Ruf und einen Job beim *Hebrew Union College* eingebracht, den er mit demselben Gleichmut annahm, den er auch gezeigt hätte, wenn es sich bei seinem Arbeitgeber um eine Jesuiten- oder Buddhistenschule gehandelt hätte. Und so bekam das College gleichzeitig mit dem besten Spezialisten für linguistische Geographie in Amerika einen waschechten Atheisten in seine Reihen, was wiederum ein Beweis für die liberale Einstellung dieser Institution war.

»Da bist du ja«, sagte Max, als wäre Harry eben mal für zwanzig Minuten weggewesen. Sein Händedruck war kräftig. Er hatte Gewicht zugelegt und sich einen Schnurrbart wachsen lassen. »Harry, Harry.«

»Ist lange her.«

»Verdammt lange.«

»Wie geht's dir, Maxie?«

»Das Leben ist erträglich. Und dir?«

Harry lächelte. »›Erträglich‹ ist ein gutes Wort.«

Sie sprachen freundlich über die alten Zeiten und Leute, die sie beide kannten.

»Es sieht so aus, als hätte David Leslau einen echten Coup gelandet«, sagte Harry schließlich.

»Das klingt, als wärest du eifersüchtig.«

»Bist du das nicht? So etwas passiert einem nur einmal im Leben.«
»Die Kopfschmerzen, die ihm diese Geschichte bereitet, sind aber auch einmalig«, sagte Bronstein trocken. Er holte einen schweren braunen Umschlag aus der Schreibtischschublade und entnahm ihm einige großformatige Fotonegative, auf denen Harry hebräische Schriftzeichen erkannte.
Harry nahm die Negative. »Da bin ich aber enttäuscht. Ich dachte, ich würde das Original zu sehen bekommen.«
»Keine Chance«, sagte Bronstein. »Mein Freund David gibt seinen Fund nicht aus der Hand. Würdest du das etwa tun?«
»Nein. Was kannst du mir über die Schriftrolle erzählen?«
Bronstein zuckte mit den Achseln. »Im Lauf der Jahrhunderte ist das Kupfer fast vollständig oxidiert. David ging sehr vorsichtig mit der Rolle um und unterzog sie fast derselben Behandlung, wie die Briten es 1952 getan hatten. Nur konservierte er sie nicht mit einer Schicht Flugzeuglack, wie die Engländer damals, sondern er überzog sie mit einem durchsichtigen Kunstharz, das für die Weltraumfahrt entwickelt wurde. Dann zersägte er die Schriftrolle der Länge nach in zwei Hälften und zog die einzelnen Segmente ab wie die Häute einer Zwiebel. Mit einem Zahnarztbohrer entfernte David die lose Oxidschicht und fand darunter die Buchstaben, von denen die meisten noch lesbar waren.«
»Wurden sie mit einem scharfen Instrument in das Kupfer getrieben?«
Bronstein nickte. »Mit einer Art Ahle, auf die mit einem Hammer oder einem Stein geklopft worden ist. Die Rolle besteht, wie die von 1952 auch, aus fast reinem

Kupfer. Die Metallurgen vermuten, daß beide Rollen denselben Ursprung haben.«
»Gibt es denn keine signifikanten Unterschiede zwischen den beiden Rollen?« fragte Harry.
»Doch, einige. Die Rolle, die '52 gefunden wurde, bestand aus zwei primitiv zusammengenieteten Blechen. David Leslaus Schriftrolle ist ein paar Zentimeter breiter und besteht aus einem einzigen, zusammengerollten Blech. Außerdem wurde die erste Rolle aller Wahrscheinlichkeit nach von einem einzigen Mann geschrieben, während diese hier das Werk zweier Schreiber ist. Schau her.« Bronstein hielt eines der Negative hoch. »Der erste Teil von Davids Schriftrolle wurde von einem Mann geschrieben, der offensichtlich mit fortschreitender Arbeit immer schwächer wurde. Vielleicht ein sehr alter Mann, vielleicht auch jemand, der verwundet war, oder ein Sterbender. Manche Buchstaben sind kaum mehr entzifferbar, und alle sind sie nur sehr flach eingeschlagen.«
»Und ab hier«, sagte Max und zeigte Harry ein zweites Negativ, »werden die Buchstaben auf einmal scharf und klar. Außerdem gibt es im Satzbau der beiden Teile einige Unterschiede. Offensichtlich wurde die Arbeit an der Rolle irgendwann einmal unterbrochen und dann von einem Mann mit mehr Kraft, vielleicht einem jüngeren, der unter Anleitung des ursprünglichen Schreibers arbeitete, wieder aufgenommen.«
»Hilfst du mir beim Übersetzen, wenn ich die Rolle durchsehe?« fragte Harry.
Bronstein legte Abzüge von den Negativen vor Harry auf den Tisch. »Versuch es selber.«
Schon Harrys erster Blick auf die Eröffnungspassage der Rolle jagte ihm einen kalten Schauer über den Rücken. »Mein Gott! Meinst du, daß das *der* Baruch aus

der Bibel ist, der Kumpan des Propheten, der da über *seinen* Jeremias schreibt?«
Bronstein lächelte. »Warum nicht?« fragte er. »Man kann es ebensogut glauben, wie man es nicht glauben kann.«
Die Worte waren Skelette aus Konsonanten ohne das Fleisch der Vokale, wie sie erst das Jiddisch und das moderne Hebräisch kennen. Harry kämpfte mit ihnen wie ein Kind, das eben das Lesen lernt.
»In der Wasserstelle ... außerhalb der nördlichen Mauer ...«
»Hervorragend«, sagte Max.
»... ist drei Ellen unter dem Felsen, auf dem der König sang, ein Gefäß mit dreiundfünfzig Goldtalenten.«
»Du wirst beim Lesen keine Schwierigkeiten haben.«
»Was für eine Wasserstelle außerhalb der nördlichen Mauer meint er?« fragte Harry. »Welchen Felsen? Und welchen König?«
»Ah«, sagte Bronstein grinsend. »Jetzt dämmert dir wohl, warum ich nicht glaube, daß David Leslau in nächster Zeit irgendwo herumbuddeln und die Schätze des Tempels ans Tageslicht holen wird. Diese Wasserstelle existiert längst nicht mehr. Der Felsen ist vielleicht schon zu Staub zerfallen. Wegen der Erwähnung des Gesanges könnte man annehmen, daß es sich bei dem König um David handelt. Aber keine Legende, die David mit dem hier Geschilderten in Verbindung bringt, hat die Jahrhunderte überdauert. Wir wissen ja nicht einmal, ob in dieser Schriftrolle die Stadtmauer von Jerusalem gemeint ist. Zu allem Überfluß waren die Priester auch noch Meister der kryptischen Sprache. Sie haben bestimmt die Beschreibung der Verstecke soweit wie möglich verklausuliert, so daß selbst in der Zeit, in der die Rolle geschrieben wurde, ihr Inhalt nur absolu-

ten ›Insidern‹ etwas gesagt hätte.« Bronstein nahm seine Aktentasche und stand auf. »Du findest alle Lexika hier im Regal. Ich bin in der Nähe, falls du mich brauchst.«

Die Schriftrolle war eine lange Folge von Absätzen, von denen ein jeder die Lage einer bestimmten *Genisa* beschrieb und recht detailliert auflistete, was dort verborgen war. Harry brauchte lange, bis er das erste halbe Dutzend der Absätze durchgelesen hatte, und der Tisch vor ihm war mit Nachschlagewerken übersät. Einige Male war er durch fehlende Buchstaben gezwungen, die Bedeutung des einen oder anderen Wortes zu erraten, und ab und zu notierte er sich ein Wort oder einen Ausdruck, um Max später danach zu fragen. Es war fast ein Schock für ihn, als er an die Stelle kam, an der der zweite Schreiber übernommen hatte. Harry sah den Mann fast vor sich, er war ungehobelter und weniger gelehrt als sein Vorgänger, unsicher in der Rechtschreibung und ganz offenbar mit seiner Aufgabe nicht vertraut. Oft gingen die Worte ineinander über, und manchmal war der Sprung von einer Zeile in die nächste mitten in einem Wort, das nicht getrennt werden durfte. All das ließ Harry nur langsam vorankommen.

Schließlich las er die Absätze, bei denen ihm sofort auffiel, daß sie der Grund für Akivas großzügige Hilfe zum Lesen dieses Materials gewesen waren:

Auf der Begräbnisstätte, wo Juda für sein Plündern bestraft wurde, liegen achteinhalb Ellen tief ein glitzernder Stein [hier folgte etwas Unleserliches], *silberne Krüge und Gewänder von Aarons Söhnen.*

Und drei Absätze weiter:

Auf der Begräbnisstätte, wo Juda für sein Plündern bestraft wurde, liegen einundzwanzig Ellen tief dreihundert goldene Talente, sechs Opfergefäße und Gewänder von Aarons Söhnen.

Danach gingen sie zu zweit Harrys Notizen durch, und Bronstein übersetzte auf Harrys Bitte hin noch einmal die beiden Absätze, die für ihn besonders wichtig waren. Max' Übersetzung unterschied sich kaum von Harrys eigener.

»Mit Aarons Söhnen sind offensichtlich die Hohenpriester gemeint.«

»Harry, ich darf mit dir leider nicht über die Auslegung der Worte sprechen. Ich kann für dich übersetzen, aber das ist auch schon alles, was man mir erlaubt hat.«

»Erlaubt?«

»›Erlaubt‹ ist vielleicht das falsche Wort –«

»Seltsam, daß ein so hervorragender Linguist wie du Probleme hat, das richtige Wort zu finden.«

Sie starrten sich an. »Wenn David drüben in Israel mit der vollsten Unterstützung der Behörden weiterarbeiten soll, dann darf ich mich hier nicht in Diskussionen mit dir einlassen.«

Harry zwang sich zu einem Lächeln. »Beruhige dich, Max.«

»Sie brauchen dich wegen deiner Geschäftsverbindungen.«

»Woher weißt du, daß ich nicht einen historischen Aufsatz für sie schreiben soll?«

»Wenn man von Diamantenhändlern spricht, dann wird der Name Harry Hopeman immer als erster genannt.«

»Und wenn man von Historikern spricht? Jetzt sag schon, Maxie. Wenn mein Name bei einem Treffen der *American Academy* fällt, wie schätzt man mich dort ein?«

Bronstein hob die rechte Hand und drehte die Handfläche sehr langsam von oben nach unten und zurück. »Soso.«
»Bockmist.«
Max lachte. »Muß schön sein, sich in zwei Welten seiner Sache so sicher zu sein. Wie viele Veröffentlichungen hast du dieses Jahr schon gehabt?«
»Sieben.«
»Ich habe wie ein Stier geschuftet, um drei Aufsätze herauszubringen«, sagte Bronstein langsam.
»Deine Art Arbeit braucht mehr Zeit.«
Bronstein zuckte mit den Achseln. »Manchmal komme ich dazu, deine Sachen zu lesen. Gewissenhaft. Solide. Ohne etwas auszulassen. Ich wollte dich das schon seit Jahren einmal fragen – wie schaffst du es nur, so viel zu tun?«
Harry hatte diese Frage hassen gelernt. »Mir macht die Arbeit einfach Spaß. Das klingt ziemlich langweilig, nicht?«
»Du warst nie langweilig, Harry.«
Harry unternahm den Versuch einer Erklärung. »Meine Arbeit ist für mich dieselbe Stimulation wie für andere Leute das Tennisspielen oder ... erotische Filme.«
Bronstein nickte. »Ich bekomme von der Arbeit manchmal auch so einen Kick. Aber ich habe nie genug Zeit, weil die Welt sich immer wieder hereindrängt. Kinder. Frauen. Geht deine Frau denn nicht zum Tennisspielen oder in erotische Filme?«
»Jetzt vielleicht.«
»Ach so.« Bronstein wandte den Blick ab. »Du bist also ein freier Mann geworden«, sagte er leichthin und wollte das Thema beenden.
Harry suchte seine Sachen zusammen. »Weißt du, was Akiva wirklich von mir will?«

Bronstein schüttelte den Kopf. »Und wenn du es erfährst, dann sag es mir bitte nicht«, antwortete er.

Bronstein hatte Harry zu sich nach Hause eingeladen, damit er seine Frau und seine Kinder kennenlernte, aber Harry hatte bedauernd abgelehnt. Als Cincinnati unter dem Flugzeug immer kleiner wurde und Harry den Rangierbahnhof und die Serpentinen des Flusses sah, fiel ihm ein, daß er Max nicht einmal erzählt hatte, daß sein Vater gestorben war.

Er knipste das Lämpchen über seinem Kopf an und las sich seine Notizen noch einmal durch.

Mit Aarons Söhne konnten nur die Hohenpriester gemeint sein.

Aber was war die Begräbnisstätte? Bestimmt kein Friedhof. In der damaligen Zeit wurden die Toten meist in Höhlen oder in den Fels gehauene Gräber gelegt. Dann dachte Harry ein wenig über die Gewänder des Hohepriesters nach. Das prächtige Kopfband, das Orakelgewand Ephod und das mit den Edelsteinen der Stämme besetzte Brustschild waren einmalige, verehrungswürdige Stücke, die sicherlich für würdig befunden worden waren, in einer *Genisa* versteckt zu werden. Und was war mit dem Ort gemeint, an dem Juda für seine Plünderungen bestraft wurde? Harry hatte nicht den Hauch einer Ahnung.

Im Dämmerzustand zwischen Wachen und Schlaf gingen die Worte der Schriftrolle Harry nicht mehr aus dem Kopf. Wie im Traum sah er Bilder der uralten, belagerten Stadt, in der die heiligen Männer fieberhaft damit beschäftigt waren, ihre religiösen und weltlichen Schätze vor den Invasoren zu verstecken.

Sidney holte ihn in New York am Flugplatz ab, und als sie zu Hause waren, ging Harry direkt ins Arbeits-

zimmer und griff nach der Bibelkonkordanz und den Kommentaren dazu.
Schließlich fand er im siebten Kapitel des Buchs Josua das, wonach er suchte:
»... die Begräbnisstätte, wo Juda für sein Plündern bestraft wurde ...«
Achan war der Sohn des Carmi, welcher der Sohn des Zabki war, welcher wiederum der Sohn des Zerah war. Alle kamen sie aus dem Stamme Juda. Als Soldat in der Armee, die Jericho erobert hatte, hatte Achan ein Gebot Gottes, das jegliche Plünderung untersagt hatte, mißachtet und den Besiegten ein babylonisches Gewand und eine goldene Spange abgenommen. Nachdem seine Sünde entdeckt worden war, hatte man ihn für die nachfolgend verlorene Schlacht verantwortlich gemacht und Achan mitsamt seiner Familie hingerichtet.
Um in Zukunft an das mit den Exekutionen statuierte Exempel zu erinnern, wurde der Schauplatz von Achans Steinigung, ein kleines Tal, umgeben von höhlendurchzogenen Hügeln, das Tal von Achor genannt.
Harry suchte es auf der Karte der biblischen Orte und sah, daß es nicht weit südlich von Jericho lag, also in der Westbank.

6

Massel un Brocha!

In zwei aufeinanderfolgenden Nächten träumte Harry von seinem Vater. Selbst wenn er wach war, kam es schon einmal vor, daß er vergaß, daß Alfred tot war. Immer wieder griff er unwillkürlich zum Telefonhörer, um ihn anzurufen und ihn etwas zu fragen.
Harry hatte einfach nicht genug zu tun. Die Frau aus Detroit rief zweimal wegen des blauweißen 38karäters bei ihm an, aber sie machte sich nur selbst etwas vor; sie würde kein drittes Mal anrufen. Harry suchte immer noch nach einem Stein für den Schauspieler, der grandios genug für dessen Zwecke war, aber das war kein leichtes Unterfangen. Manchmal mußte man eben so lange warten, bis etwas Passendes auf den Markt kam.
Zum ersten Mal in seinem Leben verspürte Harry keine Lust, sich in die Recherchen für einen neuen Aufsatz zu stürzen. Er war fast erleichtert, als einer der Herausgeber des Slavik Review bei ihm anrief und eine kleinere Streichung in dem Manuskript über die russischen Juwelen vorschlug. Ansonsten war der Mann des Lobes voll. »Haben Sie schon einmal daran gedacht, nach Peking zu fliegen und etwas über die dortige kaiserliche Juwelensammlung zu schreiben?«
Einen Moment lang reizte Harry diese Idee. Es war wohl nur eine Frage der Zeit, bis ein westlicher Gelehrter eine Geschichte der chinesischen kaiserlichen

Sammlungen herausgab. Ein solches Buch konnte ein Meilenstein werden.

»Die Juwelen stammen alle aus dem zehnten Jahrhundert, aus der Zeit der Sung-Dynastie«, sagte der Herausgeber. »CHINESE CULTURE oder eine andere Zeitschrift könnte Ihnen bei der chinesischen Regierung eine Erlaubnis beschaffen, mit der Sie im Palastmuseum arbeiten könnten.«

»... aber wenn man an etwas arbeiten könnte, das eng mit dem Ursprung der eigenen Kultur verbunden ist, dann wäre das noch besser, nicht wahr?« fragte Harry.

Etwas später nahm er Akivas Visitenkarte aus der Brieftasche. Er riß sie in der Mitte auseinander und warf sie fort.

»Eure Eminenz?«

»*Buon giorno*, Mr. Hopeman.«

»Kardinal Pesenti, ich kann Sie beim Kauf des Diamanten, von dem Sie letzte Woche gesprochen haben, leider nicht repräsentierten.«

»*Ho bisogno di lei*«, murmelte der Kardinal. »Ich brauche Sie, Mr. Hopeman.«

»Trotzdem«, sagte Harry peinlich berührt. »Es tut mir wirklich leid, Eminenz.«

»Sagen Sie mir eines«, fragte Kardinal Pesenti schließlich, »ist es eine Frage des Honorars? Ich bin mir sicher, daß wir da ...«

»Nein, nein. Es geht nicht ums Honorar.«

»Haben Sie vor, jemand anderen in dieser Sache zu repräsentieren?«

»... ich habe mich noch nicht dazu entschlossen, ob ich überhaupt jemanden repräsentieren will.«

»Auf Wiedersehen, Mr. Hopeman«, sagte Kardinal Pesenti.

Aus Harrys Telefonhörer kam nur noch ein leeres Schnarren. Er legte auf.

Die Werkstatt in West Nyack hatte den Lamborghini fertig. Harry fuhr eine Runde damit und war frustiert, weil er diese 12zylindrige Maschine, die locker ihre hundertfünfzig Meilen machte, in einer Welt fahren mußte, in der eine Geschwindigkeit von fünfundfünfzig Meilen in der Stunde das Maß aller Dinge war. Der Lack des Wagens war schokoladenbraun, die Ledersitze cremeweiß. Eine Woche nachdem Harry den Wagen gekauft hatte, hatte er gehört, wie Ruth Lawrenson zu Sidney gesagt hatte, daß Harry mehr für das Auto bezahlt habe, als sie für ein Haus ausgeben könnten. Nun hatte Harrys Autowahn schon seit ein paar Jahren nachgelassen. Das einzige Auto, das ihn noch reizen konnte, war ein SJ Duesenberg, aber so ein Auto würde er aller Wahrscheinlichkeit nach nie besitzen; nur achtunddreißig davon waren zwischen 1932 und 1935 gebaut worden. Trotz dieses Baujahrs waren sie besser als alles, was bis zum heutigen Tag gefertigt wurde, und da sie fast alle an Leute wie Clark Gable, Gary Cooper, König Faruk von Ägypten, Alfonso von Spanien und Nikolaus von Rumänien verkauft worden waren, fiel es jetzt nicht allzuschwer, sie ausfindig zu machen. In der ganzen Welt gab es noch dreißig dieser Autos. Alle waren sie so viel wert, daß sich die Lawrensons von dieser Summe drei Häuser hätten kaufen können, aber niemand verkaufte einen SJ Duesenberg. Und genau aus diesem Grund wollte Harry einen haben, er kannte dieses Verlangen ganz genau. Es war dieselbe Gier nach dem Unerreichbaren, die für ihn auch der Antriebsmotor für das Diamantengeschäft war.

Harry wußte nicht wirklich, wo er hinfuhr, bis er auf dem *New England Thruway* und schon fast in Connecticut war. Jeffs Internat war schön angelegt, auf weiten Rasenflächen standen Gebäude aus Feldsteinen und alten Ziegeln. Mehrere jahrhundertealte Bäume deuteten auf subtile Weise an, was die Privaterziehung außer dem Lernstoff sonst noch alles vermitteln konnte. Das Zimmer seines Sohnes roch nach Schweiß und alten Socken und war leer, aber aus dem Zimmer daneben blickte ihn eine Bohnenstange von einem Jungen durch schmutzige Brillengläser an. »Jeff Hopeman?« fragte Harry.
»Der ist beim Baseball-Training.«
Harry bedankte sich, ging zurück zu seinem Wagen und fuhr die Straße entlang, bis er Stimmen und die Geräusche von geschlagenen Bällen hören konnte. Er stoppte den Wagen kurz vor dem Spielfeld. Harry hatte sich direkt nach der Beerdigung seines Vaters von Jeff verabschiedet. Der Junge war froh gewesen, daß er wieder zurück ins Internat fahren konnte; Harrys nicht angekündigte Anwesenheit hier kam ihm jetzt vielleicht sogar ungelegen. Und was hätte er seinem Sohn außer »Hallo« denn schon sagen sollen? Vielleicht, daß die *Tora*-Weisheit des Tages lautete: *Kummer ist schrecklich, aber die Angst ist noch schrecklicher?*
Harry drehte um und fuhr denselben Weg zurück, den er gekommen war.
Als er zu Hause war, goß er sich einen Drink ein, legte eine Platte von Bessie Smith auf und versuchte ein Buch zu lesen. Als er aber in dem langsam dunkler werdenden Zimmer auf der Couch lag, sehnte er sich auf einmal danach, sich selbst im Spiegel eines anderen menschlichen Wesens zu sehen. Er wollte Sex. Nicht schuldbehafteten Sex mit Della, sondern animalisches Vögeln ohne Folgen mit irgendeiner Frau, die ihm

nichts bedeutete. Er erinnerte sich an einen Namen und brachte ein paar Minuten mit der Suche im Telefonbuch zu. Dann hob er ab und wählte die Nummer der Frau.
Es klingelte viermal, dann meldete sich eine Männerstimme, und wie in einem schlechten Witz legte Harry auf, stand da und versuchte, sich zwischen dem Buch, den Schallplatten und der Flasche zu entscheiden. Schließlich ging er in die Hocke und fischte die zerrissene Visitenkarte aus dem Papierkorb. Als er die beiden Hälften aneinanderhielt, konnte er die Nummer gut lesen, und er nahm den Hörer wieder ab und wählte sie. Sofort antwortete eine weibliche Stimme und nannte, anstatt einer Begrüßung die Telefonnummer. Es war eine muntere, freundliche Stimme, die nur ein kleines bißchen gequält klang, wie die Stimme fast jeder Telefonistin in den großen Firmen in Manhattan.
»Ich möchte mit Mr. Akiva sprechen«, sagte Harry.

Als Harry vor dem Lokal mitten in Manhattan stand, wo sie sich verabredet hatten, wurde ihm klar, warum der Israeli ein koscheres Restaurant gewählt hatte. Außer Akiva saß noch ein anderer Mann am Tisch, der aussah wie eine grauer, alter Kobold.
Saul Netscher.
»Warum, zum Teufel, ist er hier?«
»Mr. Akiva hat mich darum gebeten«, sagte Netscher mit seiner leisen Stimme, die so rauh klang wie Sandpapier.
Er war klein, untersetzt und weißhaarig und trug eine Krawatte, die nicht zu seinem verknitterten braunen Anzug paßte. Saul Netscher vernachlässigte seine äußere Erscheinung ebensosehr, wie Harrys Vater auf die seine bedacht gewesen war. »Mußt du das tun, Saul?

Willst du denn unbedingt wieder einen Herzinfarkt haben?«
»Der letzte ist doch schon vier Jahre her. Sei nicht dumm, Harry.«
»Du verrückter alter Bastard bildest dir immer noch ein, jung zu sein. Man sollte dich einsperren.«
»Beruhigen Sie sich doch, mein Gott!« sagte Akiva.
Der Kellner kam an den Tisch, und Harry bestellte sich geschnetzelte Leber. Akiva, der sich möglicherweise mit koscheren Restaurants in Amerika nicht so gut auskannte, wählte ein Steak, und Netscher bestellte gekochtes Rindfleisch und eine Flasche Sliwowitz.
»Mr. Netscher wird hier in New York bleiben und begibt sich damit in keinerlei Gefahr. Sie übrigens auch nicht, aller Wahrscheinlichkeit nach. Sie werden nach Israel fliegen. Wenn der Diamant das ist, was die Verkäufer behaupten, dann kaufen Sie ihn und bringen ihn hierher.«
»Ich will nicht, daß Saul da mit hineingezogen wird. Warum können Sie das nicht verstehen?«
»Harry, ich mag diese Respektlosigkeit nicht. Du redest, als wäre ich nicht hier.«
Harry ignorierte ihn weiterhin. »Und behaupten Sie bloß nicht, daß kein Risiko dabei ist, wo Sie selbst mir bereits gesagt haben, daß die Sache riskant werden könnte.«
Akiva seufzte. »Na schön, dann reden wir eben übers Risiko«, sagte er. »In unserer Ecke der Welt gibt es Terroristen, die den Diamanten gerne in ihre Hände bekommen und ihn als Symbol für die arabische Sache benützen würden. Und ohne Zweifel gibt es noch andere, die allein wegen seines enormen Wertes auf den Diamanten scharf sind. Aber wir haben gute Sicherheitskräfte in Israel und können Ihnen ein gewisses

Maß an Schutz vor solchen Gruppen bieten. Mehr kann Ihnen da schon von den Leuten passieren, die den Diamanten verkaufen. Sie wollen Ihnen den Stein erst dann aushändigen, wenn er hier in Amerika bezahlt worden ist. Bis das Geschäft abgeschlossen ist, werden die Verkäufer Sie als Geisel behalten.«

»Als Geisel«, sagte Harry.

»Ja. Wenn Sie versuchen sollten, den Diamanten ohne Bezahlung mitzunehmen, werden sie Sie umbringen.«

»Ich habe schon eine ganze Menge Diamantengeschäfte ohne diese ... Dummheiten abgewickelt. Vielleicht sollten wir etwas normalere Geschäftsabläufe mit den Verkäufern vereinbaren.«

Akiva zuckte mit den Achseln. »So wollen sie es nun mal.«

»Scheiß drauf!«

»Hör mir zu, Harry, es ist schon in Ordnung«, mischte sich Netscher jetzt ein. »Sie drohen damit, dich umzubringen, wenn du dich als Gauner herausstellen solltest. Aber, mein lieber Harry, du bist kein Gauner.«

Während des Gesprächs war Harry aufgefallen, daß Netschers Kopf manchmal ganz leicht gezittert hatte, und wenn er die Hände nicht faltete, dann zitterte die linke Hand ebenfalls. Als Harry ein Junge gewesen war, waren Netscher und Harrys Eltern in der East Ninety-sixth Street Nachbarn gewesen, und fast jeden Nachmittag hatte Harrys Vater ihn mitgenommen, wenn er sich mit Saul Netscher im Gebäude der *Young Men's Hebrew Association* an der Ecke Lexington und Ninety-second Street getroffen hatte. Im Dampfbad hatten die beiden Männer genüßlich den heißen Nebel eingeatmet und über praktisch jedes Thema diskutiert, von Schopenhauer bis Pediküre, während Harry lernen mußte, wie man als Kind in einer feuchten Hölle voller großer, haariger Männerkörper überlebte, in der man zudem kaum atmen konnte. In jenen Tagen hatte Netscher wie eine verkleinerte Ausgabe von Charles Atlas, dem berühmten Bodybuilder, ausgesehen und so heldenhaft Gewichte gestemmt, daß ihn die anderen Männer mit dem Namen *Starke Moise* belegt hatten, was im Jiddischen dem amerikanischen Ausdruck »Mighty Mouse« am nächsten kam. Einmal hatte Saul ihm unter der Dusche den Kopf gewaschen, und der kleine Harry hatte Angst gehabt, daß Sauls Finger, von denen er immer geglaubt hatte, daß sie Eisen verbiegen könnten, ihm die Haare vom Kopf reißen würden. Irgendwann war Harry dann so alt geworden, daß er seine Nachmittage allein verbringen durfte, und nachdem sein Vater Essie geheiratet hatte, hatte er sich immer seltener mit Saul im YMHA getroffen, bis sie schließlich gar nicht mehr hingegangen waren. Harry aber hatte Saul Netscher sein ganzes Leben lang als *Starke Moise* in Erinnerung behalten. Jetzt auf einmal fiel ihm auf, daß die starke Maus alt geworden war.

»Geh hin und mach das Geschäft«, sagte Netscher. »Wenn dir der Stein verdächtig vorkommt – oder das kleinste bißchen an dem Handel faul ist –, kommst du sofort zurück. Wenn sie wirklich bloß Leute sind, die etwas verkaufen wollen, dann werden sie uns keine Schwierigkeiten machen.«

Akivas Steak sah so zäh aus, wie Harry es erwartet hatte, aber er machte sich mit sichtlichem Appetit darüber her und war damit der einzige am Tisch, der sein Essen wirklich aß.

»Wie würde ich mit diesen Leuten in Verbindung treten?«

»Sie werden sich bei Ihnen melden«, sagte Akiva, »nachdem ich Sie bei ihnen avanciert habe. Der Mann, der dann mit Ihnen in Kontakt treten wird, heißt Mehdi, Yosef Mehdi.« Akiva buchstabierte den Namen langsam so oft, bis Harry nickte. »Er wird Sie dorthin führen, wo sich unser Verhandlungsobjekt befindet.«

»Was ist, wenn er mich dazu über die Grenze bringt?«

»Höchstwahrscheinlich wird er Sie über die Grenze bringen«, sagte Akiva gleichmütig. »Verstehen Sie jetzt, warum es lebenswichtig ist, daß die Person, die hier in New York die Dinge regelt, jemand ist, dem Sie absolut vertrauen können?«

Harry verstand es genau. »Sie zahlen das Geld Ihrer Spender auf Sauls Namen bei der Chase Manhattan Bank ein. Wenn ich mich bei ihm melde und ihm sage, ob und zu welchem Preis ich den Diamanten kaufen werde, wird er dafür sorgen, daß das Geld dorthin kommt, wo es die Verkäufer haben wollen.«

»Klingt gut«, sagte Akiva.

Netscher strahlte und goß Sliwowitz ein.

Akiva war endlich damit fertig, ein Stück Fett auf der vergeblichen Suche nach Spuren von Fleisch zu sezieren. »Sind wir uns also einig?«

»Noch nicht ganz«, erwiederte Harry. »Ich habe noch zwei Bedingungen. Erstens werde ich keinerlei Nebenaufgaben für Sie erledigen. Was Sie tun, gefällt mir nicht.«

Akiva nickte.

»Und ich will mit David Leslau an der kupfernen Schriftrolle arbeiten.«

»Nein.«

»Dann mache ich es nicht.«

»So leid es mir tut, dann werden Sie es wohl wirklich nicht machen. David Leslau ist ein launischer Gelehrter, der eifersüchtig über seine Arbeit wacht. Er teilt sie mit niemandem.«

Harry und Akiva blickten sich an.
»Nur aus diesem Grund haben Sie mich angerufen, nicht wahr?« fragte Akiva.
»Ja«, sagte Harry.
Akiva seufzte. »Wer hat es Ihnen bloß in den Kopf gesetzt, daß Sie ein Geschenk Gottes für alles und jeden sind, Mr. Hopeman?«
Saul Netscher lächelte. »Um ehrlich zu sein, ich war das«, sagte er, während ihnen der Kellner drei Gläser mit Tee brachte. Er biß auf ein Stück Würfelzucker, schlürfte etwas heißen Tee und nickte zufrieden. »Das geht auf mein Konto. Dieser Bursche hatte noch Flaum im Gesicht, als er mein Freund wurde. Er war in Schwierigkeiten, hatte die *Jeschiwa* verlassen und wußte nicht genau, was er wollte. Liebte einerseits das Diamantengeschäft, andrerseits wollte er unbedingt Gelehrter werden. Wissen Sie, was ich ihm damals gesagt habe?«
»Vermutlich werden Sie es mir gleich sagen.«
»Du hast mir von Maimonides erzählt«, sagte Harry.
»Ja, ich habe ihm von Maimonides erzählt. Haben Sie sich jemals gefragt, Mr. Akiva, warum so viele Juden im Diamantengeschäft sind? Das kommt daher, daß wir im Mittelalter nicht Bauern sein konnten wie alle anderen Leute. Es war uns *verboten*, Land zu besitzen. Aber man hat uns erlaubt, Handel zu treiben. Aber nur mit Dingen, mit denen niemand sonst handelte, zum Beispiel mit Diamanten. Und wir haben die Tradition dieses Geschäfts so sehr geprägt, daß heute jeder, der einen Handel mit Diamanten abschließt, gleichgültig, was seine Religion ist, ›*Massel!*‹ sagt, woraufhin ihm sein Geschäftspartner mit ›*Massel un Brocha!*‹ antwortet. Diese jiddischen Worte bedeuten ›Glück und Segen‹. Glück und Segen. Nicht das Schlechteste, was man sich nach

dem Ende einer Transaktion wünschen kann, finden Sie nicht auch?«

»Maimonides«, erinnerte ihn Akiva erschöpft.

»Ach ja, Maimonides. Der große Philosoph, Schriftsteller, Anwalt, Arzt – der all das nur werden konnte, weil er einen Bruder namens David hatte, der mit Diamanten handelte. Die beiden haben ein Beispiel gegeben, dem in jeder Epoche Dutzende von jüdischen Brüderpaaren gefolgt sind. Einer für den Marktplatz, ein Diamantenhändler wie ich. Und einer für Gott, ein Gelehrter oder Rabbi, so wie mein Bruder Itzikel. Sagen Sie mir, Mr. Akiva, wissen Sie, was mit dem großen Intellektuellen geschah, als sein Bruder, der Händler David ben Maimon, auf einer seiner Reisen zum Diamantenkaufen ertrank?«

Akiva schüttelte den Kopf.

»Als Maimonides von seinem Bruder nicht mehr unterstützt wurde, ergriff er noch einen zusätzlichen Beruf. Er wurde Diamantenhändler, so daß er nun selbst genügend Geld verdiente, um seinen Studien weiterhin nachgehen zu können. Und so habe ich damals dem jungen Mann, der mich um Rat fragte, gesagt: ›Du hast keinen Bruder. Aber in dir hast du die Kraft zweier Brüder.‹ Und ich hatte recht, Mr. Akiva. Er ist Harry Hopeman, der Diamantenhändler. Aber er ist auch ein Gelehrter, der unter anderen Gelehrten einen guten Ruf hat. Wenn ich Sie wäre, dann würde ich nicht zögern, mich bei David Leslau für ihn zu verwenden.«

»Sagen Sie Leslau, daß ich ein Stück des Textes der Schriftrolle entschlüsselt habe«, sagte Harry. »Ich kann mindestens eines der Verstecke identifizieren.«

Akiva seufzte. »Das ist wohl besser als jedes Argument, das ich mir ausdenken könnte.« Er schob seinen Stuhl vom Tisch zurück.

»Warten Sie«, sagte Harry. »Für den Fall, daß ich mich für Ihre Sache verpflichte, wollten Sie mir doch erzählen, warum Leslau denkt, daß der Diamant aus dem Tempel stammt.«

»Da Sie sich ihm ja unbedingt aufdrängen wollen, werde ich diese Erklärung David Leslau selber überlassen«, antwortete Akiva. »Ich melde mich in den nächsten Stunden wieder bei Ihnen.« Er verließ die beiden, die sich über die Reste des Mittagessens anstarrten.

Netschers Augen leuchteten. Er rollte Brotkrumen auf dem Tischtuch hin und her.

»Nun, Saul?«

»Nun, Harry?«

»Jetzt stecken wir bis über beide Ohren drin.«

Netscher zuckte mit den Achseln.

»Wir wissen nicht einmal, ob er wirklich derjenige ist, der er zu sein vorgibt.«

»Er ist es.«

»Was macht dich so sicher?«

»Ich habe ihn nach Beweisen gefragt. Er sagte, ich solle aufs israelische Konsulat in der Second Avenue gehen. Gestern vormittag war ich dort. Ich habe den Generalkonsul schon bei einem guten Dutzend Wohltätigkeitsveranstaltungen getroffen. Er gab mir die Hand und dankte mir für meine Unterstützung. Dann bot er mir eine Zigarre an und sagte, daß er zwar nichts über das Projekt als solches wisse, daß Akiva aber ein hervorragender Offizier sei, mit dem man unbedenklich zusammenarbeiten könne.«

»Das beruhigt mich.«

»Wirklich?« Der alte Mann blies Rauch in die Luft. »Schreckliche Zigarre«, sagte er. »Akiva ist ein kaltäugiger *Mamser*. Er jagt mir mehr Angst ein als die Leute, mit denen du dich treffen sollst.«

»Mir nicht. Was ist, wenn du, während Sie mich in ihrer Gewalt haben ... nun, du könntest krank werden, könntest einen Unfall haben ...«
»Sag doch, was du meinst. Ich bin ein alter Mann mit einem schlechten Herzen. Ich könnte sterben, während du weg bist, oder sogar noch hier an diesem Tisch. Damit hast du recht. Deshalb werde ich einen Brief bei meinen Anwälten hinterlegen, in dem ich sie anweise, den Geldtransfer für dich zu übernehmen, falls mir etwas zustoßen sollte.« Netschers Lächeln war nicht greisenhaft, sondern freundlich und vernünftig. »Vergiß deine jüdischen Schuldgefühle, Harry. Indem du mir erlaubst, dir zu helfen, tust du mir einen Gefallen.«
Harry schnitt eine Grimasse. In Netschers Phantasie standen sie auf den Zinnen einer Burg und schwenkten eine Flagge mit dem *Mogen David*, dem Davidstern. Er war ein heilloser Romantiker. »Hör doch auf, diese verdammten Brotkrumen zu rollen!«
»Weißt du, mit was ich mich in den letzten zwanzig Jahren abgegeben habe? Mit israelischen Staatsanleihen. Ich bin meinen Freunden auf die Nerven gegangen, um ihnen ein Stück Papier zu verkaufen, und habe eine Menge Geld aufgetrieben, mehr als die Summe, um die es bei diesem Geschäft jetzt geht. Aber was machen sie drüben in Israel mit dem Geld dieser Staatsanleihen? Sie fördern damit die Industrie. Im Lauf der Jahre habe ich vielleicht eine israelische Zementfabrik oder eine israelische Fabrik für Papierschachteln auf die Beine gestellt.« Seine Zigarre war ausgegangen, und er zündete sie mit kurzen, heftigen Zügen wieder an. »Mit dieser Sache hier tue ich endlich mal was, beschaffe nicht bloß Geld. Damit kann ich in meinem Alter noch einmal an etwas teilhaben.« Er hob sein Schnapsglas. »Harry, du hast mir etwas sehr Gutes er-

wiesen, du hast mich in einen Jungbrunnen springen lassen.«
»Kannst du denn schwimmen, Freund meines Vaters?«
Netscher brach in schallendes Gelächter aus. *»L'Chaim!«* sagte er und prostete Harry zu.
Einige Leute im Lokal sahen sie mißbilligend an, aber Harry stellte zu seiner Verwunderung fest, daß es ihm gleichgültig war. Er nahm sein eigenes Glas und fragte sich, ob es ihn beruhigen würde, wenn er immer noch der Meinung wäre, Netschers altersfleckige Hände könnten Eisenstangen verbiegen.
»*L'Chaim.* Auf ein langes Leben, Saul«, sagte er. Und er meinte es auch so.

7

Das Tal von Achor

»Was soll ich jetzt wegen Jeffs *Bar-Mizwa* machen?« fragte Della.

»Ich werde jede Entscheidung unterstützen, die du triffst.«

Sie schwieg.

»Wenn ich könnte, Della, würde ich dir ja gerne bei den Vorbereitungen helfen. Aber ich muß unbedingt fort. Diese Sache kann nicht aufgeschoben werden.«

»Das kann die *Bar-Mizwa* auch nicht. Ruf deinen Sohn wenigstens an und verabschiede dich von ihm«, sagte sie bitter.

»Könntest du bitte mal schauen, ob Jeff Hopeman auf seinem Zimmer ist?« bat Harry die junge Stimme am Telefon.

»Hopeman ... He, Leberfleck, das ist für dich.«

Harry grinste, als er diesen Spitznamen hörte. Er hatte auch so viele Muttermale.

»Hallo?«

»Jeff, hier spricht Dad.«

»Hey!«

»Wie geht es dir?«

»Ich bin okay. Warst du letzte Woche hier draußen?«

»Oh. Ja, das war ich tatsächlich.«

»Dann hat Wilson doch recht gehabt.«

»Wer?«

»Wilson. Der Bursche, der das Zimmer neben mir hat. Wieso bist du nicht geblieben?«

»... du warst beim Baseball.«

»Das war doch nur ein lausiges Training. Ich hätte jederzeit gehen können.«

»Ich wollte dich nicht stören, und ich konnte auch nicht warten. Hör zu, ich muß weg. Geschäftlich.«

»Wie lange wirst du fort sein?«

»Das steht noch nicht fest. Das hängt davon ab, wie lange ich brauchen werde.«

»Wirst du in zwei Wochen wieder zurück sein?«

»Ich weiß nicht. Warum?«

»Dann ist die Schule zu Ende.« Jeff zögerte. »Ich will nicht ins Ferienlager. Ma hat gesagt, daß du mir vielleicht eine Arbeit besorgen könntest.«

»Das ist eine tolle Idee«, sagte Harry vorsichtig. »Aber wenn sich die Verhandlungen in die Länge ziehen, dann könnte ich vielleicht den größten Teil der Ferien weg sein.«

»Wo mußt du überhaupt hin?«

»Nach Israel.«

»Ich könnte doch nachkommen, wenn die Schule aus ist.«

»Nein«, sagte Harry bestimmt.

»Du behandelst mich wie ein kleines Kind.« Die Stimme seines Sohnes überschlug sich vor Ärger. »Du läßt mich nicht jagen, und jedes Jahr muß ich ins Ferienlager. Das Ferienlager ist echt ätzend.«

»Das wird dein letztes Jahr dort sein, ich verspreche es dir.«

Jeff sagte nichts.

»Ich besuche dich, sobald ich wieder zurück bin. Dann können wir über einen Job für dich reden. Okay?«

»... Na schön.«

»Auf Wiedersehen, Jeff.«
»Wiedersehen.«
Kaum hatte Harry aufgelegt, rief er Jeff noch mal an.
»Hör zu. Wenn die Schule aus ist, arbeitest du für Saul Netscher, okay? Bei ihm kannst du etwas lernen. Wenn ich dann zurück bin, arbeitest du bei mir. Einverstanden?«
»Und ob!«
»Ich werde es mit Saul arrangieren. Er wird sich freuen, daß du kommst, aber er wird dich ganz schön schuften lassen. Botengänge, zusammenkehren, Maschinen abschmieren. Alles mögliche.«
»Das ist wirklich toll, Dad! Werde ich lernen, wie man Diamanten schleift?«
»Das dauert Jahre, das weißt du doch. Und es ist sehr schwer.«
»Wenn du es gelernt hast, dann kann ich es auch lernen.«
Harry lachte. »Na schön. Paß auf dich auf. Ich liebe dich, mein Junge.«
»Ich liebe dich auch«, sagte sein Sohn pflichtschuldig.
Harry seufzte.

Drei Tage bevor er abflog, erhielt Harry mit der Vormittagspost einen weißen Umschlag ohne Absender. Aber er konnte sich schon vorstellen, von wem er kam. Es war ein Dossier über den Mann, den er in Israel treffen sollte.

Hamid Bardissi, alias Yosef Mehdi. Geboren am 27. November 1919 als Sohn von Salye (Mehdi) und Abu Yosef Bardissi Pascha im ägyptischen Sigiul. Sein Vater war in den Jahren von 1932 bis 1935 ägyptischer Botschafter in Großbritannien und von 1924 bis 1928 der Militärgouverneur der Provinz Assoiut gewesen. Schon als jun-

ger Mann war Bardissi Pascha ein Freund und Berater von Achmed Fuad Pascha, der 1922, als die Engländer ihr Protektorat zurückzogen, der erste König von Ägypten wurde.
Hamid Bardissi war zehn Monate älter als Faruk, der Sohn von König Fuad. Praktisch von Anfang an war er zum ständigen Spielkameraden des Prinzen bestimmt worden. Sie wurden gemeinsam von einem Privatlehrer unterrichtet. Im Alter von sechzehn Jahren begleitete Bardissi Faruk auf die Königlich-Englische Militärakademie in Woolwich. Als nach ihrem ersten Semester dort König Fuad starb, wurden die beiden zurück nach Ägypten gerufen.
Nach Bardissi Paschas Tod 1939 erbte Hamid Bardissi 7500 Feddans (in etwa 3150 Hektar) Land zum Baumwollanbau. Er heiratete zweimal, was ihm das islamische Gesetz erlaubte, aber lebte seit 1941 nicht mehr mit seiner ersten Frau zusammen. Seine zweite Frau, die er 1942 heiratete, starb im darauffolgenden Jahr bei einer Totgeburt. Obwohl er nie ein offizielles Amt innehatte, wurde Bardissi als Faruks Helfer in weiten Kreisen gehaßt und gefürchtet. Er richtete politische Gegner ohne Hemmungen zugrunde. Ihm wird die Unterwanderung der Wafd-*Partei zugeschrieben, die sich dadurch von einer stramm anti-royalistischen Bewegung zu Faruks politischem Arm verwandelte. Berichten zufolge wurde Bardissi gemeinsam mit dem König von der Moslemischen Bruderschaft auf die Todesliste gesetzt. Wenn dem so war, dann kam der Staatsstreich, der Faruk 1952 von seinem Thron jagte, der Ermordung zuvor.*
Als Faruk am 26. Juli 1952 von General Nabuibs Soldaten im Ras-el-Tin-Palast zur Abdankung gezwungen wurde, war seine rechte Hand Bardissi in Belgien und holte eine kleine, aber wertvolle Auswahl von Steinen aus

Faruks Juwelensammlung, die gerade auf der 46. Internationalen Edelsteinausstellung gezeigt wurden. Bardissi unterschrieb eine Quittung für sieben große Diamanten, ein Set von drei zueinander passenden klaren, roten Rubinen, von denen ein jeder zwischen neun und zehn Karat wog, einen vierten Rubin, im Katalog aufgeführt als »von der Größe eines Taubeneis, den Gustav III. von Schweden 1777 Katharina II. von Rußland schenkte«, und ein Tablett mit »historischen Steinen« – Juwelen mit interessantem Hintergrund, aber nur geringem wirklichen Wert.

Bardissi kehrte nie nach Ägypten zurück, wo er nach wie vor steckbrieflich gesucht wird. Sein Grundbesitz wurde 1954 vom Staat konfisziert.

Der Rubin von Katharina der Großen soll sich angeblich seit 1954 in der Sammlung der iranischen Schatzkammer befinden, aber die Regierung des Irans hat das bisher weder bestätigt noch dementiert. Die Sammlung der iranischen Schatzkammer ist der Öffentlichkeit nicht zugänglich.

Die drei zueinander passenden Rubine wurden 1968 an einen Geschäftsmann aus Tokio namens Kayo Mikawa verkauft. Sie stammen mit an Sicherheit grenzender Wahrscheinlichkeit aus der Sammlung von König Faruk. Als Mikawa von Interpol zu diesen Steinen befragt wurde, gab er an, daß er sie in London von einem Mann namens Yosef Mehdi gekauft habe.

Interpol wandte sich an Ägypten und wird seitdem von dort über Bardissi auf dem laufenden gehalten. Da es zwischen Ägypten und Großbritannien kein Auslieferungsabkommen gibt, konnten die Ägypter nichts tun.

Den Engländern gegenüber gab Mehdi bereitwillig zu, daß er Bardissi ist. Er zeigte den Behörden einen Brief von Faruk, am 18. November 1953 in Cannes abgestem-

pelt, in dem erklärt wurde, daß es sich bei den Edelsteinen um Faruks persönliches Eigentum und nicht das der ägyptischen Regierung handele und daß er Bardissi das Eigentum an diesen Juwelen und anderen Dingen als Dank für seine treuen und guten Dienste überschreibe. Bardissi überzeugte die britischen Behörden davon, daß er von den Ägyptern aus politischen Gründen und nicht wegen etwaiger Verbrechen gesucht werde und daß er hingerichtet werden würde, falls man ihn nach Ägypten zurückschickte.
Also wurde er freigelassen.
Danach tauchte er unter. Offensichtlich glaubt er, daß sein Leben immer noch in Gefahr sei. Anfang dieses Jahres aber wandte sich in Amman ein Mann, der sich Yosef Mehdi nannte, an mehrere Persönlichkeiten mit guten Kontakten in den Westen und ließ durchblicken, daß er möglicherweise Edelsteine zu verkaufen habe.
In Kairo wird der Fall Hamid Bardissi als »aktenkundig, aber momentan nicht akut« geführt.

Mit dem Harry-Hopeman-System war ein Interkontinentalflug nicht viel mehr als ein gigantischer Hopser. Sobald das Flugzeug in der Luft war, streifte er zuerst seine Schuhe ab. In weichen Slippern und einem bequemen Pullover sah er sich einen Film an, der aber leider nicht schrecklich genug war, um ihm zu gefallen. Über Neufundland aß er aufgewärmtes Hühnchen und eine Jaffa-Orange und bestellte sich anstatt des süßlichen Sekts eine Flasche trockenen Wein.
Er verbrachte viel Zeit damit, das Dossier über Mehdi zu studieren, danach nahm er sich die Notizbücher seines Vaters vor, wobei er immer wieder zu den Seiten zurückblätterte, die sich mit dem *Diamanten der Inquisition* beschäftigten. Schließlich streifte er sich den

Kopfhörer über und hörte sich Musik von Händel an, denn die machte ihn garantiert müde. Dabei trank er den Wein. Als die Flasche zu zwei Dritteln leer war, hatte Harry auch schon zwei Drittel der Strecke über den Atlantik geschafft. Er legte die Schlafmaske über die Augen und probierte die verschiedenen Geräusche aus, die ihm das Soundsystem des Flugzeugs anbot, bevor er sich für Meeresrauschen entschied. Seine Füße wurden schwer, die Brandung füllte seine Ohren, und der milde Nachgeschmack des Weins zog ihn langsam in den Schlaf, als würde er in achttausend Metern Höhe in einem angenehmen, warmen Meer versinken.

Erst am nächsten Tag, als er um zwölf Uhr Mittags auf dem Ben-Gurion-Flughafen das Flugzeug verließ und ihn der Kopfschmerz wie ein goldener Hammer mitten auf der Stirn zu treffen schien, wurde ihm bewußt, daß er den Wein nicht ungestraft getrunken hatte.
Es war heiß. Nachdem sich Harry durch den Zoll gequält hatte, fand er sogar auf Anhieb ein Taxi. Der Fahrer hatte einen schnellen, abgehackten Fahrstil, so daß Harry auf dem Weg nach Jerusalem immer wieder mit aufsteigendem Brechreiz zu kämpfen hatte. In einem tiefeingeschnittenen Tal säumten zerfetzte Autowracks den Weg.
»Diese Fahrzeuge wurden im Unabhängigkeitskrieg zerstört, als sie die Blockade durchbrechen wollten«, erklärte der Fahrer. »Sie versuchten damals, Essen und Munition in die Stadt zu bringen. In den letzten Kriegen sind die Bastarde ja Gott sei Dank nicht mehr bis hierher gekommen. Aber im ersten waren die Geschütze der Araber beiderseits dieser Straße in Stellung gebracht worden. Wir lassen die Autowracks als Denkmäler hier liegen.«

Harry nickte. »Ich war schon einmal in Jerusalem.« Jedesmal, wenn er hier ankam, erklärten die Taxifahrer die Anwesenheit dieser Rostlauben aufs neue.

Vom Hotel aus rief Harry David Leslau an, aber der Archäologe war den ganzen Tag über nicht in seinem Büro. Harry hinterließ eine Nachricht für ihn.
Sein Zimmer befand sich an der Rückseite des Hotels. Von seinem Fenster aus konnte er ein langes Stück einer wunderschönen alten Mauer und eine Reihe von würfelförmigen arabischen Häusern sehen – das war Ost-Jerusalem. Die Altstadt reizte Harry, aber weil die Sonne vom Himmel herunterbrannte, entschied er sich doch lieber für sein weiches Bett mit den kühlen Laken.
Als er wieder erwachte, war sein Kopfschmerz besser geworden. Um zehn nach neun aß er gerade das Frühstück, das aus Eiern, Pitabrot, kleinen grünen Oliven und Eistee bestand, als Leslau zurückrief und sich sofort bereit erklärte, ins Hotel zu kommen.
Harry und der Archäologe kannten sich nur vom Hörensagen und durch ihre Publikationen. Leslau erwies sich als klein und häßlich, mit einer breiten Brust, die wie die eines Bullen wirkte. Sein rotes Haar und sein Bart hätten gut einen Schnitt vertragen können, auch aus dem offenen Kragen des nicht mehr ganz weißen Hemds schaute ein dickes Büschel grau werdender, gelbbrauner Haare hervor. Leslau blinzelte durch eine dicke Brille, die seine rastlosen braunen Augen vergrößerte. Die viele Arbeit im Freien hatte seine Haut braun gegerbt. Er trug staubige Schuhe und Jeans, und irgendwie kam sich Harry in seiner Gegenwart zu gut angezogen und zu sauber gewaschen vor.
Sie saßen in der Lobby, in der Touristen wie Spatzen herumhüpften.

»Was für einen Absatz der Schriftrolle haben Sie übersetzt?« fragte Leslau sofort und zupfte sich mit seinen dicken Fingern am Ohrläppchen.
Harry erzählte ihm, was er herausgefunden hatte.
»Ja, ja, bei Jesus, Josua und Job. Hören Sie, mein armer, neuer Freund, der Sie mit Ihren Träumen von unvergänglichem Ruhm frisch aus Amerika gekommen sind –«
»Reden Sie bitte nicht in diesem Ton mit mir«, sagte Harry ruhig.
»Sie sind schon der vierte, der die *Genisa* aus diesem Absatz identifiziert hat.«
Harry sah ihn an.
Leslau seufzte. »Kommen Sie, kommen Sie«, sagte er.

Leslau hatte einen alten Volkswagen, der auf Steigungen asthmatisch schnaufend zusammenzubrechen drohte. Deshalb fuhr der Archäologe jeden Hügel mit einer affenartigen Geschwindigkeit hinauf, und das auf Straßen, die sich in Serpentinen an steilen Abgründen entlangschlängelten.
»Waren Sie schon mal in dieser Gegend?«
»Nein.«
Sie fuhren an Bananen- und Zitrusplantagen vorbei.
»Ungewöhnliches Klima hier. Afrikanisch. Wie im Sudan etwa, Sie sehen's ja selbst.«
»Mmm.«
Leslau warf ihm einen schnellen Blick zu.
»Ich habe Ihnen vorhin alle Illusionen geraubt, stimmt's? Nehmen Sie sich das, was ich Ihnen vorhin im Hotel gesagt habe, nicht so zu Herzen. Ich bin manchmal ganz schön bösartig. Das ist mir bewußt, aber ich bin zu alt, um mich noch zu ändern.«
»Wer ist denn als erster darauf gekommen, wo die *Genisa* sein könnte?« fragte Harry.

»Max Bronstein hat mich praktisch sofort, nachdem er die Rolle gelesen hatte, dort hinausgeschickt, aber noch bevor sein Brief ankam, hatte ich es mir selbst schon mehr oder weniger zusammengereimt. Und dann haben wir eine sehr gescheite Frau an der Hebräischen Universität konsultiert, und nach einer Woche oder so kam auch sie mit dem Tal von Achor heraus.«

An einer Straßengabelung bog Leslau nach Süden ab und deutete dabei auf die linke Straße. »Ein paar Kilometer nördlich liegt Jericho. Die letzten siebzig Jahre über war das eine interessante Ausgrabungsstätte. Jericho ist die älteste Stadt der Welt, sie läßt sich bis ins Jahr 8000 vor Christus zurückverfolgen, lange bevor es überhaupt Juden gab. Bei der Grabung fanden die Archäologen unter anderem neun menschliche Schädel, die man mit einer Schicht aus Lehm überzogen hatte und in deren Augenhöhlen Muscheln steckten.«

»Wem gehörten diese Schädel?«

»Göttern«, sagte Leslau.

Harry drehte sich ihm zu. »Und was haben Sie gefunden, als Sie die *Genisot* ausgruben, die Sie in der Schriftrolle bisher entschlüsseln konnten?«

»Wir haben diese *Genisot* nicht ausgraben können, denn immer war vor uns schon jemand anderer dort gewesen, der die Schätze ausgebuddelt hatte.« Der Volkswagen bog hoppelnd von der Hauptstraße ab und folgte einem trockenen Flußtal, bis er vor einer steilen Felswand nicht mehr weiter kam. »Bisher haben wir überhaupt nichts gefunden«, sagte Leslau.

Er nahm eine Taschenlampe aus dem Handschuhfach und ging voraus. »Dieses Tal heißt heute Buke'ah. Aber früher war es einmal das Tal von Achor.«

Ein paar Kilometer entfernt befanden sich Oasen mit üppigen Plantagen, aber Leslau führte Harry über den aufgesprungenen Wüstenboden. Kleine schwarze Vögel mit weißen Schwanzfedern, die Harry nicht identifizieren konnte, sangen laut in den Tamariskenbüschen und den Akazien.

»Glauben Sie, daß Achan und seine Familie wirklich hier gesteinigt wurden?«

»Eine militärische Hinrichtung, um ein Exempel zu statuieren? Das klingt auf häßliche Weise realistisch«, antwortete Leslau. »Die Armeen waren damals schon ebenso wahnsinnig wie heute. Ich glaube durchaus, daß Achan hier getötet wurde.« Er führte Harry zu einer Öffnung in der Felswand. »Passen Sie auf Ihren Kopf auf.«

Der Eingang war weniger als einen Meter zwanzig hoch. Drinnen war die Decke vielleicht dreißig Zentimeter höher. Leslau knipste die Taschenlampe an und beleuchtete damit eine etwa acht mal sechs Meter große Kammer. Im hinteren Teil der Höhle fiel die Decke ab wie eine Dachschräge. Auf dem Lehmboden waren mit Pfählen zwei Rechtecke abgesteckt, die aussahen wie kahle Gärten.

Harry ging vor einem von ihnen in die Hocke. »Was für eine *Genisa* ist das hier?«

»*... liegt achteinhalb Ellen tief ein glitzernder Stein ...* und so weiter.«

»Hier war also der Diamant vergraben. Aber Sie haben nichts gefunden.«

»Natürlich nur relativ gesprochen. Wir haben ein paar französische Münzen aus dem Mittelalter entdeckt, etwa neunzig Zentimeter tief lag zum Beispiel ein karolingischer Pfennig, und in zwei Meter zehn Tiefe fanden wir drei weniger wertvolle Münzen, die man ›Halbstücke‹ nennt. Weitere dreißig Zentimeter tiefer fanden wir die obere Hälfte eines Dolches. Die abgebrochene Klinge bestand aus schlecht gehärtetem Stahl, es war keine besonders gute Waffe und gehörte deshalb wohl einem einfachen Soldaten und nicht einem Ritter. Vielleicht zerbrach der Dolch beim Versuch, ihn als Grabungswerkzeug zu verwenden. Auf dem Heft ist ein Lothringer Kreuz eingraviert.«

»Französische Kreuzfahrer.«

»Ohne Zweifel. Wir nehmen an, daß sie mit dem zweiten Kreuzzug kamen, obwohl damals nicht allzu viele Franzosen dabei waren.« Leslau lenkte den Strahl seiner Taschenlampe auf die zweite Grabungsstelle, die etwa die Größe eines Grabes hatte. »Nachdem sie den Diamanten hier ausgegraben hatten, fiel er in Sultan Saladins Hände und wurde später von den Christen wieder zurückerobert.«

»Haben Sie Beweise dafür?« fragte Harry.

»Schauen Sie. Die erste historische Erwähnung des Steines datiert kurz nach der Schändung dieser *Genisa*, und zwar, als Saladin den großen Diamanten in Acre, dem Ort seines größten militärischen Triumphes, der Moschee stiftete. Saladin selbst schrieb, daß seine Sarazenen den Stein bei versprengten französischen Soldaten gefunden hätten, einem Überbleibsel der vernichtend geschlagenen Armee Ludwigs VII.«

»Aber hundert Jahre später wurde der gelbe Diamant im christlichen Spanien geschliffen«, sagte Harry.

»Ja. Nachdem er geschliffen worden war, wurde er von Estebán de Costa, dem Grafen von León, der als Laie der Inquisition diente, der Kirche geschenkt. Er hatte den Diamanten einem zum Tode verurteilten Juden, einem ›neuen Christen‹, der rückfällig geworden war,

abgenommen. Gleichzeitig aber betonte De Costa immer wieder, daß spanische Ritter von rein christlichem Geblüt bei einem der späteren Kreuzzüge den Stein aus der Moschee von Acre mitgebracht hätten.« Leslau grinste. »Der Stein wurde von den drei Religionen wie ein gottverdammter Fußball hin und her gekickt. Aber ich glaube, daß der jüdische Anspruch auf den Stein sehr, sehr weit zurückreicht. Wie gut kennen Sie die Bibel?«
Harry zuckte mit den Achseln.
»Sie erinnern sich doch sicherlich, daß König David die Ehre, den Tempel zu bauen, vorenthalten wurde, weil Blut an seinen Händen klebte.«
»Zweites Buch Samuel.«
»Ja. Dort steht, daß David seinem Sohn Salomon neben den Bauplänen für den Tempel auch dessen Schätze hinterließ. Weiter hinten beschreibt die Bibel dieses Erbe unter anderem als: ›Schohamsteine mit Einfassungen, Malachit, buntfarbige Steine sowie allerlei Edelsteine und Alabaster in Menge ...‹«
»Erstes Buch David?« fragte Harry.
Leslau lächelte. »Kapitel neunundzwanzig, Vers zwei. Das war der Beginn des Tempels. Das Ende kam achthundert Jahre später, als der Moloch Nebukadnezar nahte. Wenn man der Schriftrolle glauben darf, dann haben ein paar Priester mit kühlem Kopf die heiligsten und wertvollsten Gegenstände ihrer Welt ausgewählt. Lassen Sie uns einen Augenblick lang annehmen, daß der *Canary-Diamant* aus dem Tempelschatz stammt – was ich persönlich auch glaube. Er war leicht zu verstecken und hätte in glücklicheren Zeiten gut verkauft werden können, um mit dem Erlös ein Gebäude zu errichten, das die dann wieder ausgegrabenen heiligen Gegenstände hätte aufnehmen können.«
»Akiva hat meinem Vater und mir in New York erzählt,

daß Mehdi noch mit einem anderen Stein, einem Granat, hausieren geht.«
»Der Granat läßt sich nicht so leicht identifizieren. Es gibt wenige gelbe Diamanten, aber es gibt viele Granate. Wenn er wirklich von hier stammen sollte, dann könnte er ein heiliges Objekt sein. Vielleicht einer der Steine, die aus den ›Gewändern der Söhne des Aaron‹ stammen sollen, aus der Tracht des Hohenpriesters.«
Harry nickte. »Sie hätten bestimmt keine normalen Priestergewänder vergraben, denn diese hätte man ersetzen können. Aber die Steine, die von den verschiedenen Stämmen für das Brustschild des Hohenpriesters gespendet wurden, haben sie sicher versteckt.«
»Halten Sie sich doch einmal vor Augen, wie schlau diese Leute damals vorgegangen sind«, sagte Leslau. »Auf dieser *Genisa* hier vergruben sie zum Beispiel den Diamanten nicht allzutief, in der Hoffnung, daß er als erstes gefunden und daß dann nicht mehr tiefer gegraben werden würde, wo die wirklich heiligen Steine lagen.«
Harry dachte daran, daß sein Vater bei seinen Juwelen im Vaseline-Töpfchen dieselbe Technik angewandt hatte. »Woher wissen Sie, daß die Kreuzfahrer nicht auch die tiefer liegende *Genisa* gefunden haben?«
»Die untere *Genisa* wurde erst viel, viel später aufgegraben. Das einzige, was wir fanden, als wir die Erde von dort durchsiebten, war ein Kupferknopf einer normalen britischen Armeeuniform des frühen zwanzigsten Jahrhunderts.« Leslau setzte sich auf den trockenen Lehm. »In moderner Zeit wurde dieses Tal von beduinischen Ziegenhirten bewohnt. Weil das Futter so knapp ist, besitzen die Beduinenfamilien Weiderechte über riesige Gebiete, die von Generation zu Generation weitergegeben und so gut wie nie verletzt werden.
Aber die israelischen Behörden wissen, wie man so et-

was regelt. Sie fanden schnell heraus, welcher Familie die Weidegebiete um das Buke'ah-Tal gehören. Jetzt pflanzen diese Beduinen in Tuba Baumwolle an und leben zum ersten Mal in ihrer Geschichte in richtigen Häusern. Einer von den alten Männern dort erinnert sich noch daran, daß er als kleiner Junge in dieser Höhle Schmuggelware versteckt hat.«
»Schmuggelware?«
»Seine Familie schmuggelte nach seinen Aussagen Tabak, den sie an die britischen Soldaten verkaufte. Aber eigentlich war das Unsinn, denn die Briten hatten damals mehr als genug Tabak. Wir können also getrost annehmen, daß es wohl eher Haschisch war. Der alte Mann kann sich nicht mehr an das genaue Jahr erinnern, aber er sagt, daß die Türken eben Palästina verlassen hätten und die Briten noch nicht allzu lange dort gewesen seien. Wir vermuten, daß es etwa 1919 gewesen sein muß.
Nun, jedenfalls sagt der Alte, daß er, als er im Boden der Höhle ein Loch grub, um sein Schmuggelgut zu verstecken, einige Dinge fand.«
»Was für Dinge?«
»Er kann sich nicht mehr genau daran erinnern. Er weiß nur noch, daß es schwere Gegenstände aus Metall waren, die ihm damals sehr alt vorkamen, und Steine aus farbigem Kristall in einem Beutel aus verrottetem Leder. Sein Vater brachte die ganzen Sachen nach Amman und verkaufte sie für achtundsechzig Pfund Sterling an einen Antiquitätenhändler. An die Summe kann sich der Mann noch ganz genau erinnern. Das war das meiste Geld, das seine Familie je auf einmal gehabt hatte.«
»Hat schon jemand mit dem Antiquitätenhändler gesprochen?«

»Der ist seit zweiunddreißig Jahren tot.«
»Glauben Sie dem Beduinen?«
»Er hatte keinen Grund zu lügen. Ohne daß ich ihn danach gefragt hätte, erzählte er mir, daß sein Vater manchmal, wenn die britischen Soldaten kein Geld hatten, auch kupferne Uniformknöpfe als Bezahlung genommen hätte.« Leslau schaltete die Taschenlampe aus. »Kommen Sie«, sagte er.
Aber Harry blieb in der Dunkelheit sitzen. Er legte seine Hände auf den warmen, steinharten Lehm und wollte nicht gehen.
»Na los, kommen Sie!« rief Leslau.
Widerstrebend folgte ihm Harry nach draußen.

»Sie müssen sich an dieses Land gewöhnen«, sagte Leslau. »Die Vergangenheit überlappt hier ständig die Gegenwart. Es ist wohl, weil so viele Menschen schon auf diesem Boden gelebt haben und gestorben sind. Man kann nicht einmal ein Loch graben, um einen Baum zu pflanzen, ohne daß man auf ihre Spuren stößt. Neulich hat das Verkehrsministerium eine neue Straße trassiert und dabei die Sarkophage von königlichen Prinzen entdeckt. Oder ein arabischer Farmer möchte seinen Keller vergrößern und stößt auf ein Mosaik, das aus seinem Haus ein Museum macht.«
In Jericho stiegen sie aus und tranken im Freien einen Kaffee. Hinter einer Steinmauer schritt ein alter Araber in dunklem Anzug und Fez langsam seine Orangenbäume ab.
Während sie so dasaßen und ihren Kaffee schlürften, dachte Harry an die Männer, die im Angesicht des nahenden Untergangs hastig ihre Heiligtümer in Erdlöchern versteckt hatten. »Die haben damals keine schlechte Arbeit geleistet«, bemerkte er. »Ein Versteck

hielt immerhin tausend Jahre, und das tiefere hätte es fast bis in den Staat Israel geschafft.«

»In der Tat wurde bisher nur sehr wenig gefunden«, sagte Leslau. »Ich habe die Schriftrolle monatelang studiert. Einer ihrer Absätze bezieht sich in seiner mysteriösen, verklausulierten Art auf ein paar wunderschöne Gefäße aus Bronze und Silber, die vor neun Jahren in einer Höhle in Jerusalem entdeckt wurden, dessen bin ich mir ziemlich sicher. Die wirklich wichtigen Gegenstände aber – die Bundeslade, das Tabernakel, vielleicht sogar die Tafeln mit den Zehn Geboten – liegen mit Sicherheit nicht weit von uns entfernt unter der Erde und warten nur darauf, gefunden zu werden.«

Auf der Rückfahrt nach Jerusalem saßen beide in ihre Gedanken versunken da.

»Ich möchte mit Ihnen arbeiten«, sagte Harry schließlich.

»Nein.« Leslau legte brutal einen anderen Gang ein. »Ich brauche Sie nicht. Ich könnte die besten Gelehrten Israels haben. Sie müssen mir lediglich den Diamanten kaufen.

Vielleicht werden wir morgen die Schriftrolle entschlüsseln und jedes in ihr verzeichnete Objekt finden, aber wahrscheinlich ist das nicht. Vielleicht werden wir nie etwas Konkretes finden. Aber das Interesse an dieser zweiten kupfernen Schriftrolle wird mir noch einige Jahre lang meinen Lehrauftrag sichern, und ich bin bereit, mein Leben mit der Suche nach den in ihr verzeichneten Gegenständen zuzubringen.« Er wandte, ans Lenkrad geklammert, den Blick von der Straße und sah Harry in die Augen. »Es ist mir scheißegal, wie teuer dieser Diamant ist. Ich will ihn haben, weil er aus dem Tempel stammt. Aus dem Tempel, Mann! Überlegen Sie sich das mal!«

Harry erwiderte Leslaus Blick. »Wollen Sie so lange hierbleiben, bis Sie alle in der Schriftrolle verzeichneten Gegenstände gefunden haben?«
Leslau nickte.
»Sie haben doch so wichtige Arbeit geleistet. Warum wollen Sie sich für den Fall, daß Sie hier kein Glück haben, nicht etwas anderem zuwenden?«
»Hatten Sie, als Sie im Vatikan waren, vielleicht einmal die Gelegenheit, dem Versand von Reliquien zuzusehen?«
Harry lächelte und schüttelte den Kopf.
»Es gibt im Apostolischen Palast einen Raum mit Regalen voller Gefäße, in denen sich Asche, Knochensplitter und andere Überreste frühchristlicher Heiliger und Märtyrer befinden. Ein Bibliothekar gibt winzige Mengen aus diesen Gefäßen, auch wenn es bloß Staub ist, in Umschläge, die dann als Einschreibebriefe an neugebaute Kirchen in aller Welt geschickt werden. Nach dem kanonischen Gesetz muß im Altar einer jeden Kirche eine Reliquie sein.«
Harry brummte ein wenig angeekelt.
Leslau kümmerte sich nicht darum. »Sie sehen nur die sterblichen Überreste von Menschen, ich hingegen kann gut verstehen, warum es diese Vorschrift gibt. Die Kirche hat erkannt, daß auch der moderne Mensch unbedingt einen direkten Kontakt mit den Ursprüngen seines Glaubens haben muß.«
»Und was hat das mit Ihnen zu tun?«
»Ich kenne den Wert solchen Staubs«, sagte Leslau. »Aber ich rede ja nicht davon, daß ich mein ganzes Leben mit der Suche nach Staub zubringen möchte. Was ich zu finden hoffe, ist nicht weniger als das historische Fundament, auf dem das gesamte Alte Testament ruht.«

Als Harry aus dem Wagen stieg, hielt er inne. »Ich würde gerne einmal die originale Schriftrolle sehen.«
Leslau schien verärgert zu sein. »Ich glaube nicht, daß das möglich sein wird«, sagte er. *»Shalom.«* Er zog die Beifahrertür zu, und der VW entfernte sich mit spuckendem Motor.
Harry starrte ihm nach. Leslaus Grobheit deprimierte ihn. Plötzlich spürte er auch, daß ihm die Zeitumstellung zu schaffen machte. In der Nähe hielt ein alter Mann bei seinem Karren mittels eines Seils einen Fächer in ständiger rhythmischer Bewegung, um die Fliegen von seinen frischen Datteln zu vertreiben. Harry kaufte sich ein Pfund und blieb stehen, während er an sein einsames Hotelzimmer dachte.
Obwohl Akiva ihn angewiesen hatte, im Hotel zu warten, bis sich Yosef Mehdi bei ihm meldete, spazierte er durch die Straßen und aß die Datteln. Er wagte sich sogar in die schmalen Seitengassen, und langsam ließ seine Anspannung nach. Hinter all der Tourismus-Propaganda und dem Geschwätz der Geschäftsleute vom »Goldenen Jerusalem« entdeckte Harry einen wahren Kern in dieser Stadt, der ihm direkt an die Seele ging.
Jerusalem war wunderschön.

8

Jerusalem

Harry ging langsam, besah sich die Umgebung und schaute den Menschen in die Gesichter. Bald wußte er nicht mehr, wo er war, und schlenderte ziellos weiter, bis ihm die Gebäude wieder bekannter vorkamen und er feststellte, daß er in der Nähe der Universität gelandet war. Jetzt hatte Harry auf einmal ein Ziel: das israelische Museum.

Er ging sofort zu einem Gemälde, das er schon dreimal vorher gesehen hatte, setzte sich davor auf eine Bank und betrachtete den »Herbst in der Provence« genauso, wie er einen Diamanten analysieren würde: zuerst als Ganzes, dann ein kleines Stück nach dem anderen. Die Farben schienen ihn geradezu anzuspringen; das gelbe Feld, die orangefarbenen Garbenbündel, der blaugrüne Himmel, der wie ein drückendes Schicksal über einem einsam kämpfenden, kleinen Mann hing. Harry meinte fast, in dieses Feld hineingehen und den Wahnsinn spüren zu können, der Vincent van Gogh zwei Jahre nach der Fertigstellung dieses Bildes in den Selbstmord getrieben hatte.

Schließlich ging Harry weiter zu einem alten Kupferschatz, der 1960 von einem Archäologen, der eigentlich in der judäischen Wüste nach weiteren Schriftrollen wie denjenigen vom Toten Meer gesucht hatte, in einer dreihundert Meter hoch an einem steilen Riff gelegenen Höhle gefunden worden war. Der Schatz enthielt Äxte,

Teile von Keulen und hervorragend gearbeitete Kronen und Zepter. Die Dinge stammten aus der chalkolithischen Periode, einer vorhebräischen Zeit, und während Harry sie betrachtete, spürte er tiefen Groll gegen David Leslau in sich aufkeimen, aber auch eine seltsame Sehnsucht.

Während er so durch dieses Museum streifte, erkannte er, was seine persönliche Schwäche war. Er sehnte sich danach, auch solche wundervollen vergrabenen Dinge zu finden, wollte auf seine eigene Art und Weise kreativ und verrückt sein wie van Gogh. Und er wollte jede interessante Frau auf der ganzen Welt für sich haben. Er war ein schrecklicher Nimmersatt, er wollte alles, was schön ist.

Als er vom Museum zur King George V. Street ging, war die Sonne bereits untergegangen. Prostituierte in aufreizenden Sommerkleidern durchschwirrten, immer zu zweit, die abendlichen Straßen. Harry fühlte sich zu Hause, auf der Eighth Avenue war es auch nicht anders. Er aß in einer Bruchbude von einem Restaurant, in der der Koch russisch sprach, zu abend – vier Blinis, gefolgt von kaltem Borschtsch in dem wie gelbe Inseln heiße Kartoffeln lagen. Als er draußen ein Taxi herbeiwinkte, kamen zwei der Huren auf ihn zu.

»*Chaver*«, sagte eine von ihnen, »hast du das Taxi für uns geholt?« Die beiden waren jung und gutaussehend, die eine blond, die andere dunkel. Ihre Augen blickten ihn herausfordernd an.

Harry dachte an sein einsames Hotelzimmer und hielt die Tür des Taxis auf. »Kommt mit, Schwestern«, sagte er.

Die Blonde hieß Therese und war klein und mollig. Kochava, die dunkle, sah dünn und drahtig aus. Sie stolzierten mit besonderer Würde und Haltung durch die Hotellobby.
In Harrys Zimmer lächelten sie ihn an.
»Nun«, sagte er.
Es klopfte an der Tür. Sollte das etwa ein israelischer Hoteldetektiv sein? So etwas gab es hier doch nicht.
Da war das Klopfen wieder.
Es kam von der Verbindungstür zum Zimmer nebenan. Als Harry sie aufgesperrt und geöffnet hatte, stand eine große Frau davor.
»Sind Sie Mr. Harry Hopeman?«
»Ja. Was wollen Sie?«
»Mein Name ist Tamar Strauss. Ich soll mit Ihnen zusammenarbeiten.« Ihr Englisch hatte einen halb israelischen, halb britischen Akzent. Ihre Haut war so dunkel, daß Harry sie auf den ersten Blick für eine Schwarze gehalten hatte. Vielleicht kommt sie aus dem Iran oder Marokko, dachte er. Sie war etwa siebenundzwanzig Jahre alt, und ihr voller Körper steckte in einem hellblauen, einfach geschnittenen Kleid. Ihr Mund war ein wenig zu groß, und ihre Nase ein knochiger Bogen, der grausam und schön zugleich aussah.
»Darf ich reinkommen?« fragte sie. Therese flüsterte etwas, und Kochava kicherte. Jetzt erst blickte die Frau an Harry vorbei in dessen Zimmer. »Oh, ich störe wohl«, sagte sie höflich, ohne ihren Gesichtsausdruck zu verändern.
Harry fühlte sich wie ein Fünfzehnjähriger, den man hinter der Scheune beim Fummeln erwischte. »Aber nein, überhaupt nicht«, sagte er. Aber die Frau hatte sich schon halb umgewandt.
»Jetzt wissen Sie, daß ich das Zimmer neben Ihnen

habe. Wir können uns ja morgen vormittag unterhalten. Gute Nacht.«
»Gute Nacht«, sagte Harry zu der geschlossenen Tür.
Er wandte sich wieder Therese und Kochava zu, aber die Party war vorbei, noch bevor sie richtig begonnen hatte. Harry brauchte lange, bis er den Mädchen erklärt hatte, daß sie gehen sollten. Er bezahlte sie großzügig und hielt ihnen die Tür auf. »*Shalom*«, sagte Kochava, die sich sichtlich bemühte, Bedauern zu zeigen.
»*Shalom*, Therese, *Shalom*, Kochava. *Shalom, Shalom*«, sagte Harry, als sei das für ihn die erste Lektion eines verrückten Hebräischkurses: »Heute verabschieden wir uns von Therese und Kochava.« Als sie fort waren, klopfte er an der Verbindungstür.
Die Frau hatte sich umgezogen, das hellblaue Kleid hing jetzt auf einem Kleiderbügel im offenen Schrank. Statt dessen trug sie einen knapp geschnittenen, dunkelblauen Bademantel und hielt eine Haarbürste in der Hand. Ihre Haare, die sie vorhin in einem straffen Knoten getragen hatte, hingen ihr jetzt wie ein dichter, schwarzer Pelz auf die Schultern.
»Jetzt kann ich mit Ihnen reden«, sagte Harry.
»Einen Moment bitte.« Die Tür wurde geschlossen. Als sie sich wieder öffnete, war die Schranktür zu und die Haarbürste verschwunden. Die schmalen, braunen Füße der Frau, deren Nägel wie kleine Muscheln aussahen, steckten in Pantoffeln.
»Kommen Sie rein.«
»Danke.« Harry setzte sich auf den Stuhl, die Frau aufs Bett. »Miss ... Strauss, sagten Sie?«
Sie nickte. »Strauss.«
»Inwiefern sollen Sie mit mir zusammenarbeiten?«
»Man glaubt, daß ich Ihnen vielleicht von Nutzen sein könnte.«

»Wer glaubt das?«
Sie ignorierte die Frage. »Ich bin Restauratorin am Israelischen Museum.«
»Und warum brauche ich eine Restauratorin?«
»Mein Spezialgebiet ist es, angeblich alte Dinge als Fälschungen zu entlarven.«
»Aber bei meinem Auftrag haben wir es mit Edelsteinen zu tun, und die sind mein Spezialgebiet. Edelsteine sind immer alt.« Plötzlich verstand Harry, was David Leslau in bezug auf ihn empfunden hatte. »Ich brauche Sie nicht.«
»In meinen Anweisungen steht leider nichts davon, daß ich Ihnen die Wahl lassen soll«, sagte die Frau ruhig.
»Als ich einwilligte, hierher zu kommen, habe ich mich nicht dazu bereit erklärt, mit jemandem zusammenzuarbeiten.«
»Überschlafen Sie's noch mal«, schlug sie vor. »Wir können morgen früh darüber sprechen.«
Irgendwie wollte Harry noch nicht gehen. »Ich war den ganzen Nachmittag in Ihrem Museum«, sagte er. Es ärgerte ihn, daß er sich direkt dazu zwingen mußte, zur Tür zu gehen. Am liebsten hätte er sich mit ihr über van Gogh unterhalten.
Jetzt sah er zum ersten Mal einen amüsierten Ausdruck in ihren Augen. »Dann hat es Ihnen anscheinend gefallen. Gute Nacht, Mr. Hopeman.«
»Gute Nacht, Miss Strauss.«
»Eigentlich bin ich *Mrs.* Strauss«, sagte sie und schloß die Tür.

Eine Stunde später hörte Harry wieder ein Klopfen. Diesmal aber war es an der Zimmertür nebenan. Harry hörte, wie Mrs. Strauss jemanden hereinließ. Es war ein Mann, der mit tiefer Stimme auf Hebräisch mit ihr

sprach. Durch die Wand konnte Harry nicht verstehen, worum sich ihre Unterhaltung drehte.
Aber sie lachten viel.
Eine kurze Weile später schalteten sie den Fernseher ein.
Harry lag auf dem Bett und hörte den Ton des überlauten Geräts von nebenan, als sein Telefon klingelte.
»Mr. Hopeman, hier ist der Empfang. Wir haben ein Paket für Sie.«
»Post?«
»Nein, es wurde eben von einem Taxi gebracht.«
»Ich rufe Sie zurück«, sagte Harry und legte auf. Als er beim Empfang anrief, hörte er dieselbe Stimme wie vorhin. »Könnten Sie es mir bitte heraufschicken?«
»Ja, Sir.«
Ein paar Minuten später gab ihm ein Hotelpage einen Würfel von etwa fünfzehn Zentimetern Kantenlänge, der in braunes Papier eingeschlagen war, auf dem mit zittriger Handschrift Harrys Name und der des Hotels geschrieben stand. Nachdem der Page gegangen war, stellte Harry das Päckchen mitten auf den Tisch.
Er duschte und zog seinen Pyjama an. Als er aus dem Badezimmer kam, ging drüben plötzlich der Fernseher aus, und es war sehr still.
Harry hielt das Päckchen ans Ohr, aber er hörte nichts. Vor drei Wochen war in der Jaffa Road eine in einem Motorrad versteckte Bombe hochgegangen und hatte mehrere Menschen getötet. Harry hatte am Nachmittag die schwarzen Brandspuren auf dem Gehsteig gesehen. Hier in Israel konnte alles, eine Puppe, ein Buch, eine Kaffeedose, eine Bombe sein. Warum nicht ein kleines, braunes Päckchen?
Harry legte das Päckchen in die Schreibtischschublade und packte Unterwäsche und Hemden drum herum.

Dann stellte er einen schweren Lederstuhl vor den Schreibtisch.
Er war müde und versuchte zu schlafen, aber statt dessen gingen ihm noch einmal die Ereignisse des vergangenen Tages durch den Kopf. Schließlich stand er wieder auf und aß ein paar Datteln. Sie waren süß und saftig. Dann nahm er das Päckchen aus der Schublade. Es explodierte nicht, als er es öffnete. In der Schachtel waren zusammengeknüllte arabische Zeitungen, die er vorsichtig entfaltete. In sie eingewickelt war ein etwa traubengroßer Stein.
Harry räumte alles bis auf den Stein vom Tisch.
Er war von einer dunklen, dichten Patina überzogen, in die jemand zwei Löcher gekratzt hatte. Als Harry den Stein gegen das Licht der Deckenlampe hielt, sah er, daß dieser zwar fast überall durchsichtig, aber nicht wasserklar war.
Harry holte die Lupe und seine Meßinstrumente und, einem plötzlichen Impuls folgend, auch die Notizbücher seines Vaters aus der Reisetasche. Er nahm das letzte der Bücher zur Hand, blätterte bis zum letzten Eintrag und schrieb mit seiner großen, klaren Handschrift darunter:

Hier endet
das technische Journal
von Alfred Hopeman, Sohn von Joshua, dem Levi
(Aharon ben Yeshua Halevi)

Dann blätterte er eine Seite um und schrieb:

Hier beginnt
das technische Journal
von Harry Hopeman, Sohn von Alfred, dem Levi
(Yeshua ben Aharon Halevi)

Seine Instrumente kamen Harry wie alte Freunde vor, die von selbst zu arbeiten schienen. Er notierte seine Messungen, und bald war der Bericht fertig:

Steintyp: pyroper Granat. Umfang: 1,91 Zentimeter. Gewicht: 138 Karat. Farbe: Blutrot. Spezifisches Gewicht: 3,73. Härte: 7,16. Kristalline Form: kubischer Rhombendodekaeder (Facetten auf allen Seiten gut ausgebildet und zart gestreift).
Bemerkungen: *Dieser Stein ist ungeschliffen und nicht gefaßt. Etwa siebzig Prozent des Granats sind von Sprüngen oder Trübungen durchzogen, möglicherweise von Eisenoxid. Seine schlechte Qualität spricht nicht gegen seinen historischen Wert; im Gegenteil, in biblischen Zeiten wußte man nur sehr wenig davon, wie die Qualität eines Edelsteins zu beurteilen ist, und ein Granat, der während der Wanderschaft des israelischen Volks in der Wüste gefunden und vom Stamme Levi für das Brustschild des Hohenpriesters gespendet wurde, hätte durchaus ein Stein wie dieser gewesen sein können. Nach Entfernen der verunreinigten Teile würde ein Stein von etwa 40 Karat übrigbleiben, der damit ein Halbedelstein zweiter Klasse von mittlerer Qualität wäre und einen Großhandelspreis von etwa 180 Dollar erzielen würde. Ein solcher Stein erfüllt nicht die Qualitätskriterien der Firma Alfred Hopeman & Son.*

Harry konnte nicht schlafen, seine innere Uhr war aus dem Takt geraten. Aus den Fenstern seines Zimmers sah er, daß die Mauer von Ost-Jerusalem jetzt angestrahlt war wie die Kulisse eines Hollywood-Bibelfilms. Bis zum Sendeschluß schaltete er zwischen zwei Fernsehprogrammen hin und her, von denen eines in Hebräisch, das andere in Arabisch gesendet wurde.

Danach brütete er lange über den Fotos von der kupfernen Schriftrolle. Aber so sehr er seine Augen auch anstrengte, es gelang ihm einfach nicht, die beiden unlesbaren Worte in dem Abschnitt über die *Genisa* mit dem gelben Diamanten zu entziffern.

Auf der Begräbnisstätte, wo Juda für sein Plündern bestraft wurde, liegt achteinhalb Ellen tief ein glitzernder Stein [unleserlich] [unleserlich] ...

Harry wandte sich wieder den Notizbüchern seines Vaters zu und suchte in Alfred Hopemans Beschreibung des *Diamanten der Inquisition* einen Schlüssel zu den gesuchten Wörtern. Aber auch dort fand er nichts.
»Papa, hilf mir.«
Er wußte, was sein Vater ihm sagen würde, wenn er jetzt zu ihm sprechen könnte. *Du bist ein Narr.* Diese deutschen Worte hatte Alfred Hopeman immer gebraucht, wenn Harry etwas Wichtiges einfach nicht sehen wollte. Normalerweise hatte er das ruhig und gutgelaunt gesagt, aber das hatte nie etwas an der Bedeutung der Worte geändert. *Du bist ein Narr.*
Harry las die Notizen immer wieder und versuchte, sich den gelben Diamanten so vorzustellen, wie ihn sein Vater gesehen hatte.

9

Berlin

Vier Jahre, nachdem Alfred Hauptmann seine eigene Werkstatt mit Laden im elegantesten Teil der Leipziger Straße in Berlin eröffnet hatte, wurde er zu einem Treffen der unabhängigen Diamantenhändler nach Antwerpen eingeladen. Bei dieser Zusammenkunft sollte besprochen werden, ob man sich nicht zu einer Art Vereinigung zusammenschließen sollte. Seit die De Beers Consolidated Mines *das Edelstein-Syndikat gegründet hatte, standen Organisationen in der Diamantenindustrie hoch im Kurs. Aber obwohl das Treffen gut besucht war, kam es nicht zur Gründung der neuen Vereinigung, denn schließlich gab es bereits einige Diamantenhändler-Klubs, die sich diverser Probleme der Industrie annahmen. Außerdem waren gerade die erfolgreichen Händler ausgeprägte Individualisten, die sich einer neuen Organisation nicht unterordnen wollten, und bei dem Treffen war niemand, der die Überzeugungskraft oder den Machthunger derjenigen besessen hätte, die damals die vielen verschiedenen Minen zum De-Beers-Konzern verschmolzen hatten.*

Kaum einer der Teilnehmer des Treffens schien darüber enttäuscht, daß das Treffen seinen eigentlichen Zweck verfehlt hatte. Schließlich bot es Gelegenheit, geruhsam das eine oder andere Geschäft zu tätigen, und Alfred konnte sich lange mit drei seiner Verwandten unterhalten, die aus der Tschechoslowakei zu dem Treffen angereist waren. Seinen Cousin Ludvik, den er Laibel nannte, mochte er besonders; mit ihm hatte er vor Jahren als Lehrling in Amsterdam ein Zimmer geteilt. Ludviks jüngerer Bruder Karel, den Alfred kaum kannte, zeigte sich tief beeindruckt von Alfreds konservativem Nadelstreifenanzug, seinen Gamaschen aus Kitzleder, seinen dezent glänzenden Schuhen und der Blume, die er sich täglich frisch ins Knopfloch steckte. Martin Voticky, Alfreds Onkel, fühlte sich geschmeichelt, als beim Essen mehrere Leute an ihrem Tisch stehen blieben und dem jungen Händler aus Deutschland die Hand schüttelten. Einer dieser Männer war Paolo Luzzatti von Sidney Luzzatti & Söhne in Neapel.

Als Alfred später an diesem Tag allein die »Beurs voor Diamenthandel«, die Antwerpener Diamantenbörse, verließ, winkte Luzzatti ihm zu. »Können wir uns unterhalten?«

Sie fanden ein ruhiges Café in der Pelikaanstraat. Luzzattis Deutsch war ungelenk, Alfreds Italienisch war noch schlechter, also sprachen sie Jiddisch miteinander.

»Sie könnten meiner Firma einen großen Dienst erweisen«, sagte Luzzatti. »Man hat uns gebeten, einen sehr seltenen Stein zu untersuchen und aufzupolieren.«

»Ich habe in meiner Werkstatt ein paar Leute, die so etwas können«, sagte Alfred.

Luzzatti blickte ihn amüsiert an. »Das möchte ich meinen. Wir haben natürlich auch solche Leute. Aber es handelt sich hier um ein unersetzliches Stück, das heruntergefallen ist und dabei möglicherweise beschädigt wurde. Ich spreche vom Diamanten der Inquisition und von der Tiara, in die er eingearbeitet ist.«

»Meine Familie hatte viel mit diesem Stein zu tun«, setzte Alfred aufgeregt an, aber Luzzatti ließ ihn nicht weitersprechen.

»Das wissen wir. Auch deshalb haben wir bei dieser

Geschichte an Sie gedacht. Außerdem wissen wir, daß Sie beim Syndikat in Südafrika gute Arbeit geleistet haben. Sie müßten eigentlich in der Lage sein, Schäden in einem großen Stein feststellen zu können.«

»Das kann ich mit Sicherheit. Du meine Güte, Geschäfte mit dem Vatikan!« Alfred pfiff leise durch die Zähne.

»Ja.«

Der Gedanke hatte etwas Aufregendes. »Wann kann ich den Stein sehen? Soll ich von hier aus direkt nach Rom fahren?«

»Aber nein, nein! Das ist eine äußerst delikate Angelegenheit. Mein Gott, eine jüdische Firma und die katholische Kirche! Sie wissen doch, wie schwerfällig solche Institutionen sind. Ich weiß nicht einmal, wann sie uns den Diamanten geben werden.«

Alfred zuckte mit den Achseln. »Wenn Sie ihn haben, dann lassen Sie es mich wissen.«

Luzzatti nickte. Er winkte den Kellner herbei und bestellte frischen Kaffee.

»Sagen Sie mal, Hauptmann, wie gefällt Ihnen eigentlich das Leben in Berlin?«

»Es ist die aufregendste Stadt der Welt«, antwortete Alfred.

Berlin war Alfred Hauptmanns Geburtsstadt; hier hatte er in einem häßlichen grauen Haus am Kurfürstendamm seine Jugend verbracht. Im Alter von vierzehn Jahren hatte er es voller Schmerz und Angst, drei Tage nachdem seine Eltern beide auf einer Geschäftsreise nach Wien bei einem Hotelbrand ums Leben gekommen waren, für immer verlassen. Sein Onkel Martin, der nach Prag gezogen war und dessen Namen Voticky auf tschechisch Hauptmann bedeutete, war als Nachlaßverwalter angereist und Alfred fremd und bedrohlich vorgekommen.

»Wenn du willst, kannst du bei uns in Prag wohnen«, sagte Voticky damals. »Oder würdest du gerne auf ein Internat gehen?«
Alfred traf genau die falsche Wahl.
Weil sein Onkel unangenehme Erinnerungen an deutsche Gymnasien hatte, schickte er Alfred nach Genf auf eine teure Schule, deren Schüler die Geisteshaltung ihrer Eltern widerspiegelten. Während dieser Zeit in der Schweiz mußte Alfred sich daran gewöhnen, daß er seinen Namen nur noch hörte, wenn er in der Klasse aufgerufen wurde oder wenn er am Abend mit einem Jungen namens Pinn Ngau, einem Chinesen, der der zweite Unberührbare an der Schule war, Schach spielte. Aber selbst Pinn nannte Alfred, wenn er mit anderen über ihn sprach, nur le Juif, *den Juden.*
Nach drei Jahren fürchterlicher Einsamkeit machte Alfred sein Abitur. Von der Schule nahm er – außer daß er fließend Französisch sprechen konnte – den Entschluß mit, auf ein Universitätsstudium zu verzichten, um sich nicht noch einmal einer ähnlichen Demütigung auszusetzen. Als sein Onkel ihm vorschlug, zusammen mit seinem Cousin Ludvik in Amsterdam eine Lehre bei einem Diamantenschleifer zu machen, willigte Alfred begeistert ein.
Die folgenden Jahre waren die glücklichsten in seinem bisherigen Leben. Ludvik wurde schnell zu Laibel, dem Bruder, den Alfred nie gehabt hatte. Zu zweit bewohnten sie eine enge Mansarde über der Prinsengracht, drei Gebäude entfernt von einer Windmühle, deren unablässiges Quietschen sie zuerst nachts keinen Schlaf finden ließ, ihnen aber bald zu einem vertrauten Gutenachtlied wurde. Fast ebensoschnell, wie sie sich an die Windmühle gewöhnten, lernten sie auch Hollands Schnaps, die Frauen und geräucherten Hering schätzen, der hier

Bokking *hieß. Weil sie aber an chronischem Geld- und Zeitmangel litten, war der Hering meist das einzige, was sie sich leisten konnten. Jeden Tag, außer Sonntag, mußten sie auf dem technischen Institut, das Martin Voticky wegen seines hohen Unterrichtsniveaus für sie ausgesucht hatte, Mathematik und optische Gesetze lernen, danach verbrachten sie viele Stunden an ihren Arbeitstischen in einem der ältesten Diamantenhäuser der Stadt, wo sie mit sämtlichen Edelmetallen und einer großen Auswahl an Steinen arbeiten lernten.*

Beide wußten sie, daß sie niemals berühmte Diamantenschleifer werden würden, aber als sie nach vier Jahren Amsterdam wieder verließen, hatten sie ein profundes technisches Wissen, das ihnen später als Diamantenhändler von unschätzbarem Wert sein würde.

Laibel ging zurück nach Prag ins Geschäft seines Vaters. Martin Voticky hätte auch für seinen Neffen einen Platz in seiner Firma geschaffen, aber Alfred überraschte ihn damit, daß er seinen eigenen Weg gehen wollte. Er bewarb sich um eine Stelle beim Diamanten-Syndikat, und als er ein paar Wochen später seine Stelle in Kimberley in Südafrika antrat, fühlte er sich wie ein Abenteuer suchender Globetrotter.

Die Stadt lag inmitten einer flachen Ebene und war um die Überreste der alten Kimberley Mine herum entstanden. In prähistorischer Zeit war hier flüssige Lava an die Erdoberfläche getreten und zu schwarzem Gestein erstarrt. Bald hatten Bergleute herausgefunden, daß man in der blauen Erde einer solchen Pipe *große Diamanten entdecken konnte, aber zu der Zeit, als Alfred nach Kimberley kam, waren die Vorkommen längst erschöpft. Zwischen 1871 und 1914 waren dort drei Tonnen Diamanten – 14 504 567 Karat – geschürft worden, und alles, was noch von der Mine übriggeblieben war, war ein gähnendes, tausend Meter tiefes Loch von gut fünfhundert Metern Durchmesser, das* Big Hole *genannt wurde und an dessen Boden zweihundert Meter hoch das Wasser stand. Das Loch war eingezäunt, und Alfred vermied den Anblick, sooft er konnte.*

Weil er fließend Französisch sprach, wurde Alfred einer Holding-Gesellschaft namens Compagnie Française de Diamant *zugeteilt, wo er Rohdiamanten sortieren, klassifizieren und beurteilen mußte. Hier arbeitete er tagtäglich mit Leuten, die in der inneren Struktur eines Kristalls lesen konnten wie andere in einem Buch. Bei dieser Arbeit hatte Alfred es mit einem großen Spektrum von verunreinigten Diamanten zu tun; er mußte entscheiden, welche durch Schleifen verbessert, welche als Schmucksteine gerettet und welche nur noch für industrielle Zwecke verwendet werden konnten. Er lernte viel und wurde gut bezahlt, aber er haßte die Atmosphäre und die Rassendiskriminierung, die er fast täglich beobachten mußte. Obwohl Alfred die Notwendigkeit einer solchen Maßnahme einsah, konnte er sich nicht daran gewöhnen, daß Männer mit Taschenlampen sämtliche Körperöffnungen anderer Männer nach gestohlenen Edelsteinen absuchen mußten.*

Als sein zweijähriger Vertrag auslief, wurde Alfred zum Direktor der Compagnie Française *zitiert und gefragt, ob er seinen Aufenthalt in Südafrika nicht verlängern wollte. Als Alfred verneinte, blickte ihn der Direktor über den Rand seiner Brille fragend an.*

»Oh. Und wo wollen Sie dann hingehen, Hauptmann?«

»Nach Berlin«, antwortete er.

Dein Plan gefällt mir nicht, *schrieb Onkel Martin.*

Beim Syndikat hättest Du eine glänzende Zukunft gehabt. Es ist töricht, wenn ein so junger Mann wie Du im Diamantengeschäft auf eigenen Füßen stehen will. Wer wird schon von einem Grünschnabel so wertvolle Dinge kaufen wollen? Wenn Du De Beers unbedingt verlassen willst, dann komm zu uns nach Prag. Unser Geschäft geht hervorragend, und wir könnten Dich gut gebrauchen. In zehn oder fünfzehn Jahren, wenn Du die nötige Erfahrung und Reife hast, werden wir Dir dabei helfen, ein eigenes Geschäft auf die Beine zu stellen.

Aber Alfred blieb hart, und schließlich gab Onkel Martin nach. »Aber du machst das alles auf eigenes Risiko«, sagte er, nachdem er Alfred nach Prag zitiert hatte. Er schloß die Tür zu seinem Büro, sperrte den Safe auf und überreichte dem erstaunten Alfred sein väterliches Erbe – einen großen Stein, dessen unterer Teil mit Goldbronze angestrichen war. »Dieser Stein ist seit vielen Generationen in unserer Familie und wird immer vom ältesten Sohn an dessen ältesten Sohn weitergegeben. Ich übergebe ihn dir an deines Vaters Statt.«
Außer dem vergoldeten Stein erhielt Alfred noch dessen Geschichte und die anderen Geheimnisse der Diamanten-Tradition in der Familie. Martin brauchte den ganzen Nachmittag, bis er alles erzählt hatte, und Alfred war zutiefst erschüttert. Die Erzählung hatte an etwas tief in ihm gerührt, und er begann langsam, sich selbst zu verstehen. Diese Familiengeschichte paßte gut zu seinen Träumen.
Zum Schluß gab Onkel Martin Alfred das Geld, das ihm sein Vater hinterlassen hatte. Es war von Anfang an kein großes Vermögen gewesen, und Alfreds teure Erziehung hatte es noch weiter geschmälert. Aber Alfred besaß noch eine kleinere Summe, die er sich von seinem Gehalt in Kimberley erspart hatte. Es würde eben genügen müssen.

Er hätte sich keine bessere Zeit für seine Rückkehr nach Deutschland aussuchen können. Während er fort war, hatte das Land Niederlage, Revolution, Arbeitslosigkeit und Hunger durchgemacht, aber jetzt, Mitte der zwanziger Jahre, wurden die Zeiten wieder besser, und die Leute führten ein geradezu ausschweifendes und verschwenderisches Leben. Ausländische Investoren begannen, große Summen in deutsche Handels- und Industrieunternehmen zu stecken. Alfred durchstreifte Berlin auf der Suche nach einem geeigneten Standort für sein Geschäft. Einen älteren oder jüngeren Menschen als ihn hätte das, was er sah, vielleicht abgestoßen, aber Alfred war genau in dem Alter, in dem er das Laster anziehend fand. Die großen Boulevards waren immer noch breit, sauber und schön, aber auf der Friedrichstraße tummelten sich zu jeder Tages- und Nachtzeit wahre Heerscharen von Prostituierten in grünen Lederstiefeln. Straßen, die Alfred noch als triste Wohnstraßen für Arbeiter und kleine Geschäftsleute gekannt hatte, wimmelten auf einmal von Bars, Amüsierlokalen und Rotlichtspelunken. Ganz Berlin schien voller schöner, langbeiniger und sinnlicher Frauen zu sein, so elegant gekleidet, wie Alfred sie noch nie zuvor gesehen hatte.

Das graue Bürgerhaus am breiten, prächtigen Kurfürstendamm, in dem Alfred mit seinen Eltern gewohnt hatte, hatte sich kaum verändert. Nur im Garten war einer der beiden Ginkgo-Bäume gefällt worden und der zweite inzwischen zu einem großen Baum herangewachsen. Alfred blieb lange auf der gegenüberliegenden Straßenseite stehen und erwartete fast, daß sich die Seitentür des Hauses öffnen und seine Mutter rufen würde: Alfred! Alfred, komm sofort rein! Dein Vater kann jede Minute heimkommen.

Schließlich öffnete sich die Tür tatsächlich, und ein älte-

rer Mann trat heraus. Er hatte einen buschigen grauen Schnurrbart und sah aus wie ein pensionierter Offizier. Er blickte streng über die Straße, gerade als ein junger Stricher an Alfred heranschlenderte und ihn am Arm faßte.
»Na, wie wär's mit uns?« flüsterte der Junge.
»Nein«, sagte Alfred und ging fort.

Er fand ein Zimmer in einem Haus in der Innenstadt, in der Wilhelmstraße. Der Hausbesitzer hieß Doktor Bernhard Silberstein und war ein pensionierter Arzt mit weißem Haar und Bart, einem chronischen Husten und vom Nikotin gelbgefärbten Fingern. Seine Gattin, eine dicke und gemütliche alte Frau, bestand darauf, daß Alfred jeden Freitag mit ihnen zu Abend aß, um sich so auf den Sabbat vorzubereiten.
»Aber ich bin nicht religiös«, stammelte Alfred und war so peinlich berührt, daß er sogar vergaß, sich für die Einladung zu bedanken.
»Gut, dann kommen Sie eben am Mittwoch«, sagte Frau Silberstein und duldete keine weiteren Einwände. Als er das erste Mal kam, gab es in Scheiben geschnittene Gänseleber mit Grieben als Vorspeise, danach wurde der Vogel selbst aufgetischt, gefüllt mit Äpfeln und einer knusprigen, braungebratenen Haut, wie Alfred sie liebte. Dazu gab es Kartoffelknödel und Rotkraut. Die Nachspeise war ein warmer Apfel-Nuß-Strudel, der so gut war, daß Alfred direkt seufzen mußte.
»Spielen Sie Schach?« fragte der Doktor.
»Ich habe lange nicht mehr gespielt.«
»Das verlernt man nie«, meinte Dr. Silberstein und nahm die schwarzen Figuren.
»Warum sind Sie eigentlich nach Deutschland zurückgekommen?«

»Ich liebe Berlin. Schon seit Jahren habe ich davon geträumt, wieder hier zu leben.«
»Die Leute hier hassen die Juden«, erwiderte Dr. Silberstein leise.
»Das tun die Leute doch überall.«
»Aber mein lieber junger Mann, Sie wissen doch, wer Walther Rathenau war, oder?«
»Natürlich. Der Außenminister, der ermordet wurde.«
»Es gab da ein Freikorps-Lied, das ging so: Knallt ab den Walther Rathenau, die gottverfluchte Judensau! *Wissen Sie, wer die Nazis sind? Die Nationalsozialistische Deutsche Arbeiterpartei?«*
»Nein, ich interessiere mich nicht für Politik.«
»Das ist eine Splitterpartei. Abschaum. Sie wollen die Juden aus Deutschland vertreiben.«
»Und wie hat diese Partei bei den letzten Wahlen abgeschnitten?«
»Erbärmlich. Im ganzen Reich hat sie nur 280 000 Stimmen bekommen.«
»Na also«, sagte Alfred.

Das Kaufhaus Wertheim am Leipziger Platz war ein fürstlicher Einkaufstempel aus Marmor und Kristall. Es hatte dreiundachtzig Aufzüge, Rohrpostleitungen von mehreren Kilometern Länge und etliche, mit Kacheln aus der ehemals kaiserlichen Porzellanmanufaktur ausgekleidete Zierbrunnen. Nun baute ein Architekt namens Erich Mendelsohn im Auftrag der Pelzhändlerfamilie Herpich ein weiteres elegantes Warenhaus an der Leipziger Straße. Alfred sah zu, wie es errichtet wurde. Mendelsohn verwendete fast ausschließlich Glas für die Fassade, eine unerhörte, noch nie dagewesene Neuheit.
Zwei junge Männer aus dem Büro des Architekten erklärten Alfred auf seine Anfrage hin enthusiastisch, was alles

neu an diesem Projekt war. Unter anderem würden die Waren auf eine ganz andere Art als bisher zur Schau gestellt werden, indem auch nachts gut verborgene elektrische Lampen das gesamte Innere von Herpichs Kaufhaus strahlend hell erleuchteten.

Das brachte Alfred auf eine Idee.

Ein paar Häuser weiter befand sich ein Gebäude, aus dem eben ein Schuhgeschäft ausgezogen war. Alfred trat mit dem Besitzer des Hauses in Kontakt, der eine unverschämt hohe Miete für den Laden verlangte.

»Ich werde sie bezahlen, wenn Sie ein paar Änderungen an dem Haus vornehmen lassen.«

Der Besitzer hörte zu und erklärte sich schließlich mit Alfreds Vorschlägen einverstanden.

Während der Laden renoviert wurde, ließ Alfred sich einen Schnurrbart wachsen. Onkel Martin schickte ihm Empfehlungsschreiben an verschiedene Hersteller preisgünstiger Uhren und billigen Goldschmucks, der sich gut verkaufen ließ. Aber anstatt diese Schreiben zu verwenden, schrieb Alfred selber ein paar Briefe und rief eine Nummer in London an. Er hatte seine eigenen, wohldurchdachten und präzisen Vorstellungen von den Sachen, die er in seinem Laden verkaufen wollte. Einer von Alfreds Briefen ging an das Syndikat, wo seine Kühnheit einen der leitenden Manager auf ihn aufmerksam machte, der prompt Erkundigungen über Alfred einzog, wozu er nur in den Unterlagen seines eigenen Konzerns nachsehen mußte. Er schrieb Alfred zurück, daß das Syndikat ihn leider nicht beliefern könne, dafür aber schicke er ihm die Adressen von ein paar Großhändlern in Mitteleuropa, denen er schriftlich mitgeteilt habe, De Beers empfehle ihnen, Herrn Alfred Hauptmann auf Kredit zu beliefern. Und so war Alfred, sehr zu seiner Freude, in der

Lage, seinen Laden mit Ware zu bestücken, für die er lediglich Quittungen hatte unterzeichnen müssen. Den Großteil seines Kapitals konnte er daher in die Ausstattung des Geschäfts stecken – in dicke Perserteppiche und bequeme antike Sessel, die er neben die Vitrinen mit den edlen Steinen stellte. Die Innenwände des Ladens wurden eierschalenweiß gestrichen und mit mehreren großen Spiegeln behängt.

Die Eröffnung des Kaufhauses Herpich war ein großes Ereignis. Politiker hielten Reden, Bänder wurden durchschnitten, und der Champagner floß in Strömen. Festlich gekleidete Männer und Frauen gingen an den gläsernen Wänden des Kaufhauses entlang und bewunderten die Nerze, die Zobel- und Steinmarderpelze, die alle von den raffiniert verborgenen Lampen in ein helles Licht getaucht waren.

Aber noch etwas lockte die Passanten an diesem Abend an. Es war eine riesige Jupiterlampe, die ein paar Häuser weiter mitten auf dem Gehsteig stand und eine pflaumenfarbig gestrichene Fassade anstrahlte, in der sich einmal die jetzt zugemauerten Schaufenster des Schuhgeschäfts befunden hatten. Nach dem wilden Pelzdschungel in dem durchsichtigen Kaufhaus hatte der Anblick dieser Wand direkt etwas Beruhigendes an sich. Hinter ihrer glatten Leere schien sich ein vielversprechendes Geheimnis zu verbergen. Die Passanten kamen näher und sahen, daß in der Wand ein schmaler Schlitz war, durch den man einen Blick ins Paradies werfen konnte. Dort funkelte, hinter dickem Glas auf schwarzen Samt gebettet, ein einzelner ungefaßter Diamant.

An der Wand war neben der Tür ein kleines Messingschild angebracht, auf dem nur ein einziges Wort stand:

HAUPTMANN

Alfred war peinlich darauf bedacht, sofort mit dem ersten Geld, das ihm der Laden einbrachte, seine Schulden bei den Großhändlern zu bezahlen. Am Anfang versuchten zwei Firmen Kapital aus seiner vermeintlichen Unerfahrenheit zu schlagen. Die beiden Unternehmen – eines davon waren die Gebrüder Deitrich, eine alteingesessene deutsche Firma, das andere die König GmbH, ein kleineres jüdisches Handelshaus – kontrollierten zusammen den gesamten Berliner Markt für Goldfassungen. Erwin König nannte Alfred auf seine Anfrage hin einen vollkommen überhöhten Preis für seine Ware, der der Gebrüder Deitrich war ebenso hoch. Da Alfred ohne Fassungen keine Diamantringe verkaufen konnte, lag es auf der Hand, daß die beiden Firmen sich untereinander abgesprochen hatten und seine vermeintliche Zwangslage ausnützen wollten.

Aber Alfred verblüffte den Vertreter der Firma König, indem er ihm mit ruhiger Stimme sagte: »Nein danke. Ich habe mich entschlossen, woanders zu ordern.«

Dasselbe sagte er den Gebrüdern Deitrich.

Eine bange Woche lang mußte er warten, bis König ihn wieder kontaktierte und einen vernünftigen Preis nannte. Alfred benützte dieses Angebot, um bei den Gebrüdern Deitrich einen noch günstigeren Preis auszuhandeln, und sorgte dafür, daß er in Zukunft von Voticky in Prag mit Fassungen beliefert wurde. Bald ging sein Geschäft so gut, daß er zwei Steinschleifer aus Amsterdam einstellen konnte, die dieselbe Lehre durchlaufen hatten wie Laibel und er selbst.

Das Geldverdienen genoß Alfred von Anfang an. Er kaufte ein schiefergraues Auto, eines der ersten, das die eben fusionierten Firmen Daimler und Benz herausbrachten, und er ging zu einem Schneider und ließ sich eine erstklassige Garderobe anfertigen. Dr. Silberstein, der einen

fleckigen Anzug trug und die Veröffentlichungen des Psychoanalytischen Instituts abonniert hatte, klärte ihn darüber auf, daß er damit bloß seine einsame Jugend kompensieren wollte, was aber Alfred nicht davon abhielt, sich einen noch teureren Schneider, den besten, den es in der Tauentzienstraße gab, zu suchen. Dieser Schneider vermittelte Alfred einen Hemdenmacher und einen Schuster, der auch Gamaschen anfertigte. Dreimal am Tag mußten Laufburschen eines Blumenladens frische Sträuße in den Hauptmannschen Laden bringen, aus denen sich Alfred dann eine Blume für sein Knopfloch auswählte.
Alfreds Schnurrbart wuchs buschig und rot, aber er stutzte ihn so knapp zurecht, wie er es bei dem Mann gesehen hatte, der jetzt in seinem Elternhaus wohnte. Alfred glaubte, daß er damit fünf Jahre älter aussah, obwohl seine Jugend, außer bei den Plänkeleien mit den Großhändlern, für ihn bisher kein Handikap gewesen war. In einem Geschäft wie dem Diamantenhandel war es sogar ein Vorteil, jung zu sein, vorausgesetzt, man hatte Erfolg.

Alfred hatte schnell gelernt, daß man nicht jede Einladung annehmen durfte, aber als ihn eines Tages Lew Ritz, ein Amerikaner, der in Berlin Medizin studierte, zu einer Party mitnehmen wollte, sagte er zu. Alfred mochte Ritz, dessen jüdischer Spitzname Laibel war, wie der seines Cousins Ludvik. Ritz und Alfred fuhren am Abend in einen westlich gelegenen Außenbezirk der Stadt, zu einem Haus am Ufer der Havel. Nachdem ihnen ein Dienstmädchen, das nichts außer einer weißen Schürze trug, die Tür geöffnet hatte, sah Alfred, daß alle Frauen auf der Party splitternackt waren. Die Männer hingegen waren vornehm gekleidet, die meisten von ihnen drängten sich um eine Tänzerin, die mit Josephine Baker zusam-

men nach Berlin gekommen war. Schwarze Frauen waren damals in Deutschland noch eine Sensation, aber Alfred und Ritz entdeckten eine andere und steuerten fast gleichzeitig auf sie zu.
Sie blieben stehen und sahen sich an, und Ritz kramte eine Münze aus der Hosentasche.
Das Mädchen hatte ein hübsches Gesicht und etwas schiefe Zähne. Ihr Körper war schlank, und Alfred bemerkte die zartrosa Abdrücke von Strumpfbändern auf ihren Schenkeln. »Nein«, sagte er und deutete auf die Münze. »Es macht dir doch nichts aus, Laibel?«
Ritz war ein gutmütiger Bursche. Er schüttelte den Kopf und ging weiter.
»Ich bin Alfred.«
Sie schien nicht besonders erbaut, vielleicht war sie sogar etwas verärgert. Vielleicht hatte ihr Lew besser gefallen, dachte Alfred.
»Ich heiße Lilo.«
»Und, was halten Sie von mir?«
»Ihr Anzug ist umwerfend.«
»Nicht halb so umwerfend wie das, was Sie tragen«, sagte er ernst.
Jetzt lachte sie.
»Müssen wir in diesem Zirkus hier bleiben?«
»Es ist kalt draußen. Ich hole besser meine Kleider«, sagte sie.

Nicht weit von dem Kiosk, wo sich Dr. Silberstein seine jüdische Zeitung holte, hatten junge Männer in braunen Hemden begonnen, eine antisemitische Wochenschrift mit dem Titel DER ANGRIFF *zu verkaufen. Sie nannten sich »Sturmabteilung« und schüchterten die Passanten ein, aber ihre Partei hatte bei einer weiteren Wahl abermals sehr schlecht abgeschnitten.*

»Nur zwölf Sitze«, frohlockte Dr. Silberstein. »Sie haben es nur auf zwölf Sitze in einem Reichstag von mehr als fünfhundert Sitzen gebracht.«
»Schließlich«, erinnerte ihn Alfred, »ist dies das Land, das einen Juden wie Albert Einstein zum Direktor des Kaiser-Wilhelm-Instituts gemacht hat.«
»Aber es ist auch das Land ...« – Dr. Silberstein zog mit dem Läufer nach und schlug einen Bauern – »... dessen Bürger vor Einsteins Büro in der Preußischen Akademie der Wissenschaften und seiner Wohnung in der Haberlandstraße auf ihn warten und ihn unflätig beschimpfen, nur weil er ein Jude ist.«
»Das sind doch nur ein paar Spinner.«
Dr. Silberstein brummte. Seit diese gemeinsamen Mittwochabende so etwas wie eine Institution geworden waren, hatte sich Alfreds Schachspiel rasch verbessert. Zuerst hatte er seinen Hauswirt nur ab und zu geschlagen, aber jetzt spielten die beiden wie zwei sich umkreisende Tiger, die weder Gnade noch Erbarmen kennen. Bernhard Silberstein sah Gespenster. Ein paar holländische Finanzleute, vier Brüder mit Namen Barmat, standen vor Gericht, weil sie angeblich ein paar hochgestellte Persönlichkeiten der Reichsregierung mit »Geschenken und Zuwendungen« bestochen hatten. Die Barmats waren Juden, und Dr. Silberstein vermutete, daß die Folgen dieses Prozesses nicht lange auf sich warten lassen würden.
»Unsinn«, sagte Alfred. »Gibt es denn nicht auch katholische Kriminelle? Gibt es nicht auch protestantische Verbrecher?«
»Wir Juden müssen doppelt vorsichtig sein«, sagte Dr. Silberstein zögernd. »Und ganz besonders müssen wir uns vor aggressiven Geschäftspraktiken hüten.«
Jetzt wußte Alfred, worum sich die Unterhaltung wirklich

drehte. Bernhard Silberstein saß zusammen mit Erwin König, dem Großhändler, mit dem Alfred Schwierigkeiten gehabt hatte, im Jüdischen Rat.

»Wir kennen uns doch jetzt schon eine ganze Weile«, sagte er zu Dr. Silberstein. »Sagen Sie mir, ob Sie glauben, daß ich diesen König übers Ohr gehauen habe.«

»Darum geht es nicht. Obwohl er übrigens davon überzeugt ist, daß Sie das getan haben. Aber wie schon Rabbi Hillel sagte: ›Es genügt nicht, das Böse zu meiden. Man muß auch den Anschein des Bösen vermeiden.‹«

Alfred seufzte.

»Würden Sie gerne zu der Versammlung des Jüdischen Rats am nächsten Dienstag vormittag kommen?« fragte Dr. Silberstein. »Wir haben dort eine kleine Feier zu Mendelssohns zweihundertstem Geburtstag vorbereitet.«

»Felix Mendelssohn, der Komponist?«

»Nein, nein, Moses Mendelssohn, sein *Großvater, der den* Pentateuch *ins Deutsche übersetzt hat.«*

»Leider kann ich nicht kommen«, sagte Alfred. Er studierte das Schachbrett, bevor er einen Zug machte, der Silberstein arg in Bedrängnis bringen würde. »Ich habe in letzter Zeit leider furchtbar viel zu tun«, sagte er.

Lilo behauptete, er habe nur deshalb, weil er beschnitten war, magische Kräfte über sie. Sobald er erschlafft war, liebkoste sie ihn, nannte ihn ihren kleinen jüdischen Ritter und flehte ihn an, doch wieder aufzustehen und zu kämpfen. Sie war zehn Jahre älter als Alfred. Alle nannten sie Lilo, aber ihr wirklicher Name war Elsbeth Hilde-Maria Krantz, und sie war die Tochter eines westfälischen Schweinebauern. Sieben Jahre lang hatte sie als Dienstmädchen gearbeitet, hatte ihre Unschuld bewahrt und so gut wie jeden Pfennig für die Aussteuer gespart, die ein Mädchen ihres Standes nun einmal brauchte, um

heiraten zu können. Wann immer sie einen Tag bei ihrer Dienststelle in einer Pension freibekommen hatte, war sie nach Hause gefahren und hatte, je nach Jahreszeit, beim Schweinefüttern oder beim Schlachten geholfen. Als sie fast alles Geld zusammengehabt hatte, hatte die Inflation zugeschlagen, und über Nacht waren die Reichsmark, die sie sich vom Munde abgespart hatte, wertlos geworden.
»Mein bisheriges Leben hatte jeden Sinn verloren«, erzählte sie Alfred, als sie nebeneinander im Bett lagen und von irgendwoher durch die Wände das Geräusch eines fernen Grammophons hörten. »Ich sah nicht ein, warum es nur die Wahl zwischen der Arbeit als Klofrau oder als Schweinemagd geben sollte, und so beschloß ich, Schauspielerin zu werden.«
Jetzt arbeitete sie als Verkäuferin in einem Stoffgeschäft. Außerdem hatte sie sich bei den UFA-Filmstudios als Statistin angeboten und erzählte ab und zu in nicht gerade konkreten Worten von einem Film, in dem sie schon mitgewirkt hatte. Alfred konnte sich in ungefähr vorstellen, um was für einen Film es sich dabei gehandelt haben könnte.
Aber er war gern mit ihr zusammen. Sie gingen viel in Cabarets, besonders in ihr Lieblingslokal, das Tingeltangel. *Manchmal nahm Lilo eine Freundin für Ritz mit, der sie immer damit aufzog, daß sie statt Jazz* Jatzz *sagte, aber meistens gingen Alfred und Lilo allein aus. Er führte sie ins Theater und zum ersten Mal in ihrem Leben in die Philharmonie, wo ein Konzert Artur Schnabels sie zu Tränen rührte.*
Alfred schenkte ihr eine Halskette und ein Armband. Er kaufte ihr bei Herpich eine Pelzjacke, und manchmal gab er ihr auch Geld, aber das nicht regelmäßig. Er war sehr zufrieden mit dem Leben, das er führte, und hielt sich für einen tollen Burschen.

Als sie eines Nachts zwischen den Vorstellungen ins Tingeltangel *kamen, hörten sie, wie der Conférencier sich darüber beschwerte, daß der Barkeeper das Radio ausgeschaltet hatte.*
»Heute abend spielen sie keine Musik«, rechtfertigte sich der Barkeeper. »Nur endloses Geschwafel über New York. Wen interessiert das schon?«
»Was sagen sie denn über New York?« fragte Alfred und setzte sich auf einen Barhocker.
Der Keeper zuckte mit den Achseln. »Ach, dort soll es irgendeinen Börsenkrach gegeben haben.«

Als Alfred ein paar Monate später vor seinem Laden ein paar Worte mit dem Hausmeister sprach, erzählte ihm dieser, daß ihn die gegenwärtige Wirtschaftslage fatal an die Inflation von 1921 erinnere. »Waren Sie 1921 auch in Berlin, Herr Hauptmann?«
»Nein, da war ich noch auf einer Schule in der Schweiz.«
Der Mann seufzte. »1921 mußte ich meine Kinder oft hungrig ins Bett schicken.«
Der Mann hatte nicht so unrecht. Auch jetzt hatten viele Kinder in Deutschland wieder Hunger. In solchen Zeiten dachte niemand daran, sich Diamanten zu kaufen. Auf einmal gab es nicht mehr genügend Arbeit für Alfreds holländische Angestellte, und so bezahlte Alfred ihnen, soviel er konnte, als letzten Lohn und schickte sie nach Hause.
Lew Ritz erzählte, daß das Geschäft in der amerikanischen Hutfabrik seines Vaters in Waterbury praktisch zum Stillstand gekommen sei. In diesem Frühjahr war Ritz mit dem Studium fertig und fuhr heim. Einen Tag später erhielt Alfred einen Brief von Onkel Martin. Zur Zeit sei in seinem Geschäft in Prag nicht viel los, schrieb dieser, und deshalb könne er Alfred, falls dieser das wün-

sche, Karel und eventuell sogar Laibel nach Berlin schicken, um dort für ihn zu arbeiten.
Alfred schrieb zurück, daß sie besser dort bleiben sollten, wo sie waren.

»Sie machen die Juden für die Misere verantwortlich«, sagte Dr. Silberstein. Alfred gefiel es nicht, wie sein Hauswirt aussah. Anneliese sagte, daß es um die Gesundheit ihres Mannes sehr schlecht stehe. Sein Herz werde immer schwächer, deshalb ginge auch sein Husten nicht mehr weg. In heißen Sommernächten konnte der alte Mann kaum atmen und saß stundenlang auf Kissen gestützt am offenen Fenster.
»Ein polnischer Cousin von mir unterrichtet immer noch an einer jüdischen Schule in Frankfurt am Main«, sagte Dr. Silberstein. »Dort prügeln die Nazis die Juden bereits. Und die Polizei hört sich nicht einmal ihre Beschwerden an.«
»Aber Berlin ist immer noch zivilisiert«, entgegnete Alfred.
»Sie sollten fortgehen. Sie sind noch jung.«
Alfred verlor die Geduld. »Lassen Sie uns lieber Schach spielen«, sagte er.
Die Geschäfte gingen sogar noch schlechter. In Kapstadt war ein Mann namens Ernest Oppenheimer der Vorsitzende von De Beers geworden und hatte festgestellt, daß das Syndikat neben der weltweiten Depression auch noch andere Probleme hatte. De Beers hatte mit der Zeit einen riesigen Vorrat an Diamanten angesammelt, und wäre dieser auf einmal auf den Markt geworfen worden, wären die Preise ins Bodenlose gefallen. Zu allem Überfluß waren auch noch neue Minen in Transvaal und Namaqualand eröffnet worden. Oppenheimer löste das Syndikat auf und schuf statt dessen die Diamond Corporation, *die dafür sorgen sollte, daß die Steine nur*

noch tröpfchenweise auf den Markt kamen, um die Preise stabil zu halten. Aber was nützte es, den Wert einer Ware in die Höhe zu treiben, die ohnehin niemand kaufte?

Eines Morgens nach dem Aufstehen wurde Alfred bewußt, daß er es haßte, ein Geschäftsmann zu sein, der jeden Morgen in den Laden ging und auf die Eingangstür starrte, die sich nur sehr selten öffnete. Einige angesehene Juweliergeschäfte waren schon dazu übergegangen, den billigen Schund zu verkaufen, zu dem Onkel Martin anfänglich geraten hatte. Alfred tat das nicht, statt dessen gönnte er sich ein paar schöne Tage in Holland und bestellte dort eine Kollektion von blau-weißen Delfter Juwelen. Alle Steine, die Alfred auf Kommission im Geschäft hatte, wurden zurückgegeben, und er behielt nur sieben kleine gelbe Diamanten in seinem Tresor, damit er sich immer noch wie ein Diamantenhändler fühlen konnte. Der weiße Diamant im Schaufenster wurde durch eine Schweizer Uhr ersetzt. Die neue Kollektion verkaufte sich nur schlecht, aber es hätte auch nicht geholfen, wenn er billigere Stücke ins Programm genommen hätte. In den Wäldern um Berlin wuchsen die Zeltstädte der Arbeitslosen, die sich keine Wohnungen mehr leisten konnten.

»Wir brauchen einen starken Mann, der uns aus diesem Schlamassel *herausführt«, sagte der Hausmeister und starrte dabei Alfreds guten Anzug an. Irgend etwas Merkwürdiges lag im Blick des Hausmeisters; entweder war er Nazi oder Kommunist, vielleicht aber hatten auch seine Kinder wieder Hunger.*

Dann schrieb Paolo Luzzatti von Sidney Luzzatti & Söhne in Neapel, daß die Arbeit, über die er mit Alfred vor einigen Jahren in Antwerpen gesprochen hatte, jetzt spruchreif werde. Alfred hatte in den vergangenen Jahren oft an den Diamanten der Inquisition *gedacht. Die*

Aussicht, die Tiara von Papst Gregor in die Hände zu bekommen, war ein Lichtblick in der tristen Düsternis, zu der ihm das Leben in Berlin geworden war. Auf der Prachtstraße Unter den Linden, die Alfred immer schon gerne entlangspaziert war, fanden jetzt zwei- oder dreimal in der Woche Paraden statt – entweder von der SA in ihren Braunhemden oder von den Kommunisten aus den östlichen Stadtbezirken, die ihre ausgeblichenen, gelben Arbeitskittel trugen. Wann immer zwei solche Marschkolonnen aufeinandertrafen, war sofort eine brutale Schlägerei im Gange, und es kam Alfred manchmal so vor, als kämpften auf der schönsten Straße der Stadt die Mistkäfer gegen die Wanzen.

Die Reichstagswahl im September war eine Katastrophe. Die Nazis hatten getönt, sie würden ihre Sitze von zwölf auf fünfzig vermehren. Statt dessen gaben sechseinhalb Millionen Deutsche Adolf Hitler ihre Stimme, und die Nazis erhielten einhundertundsieben Sitze im Reichstag.

Eine Woche nach der Wahl kam Paolo Luzzatti nach Berlin und brachte die Tiara Papst Gregors in einem blauen Leinwandsack mit schlecht funktionierendem Reißverschluß. In einem solchen Sack hätte auch ein Klempner seine Brotzeit mit zur Arbeit nehmen können.

»Wie wunderschön sie ist«, sagte Alfred, als er die Tiara sah.

»Ihre Familie hat schon immer gute Arbeit geleistet.«

Alfred bestätigte das Kompliment mit einem Nicken. Die Firma Luzzatti hatte eine umfassende Versicherung abgeschlossen, und die Versicherung der Firma Hauptmann mußte dieser entsprechen. Während Alfred mit einem Angestellten die Einzelheiten besprach, drückte sich Paolo nervös im Hintergrund herum.

Das Oberteil der goldenen Tiara war beim Herunterfallen beschädigt worden. Luzzatti blickte Alfred über die

Schulter, während dieser vorsichtig den großen gelben Diamanten aus seiner Fassung löste und ihn sich durch seine Lupe betrachtete. Sie wußten beide, wie leicht ein Diamant, trotz seiner Härte, einen Sprung bekommen und ruiniert werden konnte.
»Er scheint unbeschädigt zu sein«, sagte Alfred. Der andere Mann seufzte erleichtert.
»Aber um das mit hundertprozentiger Sicherheit sagen zu können, muß ich ihn natürlich genau untersuchen. Das wird einige Zeit in Anspruch nehmen. Und wenn ich den Stein schon einmal habe«, fügte Alfred wie nebenbei hinzu, »könnte ich ja gleich die Fassung reparieren.«
Paolo runzelte die Stirn. »Können Sie das denn? Die Tiara muß in perfektem Zustand sein, wenn wir sie dem Vatikan zurückgeben.«
Alfred zuckte mit den Achseln. »Vielleicht muß ich einen Goldschmied hinzuziehen. Es gibt ein paar sehr gute hier in der Stadt.«
Schließlich nahm, zu ihrer beider Erleichterung, Luzzatti den Zug nach Neapel und ließ die Tiara in Alfreds Obhut zurück.
Obwohl Tiara und Diamant hoch versichert waren, ließ Alfred sie keine Minute aus den Augen und nahm sie sogar in dem blauen Beutel jeden Abend aus dem Geschäft mit nach Hause. Eines Abends, als Lilo bei ihm in der Wohnung war, zeigte er ihr die beiden Dinge.
»Wem gehören sie ?«
»Dem Papst.«
Lilo runzelte die Stirn. Sie war nicht religiös, aber er sah, daß sie solche Späße nicht passend fand. Vielleicht auch deshalb, weil sie von ihm kamen.
»Vorher hat der Diamant einem Spanier gehört. Er wurde verbrannt, weil er zu jüdisch war.«
»Manchmal glaube ich, du bist verrückt«, sagte sie gereizt.

Als er alle Tests gemacht hatte, wußte Alfred, daß der Stein unbeschädigt war. Eines Morgens setzte er ihn wieder in seine Fassung in der Tiara. Dabei fragte er sich, ob die Leute im Vatikan eigentlich wußten, nach welchem Vorbild die Tiara gestaltet worden war. Alfreds Vorfahr hatte sie ganz offensichtlich dem Misnepheth, *dem Kopfbund des Hohenpriesters im alten Tempel, nachempfunden, von dem Alfred einmal eine Zeichnung gesehen hatte. Dieser war aus Leinen gewesen, aber die Tiara bestand aus reinem Gold und war äußerst schwierig zu reinigen. Dieser Umstand kam Alfred nicht ungelegen, denn dadurch konnte er sich für seine Arbeit Zeit lassen. Nachdem er ein wenig herumexperimentiert hatte, wurde ihm klar, daß er doch keinen Goldschmied hinzuziehen mußte. Während er die eingedrückten Stellen ganz vorsichtig, Millimeter für Millimeter, mit zarten, fast liebevollen Hammerschlägen wieder herausklopfte, schienen ihm auf geheimnisvolle Weise Inspiration und Geschick seines längst verstorbenen Vorfahren, des Schöpfers der Tiara, zuzufließen.*

Aber trotzdem konnte er bei seiner Arbeit die Vorgänge in Berlin nicht ignorieren, so sehr er es auch versuchte. Tausende drängten sich vor dem Reichstag und riefen nach Hitler. Obwohl es vom Gesetz nicht erlaubt war, hatten die Abgeordneten der Nazis ihre Braunhemden in den Reichstag geschmuggelt, sich auf der Toilette umgezogen und das Parlament in ein Tollhaus verwandelt, wo sie grölten, mit den Füßen stampften und jeden, der zu reden versuchte, niederschrieen. Als die Polizei schließlich die Menge draußen zerstreute, organisierten Rädelsführer einen spontanen Protestmarsch zum Kaufhaus Herpich, wo die Schaufenster eingeschlagen und die Pelze gestohlen wurden.

Alfred saß in seinem Laden und hörte, wie sie lärmend

vorbei zu Wertheim zogen. »Juda verrecke!« schrien sie. »Juda verrecke! Juda verrecke!«

Lew Ritz schrieb, daß er seine Zeit als Assistenzarzt in einem Krankenhaus in New York absolviere. »... habe ich gehört, daß amerikanische Visa bei Euch in Deutschland zur begehrten Mangelware geworden sein sollen. Hast Du Dir jemals überlegt, ob Du nicht herüber zu uns kommen willst? Für den Fall, daß ich Dich überreden kann, habe ich Dir etwas beigelegt. Du wirst es brauchen können, denn die Amerikaner geben niemandem mehr ein Visum, der nicht beweisen kann, daß er hier nicht der Wohlfahrt zur Last fällt. Ich hoffe, daß Du kommst. Wenn Du das tust, dann werde ich Dir ein Lokal mit Namen Cotton Club zeigen, und Du wirst erkennen, daß Du bisher noch nie richtigen *›Jatzz‹* gehört hast ...«
Lew hatte dem Brief eine von seinem Vater unterschriebene Erklärung beigelegt, in der bestätigt wurde, daß Alfred Hauptmann sofort bei seiner Ankunft in den Vereinigten Staaten eine Anstellung bei der Hutfabrik Ritz erhalten werde. Alfred legte dieses Schreiben in seinen Safe, aber in dem Dankesbrief an Lew erinnerte er diesen, daß die Nazis nur die zweitgrößte Partei in Deutschland waren. »Hindenburg ist immer noch der Präsident der deutschen Republik, und er hat geschworen, daß er die Verfassung achten werde«, schrieb Alfred. Er vergaß dabei völlig, daß Hindenburg vierundachtzig Jahre alt war und immer häufiger ein Nickerchen machte.

Lilo blieb Alfred weiterhin in Freundschaft und Zuneigung verbunden, aber die offen sichtbaren Vorgänge beunruhigten sie. Jetzt verwöhnte sie ihren kleinen jüdischen Ritter nicht mehr so oft, und manchmal, wenn sie neben Alfred in der Dunkelheit lag, sprudelten ihre Sorgen aus ihr heraus.

»Weißt du, daß die Nazis mehrere Gebäude in der Stadt haben, leerstehende Lagerhallen und Fabriken?«

»Das wußte ich nicht.«

»Ja, sie nennen sie Sturmlokale. Dorthin bringen sie ihre Feinde, Juden und Kommunisten, zum Verhör.«

»Woher weißt du das?«

»Jemand hat es mir gesagt.«

Er gab ihr einen liebevollen Klaps auf den Schenkel. Vermutlich war es bloß Gerede, aber es hätte auch etwas dran sein können, denn ab und zu verschwanden tatsächlich Leute. Immer wieder wurden Leichen aus dem Landwehrkanal gezogen.

Überall, wo Alfred hinging, sah er Männer in Naziuniformen. So viele Braunhemden hatte es bisher nicht gegeben. Hitler versprach Arbeitsplätze und Wohlstand für die Zeit, wenn endlich die Schmach des Versailler Vertrags von 1919 getilgt und die Juden aus Deutschland vertrieben wären.

Ein Leitartikel im ANGRIFF *riet den Bürgern scheinheilig, nicht in individuellen Einzelaktionen eine Lösung der jüdischen Frage anzustreben, denn das sei Sache des Staates. Trotzdem versuchten von Tag zu Tag immer mehr Leute, dieses vermeintliche Problem auf ihre Weise zu lösen. Bernhard Silbersteins polnischer Cousin hatte in panischer Furcht vor den brutalen Ausschreitungen gegen Juden in Frankfurt am Main seinen Lehrposten verlassen und war zu seinen Verwandten nach Berlin geflohen. Max Silberstein war ein schmächtiger junger Mann mit verkniffenem Gesicht und spärlichem Bart, an dem man ihn mühelos als einen der verhaßten Ostjuden identifizieren konnte. Zwei Tage nach seiner Ankunft, als er gerade am Kiosk die Zeitung für seinen Cousin holen*

wollte, lief er den SA-Männern, die dort den ANGRIFF *verkauften, in die Arme. Er kam blaß, mit glasigen Augen nach Hause. An seinen Rücken hatte man ein Schild geheftet, auf dem stand ICH BIN EIN JÜDISCHER DIEB. Am nächsten Tag nahm er den Zug nach Krakau.*
Das brachte für die Silbersteins das Faß zum Überlaufen. Sie regelten ihre persönlichen Angelegenheiten und fuhren zu einer befreundeten Ärztin in den Harz, bei der sie eine Bleibe fanden. »Warum verlassen Sie dieses Land denn nicht?« wollte Dr. Silberstein beim Abschied von Alfred wissen.
»Ich habe hier ein Geschäft«, sagte Alfred und zwang sich dabei zur Ruhe.
»Wollen Sie denn wirklich warten, bis alle anderen auch versuchen wegzukommen? Dann ist es zu spät.«
»Wenn Sie so denken, warum verlassen Sie Deutschland dann nicht auch?«
»Sie haben keine Ahnung. Um ein Visum zu bekommen, braucht man eine ärztliche Bestätigung, daß man körperlich gesund ist.«
Sie starrten sich gegenseitig an. »Vergessen Sie Ihr Geschäft.« Dr. Silberstein hatte sich so aufgeregt, daß er nur noch mit Schwierigkeiten Luft bekam. »Was müßten Sie denn hier zurücklassen, was von echtem Wert für Sie ist?«
Alfred dachte darüber nach. »Diese Stadt«, sagte er schließlich.

Aber die Stadt, die er so liebte, gab es praktisch nicht mehr. Die Nazis und Kommunisten benützten längst andere Waffen als nur Knüppel, und wenn Alfred jetzt durch die Stadt ging, war es nicht ungewöhnlich, daß er einen Umweg machen mußte, weil er in manchen Gegenden Schüsse hörte.

Als er eines Morgens zur Arbeit ging, sah er, daß jemand in riesigen Buchstaben in tropfender weißer Farbe quer über die pflaumenfarbene Ziegelfassade seines Ladens das Wort JUDE geschmiert hatte. Alfred ließ es dort stehen, und vielleicht wirkte es sogar wie eine unfreiwillige Reklame. Jeden Tag kamen neue, freundliche Leute in den Laden, und Alfred konnte so einige seiner Delfter Schmuckstücke verkaufen. Im Kaufhaus Herpich waren die Glasscheiben zwei- oder dreimal ersetzt und wieder eingeschlagen worden, bis schließlich ein Fenster nach dem anderen mit Brettern vernagelt worden war. Man munkelte, daß die Familie Herpich daran dachte, ihr Kaufhaus an Christen zu verkaufen. Es gab eine starke Tendenz, die Geschäftswelt zu arisieren, und eines Tages kam Richard Deitrich in Alfreds Laden und sagte ihm, daß die Gebrüder Deitrich den Großhandel von Erwin König aufgekauft hätten.

Richard Deitrich hatte ein sauberes, glänzendes Gesicht und einen sehr guten Schneider. Am Kragen seines grauen Jacketts gab eine Anstecknadel mit Hakenkreuz unübersehbar zu erkennen, daß er ebensogut eine Uniform hätte tragen können. »Sie haben da ein hübsches, kleines Geschäft. Ich habe es schon immer bewundert«, sagte er. »Hätten Sie vielleicht Interesse, es uns zu verkaufen, Herr Hauptmann?«

»Ich habe bisher noch nicht an einen Verkauf gedacht.«

»Gewisse Leute werden sich im Geschäftsleben in Zukunft ziemlich schwer tun, wenn Sie verstehen, was ich meine. Wenn Sie jetzt verkaufen, könnten Sie als unser Angestellter den Laden weiterführen.«

»Ich glaube nicht, daß ich das will.«

»Später wird der Laden vielleicht erheblich weniger wert sein«, sagte Deitrich höflich.

Alfred dankte ihm für das Angebot.

Hauptmann war ein deutscher Name, und Alfred war Deutscher.
Aber wenn er jetzt in ein Restaurant ging oder um Theaterkarten anstand, hatte er verstärkt das Gefühl, daß die Leute ihn als einen jüdischen Fremden ansahen und ihn mit ablehnender Miene betrachteten.
Die Wohnung der Silbersteins blieb leer. Alfred vermißte das Schachspielen am Mittwoch abend, und auf einmal hatte auch Lilo ausgerechnet dann, wenn er sich mit ihr verabreden wollte, etwas anderes zu tun. Eines Abends erzählte ihm der Barkeeper im Tingeltangel, *daß sie in letzter Zeit häufig mit einem Braunhemd kam.*
Alfred rief sie an und bat sie um ein klärendes Gespräch. Als er in ihre Wohnung kam, saß sie im Bademantel da und rollte ihr Haar mit einer Chemikalie, die nach faulen Eiern roch, auf große Lockenwickler.
»Ja, es stimmt«, sagte sie. »Ich habe einen neuen Freund.«
Alfred wartete darauf, daß er Wut oder tiefe Trauer verspürte, aber keines der beiden Gefühle kam in ihm auf.
»Er hat mir erzählt, daß sie ein Gesetz planen, nach dem deutsche Frauen, die mit Juden gehen, streng bestraft werden sollen.« Sie zog hastig an der Zigarette, die zwischen ihren Lippen hing.
»Das wollen wir doch vermeiden«, sagte Alfred.
Sie blickte ihn durch den Rauch der Zigarette an.
»Alles Gute, Lilo.«
»Das wünsche ich dir auch«, sagte sie.

Mitten in der Nacht fiel Alfred ein, daß er Lilo den Inhalt des blauen Leinensacks gezeigt hatte. Er versuchte, nicht mehr daran zu denken. Was immer auch zwischen ihnen gewesen sein mochte, wenigstens waren sie immer ehrlich zueinander gewesen. Er vertraute ihr.

Trotzdem fand er keinen Schlaf und wälzte sich unruhig hin und her.
Noch vor dem Morgengrauen stand er auf. Er setzte sich an den Tisch und arbeitete wie besessen. Als er fertig war, glänzte das Gold der Tiara, und der Diamant funkelte. Die Reparatur war beendet. Alfred verpackte die Tiara gutgepolstert in einer Schachtel, die er wiederum in einen größeren Karton steckte. Dieses Paket adressierte er an Paolo Luzzatti und wartete damit bereits vor dem Postamt, als dieses geöffnet wurde.

Am Freitagmorgen weckte ihn das Klingeln des Telefons.
»Herr Hauptmann?«
Es war der Hausmeister aus der Leipziger Straße. »Ich habe schlimme Neuigkeiten für Sie«, sagte der Mann.
Alfred räusperte sich.
»Es ist … äh … eingebrochen worden.«
»In meinen Laden?«
»Ja. Sie haben alles gestohlen.«
»Haben Sie die Polizei verständigt?«
»Ja.«
»Ich bin gleich da«, sagte Alfred.
Aber er blieb noch zwanzig Minuten im Bett liegen, so, als wäre es Sonntag und er hätte absolut nichts zu tun. Schließlich stand er auf, nahm ein Bad, rasierte sich sorgfältig und zog sich an. Dann packte er seinen Koffer.
Er nahm ein Taxi, stieg aber bereits vor dem Kaufhaus Herpich aus, weil er zwei SA-Männer vor der Tür seines Ladens stehen sah. So ging er um das Kaufhaus herum zum Nebeneingang des Gebäudes, der sich in einer kleinen Seitenstraße befand.
Die Tür war verschlossen, aber Alfred hatte einen Schlüssel. Als er sie öffnete, stand der Hausmeister vor ihm.
»Guten Morgen.«

»Guten Morgen, Herr Hauptmann.« Der Mann drehte sich um und tat so, als kehre er den Fußboden.
Die Tür zu Alfreds Laden war aufgebrochen worden. Der gesamte Lagerbestand war gestohlen, die Ladeneinrichtung und die Möbel waren zerschlagen. Alfred schlüpfte ins Hinterzimmer und sah, daß jemand versucht hatte, den Tresor mit Gewalt aufzubrechen. Der Geldschrank, ein stabiles Fabrikat aus bestem Kruppstahl, war unversehrt und wies lediglich leichte Kratzer auf, die von dem vergeblichen Versuch herrührten, die Tür mit einem Brecheisen aufzuhebeln.
Die beiden SA-Männer standen vor dem niedrigen Schaufenster, dessen Glas brutal eingeschlagen worden war.
Die Rückwand dieses Schaukastens bestand nur aus zwei Türen aus dünnem Holz, welches jedes Geräusch durchließ. Alfred konnte genau hören, worüber sich die beiden unterhielten.
Hatte Lilo sie hergeschickt oder Deitrich, der deutsche Juwelenhändler? Oder war alles bloß ein Zufall?
Aber im Moment war es viel wichtiger, ob die beiden draußen es hören würden, wenn Alfred den Safe öffnete. Während er vorsichtig das Zahlenschloß drehte, hörte er am Geräusch des kehrenden Besens, daß der Hausmeister den Gang entlang zur Eingangstür kam.
»He du«, rief ihn einer der SA-Männer an. »Hast du Isi gesehen?«
»Wen?« fragte der Hausmeister.
»Isidor. Den Juwelier.«
»Oh, Herrn Hauptmann.«
Jetzt war die Safetür offen. Alfred nahm das Schreiben von Ritz und das Päckchen, in dem der vergoldete Stein und die sieben kleinen Diamanten waren, und steckte beides ein.

»Ich habe Herrn Hauptmann seit gestern nicht gesehen«, sagte der Hausmeister.

Sieben Stunden, von denen er die meisten in Warteräumen verbrachte, brauchte Alfred, bis er endlich mit einem Angestellten der amerikanischen Botschaft am Tiergarten sprechen konnte. Bis er wieder herauskam, war die Bank, auf der Alfred sein Geld hatte, bereits für das Wochenende geschlossen. Dennoch fuhr Alfred mit seinem nagelneuen amerikanischen Visum direkt zum Anhalter-Bahnhof und kaufte sich eine Fahrkarte nach Amsterdam. Als er schließlich im Abteil saß, kam es ihm fast so vor, als wäre er auf einer ganz normalen Geschäftsreise.
Alfred hatte einige entfernte Bekannte in Amsterdam, aber er wollte keinen von ihnen sehen. Am nächsten Morgen wollte er einen der Diamanten verkaufen und das erste Schiff nehmen, das von Rotterdam nach New York fuhr. Alfred nahm das billigste Zimmer, das er finden konnte, einen winzigen Verschlag im vierten Stock einer schäbigen Pension, dann ging er in ein Arbeiterlokal, aß Bokking *und trank dazu einen Krug Bier. Als er nach dem Essen das Lokal verließ, hatte es angefangen zu regnen, und ganz ohne sein Zutun fanden seine Füße den Weg zu dem Haus, in dem er vor vielen Jahren zusammen mit Laibel gewohnt hatte. Die Windmühle unten am Kanal, die sie beide so geliebt hatten, gab es nicht mehr.*
Als er wieder in seiner Pension war, wußte er nicht, wie er den Rest der Nacht verbringen sollte. Das Zimmer war nicht besonders sauber, und Alfred wollte sich nicht in das schmuddelige Bett legen. Also setzte er sich ans Fenster und blickte hinaus in den Regen.
»Verzeihen Sie mir, Dr. Silberstein«, flüsterte er über die vor Nässe glänzenden Dächer von Amsterdam.

Zweiter Teil

Verstecke

10

Tamar Strauss

In ihrem Traum war Yoel noch am Leben und nahm sich ihren Körper mit seiner teutonischen Gründlichkeit vor, die er ebensowenig hatte abstreifen können wie den Rest seiner deutschen Herkunft. Tamar gab sich seinen Liebkosungen hin, bis sie allein in ihrem stillen Hotelzimmer erwachte. Lange blieb sie auf der harten Matratze liegen und verspürte einen fast vergessenen Schmerz. Von den Teppichen stieg ihr ein staubiger Geruch in die Nase.
Tamar versuchte wieder einzuschlafen, aber sie schaffte es nicht. So sehr sie sich auch mühte, sie konnte sich nicht mehr genau an Yoels Gesicht erinnern. Er hatte zwar keine so braune Haut gehabt wie sie, aber für einen *Jecheh*, einen deutschen Juden, war er eher ein dunkler Typ gewesen. Er war ihr auf einer Party im Museum wegen seiner Augen aufgefallen, deren helles Blau aus seinem sonnengebräunten Gesicht geblitzt hatte. Sie waren einander nicht vorgestellt worden, aber er hatte sie quer durch den Raum angeblickt. Tamar hatte ihren Kopf weggedreht und in ihrem Salat herumgestochert. Als sie wieder in seine Richtung geschaut hatte, waren seine verfluchten *Aschkenasim*-Augen immer noch ohne jede Scham auf sie gerichtet gewesen, als wollten sie fragen: *Beseder?* Okay? Bestimmt nicht, du arroganter *Mamser*, hatte sie in Gedanken empört geantwortet.

Aber ihre Augen hatten sie dann doch verraten, und es war um sie geschehen gewesen.
Beseder, hatten Tamars Augen ihm geantwortet.

Als sie heirateten, waren sie erst ein paar Monate miteinander gegangen. Yoel machte als Medizinstudent gerade sein Praktikum am Beilinson-Krankenhaus in Petah Tikva. Er hatte einen roten, zwei Jahre alten Volkswagen, mit dem er, sooft er konnte, zu ihr nach Jerusalem fuhr. Dann gingen sie ins Café Alaska in der Jaffa Street, oder sie besuchten Konzerte der israelischen Philharmoniker, bei denen seine Eltern Abonnenten waren, weshalb Tamar annahm, daß sein Vater reich sei.
In Yoels kleinem rotem Auto führten er und Tamar die wonnigsten Ringkämpfe. Es wurde für sie zunehmend schwieriger, ihn auf Distanz zu halten, und eines Nachts am Strand von Bat Yam gelang es ihr nicht mehr. Er tat ihr weh. Als es vorbei war, konnte sie nicht mehr mit dem Weinen aufhören. Er begriff nicht, daß er sie nach den Regeln ihrer Kultur, die sie in ihrer Jugend wieder und wieder eingetrichtert bekommen hatte, soeben zerstört hatte. Aber er baute sie auch wieder auf; er liebte sie.

Als seine Mutter ihnen ihren Segen erteilte, machte sie ein Gesicht, als wäre sie in Trauer. *Gleichgültig, was du sagst, ich kann mir schon vorstellen, was du dort unten am Strand gemacht hast, um ihn dir zu schnappen*, schienen ihre Augen, die so hell und nachdenklich waren wie die ihres Sohnes, Tamar sagen zu wollen.
Yoel suchte *Ya Abba*, ihren Vater, auf und überreichte ihm wie ein modernes Äquivalent des alten Brautgeldes einen Korb mit Früchten und eine Flasche Arak.

»Deine Kinder werden braune Haut haben«, sagte *Ya Abba* hintergründig.
»Das hoffe ich«, antwortete Yoel.
Als Tamar eine Woche später nach Rosh Ha'ayin kam, dem Dorf, wo sich ihre Eltern niedergelassen hatten, sah sie, daß das Zellophan immer noch über den Früchten war; die Bananen darunter waren schwarz geworden und die Pfirsiche und Orangen mit weißem Schimmel überzogen. Sie warf das Zeug weg. Am Abend sah ihr *Ya Abba* tief in die Augen. »Willst du diesen *Jecheh*, diesen Deutschen, denn wirklich?« Als sie keine Antwort gab, nickte er schicksalsergeben und machte die Flasche Arak auf.
Yoels Praktikum war fast vorbei, und er bewarb sich für eine Studie über die Sterblichkeit bei Beduinenfrauen im Wochenbett, die er zu ihrer beider Freude auch bekam, denn mit dieser Studie war eine Stelle in der Entbindungsstation im Hadassah-Krankenhaus verbunden.
Yoel und Tamar wollten zusammen in Jerusalem wohnen. Als Yoels Eltern anboten, ihnen dort eine Wohnung zu kaufen, war Tamar überrascht, denn sie hatte ihre ursprüngliche Annahme, daß sie Geld haben müßten, rasch revidiert. Was sie an billigen Möbeln in ihrem kleinen, dunklen Laden verkauften, reichte gerade eben, ihnen ein bescheidenes Maß an Komfort zu ermöglichen.
Aber sie hatten aus Deutschland eine Wiedergutmachung erhalten.
Yoels Vater war im Konzentrationslager Mauthausen gewesen, und drei seiner vier Großeltern und eine Tante waren in Buchenwald ums Leben gekommen. Das Vermögen beider Familien hatten die Nazis konfisziert. Nach dem Krieg hatte Yoels Vater einen Antrag auf Wiedergutmachung gestellt, und jetzt war ihm eine kleine

Summe ausgezahlt worden. Yoels Eltern wollten von dem Geld nichts für sich ausgeben.
Tamar wollte auch nichts davon.
Eines Tages kam Mr. Strauss bei ihnen vorbei und lud Tamar zum Tee ein. Sie fand ihn sehr sympathisch. Er war kahlköpfig und wirkte müde. Tamar fragte sich, ob Yoel später einmal auch so aussehen würde.
Er gab ihr einen Klaps auf die Hand. »Was soll ich bloß mit dem Geld machen?« fragte er. »Soll ich es denn wirklich denen wieder zurückschicken?«
Als Tamar und Yoel dann schließlich doch eine nagelneue Dreizimmerwohnung mit Blick auf die Yemin-Moschee bezogen, fühlten sie sich fast wie Millionäre, auch wenn sie nicht ganz vergessen konnten, daß das Geld für diese Behausung praktisch von toten Verwandten stammte. Mr. Strauss machte das Angebot, ihnen sehr preisgünstige skandinavische Möbel zu besorgen, aber Tamar war erleichtert, daß Yoel bei der Einrichtung der Wohnung mehr auf sie hörte. Sie kauften ein einfaches Bett mit Sprungfedermatratze, zwei kleine Truhen, einen niedrigen Tisch und zwei Sitzkissen aus Kamelleder, die sie mit einer Unzahl von zerschnipselten Ausgaben der Zeitungen HA'ARETZ und MA'ARIV ausstopften. Für die Küche suchten sie sich eine Reihe von wunderschönen, verbeulten Töpfen aus altem Kupfer zusammen, was *Ya Umma*, ihrer Mutter, die, wie ihre Freundinnen, erst kürzlich all ihre Kupfertöpfe durch solche aus modernem Aluminium ersetzt hatte, sichtlich peinlich war.
Yoel werkelte drei Wochenenden hintereinander in der Wohnung; er strich die Wände weiß und dekorierte sie mit billigen arabischen Wandteppichen, die Tamar auf dem Markt in Nazareth gekauft hatte.
Als die Wohnung fertig war, sah sie sogar besser aus

als die Häuser in Sana'a, wo Tamar geboren worden war.

Ya Umma wollte, daß Tamar im traditionellen jemenitischen Gewand heiratete, aber der angeborene praktische Sinn ihrer Tochter setzte sich durch. Sie kaufte sich ein Hochzeitskleid, das sie später immer wieder anziehen konnte, ein einfaches, dezent lavendelfarbenes Wollkleid, das ihre dunkle Haut besonders betonte. Die Trauung fand in der mit Wellblech gedeckten Synagoge von Rosh Ha'ayin statt. *Ya Mori*, der Rabbi, der langsam senil wurde, leierte quälend langsam den Hochzeitssegen herunter. Nachdem Yoel gemäß der Tradition das Glas zerbrochen hatte, gab es ein Festmahl mit gebratenen Hühnern, die auf jemenitische Art mit hartgekochten Eiern, Reis, Mandeln und Rosinen gefüllt waren, dazu ein Büfett aus Früchten, Gemüsen, Wein und Arak.
Tamar und Yoel machten sich, sobald sie konnten, in dem roten Volkswagen davon und fuhren direkt nach Elat, wo sie drei Tage lang wunderbares Wetter hatten. Kurz vor der Hochzeit hatte Tamar ihre Periode bekommen. Jeden Morgen fuhren sie in einem Boot mit gläsernem Boden aufs Meer und beobachteten die Korallen und die Fische. Sie trafen ein paar französische Hippies, die in Zelten am Strand lebten, und stritten sich mit ihnen leidenschaftlich über Sinn oder Unsinn des Kommunismus; aber erst als Yoel eine Flasche Wein kaufte, wurden sie wieder gnädig in den Reihen des Proletariats aufgenommen. An anderen Tagen sammelten sie Korallen. Tamar watete durchs Wasser, während Yoel ins Meer hinausschwamm.
Als sie zurück nach Jerusalem kamen, wartete *Ya Umma* wie eine Sphinx mit verschränkten Armen vor

ihrem Wohnhaus. Vor Tamar und Yoel goß sie Wasser auf den Boden, streute Anemonenblüten darüber und hieß die beiden damit auf traditionelle Weise in ihrem neuen Heim willkommen, was etliche andere Mieter gründlich verwirrte. Tamar war gerührt, denn sie wußte, welche Mühe ihre Mutter mit der langen Busfahrt nach Jerusalem auf sich genommen hatte. Die beiden wollten, daß sie über Nacht blieb, aber sie küßte bloß ihre Tochter und wünschte ihrem Schwiegersohn verschämt viel Freude an seiner neuen Ehefrau, bevor sie zufrieden den nächsten Bus zurück nach Rosh Ha'ayin nahm.

Sehr zu Tamars Erleichterung klappte die Liebe in ihrem eigenen Bett unvergleichlich besser als anderswo. Schnell entwickelte sie derartige Fertigkeiten darin, daß Yoel sie schon manchmal damit aufzog. Eines Tages brachte er eine Neuanschaffung mit nach Hause, einen Wandspiegel, der als einziger Einrichtungsgegenstand nicht zum arabischen Ambiente der Wohnung paßte. Sie hängten ihn so auf, daß sie sich beobachten konnten, wenn sein weißer und ihr brauner Körper zu einem neuen, zweifarbigen Wesen verschmolzen, das nur ihnen gehörte.

Die Ehe brachte Tamar Glück und beflügelte sie bei ihrer Arbeit in der Restaurationsabteilung des Museums. Eines Tages wurde ihr eine seltene, phönizische Bronzeschale in Form eines Löwenhaupts zur Reparatur gebracht, von der beim Transport ein kleines Stück abgesprungen war.

Als Tamar die Schale untersuchte, entdeckte sie an der Bruchstelle mehrere Schichten, die ihr, gelinde gesagt, merkwürdig vorkamen. Als Tamar sie auf einem winzigen Fleck eine nach der anderen herunterkratzte, stieß sie auf Kupfer, das verdächtig neu aussah. Eine der Schichten bestand zudem aus einer Mischung von rotem Siegelwachs und weichem Zinnlot, das erst seit relativ kurzer Zeit verwendet wurde. Tamar bestrahlte die Schale mit ultraviolettem Licht und entdeckte, daß sie aus einem wirklich alten, aber stark zerstörten Bronzegefäß bestand, über das ein geschickter Fälscher eine Oberfläche modelliert hatte, die ebenso alt wie ungewöhnlich gut erhalten aussah.

Das Museum hatte die Schale eigentlich für einen Preis, der ein Mehrfaches von Tamars Jahresgehalt betragen hätte, ankaufen wollen. Als sie am nächsten Morgen in die Arbeit kam, grüßten sie auf einmal eine Menge Leute, die sie vorher nicht beachtet hatten.

Der berufliche Erfolg tat Tamar gut, aber sie genoß es auch, die Ehefrau zu spielen. Schnell hatte sie herausgefunden, daß ihr Mann jemenitische Gewürze nicht vertrug und daß er Lamm haßte. Am liebsten aß er *Mishmish*, die kleinen, einheimischen Aprikosen, die so köstlich waren, daß die Araber ein weit entferntes Glück mit *»wenn die Zeit der* Mishmish *kommt«* umschreiben. Yoel ließ sich diesen Satz auf kleine Karten drucken und gab sie seinen Gesprächspartnern, wenn diese erste Anzeichen von Ungeduld zeigten.

Offensichtlich mochten ihn seine Kollegen – teilweise deshalb, dachte Tamar schuldbewußt, weil er mit seiner Studie über Beduinenfrauen ihnen nicht bei ihrem Streben nach Doktortiteln und Karriere in die Quere kam. Dabei hatte Yoel durchaus Erfolge. Die Säuglings- und Müttersterblichkeit war bei den Beduinen immer schon tragisch hoch gewesen, denn in ihrem rauhen Nomadenleben war keine Zeit für vorgeburtliche Untersuchungen. Die ersten paar Monate schlug sich Yoel mit den Behörden herum, um seine Vorstellungen durchzusetzen. Unzählige Male sprach er bei der staatlichen Wasserversorgung vor, bis diese sich schließlich bereit erklärte, eine oberirdische Wasserleitung zu den Weideplätzen der Beduinen bei Beersheva zu legen. Die Rohre aus schwarzem Plastik waren zwar häßlich, aber für die Beduinen waren sie ein Segen. Zum ersten Mal in seiner Geschichte mußte sich der Stamm nicht auf die Suche nach neuen Weidegründen machen. Yoel und der Mann vom Landwirtschaftsministerium überredeten den alten Scheich, so lange dort zu bleiben, wie die Regierung seine Tiere mit Gras versorgte. Dafür wies der Scheich alle schwangeren Frauen an, sich regelmäßig auf der Geburtshilfestation untersuchen zu lassen. Am schwierigsten erwies es sich, die Frauen zur Geburt ins Krankenhaus zu holen, denn bei ihnen war es üblich, daß ein Kind im Zelt seines Vaters geboren wird. Als aber alle von dem guten Dutzend Frauen, die ihre Kinder im Krankenhaus bekommen hatten, die Geburt überlebten und auch keines der Babys gestorben war, war das ein deutliches Signal für die anderen gewesen.

Wenn eine Frau nicht rechtzeitig zu einer Untersuchung bei ihm erschien, scheute sich Yoel nicht, hinaus ins Lager bei Beersheva zu fahren und sie dort zu untersuchen. Manchmal, wenn sie gerade frei hatte, fuhr Tamar als Dolmetscherin mit. Bei einer solchen Gelegenheit wurden sie, nachdem Yoel seine Patientin untersucht und ihr so lange ins Gewissen geredet hatte, bis sie ihm kleinlaut versprach, daß sie beim nächsten Termin zu ihm ins Krankenhaus kommen werde, ins Zelt des Scheichs gebeten und mit dem unvermeidlichen Kaffee und mit Datteln bewirtet.

Der alte Beduine sah Yoel fragend an und sagte etwas.

»Er will wissen, warum du das alles tust«, übersetzte Tamar.

Yoel sagte ihr, sie solle den Scheich fragen, ob er denn nicht sein Bruder sei.
»Er sagt nein.«
»Dann frag ihn, ob wir nicht eines Tages wie Brüder werden könnten.«
»Er sagt, daß er das nicht für allzu wahrscheinlich hält.«
»Dann sag ihm, daß es mir scheißegal ist, was wir sind, solange wir uns gegenseitig helfen und in Frieden zusammenleben.«
Der Scheich starrte Yoel in die Augen, als suche er nach darin verborgenen Gefahren.
»Er will wissen, was ist, wenn wir nicht friedlich zusammen leben können.«
»Dann kommt auch die Zeit der *Mishmish* nicht«, antwortete Yoel.

In diesem Juli verließ Yoel seine Frau zum erstenmal seit ihrer Hochzeit, um seine jährliche einunddreißigtägige Reserveübung zu absolvieren. Als Militärarzt bekleidete er den Rang eines *Seren*, eines Hauptmanns. In der Nacht, bevor er fort mußte, bemerkte Tamar, daß er einen schlimmen Traum hatte. Am nächsten Morgen gab Yoel bereitwillig zu, daß er sich fürchtete, denn er hatte sich freiwillig für die Ausbildung zum Fallschirmspringer gemeldet.
Und so wartete Tamar jede Nacht zwischen zwei und vier Uhr früh, wenn die israelischen Soldaten kostenlos nach Hause telefonieren durften, auf seinen Anruf. In der zehnten Nacht klingelte das Telefon.
»Es war nicht sehr schlimm«, sagte Yoel.
Tamar fragte ihn nicht, was er damit meinte, denn bei der Erleichterung, die in seiner Stimme mitschwang, konnte es nur eines sein. Nach fünf weiteren Sprüngen hatte Yoel den Kurs bestanden, er hatte dazu einund-

zwanzig Tage gebraucht. Als er nach Hause kam, nähte Tamar ihm die rot-weißen Abzeichen mit dem Drachen an die Uniformen und bewunderte sein rotes Barett und die roten Fallschirmspringerstiefel, die man bei der Armee »Ballettschuhe« nannte.
Yoels Kommandeur war ein Major namens Michaelman, der im Zivilleben als Chirurg am Eliezar-Kaplan-Krankenhaus in Rehovot arbeitete. Als Dr. Michaelman im September mit seiner Frau zu einem Kongreß nach Jerusalem kam, luden Tamar und Yoel sie zu sich zum Abendessen ein. Michaelman war ein magerer Mann mit weiß werdendem Haar und ruhigen Augen, ein Offizier im Hauptquartier, der die Militärärzte den Kampfeinheiten zuteilte. Seine Frau Eva hingegen war eine pummelige Rothaarige mit einem Kußmäulchen, das sich in ihrem schon etwas gealterten Gesicht geradezu absurd ausnahm. Nach dem Essen schaltete Yoel das Radio an, um die Nachrichten zu hören. Aber das sollte sich als ein Fehler erweisen, denn es wurde von massiven ägyptischen Panzerkonzentrationen auf dem westlichen Ufer des Suezkanals berichtet.
»Das sind bloß Manöver«, sagte Dr. Michaelman. »Die halten sie jeden Herbst ab.«
Merkwürdigerweise war das, was Tamar wirklich angst machte, nicht so sehr die Radiomeldung als vielmehr die Tatsache, daß Eva Michaelmans Schmollmund auf einmal so alt aussah wie ihr übriges Gesicht.

Weil sie den *Rosch-Haschana*-Feiertag bei Tamaras Eltern auf die Weise jemenitischer Juden gefeiert hatten, beschlossen sie, zum Ausgleich dafür am *Jom Kippur* zusammen mit Yoels Eltern in ihre kleine *Aschkenasim*-Synagoge zu gehen.
Kurz nach Mittag betraten drei Armeeoffiziere die *Schul*,

zwängten sich durch die in ihre Gebetsschals gehüllten Gläubigen und überreichten dem Rabbi vorn an der *Bema* eine Liste. Nachdem der Diener für Ruhe gesorgt hatte, las der Rabbi vor: »Folgende Männer haben sich sofort bei ihren militärischen Einheiten zu melden ...«
Yoels Name war nicht unter denen, die verlesen wurden. Tamar, die bei den anderen Frauen stand, sah, wie ihr Mann nach vorn zum Altar ging und die Soldaten etwas fragte. Auf einmal bekam sie keine Luft mehr und mußte ins Freie. Als sie die Synagoge verließ, heulten plötzlich die Sirenen los.
Tamars Schwiegervater kam ebenfalls heraus. »Was ist bloß los?« fragte sie ihn.
Mr. Strauss kratzte sich seinen grauen Stoppelbart und blickte über den Rand seiner Metallbrille nach oben. »Vielleicht ist es schon losgegangen«, sagte er.

Sie eilten nach Hause, aber Radio- und Fernsehapparat blieben stumm, denn während des *Jom Kippur* gab es keine Sendungen.
»Wir müssen das Auto auftanken«, sagte Yoel.
»Heute haben alle Tankstellen zu.«
»Aber die arabischen Tankstellen drüben in der Altstadt sind offen.«
Tamar nickte, sie wußte, daß es Yoel weniger um Benzin ging als um Informationen über das, was los war. Er fuhr schnell fort.
Um zwei Uhr vierzig erwachte das Radio auf einmal mit einer Verlautbarung des israelischen Verteidigungsministeriums zum Leben. Um vierzehn Uhr des vergangenen Tages hatten die ägyptische und syrische Armee mit Angriffen am Suezkanal und an den Golanhöhen begonnen. »Wegen syrischer Flugbewegungen im Golan-Sektor können im ganzen Land Sirenen gehört

werden. Dies ist kein Probealarm. Die Mobilmachung der Reserve wurde befohlen. In Anbetracht der gespannten Lage sollte jedermann, der nicht dringende Aufgaben zu verrichten hat, von der Benützung der Straßen absehen ...«
Als Yoel heimkam, fand er Tamar vor dem Radiogerät, aus dem zwischen Musik und Nachrichten merkwürdige Botschaften kamen. »Rote Hyazinthe, rote Hyazinthe, bitte um vier Uhr am Sammelplatz melden.«
»Was für einen Codenamen hat denn deine Brigade?«
»Bibel. Doof, nicht?«
»Nein«, sagte sie mit zittriger Stimme.
Noch während sie sich ansahen, kam aus dem Lautsprecher der Sammelbefehl für Yoels Brigade.
»Also«, sagte er.
»Kann ich dir helfen, dich fertig zu machen?«
»Ich muß mir bloß die Uniform anziehen und meine Zahnbürste mitnehmen. Mehr gibt es nicht zu tun.«
»O doch.«
Im Bad hielt Tamar einen Moment lang ihr Diaphragma in der Hand, bevor sie es wieder zurück in den kleinen Behälter legte und es in den Schrank zurückstellte. Sie liebten sich zu schnell und ohne wirkliche Lust. Als sie seinen Samen in sich spürte, flüsterte sie ihm ins Ohr, was sie getan hatte.
»... ah, du bist verrückt ...«
Sie sah den Ärger in seinem Gesicht.
»Warum bin ich verrückt?« fragte sie.
»In ein paar Tagen wird das alles hier vorbei sein. Und dann müssen wir uns überlegen, wie wir mit einer Schwangerschaft und einem Kind klarkommen.«
»Meinst du, wir haben eben ein Baby gemacht?« fragte sie und sah ihm nachdenklich zu, wie er sich seine Uniform anzog.

Er zuckte geistesabwesend mit den Achseln. Tamar sah, daß zumindest ein Teil von ihm fort wollte, sich auf die Gefahr zu freuen schien, die Tamar so sehr verabscheute.
»Yoel.«
Sein Kuß sagte mehr als ihr hastiges Treiben vorhin auf dem Bett. »*Shalom*, Tamar.«
»Hoffentlich«, sagte sie.

Die Stadt veränderte ihr Gesicht. Wenn Tamar jetzt am Morgen zur Arbeit ging, sah sie alte Männer, die Sand in Jutesäcke schaufelten. Der zivile Verkehr war dünn. Viele Autos, wie auch Yoels roter Volkswagen, waren von ihren Besitzern mit Schlamm beschmiert und mit zur Armee genommen worden. Im Keller des Hauses gab es einen Luftschutzraum. Die Frauen zerrten Matratzen hinunter, und Tamar half dabei, Vorhänge zur Verdunkelung zu nähen und die Fenster mit Band abzukleben. Im Museum zerschnitten die weiblichen Angestellten Bettücher zu Bandagen.
Es half, daß sie beschäftigt war. Aufgrund ihrer Erfahrungen aus vergangenen Kriegen erwarteten die Leute auch jetzt, daß einem blitzartigen Verteidigungsschlag ein überwältigender Sieg folgen würde.
Aber diesmal blieben die Nachrichten drei Tage lang merkwürdig vage. Das Hadassah-Krankenhaus füllte sich mit Verwundeten, und langsam sprachen auch die Nachrichtensender offen von der Katastrophe, die das Überraschungsmoment und die neuesten sowjetischen Waffen verursacht hatten. Die Ägypter hatten sich auf dem Ostufer des Suezkanals in starken Stellungen eingegraben, und die Syrer fügten der israelischen Armee auf den Golanhöhen schwere Verluste zu.
Trotzdem ging ein jeder seiner Arbeit nach, so, als wäre

nichts geschehen. In Windeseile entlarvte Tamar eine weitere Fälschung, dieses Mal war es ein Gemälde. Als sie das angeblich hundert Jahre alte Porträt röntgen ließ, entdeckte sie, daß sich darunter ein Landschaftsbild befand. Sie kratzte ein winziges Stück Farbe des unteren Bildes ab, und dessen chemische Analyse zeigte Spuren von Titan, einem Stoff, den man erst seit 1920 weißer Ölfarbe beimengte. Das untere Bild war also erst ein paar Jahrzehnte alt.

Tamar wurde zum Direktor gerufen. »Was hat Sie mißtrauisch gemacht?« fragte er.

Tamar zuckte mit den Achseln. »Zuerst waren es Stellen mit getüpfelten Pigmenten. Dann ein seltsamer Pinselstrich hier und da und anderswo ein verschwommener Übergang von einem Farbton zum anderen.«

Der Direktor nickte. »Sie haben Talent, Frau Strauss. Sie würden einen einzelnen Apfel aus einer Waggonladung Orangen herausfinden. Diese Gabe hat nicht jeder«, sagte er nachdenklich.

Dieses Mal erhielt sie eine Gehaltserhöhung und wurde von der technischen Assistentin zur Konservatorin befördert. Jede neue Akquisition des Museums mußte seitdem zuerst einmal von ihr begutachtet werden. In normalen Zeiten hätte Tamar vor Freude einen Luftsprung gemacht. Jetzt war es ihr fast gleichgültig. Jede Nacht klingelte um zwei Uhr früh ihr Wecker, und sie wartete bis vier Uhr vor dem Telefon. Aber es blieb stumm.

Dafür bekam sie zwei Briefe, sachliche, unpoetische Mitteilungen. Yoel schrieb, daß es ihm gutgehe und daß sie nicht auf Anrufe von ihm warten solle. Die Leitungen seien reserviert für »Soldaten mit persönlichen Problemen wie Krankheit in der Familie, vor der uns Gott behüten möge«. Er schrieb nicht, wo er war, und erwähnte den Krieg mit keinem Wort.

Am Ende der Woche kam schließlich die Wende an beiden Fronten. Kissinger hatte versucht, einen Waffenstillstand zu vermitteln, was Sadat aber abgelehnt hatte. Nun, als die israelische Armee bereits mitten in Syrien war und auf Damaskus vorstieß, waren die Ägypter auf einmal dazu bereit. Eines Morgens hörte Tamar kurz nach dem Aufstehen im Radio, daß die Israelis den Suezkanal überschritten hatten und jetzt den Krieg nach Ägypten hinein trugen. Alle erwarteten einen Waffenstillstand in den nächsten paar Stunden.

Tamar ging zur Klagemauer, um Gott zu danken.
Als sie dort ankam, sah sie, daß Hunderte anderer Menschen dieselbe Idee gehabt hatten. Die Menge schob sich langsam vor zur Mauer, und die Leute warteten geduldig, bis sie endlich vor den riesigen Steinen aus der Zeit von König Herodes standen. Eingeklemmt zwischen einem weinenden Graubart und einem Jungen mit verwirrtem Gesicht, schien es Tamar, als gingen aus der Menge die verschiedensten Gefühle auf sie über. Vielleicht kamen sie aber auch aus ihrem eigenen Inneren.
Sie drängte sich durch eine Lücke in der Menge und kam näher an die Mauer heran. Die Leute blieben dort aus Rücksicht auf die anderen nur ein paar Augenblicke stehen, bevor sie ihren Platz wieder freimachten. Tamar wurde hin und her gestoßen, bis sie schließlich vor den von der Sonne aufgeheizten Steinblöcken stand.
In einer langen Reihe streckten die Menschen ehrfürchtig die Hände aus, berührten die riesigen Quader und weinten vor Dankbarkeit. Viele schrieben Gebete auf ein Blatt Papier und steckten es in die Fugen zwischen den Steinblöcken, denn diese Gebete wurden, einer alten Legende nach, vom Herrn erhört. Das einzige

Stück Papier, das Tamar bei sich hatte, war ein alter Einkaufszettel. Auf dessen Rückseite kritzelte sie die Bitte, daß Gott ihr doch bei einer anderen Gelegenheit den Sohn schenken solle, der ihr dieses Mal versagt geblieben war. Sie stopfte den Zettel in einen Mauerspalt und hoffte in einem Anfall von Albernheit, daß Gott nicht die Seiten verwechseln möge und sie Eier, Brot, Käse, Äpfel und einen Hering zur Welt bringen lasse.

Dann verließ sie die Mauer und machte Platz für eine andere Frau. Die Menge kam ihr vor wie ein Netz, aus dem sie sich zappelnd befreien mußte; das klagende Geräusch der vielen Menschen war so laut wie ein Horn, das ihr direkt ins Ohr tönte. Polnische *Chassidim* hielten sich an den Händen, tanzten im Kreis herum und sangen immer wieder dieselbe Zeile aus einem Psalm – *ich vertraue auf Deine Gnade!* Alte Männer mit langen grauen Bärten und kleine Jungen, die genauso wie die Väter pelzbesetzte *Streimels* und bis zum Boden reichende Kaftans trugen, schienen in einem ekstatischen Gewebe aus Stimmen und Körpern aufzugehen. Tamar sah, wie ein Offizier der Fallschirmjäger sich in den Kreis der Tanzenden einreihte und mit seinen roten Stiefeln im Takt mitstampfend herumwirbelte. Er warf den Kopf zurück und richtete die Augen, wie die anderen Tänzer auch, hinauf zum Himmel. Erst als er sich schließlich lachend und außer Atem aus dem Kreis löste, erkannte ihn Tamar.

»Major Michaelman«, rief sie. »Dov Michaelman!«

Er hörte sie, sah sie an, und sein Lächeln erstarb. Es schien zu zerbröckeln und machte einem Ausdruck von tiefem Schmerz Platz, der Tamar wie eine Gewehrkugel durch den Körper fuhr. Sie wußte sofort, was geschehen war.

Hunderte wurden bei dem feierlichen Heldenbegräbnis auf dem Jerusalemer Militärfriedhof beigesetzt. Moshe Dajan und Israels oberster Rabbi Shlomo Goren hielten die Traueransprachen. Tamar sah zwar, wie sich ihre Lippen bewegten, aber sie hörte nicht, was sie sagten.
Während der *Schiwe*, der Trauerwoche, kamen Yoels Eltern in die Wohnung und saßen ohne Schuhe wie gelähmt da, antworteten einsilbig, wenn man sie ansprach, und zogen sich jeden Tag bei Sonnenuntergang gegenseitig hinaus, um am nächsten Morgen wiederzukommen. Tamars eigene Familie kam von Rosh Ha'ayin, aber am dritten Tag wurde *Ya Abba* schwach, und er begann zu trinken. Als am Ende der Trauerperiode schließlich alle nach Hause gingen und nicht wiederkamen, war Tamar die Stille hochwillkommen.
Recht schnell kam der Scheck von der Versicherung über zehntausend Pfund. Die Regierung kümmerte sich um alles, was die Gefallenen betraf, bis hin zu den Beileidsbriefen vom Militärseelsorger und dem Oberbefehlshaber der Fallschirmjäger, General Elazar, der Tamar die näheren Umstände von Yoels Tod mitteilte und ihren Mann postum zum Major beförderte. Sie gab die Briefe Yoels Vater, der sie einrahmte und sie in seinem dunklen, kleinen Möbelgeschäft über den Schreibtisch hängte, an dem er seine Buchführung machte und seine Rechnungen schrieb.

Tamar brachte das Geld von der Versicherung auf die Bank und ließ monatlich fünfzig Pfund an ihre Familie überweisen.
Sie wollte es nicht akzeptieren, daß sie überall, wo sie hinschaute, lebende Menschen sah, während Yoel tot war. Die Wohnung erschien ihr jetzt als sinnloser Luxus für eine einzelne Person, und sie beschloß, das Geld

dafür Yoels Eltern zurückzugeben, die es gut brauchen konnten. Bevor sie es sich wieder anders überlegen konnte, gab sie eine Anzeige auf. Gute Behausungen waren gefragt, und so konnte Tamar die Wohnung praktisch sofort verkaufen.
Ein paar Tage danach lud sie Mr. Strauss zum Mittagessen ein. Als sie das Restaurant verließen, erklärte sie ihm ruhig den Stand der Dinge und versuchte, ihm den Scheck zu geben, aber der alte Mann stand mit zitterndem Mund da und starrte sie aus feuchten Augen an, während seine Hände etwas wegzuschieben schienen, was nicht da war.
Schließlich floh er vor ihr; ein müder alter Mann, der die Jaffa Road hinuntereilte.
Tamar verstand. Herr und Frau Strauss hatten wohl den Eindruck, daß dieses Blutgeld von immer neuen Toten ständig zu ihnen zurückkehrte. Aber trotzdem gehörte es ihnen. Also ging sie zur Bank, eröffnete mit dem Geld ein Sparbuch auf den Namen von Yoels Eltern und schickte es ihnen.
Die neuen Eigentümer der Wohnung wollten, daß sie so bald wie möglich auszog, aber Jerusalem war überfüllt und die Mieten unverschämt hoch. Es war nicht leicht für Tamar, ein passendes Zimmer zu finden. An ihrem freien Tag ging sie auf Wohnungssuche. In den Gesichtern auf den Straßen lag immer noch jener milde Ausdruck der Freude über das eigene Überleben, und je näher Tamar der Altstadt kam, desto deprimierter wurde sie. In der Via Dolorosa ging sie in einen Andenkenladen, der, wie ein großes Schild über dem Eingang verkündete, einem gewissen ABDULLA HEIKAL gehörte und in dem ganze Heerscharen von Jesusen mit gesenkten Köpfen an unzähligen Kreuzen aus Olivenholz hingen. Von einem billigen, stockfleckigen

Druck, der wohl noch aus einem anderen Krieg stammte, grinste ein zähnefletschender Nasser auf zwei in Beduinentücher gehüllte Männer herab, die sich in einem erbitterten Streit zu befinden schienen. Schließlich seufzte einer von ihnen gottergeben und hielt seine Handflächen nach oben. Die beiden grinsten, schlugen ein, und der Mann, der nachgegeben hatte, nickte und stürzte hinaus.

»Was darf's sein?«

Eigentlich nichts, antwortete Tamar, einem Impuls folgend, auf Arabisch, *außer, er wüßte ein nettes Zimmer, das sie mieten könne.*

Das nicht, aber wie wär's mit einem Sitzkissen, feinstes Kamelleder, zum Sonderpreis?

Tamar schüttelte den Kopf, und das Interesse des Händlers an ihr ließ rapide nach, als der ältere Mann von vorhin mit einem schweren Karton voller Damenhandtaschen wieder in den Laden kam.

Ein paar Minuten später, als Tamar die Via Dolorosa wieder zurückging, kam dieser Mann ihr nachgelaufen.

»Ich habe gehört, daß Sie ein Zimmer suchen.«

Tamar starrte ihn voller Zweifel an und bereute schon, daß sie überhaupt gefragt hatte.

»Schauen Sie es sich an, bevor Sie sich entscheiden, ob Sie es wollen oder nicht.« Er kritzelte die Adresse in ein Notizbuch, riß die Seite heraus und gab sie Tamar. Achmed Mohieddin. In der Straße des Brunnens, hinter der Aquabat-esh-Scheikh-Rihan-Straße.

Die Aquabat-esh-Scheikh-Rihan-Straße war schmäler als die Via Dolorosa, hatte aber ebenso viele kleine Seitenstraßen wie diese. Tamar mußte viermal nach dem Weg fragen, bis sie schließlich die Straße des Brunnens fand, die kaum mehr als ein Schlitz zwischen zwei stuckverzierten Gebäuden war. Achmed Mohied-

dins Tür sah erbärmlich aus, aber arabische Häuser, die von außen einen katastrophalen Eindruck machen, sind innen oft das genaue Gegenteil. Durch einen dunklen Gang gelangte sie in einen sonnigen Hof mit Pflanzen, die in großen Kübeln um den Brunnen standen, der der Straße ihren Namen gegeben hatte. Mohieddins Frau führte Tamar eine Steintreppe hinauf in ein Zimmer mit Bogenfenstern und gutem Durchzug. Es gab kein fließendes Wasser und ein Aborthäuschen statt einer Toilette, aber Tamar zahlte der Frau gleich eine Monatsmiete im voraus.
Die erste Nacht in ihrem Zimmer lag sie wie ein Embryo zusammengerollt und versuchte, nichts mehr zu hören, sich nicht mehr zu bewegen und nichts mehr zu fühlen.

Yoel war tot. Sie war am Leben.
Niemand außer ihr schien das merkwürdig zu finden.

Tamar war, was Laster jeglicher Art anbetraf, eine blutige Anfängerin. Weil sie häufig nicht schlafen konnte, machte sie es sich zur Gewohnheit, in den stillen Nachtstunden durch die Altstadt zu streifen. Manchmal, wenn sie sich auf diesen Spaziergängen plötzlich nach dem Anblick von menschlichen Wesen sehnte, ging sie in ein Café in der Nähe des Jaffa-Tors, eine düster beleuchtete Höhle voller arabischer Männer, die Wasserpfeifen rauchten und Karten und *Sesh Besh* spielten. Dies war ganz klar eine Männerdomäne, und Tamar begnügte sich damit, an einem kleinen Tisch draußen auf der Straße einen mit Gewürzen versetzten Kaffee nach dem anderen zu trinken und dem seltsamen Lautgemisch von männlichen Stimmen und Gelächter, dem Blubbern der *Nargillahs* und dem Klick-Klick-Klick der Back-

gammonsteine zu lauschen. Eines Nachts setzte sich ein Mann, der seiner Kleidung nach ein Amerikaner hätte sein können, an einen der Nebentische. Er und Tamar waren die einzigen, die draußen saßen. Der Mann war jung, vielleicht ein wenig älter als sie, hatte eine Leica um den Hals hängen und eine Kameratasche auf dem Stuhl neben dem seinen stehen. Tamar wich seinen Blicken aus und floh, sobald sie konnte, in die verschlungenen, steingepflasterten Straßen, wo der Mondschein das einzige Licht und ihr Atem und ihre Schritte die einzigen Geräusche waren.
Als sie am nächsten Abend wieder ins Café kam, saß er bereits da und grüßte sie höflich. Dann hob er seine Leica und richtete sie auf Tamar.
»Bitte nicht!«
Er nickte. Dann stand er auf und wagte sich ins Innere des Cafés, wo er zwischen den Spielern herumging und viele Aufnahmen machte.
»Toller Schuppen hier«, sagte er, als er wieder herauskam. Sie stimmte zu, und er setzte sich zu ihr an den Tisch und bestellte noch mal zwei Kaffee. Er war ein Modefotograf aus London, der ein paar Tage vor seinen Models nach Jerusalem gekommen war, um in Ruhe »Locations« für seine Aufnahmen auszusuchen. »Ich habe Sie beobachtet«, sagte er. »Sie sehen so unglücklich aus.«
Tamar wollte aufstehen, aber er hielt sie am Arm fest. »Ich will Sie wirklich nicht belästigen«, sagte er sanft. »Aber ich kann es nun einmal nicht ertragen, wenn jemand unglücklich ist.«
Tamar blieb und trank schweigend ihren Kaffee. Als er sie bat, ihm doch ein wenig die Stadt zu zeigen, führte sie ihn durch die engen Gassen zum Turm Davids, durch das armenische und das wiederaufgebaute jüdi-

sche Viertel, das von den Jordaniern 1948 dem Erdboden gleichgemacht worden war. Er stellte ihr keine persönlichen Fragen, und nach zwei Stunden wußte sie von ihm, außer seinen Beruf, lediglich seinen Namen. Peter. Er war ein angenehmer Begleiter. In einem arabischen Restaurant in der Straße der Ketten lud er sie zu eingelegten Weinblättern und Couscous ein und fragte sie, ob sie einen Arak trinken wolle.
Tamar schüttelte den Kopf.
»Dann vielleicht einen Scotch?«
»Davon wird mir schlecht.«
»Ah. Mir auch.« Er zog eine kleine Lackdose aus seiner Hosentasche und öffnete sie. Darin waren Tabletten, die wie dicke rote Beeren aussahen. »Sie müssen zwei nehmen. Eine hat keinen Zweck.«
»Was ist das?«
»Das wird Sie glücklich machen.«
Tamar protestierte, aber Peter schluckte selber zwei von den Tabletten mit einem Schluck Kaffee hinunter, als wolle er ihr zeigen, daß sie völlig harmlos waren.
Nachdem Tamar die Pillen genommen hatte, spürte sie keinerlei Veränderung. Auch nicht, als sie nach dem Essen wieder durch die Straßen gingen. Offenbar war sie immun gegen Glücksgefühle.
»Wissen Sie, was für einen Ort ich noch suche?« fragte er. »Einen alten arabischen Garten mit einem schönen Springbrunnen. Kennen Sie vielleicht zufällig einen?«
»Keinen mit Springbrunnen, aber dafür einen sehr hübschen Garten mit einem normalen Brunnen.«
Als sie in Mohieddins Garten ankamen, fühlte Tamar sich ein kleines bißchen glücklich.
Sie hatte keine Zehen mehr.
Und war so wundervoll, wundervoll taub um den Mund.
Wie der Mond auf einmal die Steine in Silber tauchte

und die merkwürdigsten Schatten auf die Mauern zauberte.
Peter pfiff durch die Zähne. »Stellen Sie sich dazu bloß noch ein paar spindeldürre Models in Strickkleidern vor. Wie sieht es drinnen aus?«
»Na, sind Sie jetzt glücklich«, fragte jemand, der neben Tamar die Treppe hinaufstieg.
Wer?
»Glücklich, glücklich, glücklich.«
Wer hat das bloß gefragt? Und wer hat geantwortet?
Die Luft kam Tamar auf einmal wie Gelee vor. Sie ließ sich durch die zähe Masse langsam nach hinten fallen und landete auf dem Bett.
Lachend!
Und sah zu, wie er sich wie in einem Wasserballett die Kleider auszog.
Er war größer als Yoel, aber nicht so behaart, interessant: Glück war totale Amnesie, ohne Schmerzen, ohne jegliches Gefühl, fand Tamar, während das bleiche, ungewohnte Gesicht sich herab auf das ihre senkte.
Und begann, sich auf und ab zu bewegen.
Immer auf und ab.
Und dann schwebte es wieder nach oben.
Peter wiederholte seinen langsamen kleinen Ausziehtanz wieder, nur diesmal in umgekehrter Richtung, schnappte sich seine Kamera und schwamm aus ihrem Leben.
Tamar blieb auf dem Bett liegen und lachte, bis sie schließlich einschlief.

Am Morgen fragte sie in Panik alle Kollegen im Museum, ob sie nicht eine andere Wohnung für sie wüßten. Als Grund dafür war ihr nichts Besseres als eine plötzlich aufgetretene Kakerlakenplage eingefallen.

Die Verkäuferin vom Postkarten- und Souvenirstand rümpfte die Nase – *pfui* –, strahlte Tamar aber an: Glücklicherweise hatte ihre Tochter Hana Rath in ihrer Wohnung in der Rashi Street gerade ein Zimmer frei. Bereits am Abend war Tamar wieder eine Bewohnerin des jüdischen Teils der Stadt; selbst wenn der Mann mit seinen Glückspillen zum Haus der Mohieddins zurückkehren sollte, würde er Tamar dort nicht mehr finden. Trotzdem haßte sie ihr neues Zimmer.
Aus seiner geringen Größe und den häßlichen Stickern an den Wänden schloß Tamar, daß es das Kinderzimmer sein mußte. Dvora, die daraus vertriebene Tochter, hatte Koliken und schrie die ganze Nacht neben dem Bett ihrer Eltern. Eli Rath war ein mürrischer Lastwagenfahrer, der schnarchte und gegen seine Ehe mit einem Magenleiden rebellierte. Die Raths stritten sich über Politik, über oralen Sex, über Hanas Kochkünste. Ihr Gekeife, das durch die hauchdünnen Wände in ihr Zimmer drang, trieb Tamar dazu, eine Zigarette nach der anderen rauchen.
Zweiundzwanzig Tage nach ihrem Erlebnis mit Peter bemerkte Tamar, daß ihre Periode, die eigentlich schon hätte vorbei sein sollen, noch nicht einmal begonnen hatte.
Sie wartete weitere vier Tage, um ganz sicher zu sein, dann ging sie in eine Klinik in Tel Aviv und lag nicht länger als fünf Minuten mit gespreizten, hochgebundenen Beinen da, während eine röchelnde Maschine ihr geräuschvoll den Sohn aus dem Leib saugte, für den sie an der Klagemauer so inbrünstig gebetet hatte.
In dieser Nacht hatte Tamar in ihrem Kinderzimmer in der Rashi Street eine Blutung, die schwächer war als ihre normale Periode, aber kaum Schmerzen. Im Zimmer nebenan jammerte das Kind wieder mit seiner

dünnen Stimme, und Hana Rath versuchte, es zu trösten: »Dvoooreli ... Dvooreli, mein Liebling ...« Tamar lag auf dem Rücken, rauchte ihre starken Zigaretten, studierte die Aufkleber mit den Tiermotiven und verfluchte Gott.
Am nächsten Tag hätte sie eigentlich schon wieder arbeiten können, aber sie ging statt dessen zu dem imposanten Rekrutierungsbüro, das sich nur ein paar Häuser weiter in der Rashi Street befand, und meldete sich freiwillig zur Armee.

Sie wurde zur Funkerin ausgebildet. Normalerweise durften nur ganz junge Frauen Dienst in Kampfeinheiten tun, aber Tamar wies ihre Vorgesetzten dezent darauf hin, daß ein paar Jahre Altersunterschied sie nicht zur gebrechlichen Greisin machten; außerdem kam ihr der Umstand zugute, daß sie sich freiwillig gemeldet hatte, und so erhielt sie eines Tages den Befehl, sich im Camp 247 in Arad zum Dienst zu melden.
Es war ein Posten in der Wüste, ein paar Kilometer von der Stadt Arad entfernt, ein großes, stacheldrahtumzäuntes Rechteck, auf dem saubere, braune Holzbaracken standen. Die Gebäude waren tadellos gepflegt, und über den großen Rasenflächen und Blumenbeeten flatterte stolz die Flagge mit dem Davidstern. Auf dem Rasen in der Mitte standen zwei von Extrazäunen umgebene Baracken; in der einen war eine Kompanie Pioniere untergebracht, und in der anderen hausten an die zwanzig Männer, die Zivilkleidung trugen.
Die kleine Funkbaracke des Lagers, wo Tamar Dienst tat, unterstand einem Hauptmann namens Shamir, der froh war, daß er bald in sein ziviles Tonstudio zurückkehren konnte. Shamir hatte wenig Interesse an Leuten, die nicht wie er für Tonbandmaschinen und

Lautsprecherboxen lebten. An ihrem ersten Tag im Camp fragte Tamar ihn nach den Zivilisten in der umzäunten Baracke.
»Die arbeiten für die Wasserbehörde.«
»Oh. Und was tun sie da?«
»Schmutzige Arbeit«, antwortete Shamir, ohne von seinem Funkgerät aufzusehen.

Das Lager war klein, aber es gab einen guten *Shekem*, eine Kombination aus Poststelle, Laden und Kantine, wo man nach seinem Dienst hinging, und bereits nach einer Woche hatte Tamar dort jeden Menschen im ganzen Camp getroffen, die Männer in Zivilkleidung miteingeschlossen. Sie fragte längst nicht mehr nach ihnen, denn es war ihr schnell klargeworden, daß sie weder für die Wasserbehörde arbeiteten noch echte Zivilisten waren. Sie hatten, zusätzlich zu den Fahrzeugen der Fahrbereitschaft, noch zwei Autos mit Zivilkennzeichen zur Verfügung, einen grauen Willys-Jeep und einen beigen Kombi. Das Tor ihrer inneren Umzäunung öffnete sich nur, wenn jemand von innen einen elektrischen Türöffner drückte. Ein kleines Schild am Zaun besagte, daß dort die »Vierte taktische Spezialabteilung« residierte.
Ihr Chef war ein schlanker Major, dessen sonnengebräunte Haut fast so dunkel wie Tamars war. Sein Name war Ze'ev Kagan, und wenn er einen Befehl gab, führten ihn seine Untergebenen beflissen aus. Bereits nach drei Tagen hatten vier von ihnen Tamar erzählt, wer sein Vater war.
Manchmal brachen Gruppen von Männern zu Übungsmärschen in die Wüste auf, und ab und zu bemerkte Tamar, daß auch ein, zwei Frauen aus dem Camp mit ihnen gingen. Eines Nachmittags fragte sie eine andere

Soldatin, was man tun mußte, um mitgenommen zu werden.
»Kein Problem. Du brauchst bloß zu fragen. Sie nehmen gerne weibliche Soldaten mit.«
Tamar ließ es zu, daß Hauptmann Shamir ihr den Hauptteil der Arbeit in der Funkbaracke aufbürdete. Sie spürte, wie sie ein anderer Mensch wurde, wie sie sich häutete, die Zellen ihres früheren Lebens durch neue ersetzte. Langsam drang es auch in ihr Unterbewußtsein, daß Yoel tot war. Zwar konnte sie sein Gesicht noch oft ganz deutlich und klar vor sich sehen, aber es kam schon mal vor, daß sie sich nur mit Mühe an die einzelnen Züge erinnern konnte. Mit der Zeit verlangte ihr Körper wieder nach den Annehmlichkeiten, mit denen Yoel ihn verwöhnt hatte, und so fand Tamar häufig keinen Schlaf. Wenn sie schlief, dann träumte sie viel von Yoel, meistens waren es sexuelle Träume. Daß sie jeden Morgen ausgiebig Gymnastik machte, half nur wenig.
Schließlich ging Tamar ins Operationszentrum, wo Ze'ev Kagan an einem Tisch saß und tippte. Der Offizier vom Dienst war der Hauptmann, der die Pioniere kommandierte. Er hörte sich Tamars Anliegen an und nickte.
»Ze'ev, du gehst doch heute vormittag mit deinen Leuten auf Übung raus. Könntest du den Leutnant hier mitnehmen?«
Kagan sah Tamar an. »Eigentlich kann ich es mir nicht leisten, einen Mann mit Ihnen zurückzuschicken, wenn Sie schlappmachen.«
»Ich werde nicht schlappmachen.«
Kagan grinste sie zweifelnd an. »Dann soll's mir recht sein«, sagte er und tippte weiter.

Drei Tage hintereinander marschierte Tamar mit den Männern, die einfache Overalls ohne Markierung trugen, hinaus in die Wüste. Am ersten Tag betrug die Marschstrecke fünfzehn Kilometer, aber an jedem folgenden Tag verlängerte sie der Major um weitere fünf Kilometer.

Am Abend, wenn Tamar zurück im Camp war, duschte sie lange und heiß, aber ihre schmerzenden Muskeln wollten sich einfach nicht lockern.

Am dritten Tag hetzte Kagan die Gruppe in schneller Gangart über krümeligen Löß und felsübersäte Hügel, und Tamar bereute, daß sie mitgekommen war. Schließlich ließ Kagan den Trupp halten und kam zu ihr nach hinten, wo sie neben einem blonden Jungen namens Avram auf ihrem Platz in der doppelten Marschreihe stand.

Er ließ Tamar aus der Reihe treten und sie den Marsch neben ihm, an der Spitze der Kolonne, fortsetzen.

»Ich bin okay«, sagte sie gereizt.

»Um Sie geht es doch nicht«, sagte er, und Tamar begriff, daß er sie deshalb vorne marschieren ließ, damit es keinem Mann in der Gruppe einfiel aufzugeben.

Den Rest des Marsches über blieb Kagan stumm. Er war ein großer Mann, und wenn sie ihm von der Seite ab und zu einen Blick zuwarf, sah sie, daß sein Profil scharfgeschnitten und häßlich wie das eines Vogels war. Tamar roch ihren eigenen Schweiß, und manchmal, wenn sich ihre Körper durch Zufall berührten, spürte sie, wie hart Kagans Muskeln waren.

In der Nacht träumte sie zum ersten Mal von ihm, und von da an war die männliche Figur in ihren Träumen nur noch manchmal Yoel.

Am nächsten Tag wollte sie wieder mit der Gruppe hinausmarschieren, aber Shamir hatte sie mit einer sol-

chen Menge von Funksprüchen überhäuft, daß sie unmöglich weg konnte. Am Abend setzte Kagan sich im *Shekem* neben sie.
»Wo waren Sie heute?« fragte er.
Tamar erklärte es ihm, er nickte und fragte, ob sie denn am nächsten Tag wieder mitkommen werde.
»Das weiß ich noch nicht.«
Er blickte sie an. »Ich hätte es gerne«, sagte er. Sein Gesicht war so dunkel wie das ihre, aber seine Augen waren grau, wie die von *Aschkenasim*.

Es gab im Lager ein ungeschriebenes Gesetz. Weil Männer und Frauen hier so eng beieinander lebten, vermieden sie es, ihr militärisches Zusammenleben durch persönliche Beziehungen durcheinanderzubringen. Aber es war durchaus üblich, daß ein Mann und eine Frau zusammen außerhalb des Camps eine Nacht bis zum Wecken verbrachten.
Kagan brauchte lange, bis er Tamar fragte, so daß sie schon gedacht hatte, sie hätte sich in ihm getäuscht.
Sie fuhren nach Tel Aviv, in ein schäbiges kleines Hotel am Meer. Das Geräusch der Wellen drang durch das offene Fenster ins Zimmer. Als er sich auszog, bemerkte Tamar genüßlich, wie braun sein Körper bis auf einen hellen Fleck von der Gürtellinie bis zur Mitte der Schenkel war. Wegen Tamars lange angestauter Gier kam es ihr am Anfang so vor, als wäre er besser als alles, was sie in ihren Träumen erlebt hatte, aber schnell erkannte sie, daß irgend etwas mit ihm nicht stimmte. Hätte er ihr nicht so leid getan, dann hätte sie sich selbst bedauert, und sie mußte sich zurückhalten, um nicht laut herauszulachen. Es kam ihr vor, als beobachte sie zwei tolpatschige Comic-strip-Figuren, die sich auf einer Kinoleinwand abzappeln.

Sie tat alles, um ihm zu helfen, aber es nützte nichts.
Er erzählte ihr, daß sein Psychiater ihm geraten habe, es mit ihr zu versuchen, aber er hatte ihn gleichzeitig gewarnt, daß er im Falle eines Fehlschlages nicht am Boden zerstört sein solle.
Er entschuldigte sich!
Als Tamar meinte, ohne Lachen sprechen zu können, nahm sie seine Hand und zeigte ihm, wie muskulös ihre Schenkel durch ihre gemeinsamen Märsche geworden waren. Sie habe ein bißchen über solche Leiden gehört, sagte sie vorsichtig. So etwas sei nicht ungewöhnlich, und sie sei sicher, daß es bei ihm nur vorübergehend sei. Bald würde alles besser werden.
»Wann denn?« fragte er wie ein Kind, das eine Antwort verlangt.
Sie nahm sich eine Zigarette aus seinem Päckchen *Nelson* auf dem Nachttisch, und als er sie für sie anzündete, entdeckte Tamar in seinen Augen außer Leidenschaft noch etwas anderes, das sie sich fragen ließ, wie sie bloß innerlich über ihn und sich selbst hatte lachen können. Der scharfe Rauch kratzte sie im Hals und ließ ihre Augen tränen, und sie berührte ihn blind, mit soviel heilender Zärtlichkeit, wie sie nur in ihre zitternden Finger legen konnte.
»Wenn die Zeit der *Mishmish* kommt«, sagte sie.

Sie brauchte nur drei Wochen, um das zu erreichen, was der Psychiater in langen Jahren nicht geschafft hatte.
Ze'ev Kagan zu helfen wurde ihr zur Lebensaufgabe.
Eigentlich war er kein Mann für sie. Yoel hatte sich dafür eingesetzt, daß die Beduinen vernünftige ärztliche Versorgung und ständig Gras für ihre Herden bekamen.
Von Kagan wußte Tamar, daß er Brunnen vergiftete,

um die Beduinenstämme, die im Verdacht standen, für die arabischen Staaten zu spionieren, von ihrem Gebiet zu vertreiben. Und er verteilte Haschisch an Süchtige, die Informanten für die Israelis waren.
Er war ein Mann fürs Grobe; Gott allein wußte, was er sonst noch tat oder was er getan hatte.
Vierzehn Monate lang sahen sich er und Tamar fast täglich, bis ihr schließlich die Sache zu ernst wurde. Er verlangte mehr, als sie ihm geben konnte. Am Ende ihrer Dienstzeit, als Tamar wieder zu ihrem Arbeitsplatz im Museum zurückkehrte, brach sie ihr Verhältnis mit ihm ab.
Als er sie später fragte, ob sie eine kurze Weile für ihn arbeiten wolle, glaubte sie zuerst, er wolle sich über sie lustig machen. Aber nachdem er ihr den Auftrag erklärt hatte, dachte sie ernsthaft darüber nach.
Schließlich willigte sie ein und nahm ihren Jahresurlaub vom Museum. Sie packte eine Tasche und zog in ein Hotelzimmer, das neben dem eines gewissen Harry Hopeman lag.

Am Morgen rief sie der Amerikaner an und fragte, ob sie mit ihm frühstücken wolle. Tamar machte sich fertig und klopfte an seiner Tür. Sie begrüßten sich ruhig.
Im Speiseraum wartete sie, bis er bestellt hatte, dann sagte sie ihm, daß sie sich darüber im klaren sei, daß ihm ihre Hilfe nicht gerade willkommen war. »Aber wir haben beide keine andere Wahl. Ich habe den Auftrag, mit Ihnen zusammenzuarbeiten.«
»Ich würde gerne mit Ihrem Vorgesetzten sprechen.«
»Mr. Hopeman, meine Vorgesetzten werden sich Ihnen nicht zu erkennen geben. Genau deshalb bin ich ja hier.«

Hopeman blickte finster drein.
Seine Gesichtszüge waren gewöhnlich, aber er hatte lebendige Augen, und das machte sein knorriges Gesicht interessant. Tamar beobachtete seine Hände, als er Brot mit Butter bestrich. Hände hatten für sie etwas Faszinierendes. Dov Michaelman zum Beispiel, der ein begnadeter Chirurg war, hatte plumpe, kurze Finger. Die Hände dieses Mannes hingegen waren langfingrig und gutaussehend. Tamar konnte sich vorstellen, wie sie komplizierte Knoten lösten oder Zwirn einfädelten. Wie sie eine Frau berührten. Sie mußte über ihre eigene Dummheit lächeln; wahrscheinlich war er unbeholfen und täppisch.
Zu ihrem Ärger schien er ihr Lächeln falsch verstanden zu haben. Was für ein verwöhnter Amerikaner, dachte Tamar. Er hat zuviel Geld, zuviel Erfolg. Zu viele Frauen, die ihn anlächeln.
»Ich habe auf meinem Zimmer noch einiges zu erledigen«, sagte sie kühl. »Wir müssen warten, daß man Kontakt mit uns aufnimmt. Bis dahin will ich Ihnen nicht im Weg sein.«
Hopeman nahm ein kleines, rechteckiges Päckchen aus seinem Jackett und stellte es vor sie auf den Tisch. »Ich glaube nicht, daß wir noch lange warten müssen«, sagte er.

11

Der Monsignore

»Wie Gila County in Arizona.«
»Was ist das?«
Ihre Stimme ließ ihn hochschrecken; bisher hatte sie nur dadurch geglänzt, daß sie über viele Kilometer geschwiegen hatte.
»Heiß.« Er wandte die Augen nicht von der schmalen Straße. Ein schwerer Lastwagen kam ihnen entgegen, direkt vor ihnen schaukelte ein arabischer Junge auf einem Esel. Harry bremste. Gerade als sie den Jungen passierten, donnerte der Laster an ihnen vorbei. Harry kämpfte mit der ungewohnten Knüppelschaltung, dabei berührte er Tamar aus Versehen am Knie.
»Entschuldigung.« Seine Hand kribbelte.
Ob nun aus dem Jemen oder aus der Bronx – eine Nervensäge blieb eine Nervensäge. Kaum war sie im Auto gesessen, hatte sie ihn auch schon gebeten, die Klimaanlage auszuschalten. Davon würde sie nur krank, hatte sie gesagt, und außerdem wäre es auch für ihn besser, wenn er sich an die Hitze gewöhnte.
Wegen der heißen Luft, die durch das Fenster hereinströmte, brannte Harrys Gesicht bald so, als stünde er vor der Öffnung eines Hochofens.
Am Morgen war eine kurze Notiz für Harry im Hotel abgegeben worden. Sie war in derselben krakeligen Handschrift geschrieben wie auch die Adresse auf dem Päckchen, und sie wies ihn an, zu einem Hotel in Arad zu fahren und sich dort ein Zimmer zu nehmen.

»Im Norden ist es kühl. Auf dem Gipfel des Berges Hermon liegt das ganze Jahr über Schnee«, sagte Tamar.
»Aber Arad ist im Süden, nicht im Norden«, erwiderte Harry.
»Stimmt, Arad ist im Süden.« Tamar Strauss lächelte. »Sehen Sie, wenigstens in diesem Punkt stimmen wir überein.«

Arad war eine flache, in der Sonne brütende Kleinstadt, deren Straßen von Soldaten und Militärfahrzeugen wimmelten.
»Bitte halten Sie hier!« rief Tamar, als sie an einem Hotel vorbeifuhren. Ich will dort hinein. Kommen Sie, ich lade Sie auf einen Kaffee ein.«
»Aber das ist nicht unser Hotel.«
»Ich weiß, ich weiß. Nun kommen Sie schon!«
Der Mann in der Cafeteria, ein Enddreißiger mit kurzgeschorenem Kopf und einem türkisch wirkenden Schnurrbart, schlug mit der flachen Hand zweimal hintereinander auf die Theke. »Ah-*hah*!« Der Mann, dessen Name sich später als Micha herausstellte, deutete mit seinem dicken Zeigefinger auf Harry und herrschte ihn an: »Sei'n Sie bloß nett zu ihr. Diese Frau ist etwas Besonderes.«
Harry setzte sich und ließ das Wiedersehen der beiden über sich ergehen. »Wo ist Itzak?« »In einem Kibbuz oben im Norden.« »Wo ist Yoav?« »Der ist jetzt Buchhalter in Tel Aviv.« »Wo ist Hauptmann Abelson?« »Der ist noch immer hier, aber mittlerweile Major.«
»Und Ze'ev?« fragte Micha. »Er kommt überhaupt nicht mehr hierher. Wie geht es Ze'ev?«
»Ich schätze, es geht ihm gut.«
»Du schätzt? Ah-haa.«
Zum ersten Mal sah Harry sie peinlich berührt. »Nur

Micha kann so viel Bedeutung in ein ›Ah-haa‹ legen«, sagte sie.
Micha spendierte ihnen den Kaffee auf Kosten des Hauses.
»Ist das Camp jetzt größer?« fragte Tamar.
Micha zuckte mit den Achseln.
»Weil so viele Soldaten auf den Straßen sind.«
»Die kommen von woanders her. Sind auf Manöver.«
»Arad ist ganz schön gewachsen.«
Micha nickte bedauernd. »Aber warst du schon in Dimona? Lauter Einwanderer dort. Russen, Amerikaner, Chinesen, Marokkaner. Zuviel verschiedenes Gemüse in einem Topf. Das gibt eine Menge Probleme.« Er ging, um an einem anderen Tisch zu bedienen.
Während Tamar von ihrem Kaffee trank, warf Harry ihr einen verstohlenen Blick zu. Die moderne Klimatisierungstechnik lehnt sie ab, dachte er, dabei klebt ihr vor lauter Schweiß die Bluse am Körper. Er wandte den Blick wieder von ihr und fragte: »Sind Sie öfter hier?«
»Ich war in einem Armee-Camp in der Nähe stationiert und kam sehr oft hierher.«
Mit Ze'ev, dachte Harry. Dem Mann, der eben ein solches Ah-haa hervorgerufen hat.
Sie tranken aus und winkten Micha zum Abschied.
»Es sind zu viele Soldaten hier. Manöver. Die Leute, die Sie hier treffen wollen, werden nicht kommen«, sagte sie, als sie wieder im Wagen waren. »Wenn es ihnen sogar in Jerusalem nicht paßte, werden sie sich kaum hierher, mitten zwischen all die israelischen Soldaten, hocken.«
Harry brummte indigniert. Bisher hatte er absichtlich vermieden, sie nach ihrer Meinung zu fragen.
Als sie in ihr Hotel kamen, wartete dort keine Nachricht auf sie. Beim Essen sprachen sie wenig miteinander.

Beim Essen sprachen sie wenig miteinander. Sie empfahl Hühnchen, aber er bestellte Kalbfleisch, das sich als ziemlich zäh herausstellte.
Kurz vor Einbruch der Dunkelheit kam ein Kamel aus der Wüste und fraß die Blumen in einem Beet hinter dem Hotel ab. Der Portier verjagte es mit Flüchen und Steinwürfen.

Am Morgen, als Harry durch die Lobby ging, um Tamar zum Frühstück zu treffen, überreichte der Portier ihm eine Nachricht.
»Morgen.«
»Boker-Tow.«
»Wie sind die Eier hier?«
»Frisch.«
Harry bestellte sich Eier, gab Tamar die Nachricht und beobachtete ihre Reaktion, als sie sie las. Harry wurde nach Jerusalem zurückbeordert, wo er in seinem alten Hotel auf weitere Anweisungen warten sollte.
»Sie hatten also recht.«
Tamar warf ihm einen Blick zu. »Und es fällt Ihnen nicht schwer, so etwas zu einer Frau zu sagen?«, fragte sie.
Harry zuckte mit den Achseln. »Wenn es stimmt ...«
»Und dieses ... Katz-und-Maus-Spiel scheint Sie auch nicht sonderlich aufzuregen.«
»Vielleicht ist es das ja nicht. Wenn man mit winzigen Objekten handelt, die immense Summen wert sind, dann ist es nur ratsam, daß man Orte meidet, die nicht hundertprozentig sicher sind.«
»Fahren wir jetzt wieder zurück nach Jerusalem und warten im Hotel?«
»Ja, wir fahren zurück, aber ins Hotel gehen wir nicht sofort. Wenn sie anrufen und mich nicht erreichen,

dann werden sie es später noch einmal probieren. Hätten Sie vielleicht Lust, mir die Stadt zu zeigen?«
Sie lächelte ihn an. »Mit Vergnügen.«

Auf der Rückfahrt erzählte er ihr, daß er noch nie die Via Dolorosa und die Kirchen gesehen habe.
»Ich mag Ost-Jerusalem nicht. In der Neuen Stadt gibt es viel Interessanteres«, entgegnete Tamar.
»Aber ich würde die Via Dolorosa gerne sehen.«
Tamar nickte. Aber als sie schließlich in Jerusalem ankamen, hatte sie Kopfschmerzen.
Also ging Harry allein los. Er betrat die Altstadt durch das Tor des Herodes und ging, vom Westen nach Osten, wie es schon in der Bibel beschrieben ist, durch ein Labyrinth kleiner Seitengassen, die von Menschen wimmelten und vom lauten Feilschen der Händler widerhallten. Bis auf die Fernsehantennen auf den alten Steindächern und die unpassenden Coca-Cola- und Singer-Nähmaschinen-Schilder an den Häusern hatte sich hier, so meinte wenigstens Harry, seit der Zeit der Kreuzzüge nicht viel verändert.
Es dauerte nur ein paar Minuten, bis ihn jemand ansprach. »Brauchen Sie einen Führer, Sir? Via Dolorosa und die Kirchen, für sieben Pfund?«
Der Führer, ein Araber, hatte bereits fünf Touristen im Schlepptau. Harry nickte, bezahlte und folgte einer französischen Familie – Vater, Mutter und pubertierende Tochter – und zwei amerikanischen Jungs, denen die Tochter verstohlene Blicke zuwarf.
Die erste Station des Kreuzwegs, wo Jesus zum Tode verurteilt wurde, war jetzt ein Gymnasium. Der Führer zeigte ihnen die Spuren, die spielende römische Soldaten dort vor fast zwei Jahrtausenden ins Pflaster gekratzt hatten.

Die Gruppe ging an der zweiten Station, wo Jesus das Kreuz erhielt, vorbei, ebenso an der dritten und vierten, wo der Gefangene strauchelte und wo er seine ohnmächtig gewordene Mutter sah. Die vierte Station war jetzt eine armenische Kirche, aus der gerade eine Prozession von Priestern kam.

»Jeden Freitagmorgen um diese Zeit«, erklärte der Führer, »vollziehen Priester aus aller Welt, die bei den Franziskanern oder dem Metropoliten der russisch-orthodoxen Kirche in Jerusalem untergebracht sind, die Kreuzigung Jesu nach. Beachten Sie die verschiedenen Gewänder, ein jedes von ihnen steht für einen bestimmten Orden. Die zwei Herren mit den weißen Soutanen und Käppchen sind Zisterzienser, die man auch Trappisten nennt. Die aschgrau gekleideten sind Franziskaner, und der Mann in Braun ist ein Kapuziner. Der schwarzgekleidete Priester dort, mit dem breitkrempigen, roten Hut, ist sogar ein Kardinal.«

Außerdem gab es noch einen Priester im weißen Tropenanzug mit schwarzer Hemdbrust und einige weitere, die ganz normale, schwarze Straßenanzüge trugen.

Der Priester, der das schwere, hölzerne Kreuz schleppte, spielte seine Rolle fast zu gut. Er strauchelte und wäre um ein Haar hingefallen. Im Stolpern drehte er sich um, und sein Gesicht war vor Anstrengung so verzerrt, daß Harry einen Augenblick brauchte, bis er ihn erkannte.

Als er wußte, wer der Priester war, trat er auf die Prozession zu.

»Peter!«

Die von starken persönlichen Empfindungen leuchtenden Augen des Kreuzträgers blickten durch Harry hindurch, und dieser trat zurück.

Als sich die Prozession die Via Dolorosa entlang zur fünften Station weiterbewegte, ging Harry ihr nach.
»Sir«, rief der erregte Führer. »Das ist zu früh! Zuerst gehen wir noch in die armenische Kirche.«
Harry winkte ab. Er folgte den Priestern neun weitere Stationen und wartete geduldig vor der Kirche des Heiligen Grabes, wo Peter Harrington dem Kardinal beim Erteilen der Kommunion half.
Als die Messe vorüber war und der Priester sich von den anderen verabschiedet hatte, trat Harry auf ihn zu und ergriff seinen Arm. Er drehte sich um. »Hallo, Pater.« Harry sah die spontane Freude in den Augen seines Gegenübers, aber ebenso einen Ausdruck der Vorsicht, der zwar sofort wieder verflog, doch Harry in seinem Verdacht bestätigte, daß er hier außer einem alten Freund auch einen Konkurrenten getroffen hatte.

Natürlich gingen sie zusammen zum Essen.
Peter Robert Harrington hatte bereits als junger Student am *Mount Saint Mary's College* in Baltimore die Freuden guten Essens und Trinkens zu schätzen gelernt. Steinkrabben und deutsches Bier waren ihm damals als recht harmlose Vergnügungen vorgekommen, mit denen er sich für sein hartes Studium entschädigte. Sein unermüdlicher Arbeitseifer und sein zäher Intellekt hatten ihn schließlich nach Rom ans *Collegio Americano del Norte* gebracht, wo er das Lizentiat in Theologie anstrebte. Dort verfiel er dann vollends der klassischen Kunst und der italienischen Küche. Die achtzehn langweiligen Monate, die er nach seiner Ordination als Prokurator in einer Kirche in Baltimore absolvieren mußte, verstärkten diese Leidenschaften nur noch – Steinkrabben waren offenbar doch nicht so unwiderstehlich wie Ossobuco mit Gnocchi.

Er war froh, als er wieder zurück nach Rom ans Nordamerikanische College berufen wurde.
Zuerst dachte er, er solle dort lediglich weiterhin Theologie studieren, die seine Oberen immer die »Königin der Wissenschaften« nannten. Aber zu seiner großen Freude durfte er seinen Interessen an der Kunst frönen und sich an der *Academia di San Luca* einschreiben, wo er sich mit seiner Arbeit »Sakrale Kunstwerke als Symbole in den Schriften der frühen Kirchenväter« den viereckigen Doktorhut aus schwarzer Seide mit roter Quaste erwarb.
Nach dem Studium bekam er eine Stelle im *Museo* des Vatikans, wo er die Verwaltung der dortigen Kunstsammlungen betreute. Zu seinen Aufgaben gehörte es auch, sich um Mäzene und Galeriebesitzer zu kümmern, um Leute also, die normalerweise gerne in Feinschmeckerrestaurants dinierten.
Als er zum ersten Mal bei der Beichte auf seine Schwäche zu sprechen kam, tröstete ihn Pater Marcello wohlwollend: »Du bist zu besorgt. Bete ein wenig mehr, iß mit Verstand und nimm pro Tag nicht mehr als drei hochprozentige Getränke zu dir.«
Aber als Peter immer wieder kam und beichtete, daß er zuviel getrunken oder dem guten Essen zugesprochen habe, als wäre es ein Sakrament, klang die Stimme aus dem Dunkel des Beichtstuhls nicht mehr belustigt.
Sein Beichtvater verordnete ihm jeden Abend eine halbe Stunde Meditation über die Sünde der Völlerei, dazu täglich einen Rosenkranz mit der inständigen Bitte, daß Gott ihm helfen möge, seinen Appetit zu zügeln. Darüber hinaus erlegte sich Pater Harrington selbst zusätzliche Buße auf. Nach jedem Sündenfall fastete er zwei Wochen lang und entsagte Nachspeisen und belegten Broten, welche er besonders gerne aß. Er

fing an zu joggen und kämpfte gegen seine Schwäche mit körperlicher Bewegung, Enthaltsamkeit und Gebeten an.
Eines Tages bemerkte er auf der Piazza Bologna einen anderen Jogger, einen jungen Amerikaner. Am selben Nachmittag stellte Kardinal Pesenti ihm den Mann vor. Die beiden waren sich von Anfang an sympathisch und wurden fast auf der Stelle gute Freunde. Während Harrys Aufenthalt im Vatikan gingen sie oft zusammen in die verschiedensten Lokale zum Essen. Sie pflegten freundschaftliche Diskussionen und wußten beim anderen jeweils den ausdauernden, lebendigen Verstand zu schätzen, der gleichermaßen anziehend und herausfordernd war. Der junge Priester brachte Harry eine Menge über gutes Essen und erlesene Weine bei, Peter Harrington lernte dafür von ihm so gut wie alles über Diamanten.

Der Priester führte Harry zu einem Lokal in der King George V. Road. Es war eine amerikanische Bar, wie es sie in vielen großen Städten gibt und die den Touristen überall auf dieselbe Art und Weise das Geld aus der Tasche ziehen.
»Das ist der einzige Ort in Jerusalem, wo man irischen Whiskey bekommt.«
Sie bestellten beide einen Doppelten.
»L'Chaim, Chaver.«
»Auf dein Wohl, Pater.«
»Nicht mehr Pater, Harry. Seit fast zwei Jahren bin ich jetzt schon ein Monsignore.«
»Und morgen kriegst du den roten Hut.«
»Nein, nein. Ich habe den Fehler gemacht, mich mit einem zu geringen Dienstgrad ins Hauptquartier holen zu lassen. Jeder alte Soldat hätte mich davor warnen können.«

»Dir ist doch die Karriere eigentlich egal, Peter. Ich habe dein Gesicht gesehen, als du vorhin das Kreuz getragen hast.« Harry beugte sich vor. »Du bist unter einem Glücksstern geboren. Einer der Auserwählten.«
»Danke, Harry«, entgegnete Peter leise. Seine Augen musterten seinen Freund, bevor sie sich wieder der Speisekarte zuwandten. »Ich würde dir hier das Gulasch empfehlen.«
»Israel ist kein Land für Rindfleisch.«
»Dieses hier wird aus Chicago eingeflogen.«
Das Gulasch war scharf und gut. »Das hier ist sogar besser als in Chicago«, sagte der Priester.
»Vielleicht wird das Fleisch durch den Flug zarter.«
Der Monsignore grinste, aber seine Augen blieben ernst. »Erinnerst du dich noch an das Kalbfleisch in Rom?«
Harry seufzte. »Im Le Grand. Ist es immer noch so wunderbar?«
»Ja.« Monsignore Harrington spielte mit seiner Serviette. »Haben sie dir den Diamanten schon gezeigt?«
»Nein.«
»Mir auch nicht. Und dabei warte ich seit zwei Wochen wie festgenagelt im Pontifikalen Bibelinstitut.«
»Es kommt mir fast so vor, als wäre jemand anders an dem Geschäft dran, und wir würden nur in Reserve gehalten«, sagte Harry beunruhigt. Er sah seinen alten Freund an. »Kann dir denn die Polizei nicht helfen?«
»Nicht außerhalb von Italien.«
»War der Diamant versichert?«
»Welches Museum versichert schon seine Sammlungen? Wenn etwas außer Haus geht, dann natürlich. Aber im Museum selbst? Niemals. Unsere Exponate und Gemälde sind unbezahlbar. Die Versicherungsprämien dafür wären unglaublich hoch«, sagte er trübe.

»Und jetzt versucht ihr, den Diamanten zurückzukaufen?«
Monsignore Harrington zuckte mit den Achseln. »Wir wollen *Das Auge Alexanders* unbedingt wiederhaben. Das ist keine Frage des Geldes. Selbst wenn die Verkäufer beweisen können, daß sie den Stein rechtmäßig erworben haben, ist es für uns immer noch so, als kauften wir ein entführtes Kind frei. Soll ich dir mal sagen, was wir nicht verstehen können, Harry?«
»Wenn du willst.«
»Wir können nicht verstehen, daß du nicht für uns arbeitest.«
»Dieser Diamant hat eine lange jüdische Geschichte.«
»Aber er gehört uns! Dieser Stein wurde uns gestohlen!«
»Es ist nicht das erste Mal, daß er gestohlen wurde, vergiß das bitte nicht, Peter.«
»Sollte ich mich so in dir getäuscht haben? Bist du ein Mann, der Diebesgut kauft?«
»Blut ist dicker als Wasser«, sagte Harry. »Selbst wenn das Wasser Weihwasser ist. Heute könnt ihr uns nicht mehr zwingen, für euch zu arbeiten, oder bei lebendigem Leib verbrennen oder in einen Kerker werfen.«
»Das ist doch Bockmist«, sagte Monsignore Harrington angeekelt. »Diese Zeiten sind doch längst vorbei. Aber ihr Juden könnt die Vergangenheit wohl nie vergessen.«
»Wir *lernen* aus ihr. Bleiben wir doch noch einen Moment bei der Vergangenheit, Monsignore. Wie ist denn die Kirche an diesen Diamanten gekommen? Wessen Eigentum war er, bevor er ihr in die Hände fiel?«
»Du klingst wie ein Zionist, der über Israel spricht.«
»Das stimmt, genau darum geht es! Deshalb muß ich diesen Diamanten kaufen. Er wurde uns gestohlen, und jetzt kommst du und verdammst uns dafür, daß wir ihn zurückhaben und behalten wollen.«

Der Priester schüttelte den Kopf. »Der Diamant gehört uns. In meinem Museum in Rom befindet sich eine wunderschöne Tiara, in der ein häßliches Loch klafft. Diese Tiara wurde von Päpsten getragen. Du wirst sehen, Harry, ich werde dieses Spiel gewinnen. Und du wirst verlieren.«

»Nein, Peter«, entgegnete Harry sanft.

»Doch. Ich tue es aus Berufung und für die Kirche. Aber hauptsächlich tue ich es für mich. Nicht allzu christlich, diese Einstellung, oder?«

»Aber menschlich. Du hast mein vollstes Verständnis.«

»Das ist wohl das typische Selbstvertrauen der Hopemans. Du hättest einen erstklassigen Jesuiten abgegeben, Harry. Schade, daß du kein Christ bist.«

»Auch ich bin unter einem Glücksstern geboren. Auch ich bin einer der Auserwählten.«

Die beiden starrten sich an, tief erschüttert von der Bitterkeit, die auf einmal zwischen ihnen war.

»Ich bestelle uns besser noch mal zwei Whiskey«, sagte Peter schließlich bedauernd.

»Die Nachspeisen in diesem Land sind nicht besonders, da ist es nicht so schlimm, wenn du fasten mußt, weil du wieder über die Stränge geschlagen hast.«

Peters Mundwinkel zuckte. Er warf den Kopf zurück und lachte. Harry stimmte ein.

»Oh. Du verrückter jüdischer Bastard!« sagte Peter schließlich und bestellte die Drinks. Ihre Augen trafen sich, und Harry platzte wieder heraus; es war eine Reaktion auf all den Streß, den er bisher hier gehabt hatte. Die beiden Männer lachten so lange, bis sie keuchend auf ihren Barhockern schwankten. Harry schmerzten die Bauchmuskeln.

Der Priester deutete mit einem zitternden Finger auf ihn. »Ich werde gewinnen!«

»Vielleicht wenn es um ... nicht-koscheren Schweineschinken geht, Monsignore«, brachte Harry mit Mühe heraus.
»Was erwartest du? Das Zeug wird *eingeflogen!*«
Sie sahen sich an und brüllten wieder los. Fast wäre Harry zusammengebrochen. Selbst der Barkeeper lachte mit ihnen, obwohl er nicht wußte, worum es ging.

12

Masada

Als ihn Tamar Strauss am nächsten Morgen telefonisch weckte, konnte Harry mit seinem dröhnenden Kopf nur eines denken: *Trink niemals wieder mit einem Priester.* Er schluckte ein Aspirin, trank ein Glas Tomatensaft und ließ sich dann von Tamar durch die Stadt führen. Als erstes gingen sie in ihr Museum, wo es wohltuend kühl war und die Wärter sie ehrfürchtig begrüßten. Sie verfügte über ein enormes Wissen, und Harry genoß ihre Erläuterungen, die ihm viele der ausgestellten Gegenstände in einem gänzlich neuen Licht erscheinen ließen. Am Ende eines sehr angenehm verbrachten Vormittags fühlte er sich schon wieder viel besser.

»Und wo essen wir zu Mittag?« fragte er.

Sie nahmen ein Taxi zum Jaffa-Tor, wo Tamar ihn zu einem Lokal führte, das etwa ein halbes Dutzend Tische im Freien stehen hatte.

»Drinnen ist es bestimmt kühler.«

»Aber Frauen sind im Lokal nicht besonders gern gesehen.«

Sie setzten sich an einen Tisch im Schatten. Auf Harrys Bitte hin bestellte Tamar verschiedene Salate, Pitabrot und Pfefferminztee.

Drinnen im Café brüllten die Männer. Sie spielten ein Spiel mit Steinen und Würfeln. Tamar nannte es *Sesh Besh*, und als sie es beschrieb, erkannte Harry, daß es sich um Backgammon handeln mußte.

»Ich dachte, Sie mögen diesen Teil von Jerusalem nicht.«
»Ich liebe ihn. Aber ich habe einmal in diesem Viertel gelebt. Es war eine schlimme Zeit für mich.« Tamar sah ihn an. »Ich bin mit Ihnen hierhergegangen, weil mir gestern abend klargeworden ist, daß man nicht ständig vor seiner Angst davonlaufen kann.«
»Ich mache das die ganze Zeit.«
Der Kellner kam und bot ihm eine *Nargillah* an. Zwei Araber, die in der Nähe saßen, rauchten diese Wasserpfeifen, die bei jedem Zug gurgelten. Harry schüttelte den Kopf.
Er erzählte Tamar von Monsignore Harrington. »Könnten Sie vielleicht die Leute, die Sie zu mir geschickt haben, fragen, ob sie nicht ein Auge auf ihn haben könnten?«
»Ja, das werde ich tun.«
»Langsam wird mir bewußt, daß ich dankbar für jede Hilfe sein muß«, sagte Harry. »Sind Sie eigentlich geschieden?«
»Er ist tot«, antwortete Tamar und trank von ihrem Tee.

Sehr geehrter Mr. Hopeman,

bitte begeben Sie sich nach Masada, und warten Sie dort, bis wir mit Ihnen in Verbindung treten.
Ich möchte Ihnen für Ihre bewundernswerte Geduld und Kooperation danken. Ich bedaure, daß es notwendig geworden ist, unser Geschäft zu verschieben, aber ich bin sicher, daß Sie dafür Verständnis haben.
Ich freue mich darauf, Sie kennenzulernen.

Mit vorzüglicher Hochachtung

Yosef Mehdi

Tamar schien nicht überrascht. »Masada liegt in der Wüste, weit weg von Menschen. Manchmal fahren Touristenbusse dorthin, aber jetzt, in der Sommerhitze, sind es nur wenige. Vor allen Dingen sind dort keine Soldaten, die unsere Freunde beunruhigen könnten.«
»Müssen wir dort im Freien campieren?«
Tamar überlegte. »Auf der dem Toten Meer zugewandten Seite des Berges gibt es eine Herberge, in der wir wohnen könnten. Aber normalerweise sind dort immer junge Touristen, und vielleicht möchte Mehdi sie nicht bei einem Treffen in der Nähe haben. Auf der Seite, die zur Wüste schaut, ist eine Hütte, die ab und zu einmal von den Nationalpark-Rangern benutzt wird. Falls sie leer ist, könnte ich vielleicht die Erlaubnis bekommen, dort zu übernachten.«
Eine halbe Stunde später rief sie Harry in seinem Zimmer an.
»Alles geregelt«, sagte sie.

Und so fuhren sie wieder nach Arad. Während Tamar Einkäufe machte, fuhr Harry den Leihwagen zu einer Tankstelle und füllte Öl, Wasser und Treibstoff nach. Dann kaufte er noch eine Flasche israelischen Brandy und holte Tamar mit den Lebensmitteln ab.
Nicht weit hinter Arad bogen sie von der Teerstraße auf einen sandigen Feldweg ab, wo lose Steine unter den Reifen knirschten. Sie kamen an zwei bewegungslos dastehenden Kamelen vorbei, und Harry fragte, ob es in dieser Wüste auch noch andere Lebewesen gäbe. Viele, erklärte ihm Tamar: Gazellen und Vipern, Hyänen und ganze Rudel von Schakalen. In jüngster Zeit sei sogar nicht weit von der Stelle, wo sie gerade fuhren, ein schwarzer Panther gesichtet worden.
»Bleiben Sie auf der nächsten Anhöhe stehen«, sagte sie.

Auf dem Kamm eines niedrigen Hügels blieb Harry stehen. In etwa acht oder neun Kilometern Entfernung erhob sich die Wüstenfestung Masada aus der winddurchwehten Wüste.
»Sehen Sie die Terrassen, die dort oben in den Berg gehauen sind? Da, auf der linken Seite? Dort saß in warmen Nächten der alte König Herodes und hatte zwei fette *Chatichah* auf den Knien.«
»Zwei fette was?«
»*Chatichah*. Warten Sie mal ...« Tamar grinste. »Was Ihr Amerikaner ›ein tolles Weib‹ nennt.«
Harry grinste ebenfalls und legte den Gang ein. Der Wagen holperte die schlechte, kurvige Straße entlang. Masada wurde immer größer. Bald entdeckte Harry mit wachsender Erwartung, daß der Berg von kleinen, dunklen Höhleneingängen geradezu durchlöchert war; wer wußte, wie tief hinein sie in sein Inneres führten? Zum ersten Mal hatte Harry das Gefühl, daß es doch nicht ganz so dumm war, hierhergekommen zu sein.

In der Hütte waren ein alter, aber funktionierender Kühlschrank, ein zweiflammiger Gasherd, eine Toilette, deren Spülung nur ein schwaches Rinnsal war, und eine Dusche mit verrostetem Brausekopf. Die abgenutzten Möbel waren größtenteils beschädigt, und es gab nur ein einziges, schmales Feldbett.
»Hübsches Häuschen«, sagte Harry. »Das nehmen wir.«
Als er die Lebensmittel aus dem Wagen holte, bemerkte er eine Kolonne bewaffneter Soldaten, die direkt auf die Hütte zukamen. Er trug den Karton hinein und stellte ihn vor dem Kühlschrank auf den Boden. »Das sind doch Israelis, oder?«
Tamar sah aus dem Fenster und ging zur Tür. Es waren etwa zwanzig Soldaten, unter ihnen auch zwei Frauen.

Harry, der sich noch gut an seinen Militärdienst bei der amerikanischen Infanterie erinnerte, hatte Verständnis dafür, daß sich die Soldaten im Schatten der Hütte niederließen und eine Verschnaufpause machten. Er wußte noch genau, wie seine Beine damals geschmerzt, wie seine Lungen gebrannt hatten und wie ihm der schwere Tornister am schweißnassen Rücken geklebt war. Die beiden Soldatinnen waren, trotz der Schweißflecken an ihren Hemden und den fünf Feldflaschen, die an ihren Gürteln hingen und ihre Hüften dicker erscheinen ließen, attraktive Frauen. Harry ging zum Wagen und holte seine Kamera.
Sofort drehte sich der Offizier, der gerade mit Tamar sprach, um und rief, erst auf Hebräisch und dann auf Englisch: »Keine Fotos! Keine Fotos!«
Harry legte die Kamera wieder in den Wagen, aber der Mann schimpfte weiter auf ihn ein.
Harry starrte ihn an. »Beruhigen Sie sich doch.«
Tamar zischte etwas auf Hebräisch.
Der Offizier bellte einen Befehl, der die Soldaten aufseufzen ließ. Ein paar Augenblicke später brachen sie auf.

Harry und Tamar gingen wieder in die Hütte und verstauten schweigend die Lebensmittel.
»Das war nicht gerade eine Lektion in Demokratie, oder?«
»Ich habe ihm versprochen, daß ich Ihnen den Film abnehmen werde«, entgegnete Tamar.
»Ich habe ja nicht einmal ausgelöst.«
»Ich brauche den Film.«
»Großer Gott!«
Er ging hinaus und holte die Kamera. Sie sah zu, wie er den Film zurückspulte und die Patrone herausnahm.

»Tut mir leid, daß Sie ihn opfern müssen.«
Harry wühlte in seiner Reisetasche nach einem neuen Film. Als er ihn nicht auf Anhieb fand, schüttete er den gesamten Inhalt auf den Boden – Unterwäsche, Hemden, Hustenbonbons, Socken, Taschenbücher, Filme und verschiedene Wäschesäcke, die an Della in den Vereinigten Staaten adressiert waren.
Tamar las die Adresse und starrte Harry an. »Sie schikken Ihre schmutzige Wäsche nach Amerika?«
Harry fiel keine passende Antwort ein.
»Du meine Güte.«
»Meine Frau wäscht sie nicht selbst. Sie gibt sie nur für mich weg.«
Tamar trug eine Bratpfanne und den Wasserkessel zum Spülbecken und begann, sie sauberzuschrubben. »Der Boden ist furchtbar dreckig. Da drüben steht ein Besen.«
»Ich bin Unordnung gewöhnt. Meine Frau und ich leben getrennt.«
»Wen interessiert es schon, wie Sie leben, Mr. Hopeman?« fragte Tamar und schrubbte noch kräftiger.
»Dann halten Sie sich auch dran«, entgegnete Harry und schnappte sich eine der Armeedecken, die zusammengefaltet auf dem Feldbett lagen. Er stopfte zwei Pitabrote und ein paar Bananen in seine Tasche und fühlte sich fast schon wieder wie ein Ehemann, der von zu Hause fortgeht. Draußen holte er noch den Brandy aus dem Wagen, dann machte er sich trotzig auf den Weg hinauf zum höchsten Punkt von Masada.

Harry wußte, daß dieser Pfad die »Rampe der Römer« genannt wurde. Die Zehnte Römische Legion hatte ihn vor vielen Jahrhunderten angelegt, um das verlorene Häufchen Juden zu besiegen, das oben in der Festung

ausharrte und Judäas letzten bewaffneten Widerstand gegen Rom darstellte.
Als er etwa ein Drittel des Anstiegs bewältigt hatte, konnte Harry ohne Mühe ein paar von den hölzernen Balken entdecken, mit denen die Römer damals den Weg abgestützt hatten.
Er blieb stehen und untersuchte die alten Baumstämme. Die Sonne hatte sie so stark gebleicht, daß sie eine silbrige Farbe angenommen hatten, ansonsten aber sahen sie noch ziemlich intakt aus. Die trockene, stark salzhaltige Luft hatte sie über einen Zeitraum von fast zweitausend Jahren konserviert.
Harry fand das bemerkenswert. Dieses Holz, das hier von Menschen wie ihm in den Berg gerammt worden war, schien ihn auf verblüffende Weise direkt mit den Ereignissen zu verbinden, die sich hier vor zwanzig Jahrhunderten zugetragen hatten.
Die grauroten, steil aufragenden Bergstümpfe um ihn herum sahen aus, als habe man ihnen mit einem riesigen Säbel die Gipfel abgeschlagen. Ihre schroffen Felswände waren von unzähligen Höhlen durchbrochen.
Nachdem Harry sich die letzten paar Meter bis zu dem Hochplateau hinaufgequält hatte, bot sich ihm eine seltsame Szenerie. Hier oben schien es nichts als Himmel und Steine zu geben, Steine, die von den bis auf die Grundmauern zerfallenen Gebäuden stammten und Harry an die Keller von zerbombten Häusern erinnerten. Nur hier und da entdeckte er eines, das noch ein Dach hatte. Es wehte ein heißer, trockener Wind, und Harry konnte nur mit Schwierigkeiten atmen, auch wenn er nicht genau sagen konnte, ob das vom Wind oder vom steilen Anstieg herrührte. Er trug seine Sachen in eines der wenigen noch intakten, kleinen Steinhäuser, wo es dunkel und vor allem kühler war.

Als er eintrat, erschrak er, weil irgendein kleines Lebewesen an ihm vorbei ins Freie huschte.
»Entschuldigung. *Shalom, Shalom*, was immer du auch sein magst.«
Harry setzte sich auf den Boden, um wieder zu Atem zu kommen, und als seine Augen sich an die Dunkelheit gewöhnt hatten, sah er, daß die Wände und die Decke des Hauses dick verputzt waren. Dieser Putz war im Lauf der Zeit glattgeschliffen worden. Der Boden bestand aus festgetrampelter Erde, die kühl, aber trocken war. Harry breitete seine Decke aus, als würde er damit von seiner neuen Behausung Besitz ergreifen.
Als er wieder ins Freie ging und sich umsah, erfaßte ihn ein merkwürdiges Gefühl. Er hatte den Eindruck, als werde er beobachtet.
Lächerlich, sagte er sich.
Als er aber nach ein paar Minuten aufsah, wußte er, daß es so lächerlich nicht gewesen war. Eine Ziege stand als tiefschwarze Silhouette auf dem Dach einer Ruine und beobachtete Harry mit schiefgelegtem Kopf.
Harry klatschte in die Hände und meinte, die Ziege werde fliehen, aber sie bewegte sich kein bißchen, ja meckerte nicht einmal. Oder müßte sie blöken, oder wie nannte man die Geräusche, die Ziegen von sich gaben? Harry ging weiter. Als er sich umdrehte, war die Ziege verschwunden.
Die Hütte, die Harry besetzt hatte, war eines von mehreren, sich ähnelnden Steingebäuden am Rande einer Felsklippe. Tief unten im Tal lief eine gewundene, mit Felsblöcken übersäte Schlucht auf die etwa eine halbe Meile entfernte Jugendherberge zu, die von hier oben wie ein zu groß geratener Geräteschuppen aussah.
Dahinter schimmerte das Tote Meer wie geschmolzenes Blei.

Harry konnte kein Lebenszeichen in der Nähe der Jugendherberge entdecken. Nebenan in der Talstation einer Seilbahn, die zum Gipfel von Masada führte, hing eine leere Kabine, der Seilbahnführer war vermutlich längst heimgegangen, nach Dimona oder Arad.
Harry stand wie erstarrt hoch oben in der windumrauschten, orangeleuchtenden Einsamkeit. Er war allein mit Masada.

Nach einer Weile ging er umher. Die Häuser, die ihm anfänglich alle ziemlich gleichartig vorgekommen waren, unterschieden sich aus der Nähe doch erheblich voneinander. Manche der besser erhaltenen Steingebäude waren langgestreckt und niedrig, vielleicht waren das einmal die Vorratshäuser gewesen. Andere, wie das, in dem er seine Sachen deponiert hatte, hatten kleine, offene Feuerstellen in einer Ecke oder an einer Wand; in wieder anderen führten Treppen in unterirdische Räume, die vielleicht einmal für rituelle Waschungen benutzt wurden, jetzt aber staubtrocken waren. Nun, Harry brauchte diese *Mikwe* nicht, um sich zu waschen, denn es gab hier oben auf Masada neben all den Ruinen auch zwei moderne Gebäude. Eines von ihnen beherbergte die Damen- und das andere die Herrentoilette, wie man an dem albern wirkenden »00«-Zeichen erkennen konnte. Dort drehte Harry einen der Wasserhähne auf, ließ sich kühles Wasser über Hände und Gesicht laufen und tauchte seinen heißen Kopf ins volle Waschbecken.
Die Ruine der Festung befand sich an der Nordspitze des kleinen Plateaus. Einige der Böden, die erhalten geblieben waren, bestanden aus einfachen, geometrisch gemusterten Mosaiken. Harry stieg eine Treppe hinunter auf die mittlere Terrasse und sah sofort, warum

Herodes sie genau hier hatte anlegen lassen. Sie war der einzige Platz auf Masada, der gleichermaßen Schutz vor der sengenden Sonne und dem heißen Wind bot.
Harry stand in der kühlen Stille, die ihm ein toter König bereitet hatte, und blickte hinab über viele Meilen Küste und Land. Von hier aus konnte man jeden Feind entdecken, auch wenn er sich noch Stunden von der Festung entfernt befand.
Harry erkannte sogar die quadratischen Überreste von drei – nein, vier römischen Lagern. Im ganzen waren um Masada herum acht Lager gebaut worden, die eine mehrere Meilen lange Steinmauer miteinander verbunden hatte, deren Verlauf Harry ebenfalls noch ziemlich gut erkennen konnte.
Siebzig Jahre nach König Herodes' Tod wurde eine römische Garnison auf Masada von einer kleinen Gruppe jüdischer Kämpfer in einer Art Kommandounternehmen ausgelöscht. Vier Jahre lang verteidigte danach diese kleine Gruppe von Juden die Bergfestung hartnäckig als letztes Widerstandsnest gegen das mächtige römische Reich. Flavius Silva, der römische Gouverneur von Judäa, marschierte daraufhin an der Spitze der Zehnten Legion und von starken Hilfs- und Arbeitstruppen vor Masada auf. Er legte einen Ring von Lagern um den Berg, ließ die sie verbindende Mauer errichten und schnitt so den Verteidigern jeglichen Fluchtweg ab. Aber selbst dann noch brauchten die über fünfzehntausend Belagerer weitere drei Jahre, um die wenigen Juden oben auf der Festung zu besiegen, die zusammen mit ihren Frauen und Kindern nicht mehr als neunhundertsechzig Menschen waren. Als die Römer ihre Rampe hinauf zur Festung fertiggestellt hatten, nahte das Ende für die Juden, die sich lieber selbst töteten, um nicht als Sklaven in die Hände der Römer zu fallen.

Harry sah hinunter auf die Reste der Lagerstätten. Nichts bewegte sich dort. Die einzigen Lebewesen, die sie jetzt bevölkerten, waren kleine Tiere und Insekten. Dennoch hatte Harry ein merkwürdiges Gefühl, als er Herodes' kühle Terrasse verließ und sich wieder hinaus auf das heiße Hochplateau von Masada begab.

Bis er zurück bei der Hütte war, die er bereits als die seine bezeichnete, war die Sonne schon untergegangen. In der Dämmerung kam eine kühlere Brise auf. Die kleinen Bananen, die Tamar am Nachmittag noch grün gekauft hatte, hatten bereits schwarze Flecken. Harry schälte eine von ihnen und aß sie. Sie schmeckte süß.
Plötzlich war die schwarze Ziege wieder da.
Langsam kam sie näher, und Harry warf ihr die Bananenschale hin, die sie zu seiner Freude gierig verschlang. Als er gerade wieder von der Banane abbeißen wollte, furzte das Tier laut und vernehmlich.
»Hau bloß ab, du Schwein!« rief Harry.
Aber die Ziege ließ sich nieder. Harrys Sinn für Humor war stärker als sein Ekel, und er lachte laut los. Die Verdauung des Tieres schien nicht die beste zu sein, vielleicht war das bei Ziegen so üblich. Harrys Hunger ließ ihn schließlich seine Mäkeleien vergessen, und so teilte er sich mit dem stinkenden Tier ein Pitabrot, während der Himmel immer dunkler wurde.
Der Wind wirbelte kleine Staubhosen auf.
Die Steine um Harry herum wurden allmählich schwarz wie Eisen.
Aber nicht für lange. Ein unglaublich großer Mond stieg träge vom Horizont in den Himmel, und Harry fühlte sich wie ein Schäfer. Das Mondlicht war so hell, daß er bald fast so gut wie am Tag sehen konnte. Bei dieser weichen Beleuchtung erschienen die Oberflächen der

Steine viel glatter als im Sonnenlicht. Harry öffnete die Flasche mit dem israelischen Brandy und nahm einen tiefen Schluck, der ihm so gut schmeckte, daß er ihm sofort, nachdem er wieder zu Atem gekommen war, einen zweiten folgen ließ. Die Wasserfläche des Toten Meers schimmerte in dem bläulichen Licht so solide, als könnte man auf ihr herumlaufen. Jenseits des Wassers, in Jordanien, entdeckte Harry kleine, doppelte Lichtpünktchen von Autoscheinwerfern. Er fragte sich, was für ein Mensch wohl der arabische Fahrer dort in der Ferne sein mochte.

Harry nahm die Flasche mit in seine Hütte, legte sich auf die Decke und trank so lange weiter, bis ihm der kühle, harte Boden weich und warm vorkam. Er setzte sich auf, riß sich das T-Shirt vom Leib, kickte seine Turnschuhe in eine Ecke und zog Bermudashorts und Unterhose aus. Vollkommen nackt schlief er ein.

Er erwachte von seinem eigenen Husten. Ihm war so heiß wie noch nie in seinem Leben, und seine Kehle war ausgetrocknet. Als er nach draußen trat, verschleierte eine Wolke aus Staub, die ein schwacher Ostwind hergetrieben zu haben schien, den Mond. Der heiße Wind ging Harry durch Mark und Bein. Er nahm sein T-Shirt, machte es am Wasserhahn naß und wand es sich um den Kopf. Bis er zurück in der Hütte war, war es schon fast wieder trocken.

»Harry!«

»Hier drüben bin ich!« Er zog sich die Shorts an.

Tamar hustete. Er führte sie zur Hütte und reichte ihr die Brandyflasche. Nachdem sie einen Schluck genommen hatte, schüttelte sie sich, aber ihr Husten war vorbei.

»Was ist das für ein komisches Wetter?«

»Man nennt es *Sharav*, ein Hoch, das von Ägypten kommt.«
»Warum sind Sie denn nicht unten geblieben, verdammt noch mal?«
»Ich hatte Angst, daß Sie versuchen würden, in der Dunkelheit abzusteigen. Nicht weit von hier hat sich einmal ein ägyptischer Geistlicher verlaufen und ist dabei ums Leben gekommen.«
Er nahm ihr Gesicht in die Hände und küßte sie. Ihre Zungen berührten sich. Irgendwann einmal hatte Harry in einer Zeitung die Frage eines jugendlichen Lesers gelesen: »Ist ein Zungenkuß eine Todsünde?« Der Kummerkastenonkel in mittleren Jahren hatte geantwortet: »Nein, ein Zungenkuß ist keine Todsünde. Aber er ist eine klare Einladung zu sexuellen Aktivitäten.«
Als sie sich wieder küßten, benahm sich seine Zunge, als wäre sie Frage und Antwort zugleich. Tamar protestierte nicht, als er sie auszog, bis sie schließlich nur noch ihr Hemd anhatte.
»Wie hieß er gleich noch mal, dieser amerikanische Geistliche?« fragte sie verträumt. »Dieser Bischof?«
Nichts war Harry gleichgültiger, während er sich seine Unterhose auszog. Er knöpfte ihr Hemd auf und legte erst die eine, dann die andere Wange auf ihre Brüste. Tamars Brustwarzen waren weich, bis er sie in den Mund nahm und sie zwischen seinen Lippen größer wurden, als er geglaubt hatte.
Jetzt keuchten sie beide – aus Leidenschaft. Der Staub drang in die Hütte und trocknete alles aus. Der einzige feuchte Fleck befand sich zwischen Tamars Beinen, und als er sie dort berührte, zuckte sie wie elektrisiert hoch. Harry nahm sie in die Arme, legte sie wieder hin und streichelte sie zwischen den Schenkeln. Auf einem hatte sie ein großes Muttermal.

»Bitte, tu das nicht.«
Sie küßten sich wie wahnsinnig. Er streichelte sie, bis sie die Beine anzog. Harry drang in sie ein und fand schließlich einen Rhythmus, der ihm wie das Herzklopfen eines Riesen vorkam. Dann wurde er schneller und hörte leise, stöhnende Geräusche. Tamars Arme zogen seinen Kopf nach unten. Ihr feuchter Mund wanderte über seinen Hals, ihre Zähne kratzten seine Haut. Sie kam dabei nicht aus dem Rhythmus. Fast zu geschickt, dachte Harry irgendwo im Hinterkopf.
»Ja, bitte!« bat sie.
Harry versuchte, die Lust so lange wie möglich auszudehnen, indem er an die unmöglichsten Sachen dachte. An die Steuerprogression oder an den Diamanten für den Schauspieler. An die Römer, die vor so langer Zeit da unten in der Ebene lagerten. Das Atmen fiel ihm schwer, jetzt, wo sie, mein Gott, zu früh, aufstöhnte und er von der Klippe zu stürzen schien.
Sie lagen keuchend nebeneinander, die Lippen auf dem Mund des anderen gepreßt, bis Harry auffiel, daß sein ganzes Gewicht auf ihrem Körper lastete. Tamar hob ihre Hände hoch, fuhr ihm mit den Fingerspitzen über Augenlider, Nase, Nasenlöcher und die Innenseite seiner Lippen. Ihr Finger glitt über seine Zunge.
»Bischof Pike«, sagte sie.

Als er wieder erwachte und auf die Uhr sah, war es vier Uhr vierzig. Er war allein. Draußen war es drückend heiß, aber die Luft war klar, der *Sharav* war vorüber. Über der ebenen Wüste am Fuß des Berges wirbelte der Staub wie Nebelschwaden.
Harry wusch sich ausgiebig im Toilettenhäuschen, was ihn etwas erfrischte. Als er zurückkam und über die Mauer nahe bei der römischen Rampe sah, entdeckte er

Tamar weit unten, wie sie vor der Hütte stand. Im fahlen Mondlicht schienen ihm ihre Hüften selbst für ihre langen Beine ein wenig zu kräftig. Sie hatte eine Schüssel mit Wasser auf eine Mauer gestellt und wusch sich die Haare. Zuvor im Steinhaus war es zu dunkel gewesen. Das nächste Mal, nahm er sich vor, wollte er ihren Mund, die knochige Kurve ihrer Nase sehen, wollte er in ihre Augen schauen, die manchmal lachten und manchmal nicht.

Die Luftbewegungen hier oben auf Masada waren merkwürdig; sogar aus dieser weiten Entfernung hörte er das Platschen des ausgegossenen Wassers und das klingende Geräusch, das die Schüssel machte, als Tamar sie wieder auf die Mauer stellte.

Die Sonne zeigte sich bereits ein kleines Stück.

Vor dem Steinhaus, in dem vor langer Zeit einmal ein Zelot gewohnt haben mochte, nahm Harry den Granat aus seiner Tasche, hielt ihn sich vors Auge und blickte durch den roten Stein ins Licht der aufgehenden Sonne.

Sie glänzte wie ... was?

Wie das warme Auge eines gütigen Gottes.

Tiger, Tiger, grelle Pracht, zitierte er aus einem alten Gedicht von William Blake. Irgendwie kamen ihm, als er auf dem Boden seines kleinen Hauses wieder einschlief, diese Worte wie eine seltsame Segnung vor.

13

Ein Gedi

Als Harry seine Sachen die sonnenverbrannte römische Rampe wieder hinuntergeschleppt hatte, war Tamar mit dem Auto fort, aber an der nicht abgesperrten Tür der Hütte hing ein Zettel:
Bin bald wieder da. Im Eisschrank ist Saft. T.
Der Kühlschrank war vermutlich der älteste, den Harry je gesehen hatte, ein *Amkor*, Israels Antwort auf *General Electric*. Harry goß sich ein Glas Orangensaft ein und trank es, während er Tamars Dinge betrachtete. Ein sauberer Büstenhalter lag auf ihrem Seesack; der Rest ihrer frischen Kleider war ordentlich gefaltet auf dem Fensterbrett aufgeschichtet, oben drauf lagen weiße Socken und Baumwollunterhosen. Ein zerfleddertes Buch in arabischer Schrift war neben dem Bett auf den Boden gefallen. Sie hatte die Angewohnheit, ihre Zahnpastatube von hinten her zusammenzurollen.
Harry kam sich vor, als spioniere er ihr nach.
Weil er nichts Besseres zu tun hatte, holte er die Fotos von der kupfernen Schriftrolle aus seiner Tasche, legte sich aufs Bett und besah sie sich noch einmal. Obwohl er sie in den vergangenen Tagen wieder und wieder studiert hatte, blieb ihm vieles, was auf der Rolle stand, weitgehend unverständlich.
Harry war froh, als er den Wagen nahen hörte. Tamar sah verschwitzt, aber fröhlich aus und trug ihr Haar in einem straffen Knoten wie beim ersten Mal, als er sie

gesehen hatte. Harry gefiel sie so. Sie trug Shorts und ein altes Armeehemd, dessen zusammengeknoteter Zipfel wie eine geballte Faust unter ihren Brüsten aussah.
»*Erev-Tow*. Du bist eine Schlafmütze.«
»*Shalom*. Wo warst du?«
»In Arad. Ich mußte telefonieren. Dein Freund, der Monsignore, scheint mehr Glück gehabt zu haben als wir.«
»Wie bitte?« Harry setzte sich auf.
»Ja. Er hat sich gestern abend in Bethlehem mit jemandem getroffen.«
»Mit Mehdi?«
Tamar zuckte mit den Achseln. »Mit einem dicken Mann in mittleren Jahren. Sie trafen sich um Viertel vor neun vor der Geburtskirche und sprachen etwa eine halbe Stunde miteinander. Danach ging der Monsignore in die Kirche, zündete drei Kerzen an und betete eine gute Stunde lang. Dann nahm er ein *Sheroot* zurück nach Jerusalem.«
»Und Mehdi?«
»Er ließ sich in einem blauen Mercedes, der auf eine Importfirma in Gaza zugelassen ist – wahrscheinlich sind die Nummernschilder gefälscht –, von Bethlehem wegfahren. Der Wagen fuhr Richtung Süden, unsere Leute sind ihm ein paar hundert Kilometer bis nach Elat gefolgt, wo er über die Grenze nach Jordanien abbog.«

Sie kamen überein, daß Mehdi, falls er jetzt überhaupt noch hierherkäme, Harry eher oben auf Masada suchen würde als in einer kleinen Hütte am Fuß des Berges. Und so stieg Harry nach einem Frühstück aus Pitabrot, Käse und Kaffee, der so stark war, daß er ihn kaum trinken konnte, wieder die römische Rampe hinauf. Trotz der Hitze befanden sich Touristen oben auf dem Plateau. Sie waren mit der Seilbahn heraufgekommen, Harry konnte unten an der Talstation zwei Busse entdecken. Er ging hinüber zu einer Gruppe schwitzender Juden aus Chicago, die im Schatten eines alten Lagerhauses saßen und sich von ihrem Rabbi die Geschichte der Zeloten erzählen ließen. Der Rabbi brachte etliche grundlegende Fakten durcheinander, was aber außer Harry offenbar niemandem auffiel. Als er mit seiner Geschichte zu Ende war, standen die Leute aus Illinois auf, gingen zur Bergstation der Seilbahn und schwebten hinab. Nach ein paar Minuten kam die andere Kabine herauf und brachte eine weitere Gruppe von amerikanischen Juden, diesmal aus Reading, Pennsylvania. Der junge Rabbi war besser vorbereitet als sein Kollege aus Chicago, aber er dozierte in einem so ernsten, pedantischen Stil, daß Harry sich ins Toilettenhäuschen verzog, bis die Predigt vorüber war. Nirgends war ein Zeichen von Yosef Mehdi zu sehen.

Es wurde ein sehr langer Nachmittag.

Als Harry am Abend wieder in die Hütte kam, hatte Tamar bereits ein Abendessen aus Salat und *Felafel*, kleinen Bällchen aus Kichererbsenmehl, vorbereitet. Letztere waren so scharf, daß Harry sie kaum essen konnte. Um Tamar nicht zu beleidigen, würgte er doch ein paar davon hinunter. Seinen Hunger stillte er, indem er den Rest der Bananen aß. Als er sich Dosenmilch in den rabenschwarzen Kaffee goß, hob Tamar indigniert die Augenbrauen.

In der Hütte war es stickig, also setzten sie sich in der Abenddämmerung im Freien auf eine Decke. Tamar holte ihre Gitarre und sang ein arabisches Lied. Sie spielte besser, als sie sang, aber Harry war dennoch seltsam ergriffen. Er legte sich neben sie. Langsam wurde

es dunkel. Er litt unter Sodbrennen. »Worum ging es denn in diesem Lied?« fragte er, als sie fertig war.
»Ein junges Mädchen soll verheiratet werden. In der Nacht vor der Hochzeit macht sie sich Gedanken über ihren zukünftigen Mann. Ist er alt? Ist er jung? Trinkt er? Oder wird er sie schlagen?«
Als Harry grinste, schüttelte Tamar den Kopf. »Das kannst du nicht verstehen«, sagte sie.
»Was gibt's da zu verstehen?«
»Die Kultur. Mädchen, die viel zu jung an einen Ehemann verschachert werden. Die Kinder bekommen müssen, bevor ihr Körper dafür bereit ist. Die in meinem Alter schon alte Frauen sind.«
Harry sah, daß es ihr sehr ernst war. »Wie bist denn du dem allem entkommen?« fragte er.
»Nur mit Mühe. Ein Lehrer hat meinen Vater überzeugt, daß er mich auf eine weiterführende Schule schicken sollte. Vater gab nach, weil er meinte, daß ich dann leichter einen Job als Verkäuferin bekommen könnte. Aber als ich dann die Aufnahmeprüfung für die Universität machte, spielte er verrückt. Er war der Meinung, daß eine Frau mit zuviel Bildung nie einen Mann bekäme.«
Harry griff nach oben und streichelte ihr Gesicht.
»Drei Jahre lang hatte ich ein sehr gespanntes Verhältnis zu meinem Vater. Wir haben beide sehr darunter gelitten.«
Arme Tamar. »So sind eben Väter«, sagte Harry und dachte unangenehm berührt an Jeff. »Als ich noch ein Junge war, schickte mich mein Vater jeden Sommer ins Ferienlager, und jetzt mache ich dasselbe mit meinem eigenen Sohn.«
Tamar wußte nicht, was ein Ferienlager war; Harry mußte es ihr erst erklären. »Mein Vater wollte, daß ich

meine Sprachkenntnisse vertiefte, und so mußte ich ihm jeden Tag einen Brief in Hebräisch schreiben. Er schrieb mir nie einen, aber jeden Tag schickte er mir einen meiner Briefe zurück, in dem er mir alle Rechtschreib- und Grammatikfehler angestrichen hatte.«

»Armer Harry.«

Er nahm die Gitarre und probierte die paar Banjo-Akkorde durch, die er konnte. Dann sang er ein Lied aus den zwanziger Jahren – *I Found a Million-Dollar-Baby in a Five-and-Ten-Cent-Store* –, und Tamar klatschte. Er mußte ihr erklären, daß ein *Million-Dollar-Baby* nichts weiter als eine tolle Frau und ein *Five-and-Ten-Cent-Store* ein billiger Ramschladen war. Dann fragte er Tamar, ob sie ihm das arabische Lied von vorhin beibringen könne.

»Später.« Sie nahm ihm die Gitarre ab und legte sie sorgfältig zur Seite.

»Mein süßer Harry«, sagte sie eine kurze Weile später. Sie öffnete ihr Haar und ließ es herabfallen. Als sie sich über Harry kniete, kitzelte es ihn. Sie gab ihm in rascher Folge viele feuchte Küsse. »Genieß es einfach«, sagte sie, »und mach dir keine Gedanken über Rechtschreibung und Grammatik. So perfekt brauchst du nicht zu sein.« Aber trotzdem war er es.

Am nächsten Morgen war die Luft fiebrig heiß. Harry befürchtete, der *Sharav* sei wieder da, aber Tamar schüttelte den Kopf.

»Es ist nur ein heißer Tag.«

»Mehdi wird in dieser Hitze wohl kaum hierherkommen.«

»Vielleicht kommt er gerade deswegen«, entgegnete sie nachdenklich.

»Zum Teufel mit ihm.« Harry fühlte sich an der Nase

herumgeführt. Er ging hinaus zum Auto, setzte sich hinein und ließ die Klimaanlage laufen. Als er wieder ausstieg, kam ihm die Hitze noch schlimmer vor. Also ging er in die Hütte und sagte Tamar, daß er zum Toten Meer fahren und ein Bad nehmen wolle.

Tamar verzog das Gesicht. »Das würde dir nicht gefallen. Das Salz dringt in sämtliche Körperöffnungen ein und brennt in jeder noch so winzigen Wunde.« Sie lächelte gequält. »Na schön, Harry. Ich werde dir etwas viel Besseres zeigen.«

Sie fuhr mit ihm nur zehn Meilen nach Norden, zu einem grünen Fleck, der Ein Gedi hieß.

Als sie unter den hohen Palmen aus dem Auto stiegen, kam Harry die Luft dort merklich kühler vor. Tamar führte ihn einen Pfad entlang, wo ein Wasserfall glitzernd in ein kleines, schattiges Bassin plätscherte.

»Es gibt hier einen unterirdischen Abfluß aus den regenreichen Gebieten. Jetzt ist der Wasserfall recht dünn, aber im Winter tost er richtiggehend.«

Vor Harry hätte Tamar den Ort nicht verteidigen müssen. Schon einen Augenblick später hatte er sich seiner Kleider entledigt und war in das Bassin gesprungen. Er machte ein erstauntes Gesicht, als er bemerkte, daß das Wasser ganz warm war.

Tamar lachte. »Eine heiße Quelle!« rief sie, legte am Ufer säuberlich ihre Kleider zusammen und stieg zu Harry ins Wasser. Winzige Fische blitzten silbrig zwischen ihren Beinen auf. Harry legte sich auf den sandigen Boden des Bassins und ließ das Wasser um seinen Kopf plätschern. Tamar hatte Seife mitgebracht und wusch sich unter dem Wasserfall die Haare. Auch Harrys Kopf schäumte sie ein. Es war ein wundervoller Platz, um sich zu lieben, aber als Harry Tamar küssen wollte, entzog sie sich seiner Umarmung.

»Es gibt einen Kibbuz hier in der Nähe. Und eine Außenstelle der Gesellschaft für die Erhaltung der Natur. Jeden Moment kann hier jemand auftauchen.«
»Du bist zu praktisch veranlagt«, sagte er lächelnd.
In der heißen Luft wurden ihre Körper rasch trocken. Als er wieder angezogen war, fühlte Harry sich besser.
»Bist du denn nicht praktisch veranlagt?« fragte Tamar. Sie drehte sich zu ihm um, während sie ihr Hemd zuknöpfte. »Harry, du wirst doch nicht alles verderben, indem du plötzlich nicht mehr praktisch denkst? Indem du alles ernst nimmst?«
Das überraschte ihn. Das letzte, was er vorgehabt hatte, war, die Sache mit ihr ernst zu nehmen.
»Solche Gefühle möchte ich für niemanden mehr empfinden«, sagte sie.
»Laß uns Freunde sein. Die sich ab und zu gegenseitig verwöhnen. Ist dir das praktisch genug?«
Sie lächelte ihn an. »Sehr praktisch.«
»Du gehst also keinerlei Verpflichtung ein.«
»Keine Rechtschreibung, keine Grammatik«, sagte sie und küßte ihn flüchtig, gerade als drei Männer mit Spaten ins Blickfeld kamen, gefolgt von einem vierten, der einen Schubkarren voller Bananensetzlinge schob. Die Männer begrüßten Tamar und Harry mit einem freundlichen *Shalom*. Tamar lächelte Harry unschuldig an.
Als sie zurück zum Auto gingen, bewunderte Harry die schönen Dattelpalmen. »Sie heißen so wie du.«
»Ja, *Tamar* heißt ›die Palme‹. Vor langer Zeit trug dieser Ort den Namen *Hazazon-Tamar*, was soviel bedeutet wie ›Wo die Palme gestutzt wird‹. Mit dem Namen dieses Ortes hatte ich im Erdkundeunterricht nie Probleme. Ich merkte ihn mir als ›wo ich meine Haare geschnitten bekomme‹.«

Harry verließ die Oase nur ungern. Während er durch die wabernde Hitze langsam nach Masada zurückfuhr, hoffte er, daß Mehdi nicht in der Zwischenzeit dort gewesen war. Aber andererseits war es ihm auch egal. Der Mann kam ihm immer unwirklicher vor; Harry war sich nicht einmal mehr sicher, ob es diesen Yosef Mehdi wirklich gab.

Mit Früchten, Pitabrot und einem Krug Limonade stiegen sie wieder hinauf aufs Plateau. Tamar setzte sich auf die kühle Terrasse des Herodes und arbeitete an einem Bericht für ihr Museum. Harry, der etwas besser zu sehen sein wollte, suchte sich ein schattiges Plätzchen in der Nähe der Bergstation der Seilbahn und schaute dort noch einmal die Fotografien der kupfernen Schriftrolle durch.
Etwa in der Mitte des Textes ließ ihn ein bestimmter Absatz plötzlich stutzen. Er las ihn immer und immer wieder. Dann rannte er hinüber zur Terrasse des Herodes.
»Wie würdest du diesen Ausdruck übersetzen?« fragte er Tamar.
Sie las die Worte, die er ihr zeigte. »Mir scheint es *Haya Karut* zu bedeuten.«
»Nicht *Haya Koret*?«
»Es könnte natürlich auch *Haya Koret* bedeuten. Da Vokale im Althebräischen ja nicht geschrieben wurden, kannst du es dir aussuchen.«
»Genau.« Harry vergaß sogar die Hitze. »Schau her, ich habe das bisher immer als *Haya Koret* gelesen, als die aktive Form des Wortes.« Er zeigte ihr seine Notizen. »Und so habe ich den Absatz übersetzt:
An dem Ort, wo in der Nähe der Weinpresse die Bäume sich mit dem kleineren der beiden Hügel im Osten schnei-

den, liegt dreiundzwanzig Ellen tief im Lehm ein goldener Wächter.

Wenn wir aber annehmen, daß dort *Haya Karut* statt *Haya Koret* steht, also die passive Form des Wortes statt der aktiven, und den Satz ein wenig umstellen, dann haben wir folgendes:

An dem Ort, wo in der Nähe der Weinpresse bei dem kleineren der beiden Hügel im Osten die Bäume geschnitten werden, liegt dreiundzwanzig Ellen tief im Lehm ein goldener Wächter.«

Tamar sah Harry an. »Ein Ort, an dem die Bäume geschnitten werden?«

Er nickte betont ruhig. »*Hazazon-Tamar*. Wo die Palme gestutzt wird.«

Nachdem die erste Aufregung verflogen war, stritten sie sich darüber, wie sie jetzt vorgehen sollten. Harry wollte sofort nach Jerusalem zurückfahren und David Leslau mitteilen, daß er höchstwahrscheinlich die Lage einer *Genisa* enträtselt hatte.

»Aber wir müssen hierbleiben und auf Mehdi warten«, meinte Tamar.

»Und wenn er nicht kommt?«

»Und wenn er doch kommt? Nach zweitausend Jahren unter der Erde wird es dieser *Genisa* nicht schaden, wenn sie noch ein paar Tage länger unentdeckt bleibt.«

»Aber genau in diesen Tagen übersetzt vielleicht jemand anders diese Stelle auf dieselbe Weise, wie wir das gerade getan haben.«

Sie sah ihn an.

»Du verstehst mich nicht.«

»Ich denke, langsam fange ich an, dich zu verstehen«, entgegnete sie.

An diesem Abend redeten sie kaum miteinander. Zum

Abendessen öffnete Tamar eine Dose mit fettigem Lammeintopf, danach kochte sie den üblichen starken Kaffee. Harry sagte nichts, aber sie bemerkte seine Reaktion.

»Morgen machst du das Essen«, sagte sie gelassen.

In der Nacht schlief sie mit dem Gesicht zur Wand, wie eine verärgerte Ehefrau. Harry balancierte seinen Körper auf dem äußersten Ende des Feldbetts und vermied es, mit ihren Hüften in Berührung zu kommen, die er mittlerweile an ihr besonders zu schätzen gelernt hatte. Sie schnarchte, und Harry fand das Geräusch widerwärtig. Die braucht sich keine Sorgen zu machen, daß ich es zu ernst mit ihr meine, dachte er grimmig.

Am Morgen stieg er in aller Frühe wieder hinauf aufs Plateau. In der relativen Kühle eines der Steinhäuser brütete er weiter über den Fotokopien der Kupferrolle. Wenn man nur mehr solcher Anhaltspunkte hätte wie den, den Tamar ihm mit dem alten Namen eines kleinen Wüstenortes gegeben hatte, wäre es vielleicht möglich, noch mehr der rätselhaften Beschreibungen zu entschlüsseln.

Er wußte einfach nicht genug.

Aber auch Leslau, der sehr viel mehr wußte als Harry, hatte bisher keinen der versteckten Schätze finden können.

Allmählich wurde Harry bewußt, daß er Leslau eigentlich lieber nicht helfen wollte. Er wollte selber die Rätsel der Schriftrolle lösen, auch wenn es noch so unwahrscheinlich war, daß man ihn daran arbeiten lassen würde.

Harry sah, wie jemand den gewundenen Bergpfad heraufkam, es war ein muskulöser, stämmiger Mann in einer braunen Hose und einem weißen, kurzärmeligen

Hemd, dessen Kragen offen stand. Seine Haut war dunkel, und seine Oberlippe zierte ein sauber im arabischen Stil geschnittener, dünner Schnurrbart. Er kam, schon fast übertrieben ziellos um sich blickend, quer über das Plateau auf das Haus zugeschlendert, an dessen Eingang Harry saß.

Vor Harry blieb er stehen und nickte ihm zu.

»Shalom«, sagte Harry.

»He.« Der Mann legte eine Hand an den Türstock des Hauses. »Diese Wände sind toll, nicht wahr? Einfach, aber fest. Die wußten damals, was sie taten.«

»Sie haben die Zeiten überdauert.«

Der Mann sah sich um. »Ich soll mich hier mit jemandem treffen.«

Ah. Harry seufzte. »Ich auch.«

Der Mann lächelte. »Schlau von Ihnen, im Schatten zu warten.«

»Ich bin Hopeman.«

»Wie bitte?«

»Harry Hopeman, aus New York.«

»Ach so.« Der Mann ergriff schwungvoll Harrys ausgestreckte Hand. »Lew Friedman. Aus Cincinnati.«

Harry war mehr verärgert als belustigt.

»He, da ist sie ja. *EMILY!«* Er winkte einem blonden Mädchen zu. »Sie ist um den Berg gefahren und hat den einfachen Aufstieg genommen, während ich den steileren Pfad heraufgeklettert bin.«

»Das war gescheit. Viel Spaß. *Shalom-Shalom.*«

Harry, der wieder allein war, setzte sich auf den angenehm kühlen Lehmboden und kreuzte die Beine wie ein Araber. Die Chance, daß es ihm gelingen würde, auf Anhieb einen weiteren Absatz der Schriftrolle zu entschlüsseln, war praktisch gleich null, aber er arbeitete trotzdem den Text noch einmal durch, ersetzte Worte durch ihre Synonyme und veränderte die Satzstellung, während er weiterhin auf Yosef Mehdi wartete, den Mann, der ihn an einen Ort bringen sollte, wo er entweder den *Kaaba-Diamanten* kaufen oder vielleicht für seine Sünden ans Kreuz geschlagen werden würde.

Mittags kamen nacheinander drei Touristenbusse an. Ein kleiner Junge fragte Harry, ob er etwas verkaufen wolle. Aber die meisten Leute schauten nur im Vorbeigehen kurz in sein Steinhaus, als wäre er ein uninteressantes Tier in einem Zoo.
Am Nachmittag fuhren sie alle wieder nach unten. Als die Seilbahn danach wieder heraufkam, entstieg ihr nur ein einziger Passagier, ein beleibter Mann, dessen Gesichtsausdruck eine Mischung aus Anstrengung und Freude war. Harry hatte den Eindruck, daß der Mann nur deshalb herauf nach Masada gekommen war, um sich zu Hause damit zu brüsten, daß er seine *Tefillin* in der ältesten Synagoge der Welt angelegt habe. Ein schwarzes Käppchen saß verwegen schief wie der Hut eines Musketiers auf dem Kopf des Mannes, der sich mit einem vollgestopften Gebetsschal-Beutel aus blauem Samt, auf den mit silbernem Faden ein großer Davidstern gestickt war, abschleppte. So einen sackartigen Beutel hatte auch Harrys Vater fast immer bei sich gehabt. Mit ziemlicher Sicherheit befanden sich neben dem *Tallit* und einem Satz Gebetsriemen noch ein paar andere Dinge in dem Beutel, ein Päckchen Kaugummi vielleicht, eine Orange, ein Apfel oder eine Rolle Drops.
Harry lächelte, als der Mann näher kam.
»Sie ist da drüben.«
»Was?«
»Die Synagoge.«
Der Mann stellte seinen Beutel auf dem Boden ab und

streckte Harry eine feiste, sorgfältig manikürte Hand entgegen. »Ich bin Mehdi, Mr. Hopeman«, sagte er.

Mehdi ließ sich unter Ächzen und Stöhnen auf dem Boden nieder und lächelte kläglich. »Seien Sie froh, daß Sie keine Gewichtsprobleme haben. Ich kann Ihnen nicht sagen, was ich durchmache.«
Der Mann faszinierte Harry. »Haben Sie den Diamanten?«
»Hier, bei mir? Nein.«
»Wann kann ich ihn dann sehen?«
Mehdi blickte zur Seite. »Es gibt da gewisse Schwierigkeiten.«
Harry wartete.
»Wir müssen uns auf ein Minimum einigen.«
Harry war schockiert. »Meinen Sie damit etwa ein unterstes Angebot?«
»Ja. Und zwar zwei Millionen dreihunderttausend Dollar.«
Harry schüttelte den Kopf. »Das hätten Sie mir vor meinem Abflug aus New York mitteilen müssen.«
Mehdi nickte schuldbewußt und murmelte, daß er nun auch nichts mehr tun könne.
»Hören Sie zu«, sagte Harry. »In den vergangenen zwanzig Jahren haben Sie mindestens vier Steine verkauft. Und ich weiß, daß sich in Ihrem Besitz noch einige weitere Diamanten befinden, die Sie in Zukunft nacheinander auf den Markt bringen wollen.«
Mehdi blinzelte ihn gelassen an. »Sie scheinen ja eine Menge über mich zu wissen.«
»Das stimmt.« Harry beugte sich vor. »Und eines kann ich Ihnen versprechen: Wenn Sie versuchen sollten, mich reinzulegen, dann werde ich alles in meiner Macht Stehende tun, damit es für Sie verdammt unge-

mütlich wird, wenn Sie irgendwo in der westlichen Welt jemals wieder einen Diamanten verkaufen wollen.«
»Auch ich weiß einiges über Sie, Mr. Hopeman. Besonders, welchen Einfluß Sie im Diamantengeschäft haben. Aber ich mag keine Drohungen.«
»Das ist keine Drohung«, sagte Harry. »Im Vorstandszimmer einer jeden Diamantenbörse gibt es einen langen Konferenztisch. Und an dem tagt regelmäßig eine Art Standesgericht. Wenn ein solches Gericht davon überzeugt ist, daß die Vorwürfe gegen eine bestimmte Person zu Recht erhoben wurden, kann es diese Person von Geschäften mit sämtlichen anerkannten Diamantenhändlern auf der ganzen Welt ausschließen. Natürlich kann derjenige mit einem solchen Bann belegte Mann seine Steine immer noch über weniger seriöse Kanäle auf den Markt bringen, dabei wird er sich aber meistens auch mit einem Bruchteil des auf dem normalen Markt erzielbaren Preises zufriedengeben müssen. Sie haben mich um die halbe Welt hierherkommen lassen, Mr. Mehdi, und mir nicht unerhebliche Mühen und Unbequemlichkeiten zugemutet. Dafür haben Sie mir versprochen, daß ich den *Kaaba-Diamanten* untersuchen und ein Angebot abgeben darf. Nun erwarte ich von Ihnen, daß Sie Ihr Versprechen einlösen.« Mit diesen Worten nahm Harry den Granat aus seinem Aktenkoffer und legte ihn neben Mehdi auf den Boden. »Der ist wertlos.«
»Mit Sicherheit nicht«, entgegnete Mehdi.
»Sie haben ihn als Stein von besonderem historischem Interesse beschrieben. Haben Sie irgendeinen Beweis dafür? Irgendwelche Dokumente?«
»Nein. Aber er wurde in der Inventarliste immer als ein Stein aus biblischer Zeit geführt.«

Harry brummte vor sich hin. »Nun gut, dann ist er eben nicht völlig wertlos. Ich biete hundertachtzig Dollar für diesen Granat.«
Mehdi nickte. »Behalten Sie ihn. Als Geschenk. Sehen Sie, ich glaube Ihnen. Lassen Sie uns doch gegenseitig vertrauen.«
»Vertrauen?« Harrys Intuition, die Fluch und Segen zugleich sein konnte, meldete sich wieder. »Sie halten mich bei diesem Geschäft doch bloß in Reserve. Für den Fall, daß niemand anders Ihren Preis bezahlen will. Meiner Meinung nach befinden Sie sich bereits in Verhandlungen mit einem anderen Käufer und treiben, wahrscheinlich aus politischen Gründen, den Preis in die Höhe.«
»Ihre Phantasie geht mit Ihnen durch, Mr. Hopeman.«
»Vielleicht.«
»Es tut mir leid, wenn Sie wegen mir Unannehmlichkeiten hatten. Wirklich. Nehmen Sie sich doch ein Hotel, wo Sie es bequemer haben. Ich werde mich innerhalb von zwei Tagen bei Ihnen melden, das verspreche ich Ihnen feierlich.«
»Nein, nein. Ich habe lange genug an den unmöglichsten Orten dieses Landes auf Sie gewartet. Wenn Sie mir etwas zu sagen haben, dann schreiben Sie mir einen Brief ins Jerusalemer Büro von American Express.«
Mehdi nickte.
»Ich werde noch acht Tage in Israel bleiben. Damit haben Sie eine Woche und einen Tag, um sich per Brief bei mir zu melden. Sollte ich bis dahin nichts von Ihnen gehört haben, werde ich zurück nach New York fliegen und mich bei der dortigen Diamantenbörse über Sie beschweren.« Harry blickte Mehdi in die Augen. »Sie sind schon einmal aus politischen Gründen ruiniert worden. Das kann sich jederzeit wiederholen.«

Mehdi rappelte sich mit viel Mühe hoch. Harry wußte nicht, ob sein Blick Bewunderung oder Verachtung bedeutete. »*Shalom*, Mr. Hopeman.«
»*Salem aleikum*, Mr. Mehdi.« Sie schüttelten sich die Hände. Nachdem die Seilbahnkabine abgefahren war, sammelte Harry seine Sachen zusammen und ging die Rampe hinunter. Als er die Hütte betrat, blickte Tamar erstaunt auf.
»War was?«
Er erzählte ihr, was vorgefallen war.
»Meinst du, daß wir Schwierigkeiten bekommen?«
»Ich glaube, er ist sich mit den Arabern handelseinig.«
Harry blickte sich in der schmuddeligen Hütte um und seufzte. Wenigstens konnte er diesen Ort jetzt verlassen. Und diese Situation.
»Was können die ihm bieten, was wir ihm nicht bieten können?«
Harry stopfte seine schmutzige Wäsche in die Tasche.
»Ehre«, antwortete er.

Als sie durch die Außenbezirke von Jerusalem fuhren, fragte er Tamar, ob er sie mit ins Hotel nehmen solle.
»Nein. Ich will in meine Wohnung«, antwortete sie und sagte ihm, wie er fahren mußte. Schließlich blieben sie vor einem schäbigen Steingebäude in einer Straße mit anderen schäbigen Steingebäuden stehen.
»Soll ich dir deine Sachen rauftragen?«
»Es ist doch nur eine kleine Tasche. Und die Gitarre ist nicht schwer.«
»Okay. Dann ruf' ich dich bald an.«
Sie lächelte ohne Bitterkeit. »Auf Wiedersehen, Harry.«

Als Harry in David Leslaus Büro anrief, ging niemand ans Telefon.

Normalerweise war Harry ein kritischer Hotelgast, aber jetzt kam ihm sein Zimmer unglaublich sauber und riesengroß vor. Er blieb lange unter der Dusche, danach ließ er sich ein sorgfältig ausgewähltes Abendessen auf sein Zimmer bringen: gekochtes Huhn, Champignonsalat und Champagner. Nach dem Essen legte er sich ins Bett. Die weißen Laken und die gute Matratze kamen ihm wie eine Offenbarung vor.
Aber trotzdem konnte er nicht schlafen.
Erst störte ihn der Aufzug. Dann Stimmen im Gang, das Summen der Klimaanlage. Irgendwo tief im Gebäude surrte ein Elektromotor. Komisch, als er allein oben auf Masada gewesen war, hatte er sich nicht einsam gefühlt. Aber hier in Jerusalem überfiel ihn auf einmal ein Gefühl der Verlassenheit.
Harry stand auf, holte die Notizbücher seines Vaters aus dem Aktenkoffer und las noch einmal, was Alfred Hopeman vor vierzig Jahren in Berlin über den *Diamanten der Inquisition* geschrieben hatte:

Steintyp: Diamant. Durchmesser: 4,34 Zentimeter. Gewicht: 202,94 Karat. Farbe: gelb. Spezifisches Gewicht: 3,52. Härtegrad: 10. Einfachbrechend, Lichtbrechungsindex: 2,43. Kristallform: Hexakisoktaeder. Dieser Diamant besteht aus zwei zusammengewachsenen Hemiedern.
Bemerkungen: Der Stein ist von guter Qualität, sein enormer Wert resultiert jedoch vorrangig aus seiner außergewöhnlichen Größe und seiner Geschichte.
Ungeschliffene oktaedrale Diamanten weisen an den Außenflächen so gut wie immer Streifen und dreieckige Grübchen auf. In diesem Diamanten, der geschliffen ist, sind solche Grübchen nicht zu entdecken. Seine 72 Facetten sind makellos glatt. Die Proportionen zwischen Ka-

lette und Rondiste sowie zwischen Rondiste und Flächen sind ausgewogen. Der Stein hat Feuer, aber weder Feuer noch die gelbe Farbe kommen in seiner gegenwärtigen Briolette-Form – einem birnenförmigen Schliff mit sich kreuzenden Bändern kleiner, dreieckiger Facetten – voll zur Geltung. Trotzdem ist der Diamant als frühes Meisterwerk, das vor etwa fünfhundert Jahren geschliffen wurde, ein ehrfurchtgebietendes Stück Edelsteingeschichte.

14

Ein Stein für den Heiligen Vater

Obwohl das Kind, das im Bauch seiner Frau Anna wie eine Melone heranreifte, sie nur schwerfällig ihren Aufgaben nachkommen ließ, waren doch die Fußböden in Julius Vidals kleinem Haus genauso sauber geschrubbt wie die in den meisten anderen Häusern in Gent, hatte ihr Sohn Isaak immer warme Kleider an, brannte im Kamin jeden Morgen ein munteres Feuer.
»Warum kannst du dich denn nie ausruhen?« fragte Vidal seine Frau mit vorwurfsvollem Unterton.
»Es geht mir gut.« Die Glocke an der Eingangstür klingelte, und Anna verließ die Werkstatt, um zu öffnen.
Vidal seufzte. Der kleine Diamant, der vor ihm auf dem Tisch lag, war an mehreren Stellen mit Tinte markiert. Immer wenn Vidal eine neue Berechnung auf seiner Schiefertafel durchgeführt hatte, änderte er diese Markierungen wieder. Sein Verstand war nicht der schnellste, er selbst wußte das besser als jeder andere. Obwohl Vidals Verstand nicht schwach war – dem Herrn sei Dank dafür –, so war es doch keiner von der Sorte, der seinen Bruder Manasseh zum Rabbi und Gelehrten gemacht hatte oder der seinem verstorbenen Onkel Lodewyck, Friede sei seiner Seele, die Geheimnisse des Edelsteinschleifens herausfinden hatte lassen, die der Familie selbst jetzt, in diesen schlimmen Zeiten, noch ein gutes Auskommen bescherten. Handwerklich war Julius Vidal

sicher und geschickt; was ihm Schwierigkeiten bereitete, waren die Berechnungen der verschiedenen Schliffformen, die er oft bis zu einem dutzendmal wiederholen mußte, bis er sicher war, daß sie stimmten.
Anna kam zurück von der Haustür. »Es ist ein Mönch«, sagte sie.
»Ein Benediktiner aus dem Kloster?«
»Ein Dominikaner, Julius.« Anna klang besorgt. »Er sagt, er komme aus Spanien.«

Niemand außer Anna durfte die Werkstatt von Julius betreten, deshalb ging er ins vordere Zimmer, wo der Besucher am Kamin wartete. »Einen guten Tag wünsche ich Euch. Ich bin Julius Vidal.«
Der Mann, der seinen Namen mit Pater Diego angab, überreichte Julius als Geschenk zwei Krüge mit spanischem Wein. In Julius, der sich längst an das warme Braun der Roben hiesiger Mönche gewöhnt hatte, rief das schwarze Habit des Dominikaners unvermittelt Erinnerungen an vergangene Tage hervor.
»Ich bin von weither gekommen, von der Priorei Segovia, um Euch zu sehen. Unser Prior, Pater Tomás, wünscht, daß Ihr in seinem Auftrag in León einen Diamanten bearbeitet.«
Julius runzelte die Stirn. »Ist es vielleicht ein Diamant, der dem Grafen de Costa gehört?«
»Der Diamant ist ein Geschenk an die Heilige Mutter Kirche.«
»Von wem?«
Pater Diego schürzte die Lippen. »Von Estebán de Costa, dem Grafen von Léon. Der Stein soll ein Geschenk an den Heiligen Vater in Rom sein.«
Vidal nickte, sicherlich wußte der Mönch, daß er bereits zweimal vom Grafen de Costa nach Spanien gerufen

worden war und zweimal zu kommen abgelehnt hatte.
»Euer Prior erweist mir zuviel der Ehre.«
»Nein. Ihr habt bereits einen Diamanten geschliffen, den drei Päpste getragen haben.«
Vidal schüttelte den Kopf. »Ich war damals jung und gerade dabei, mein Handwerk zu erlernen. Mein Cousin hat mir gesagt, wie ich den Stein schleifen sollte. Um den Diamanten zu vollenden, von dem mir die Abgesandten De Costas berichtet haben, müßte ich über die Fertigkeiten eines Lodewyck van Berquem verfügen.«
»Van Berquem ist tot.«
»Aber sein Sohn Robert, mein Cousin und Lehrmeister, ist noch am Leben.«
»Ihr wißt genausogut wie ich, daß er gerade in London ist, wo er Heinrich VII. als Juwelier dient. Die Engländer scheinen Eure Niederlande geradezu verhext zu haben. Sie verwenden Eure Produkte und Handwerker, als wären es ihre eigenen«, sagte der Mönch grimmig.
»Wartet, bis er die Arbeit für König Heinrich beendet hat«, riet Vidal.
»Dazu haben wir keine Zeit. Papst Alexander, der in Valencia geboren wurde, ist alt und krank. Und es ist wichtig, daß dieses Geschenk übergeben wird, solange ein Spanier der oberste Hirte ist.« Pater Diego schüttelte den Kopf. »Seid Ihr denn nicht begierig darauf, diesen Ort hier zu verlassen, Señor? Ihr stammt doch aus unserem schönen Toledo, nicht wahr?«
»Jetzt bin ich einer von hier.« Vidal nahm ein gerahmtes Pergament von der Wand und hielt es dem Mönch zum Lesen hin. Es war eine Urkunde, die die Unterschrift Philipps von Österreich trug und Julius Vidal, seiner Familie und seinen Erben den Schutz der Häuser Habsburg und Burgund garantierte.
Der Mönch las sie aufmerksam und war sichtlich beein-

druckt. »War Euer Vater nicht ein gewisser Luis Vidal, ein Gerber aus Toledo?« fragte er.
»Mein Vater ist tot. Er war ein Lederhändler, der vielen Gerbern Arbeit gab.« Und der ein Leder herstellte, das die Spanier nicht mehr kennen, seit sie die Juden außer Landes gejagt haben, hätte er am liebsten hinzugefügt.
»Und dessen Vater war Isaak Vidal, ein Wollhändler aus Toledo ...?«
Julius antwortete nicht. Er wurde auf einmal mißtrauisch.
»... dessen Vater wiederum Isaak ben Yaacov Vitallo war, der oberste Rabbi von Genua?«
Die beiden Männer blickten sich an. Vidal spürte ein Prickeln auf der Haut.
Der Kirchenmann ließ nicht locker. »Stimmt es, daß Euer Urgroßvater Isaak Vitallo war, der oberste Rabbiner von Genua?«
»Na und? Was soll's?«
»Wißt Ihr den vollen Namen meines Priors in Segovia?«
Vidal zuckte mit den Achseln.
»Er ist Pater Tomás de Torquemada.«
»Der Großinquisitor?«
»Genau der. Er hat mich beauftragt, Euch mitzuteilen, daß Don José Paternoy de Mariana in León eingekerkert ist.«
Vidal schüttelte den Kopf.
»Sagt dieser Name Euch nichts?«
»Was sollte er mir denn sagen?«
»Don José war früher einmal Professor für Botanik und Philosophie an der Universität in Salamanca.«
»Und?« knurrte Vidal. Er hatte langsam genug von diesem Mönch.
»Er ist ein Urenkel eben jenes Isaak ben Yaacov Vitallo, des obersten Rabbiners von Genua.«

Vidal lachte. »Da muß sich Eure Inquisition schon einen besseren Zeugen suchen als mich«, sagte er. »Ich habe von diesem ... Verwandten noch nie gehört. Aber selbst wenn ich ihn kennen würde, würde ich Euch nichts über ihn erzählen.«
Pater Diego lächelte. »Ich bin nicht hier auf der Suche nach einer Zeugenaussage. Wir haben genügend Beweise, um den Mann zu verurteilen.«
»Wegen was?« wollte Vidal wissen.
»Er ist ein Converso, *der wiederholt von seinem christlichen Glauben abgefallen ist.«*
»Und wieder zum Juden wurde?« fragte Vidal trocken.
Der Mönch nickte. »Beim erstenmal wurde er seines Professorenamtes enthoben und dazu verurteilt, achtzehn Monate lang das Büßergewand, den Sanbenito, *zu tragen. Nun, da er sich das zweitemal schuldig gemacht hat, wird man ihn zweifelsohne bei einem Glaubensakt der reinigenden Kraft des Feuers überantworten.«*
Vidal konnte sich nur mit Mühe beherrschen. »Und Ihr habt die lange Reise hierher auf Euch genommen, bloß um mir mitzuteilen, daß ihr wieder mal einen Juden verbrennen wollt?«
»Wir verbrennen keine Juden. Wir verbrennen Christen, die sich der Verdammnis preisgeben, indem sie sich benehmen wie Juden. Ich habe den Auftrag, Euch mitzuteilen ...« Der Mönch brach ab, um seine Worte sorgfältig zu wählen. »Wenn Ihr Euch bereit erklärt, den Stein für den Papst zu schleifen, wird man in De Marianas Fall besondere Milde walten lassen.«
Vidal starrte den Mann böse an. »Fahrt zur Hölle. Dieser Mann ist kein Verwandter von mir.«
Pater Diegos Gesicht brachte klar zum Ausdruck, wie sehr er es haßte, wenn ein Jude ihm gegenüber einen solchen Ton anschlug. »Don José Paternoy de Mariana ist

der Sohn des Fray Anton Montoro de Mariana, welcher vor seiner Konversion zum Christentum und seiner darauffolgenden Priesterweihe Rabbi Feliz Vitallo de Castile hieß. Und dieser Fray Anton war der Sohn von Abraham Vitallo, einem Wollhändler aus Aragon. Der wiederum war der Sohn von Isaak ben Yaacov Vitallo, dem obersten Rabbiner von Genua.«

»Ich gehe trotzdem nicht!«

Pater Diego zuckte mit den Achseln. Er nahm eine Pergamentrolle aus seinem Beutel und legte sie auf den Tisch. »Nichtsdestoweniger übergebe ich Euch diesen Geleitbrief, unterzeichnet von Fray Tomás persönlich, mit dem Ihr sicher durch Spanien kommt. Außerdem werde ich eine angemessene Zeit warten und Euch Gelegenheit geben, meine Botschaft zu überdenken. Ich komme wieder, Señor.«

Als der Mönch fort war, blieb Vidal in Gedanken versunken vor dem Feuer stehen. Er konnte sich noch genau an das erinnern, was sein Onkel Lodewyck van Berquem im Endstadium seiner Krankheit den Leuten geantwortet hatte, die sich nach seinem Befinden erkundigt hatten: Solange ein Jude noch atmet und etwas spürt, gibt er die Hoffnung nicht auf.

Vidal nahm die beiden Krüge, die ihm der Mönch dagelassen hatte, und goß ihren Inhalt draußen in den Schnee. Der spanische Wein hatte die Farbe von frischem Blut.

Anna kam eben um das Haus herum.

Julius seufzte. Als er sie in seine Arme nahm, spürte er seine Zukunft zwischen den Beinen. »Ich muß nach Antwerpen und mit Manasseh sprechen«, flüsterte er in ihre dichten Haare.

»Natürlich kommt das überhaupt nicht in Frage«, sagte sein Bruder.

Julius durchlief eine Welle der Erleichterung. Er nickte zustimmend.
»Dennoch wünschte ich, wir könnten diesem De Mariana irgendwie helfen.«
»Was kann man für so jemanden schon tun?« fragte Vidal bitter. »Ich bin mir sicher, daß dieser verdammte Dominikaner lügt. Wenn De Mariana wirklich mit uns verwandt wäre, dann müßten wir doch von ihm wissen.«
»Erinnerst du dich denn nicht an ihn?« fragte Manasseh ruhig.
»Du etwa?«
»An seinen Vater. Oder sagen wir besser, ich erinnere mich daran, daß unser Vater einmal einen seiner Cousins verflucht hat, weil der, ein ehemaliger Rabbi, sich nach dem Blutbad von 1467, als so viele aus Angst um ihr Leben zum Christentum konvertierten, sich sogar zum katholischen Priester weihen ließ.«
Die beiden Brüder saßen schweigend in der kleinen Synagoge.
Ein alte Frau kam herein und brachte ein gerupftes Huhn in einem Weidenkorb. Sie zeigte Manasseh die Milz und wartete gespannt, bis er entschieden hatte, ob ihr Hähnchen nun koscher war oder nicht.
Julius beobachtete die Szene mit Groll. Er war der ältere Bruder und hätte sich deshalb viel eher als Manasseh an das erinnern müssen, was ihr Vater gesagt hatte. Daß dem nicht so war, zeigte ihm einmal mehr, wie langsam sein Verstand arbeitete.
Als die alte Frau nach einer kurzen Weile zufrieden von dannen humpelte, setzte sich Manasseh wieder neben seinen Bruder und seufzte. »In Spanien wäre sie für die Frage, ob dieser Vogel sauber genug zum Essen sei, verbrannt worden.«
»Auch wir wären nicht mehr am Leben, wenn sich nicht

ein Angehöriger für uns eingesetzt hätte. Wenn dieser De Mariana wirklich mit uns verwandt ist …«
Die beiden blickten sich an. Manasseh nahm Julius' Hand und hielt sie lange, wie er es seit ihrer Kindheit nicht mehr getan hatte. Julius sah mit Schrecken, daß der Rabbi von Antwerpen zutiefst verängstigt war.
»Wegen Anna und meinem Isaakel …«
»Die bleiben hier bei uns.«
Manasseh drückte die Hand seines Bruders.

Der Schnee bedeckte die mit Schlaglöchern übersäten, ausgefahrenen Straßen und ermöglichte es Vidal, Anna relativ bequem auf dem Schlitten nach Antwerpen zu bringen. Sie sprach mit gezwungener Zuversicht, und als schließlich der Augenblick des Abschieds gekommen war, umarmte sie ihn kurz und schob ihn fort. Julius sah ihr nach, wie sie, so schnell wie es ihr dicker Bauch zuließ, aus dem Zimmer lief. Er wußte, daß sie sich davor fürchtete, das Kind in seiner Abwesenheit zur Welt zu bringen.
So war Vidal voller trüber Gedanken, als er von Manassehs Haus fort und die Jodenstraat entlang ritt. Sein Pferd war ein kräftiger Wallach. Julius brauchte ein gutes Pferd, weil er nicht nur Diamantenschleifer, sondern auch ein Mohel *war, und in dieser Funktion mußte er viel über Land reisen und jeder jüdischen Familie, der Gott einen männlichen Nachkommen geschenkt hatte, den Segen der Beschneidung erweisen.*
Die Messer dafür steckten bei den Instrumenten seines Diamantenhandwerks in den Satteltaschen, und es war vereinbart, daß er die Nacht im Haus eines jüdischen Käsehändlers in Aalte verbringen würde, dessen Frau vor sieben Tagen einen gesunden Jungen zur Welt gebracht hatte. Am nächsten Morgen hob Vidal das prächtige, feiste Baby aus dem Stuhl, der bei jeder Beschneidungszere-

monie für den Propheten Elias reserviert wird, und setzte es auf den Schoß des Paten. Als Julius zur Peri'a *die Vorhaut von dem kleinen Glied zurückschob und die winzige Eichel zum Vorschein brachte, zitterten auf einmal die Hände des Paten.*
»Ruhig halten!« knurrte Vidal. Sein Messer besiegelte den Bund Abrahams, und das Baby, das eben seine Vorhaut verloren hatte, schrie vor Schmerz. Julius tauchte seinen Finger in einen Becher mit Wein und ließ ihn das Baby abschlecken, während er einen Segen sprach und dem Jungen den Namen seines verstorbenen Großvaters gab: Reuven.
Als die Verwandten vor Freude weinten und immer wieder Massel-Tow*! riefen, hob sich Vidals Stimmung ein wenig. Aufgrund seiner beiden Berufungen nannten die Leute ihn überall* den Schneider. *Manasseh ermahnte ihn immer, sich bei seinen Beschneidungen noch viel mehr Mühe zu geben als mit dem wertvollsten Diamanten. Warum auch nicht? Die Mütter wußten, welche von den Juwelen, die der* Schneider *schnitt, die wertvolleren waren, dachte Julius, während er den winzigen Penis sorgfältig in ein sauberes Leintuch wickelte.*

Mitten am Nachmittag kam Vidal im Hafen von Oostende an. Die Lisboa, *eine heruntergekommene portugiesische Galeere mit Lateinsegeln, war nicht schwer zu finden. Als er die wild dreinblickende Mannschaft beim Verstauen der Ladung beobachtete, verließ ihn fast der Mut. Aber es gab nun mal kein anderes Schiff, das nach San Sebastian segelte, und an den Landweg quer durch unzählige, sich untereinander im Krieg befindende kleine Fürstentümer war erst recht nicht zu denken.*
Erst nachdem er die Passage bezahlt hatte und an Bord gegangen war, fand Vidal zu seiner Bestürzung heraus,

daß Pater Diego, dessen Gegenwart ihm zuwider war, ebenfalls mit diesem Schiff reiste. Außer ihnen gab es noch drei weitere Passagiere. Es waren spanische Ritter, betrunkene, rauflustige Gesellen, die den Matrosen wüste Zoten zuriefen.
Vidal band den Wallach an Deck fest und legte sich neben dem Pferd ins Stroh. Er zog die Gegenwart des Tieres der seiner menschlichen Mitreisenden vor. Die Lisboa *lief mit der Flut aus, und bald spritzte die eisige Gischt der Nordsee dermaßen auf das Deck, daß Vidal nicht mehr draußen schlafen konnte. So lange es ging, hielt er in der bitteren Kälte aus, dann häufte er das Stroh um sein Pferd herum auf und begab sich nach hinten in die winzige Kabine, die bereits die anderen mit Beschlag belegt hatten. Nachdem er die Tür geöffnet hatte, wäre ihm beinahe vom Gestank übel geworden, und als er sich hinlegte, versuchte er, so viel Abstand wie möglich zu den Rittern zu halten. Dabei mußte er sich aber so nahe an den Mönch drängen, daß dieser aufwachte und ihn laut verfluchte. Vidal hörte nicht darauf, drehte das Gesicht zur hölzernen Bordwand und schlief schließlich ein.*

Normalerweise vertrug Julius Seereisen gut, aber als am Morgen die anderen sich die Seele aus dem Leib kotzten, wurde ihm ebenfalls schlecht. Drei Tage lang stampfte das Schiff durch die Wogen des englischen Kanals, und seinen Passagieren war speiübel dabei. Zum Essen gab es schlechten Stockfisch und verdorbenes Brot. Julius hätte gerne etwas von dem einfachen portugiesischen Rotwein getrunken, aber nachdem er herausgefunden hatte, daß der Genuß von Alkohol die Seekrankheit der Ritter nur noch verschlimmerte, begnügte er sich mit dem nach alten Fässern schmeckenden Wasser und aß so viel Brot, wie er hinunterbrachte.

Nachdem sie die Kanalinseln umsegelt hatten, ließ der Wind nach. Als die Leiden der Passagiere vorüber waren, begann die Plackerei für die Ruderer. Mit gekrümmten Rücken mußten sie sich in die Riemen legen, um das schwere Fahrzeug allein durch Menschenkraft über das spiegelglatte Wasser zu bewegen.

Seit Pater Diego den Rittern verraten hatte, daß Julius ein Jude war, tönten sie ständig mit lauten Stimmen, wie wichtig die Limpieza, *die Reinheit des Blutes, sei, welche nur geborene Christen wie sie besäßen. Jedes Mal, wenn Julius die Kajüte betrat, hielten sie sich demonstrativ die Nasen zu, um seinen* Foetor judaicus, *seinen Judengestank, nicht riechen zu müssen. Dabei waren sie es, die in dem kleinen Raum einen bestialischen Gestank verbreiteten. Einer von ihnen erzählte eine nicht enden wollende Geschichte von einem Juden, der in einer Kirche ein paar geweihte Hostien gestohlen, sie in seine Synagoge gebracht und eine von ihnen dort auf dem Altar mit einem scharfen Messer durchstochen hatte. Als aus der geschändeten Hostie Blut hervorgequollen war, hatte der zu Tode erschrockene Dieb die restlichen Hostien in den Ofen geworfen, um alle Beweismittel gegen ihn zu vernichten. Als aber aus dem Feuer die Gestalt eines Kindes hinauf zum Himmel gestiegen war, hatte der Jude seine Untat gestanden, woraufhin er mit glühenden Zangen gefoltert und schließlich auf dem Scheiterhaufen verbrannt worden war.*

Vidal versuchte, die Ritter, soweit es ging, zu ignorieren. Ein paar Matrosen hatten spanische Münzen bei sich, und Vidal tauschte bei ihnen die niederländischen Kupferpfennige aus seinen Satteltaschen gegen Maravedis *und* Mineros. *In der vierten Nacht kam endlich wieder Wind auf. Vidal, der es in der stinkenden Kajüte nicht mehr aushielt, ging an Deck und ertappte einen der Ritter*

– es war derjenige, der die Geschichte von dem Juden erzählt hatte – dabei, wie er gerade seine Satteltaschen aus dem Stroh nahm. Julius dachte an sein ungeborenes Kind. Der Ritter zog mit der rechten Hand sein Schwert und hielt mit der linken die Taschen mit Vidals wertvollem Handwerkszeug über die Bordwand.
»Laß sie ruhig fallen«, sagte Vidal, der in diesem Moment Verzweiflung und Furcht vergaß. »Dann mußt du allerdings vor Torquemada dafür gradestehen.«
Pater Diego drückte sich an Julius vorbei und redete mit raschen Worten auf den Ritter ein, der, mit einem Mal ernüchtert, sehr blaß wirkte und die Satteltaschen sofort zurückgab.
Danach wurde es besser. Niemand johlte mehr, wenn Vidal sich aufs Deck kniete und betete. Die Ritter gingen ihm aus dem Weg, und der Dominikaner wurde nicht müde, darauf hinzuweisen, daß sie Julius getötet und über Bord geworfen hätten, wäre nicht sein treuer Freund Pater Diego gewesen, dem ein kleines Wort des Lobes in die richtigen Ohren nicht unwillkommen wäre. Der Mönch war schlimmer als die Seekrankheit.

Der Wind wehte beständig. Am neunten Morgen erreichte die Galeere das südliche Ende des Golfs von Biscaya und steuerte im spanischen Dauerregen auf San Sebastian zu.
Pater Diego verließ die schützende Kajüte, um Vidal, der allein an Deck stand, zu sagen, daß die Galeere auch den Hafen von Gijon anlaufen werde. »Bleibt bis dahin an Bord. Von dort aus ist es näher nach León.«
Julius gab keine Antwort. Gleich nach dem Anlegen führte er den Wallach, der die Seereise erstaunlich gut überstanden hatte, über die Ladeplanke an Land. Als der Boden nicht mehr unter seinen Füßen zu schwanken schien,

stieg Vidal schließlich in den Sattel. Die Luft hier war würziger und viel milder als die im winterkalten Gent.
Von einem verdrießlich dreinblickenden Bauern mit bösen Augen kaufte er zwei Zwiebeln. In einem kleinen Pinienwäldchen auf dem Kamm eines Hügels stieg Julius vom Pferd ab und setzte sich mit dem Rücken gegen einen Baum gelehnt. Von hier oben konnte er auf eine Wiese voller Kühe, ein Weizenfeld und einen Olivenhain blicken.
Wie gerne hätte Vidal seinen Sohn jetzt hier gehabt und ihm das alles gezeigt: Sieh, Isaak, hier, in diesem Land, wurde dein Vater geboren. Das Land kann nichts dafür, daß man ihn fortgejagt hat. Ist es nicht wunderschön? Und sind das nicht herrliche, spanische Zwiebeln?
Sie waren nicht so gut, wie er sie in Erinnerung hatte, denn um ihren Geschmack wirklich genießen zu können, hätte er etwas haben müssen, was er unmöglich beschaffen konnte: ein frisch aus dem dampfenden Laib gerissenes Stück von dem Brot, wie seine Mutter es immer gebacken hatte.
Damals, als er noch Julio geheißen hatte.
Als die Familie in die Niederlande geflohen war, hatte sein Vater sein ganzes Kapital in Spanien zurücklassen müssen und in der neuen Heimat vergeblich versucht, Arbeit als Schuh- und Handschuhmacher zu finden. Die Zünfte duldeten es zwar, daß Juden bei ihnen einkauften, nahmen sie aber nicht als Mitglieder auf. Nach dem Tod seines Vaters hatte der Bruder seiner Mutter die beiden Neffen aus der Fremde unter seine Fittiche genommen. »Du bist nicht mehr Julio. Jetzt heißt du Julius«, hatte sein Onkel damals mit Nachdruck erklärt. Er selbst hatte das beispielhaft vorexerziert – als Luigi hatte er Italien verlassen, als Louis in Paris Mathematik studiert, und dann, als er gemerkt hatte, daß er als Jude niemals ein Lehramt an einer Universität erhalten würde, war er nach Brügge

gegangen und dort Lodewyck, der Diamantenschleifer, geworden.
Vidal seufzte. Er trank etwas Wasser aus einem Bach, um den scharfen Geschmack der Zwiebeln hinunterzuspülen, und stieg wieder auf sein Pferd. Es hörte auf zu regnen, die Sonne brach durch die Wolken, und in Vitoria konnte er von drei Pilgern, die auf dem Weg zum Jakobsschrein in Compostella waren, etwas Brot kaufen. Irgendwie mußte er ihnen verdächtig vorgekommen sein, denn kurz nachdem er sie verlassen hatte, holten ihn die Schergen der Inquisition ein und hielten ihn an. Julius war starr vor Schreck, aber sein Geleitbrief von Torquemada verschaffte ihm Respekt.
In den folgenden Stunden wurde er noch zweimal von Bewaffneten aufgehalten, denen er jedes Mal sein Dokument zeigte. Beim dritten Mal, spät am Nachmittag, war er bereits in León, und die Soldaten, die ihn anhielten, waren De Costas Männer. Sie eskortierten ihn im Galopp in die Stadt. Für Julius war es ein seltsames Gefühl, einer dieser schnellen Reiter zu sein. Einerseits gefiel es ihm, wie die Häuser an ihm vorbeiflogen, andererseits sah er mit Schrecken, wie Menschen und Tiere um ihr Leben rannten, wenn die grausamen, rücksichtslosen Hufe auf sie zudonnerten.

De Costa hatte angeordnet, daß Vidal wie ein Gast behandelt werden sollte, und so wurde er in eine große Kammer geführt, in der Essen und Wein auf dem Tisch standen. Julius hatte ganz vergessen, daß es Rosenwasser gab; die Flamen wuschen sich nur mit Seife. Anna verwendete die Asche aus dem Herd, um sie selbst zu sieden.
Noch am Abend seiner Ankunft rief man ihn zum Grafen, einem großen, schlampig gekleideten Mann mit einem selbstzufriedenen Grinsen auf dem Gesicht.

Vidal hatte von Flüchtlingen, die in Antwerpen lebten, viel über De Costa gehört. Seit Jahren denunzierte er wohlhabende Conversos, *indem er sie bei der Inquisition beschuldigte, sie hingen heimlich wieder dem Judentum an. Wenn dann deren Hab und Gut beschlagnahmt wurde, nutzte De Costa die Gelegenheit, sich billig großen Grundbesitz zusammenzukaufen. Königin Isabella schätzte Männer wie ihn, die in ihrem Reich die Arbeit ihrer Inquisition verrichteten, denn sie waren nahezu die einzigen, die ohne Murren ihre exorbitant hohen Steuern bezahlten. So war es kein Wunder, daß De Costa im Jahre 1492, dem Jahr der schlimmsten Judenvertreibung, von ihr zum Grafen ernannt worden war. Vor einigen Jahren hatte er neben riesigen Ländereien auch einen gelben Diamanten aus dem Besitz eines rückfällig gewordenen* Converso *namens Don Benvenisto del Melamed erworben. Don Benvenisto, ein »neuchristlicher« Schiffsbauer, dessen größter Fehler es war, auf Kredit für die spanische Krone Kriegsschiffe gebaut zu haben, hatte den großen Diamanten von der Familie eines Ritters gekauft, der ihn während eines Kreuzzuges aus der Moschee von Acre geraubt hatte. Daß er den Stein nicht sofort seinen Katholischen Majestäten oder der Heiligen Mutter Kirche geschenkt, sondern ihn für sich selbst behalten hatte, war ein weiterer, entscheidender Fehler des armen Schiffsbauers gewesen.*
Diese Selbstsucht bedeutete nämlich für De Costa den Beweis, daß Melamed im Herzen eben immer noch ein Jude war, und so war er anonym einer ganzen Reihe von Vergehen beschuldigt und schließlich zur Reinigung seiner Christenseele auf dem Scheiterhaufen verbrannt worden. Das Königliche Paar, dem dadurch von einem Tag auf den anderen ein gigantischer Schuldenberg erlassen worden war, sah gnädig zu, als ihr treuer und frommer Die-

ner De Costa still und leise den weltlichen Besitz des armen Tropfs einkassierte.

Als der Graf Vidal durch sein stattliches Haus führte, wagte es dieser nicht, zu fragen, wem es wohl früher einmal gehört hatte.

In einem großen Raum befanden sich die Exponate von den Kreuzzügen, die De Costa mit der Leidenschaft eines Sammlers zusammengetragen hatte – Schwerter von Sarazenen, Mauren und Christen, Schilde und Rüstungen verschiedenster Herkunft und eine ganze Reihe von zerfetzten Schlachtenbannern.

»Das hier ist mein Lieblingsstück«, sagte De Costa und deutete auf einen schweren Militärsattel, an dem mehrere verschrumpelte Fleischstücke hingen, die Vidal zunächst für menschliche Finger hielt, bis er bemerkte, daß es sich um beschnittene Penise handelte.

»Mohammedanerschwänze«, bestätigte De Costa mit einem Grinsen.

»Woher wißt Ihr, daß sie alle von Moslems stammen?« fragte Vidal matt.

Der Graf blickte überrascht drein, als habe er sich diese Frage noch nie gestellt. Dann brach er in schallendes Gelächter aus und schlug Julius, den er offensichtlich für einen kolossal witzigen Burschen hielt, kräftig auf die Schulter.

Am nächsten Morgen wurde Vidal zu einem Haus in der Mitte von León gebracht, in dem sich eines der berüchtigten Geheimgefängnisse der Inquisition befand. Wenn man es von der Straße aus betrachtete, hätte man das Gebäude für ein herrschaftliches Wohnhaus halten können; drinnen aber wimmelte es von bewaffneten Soldaten und Dominikanermönchen.

Einer der Mönche, der sich als der alcalde, *der Oberauf-*

seher, vorstellte, verlangte Vidals Ausweispapiere zu sehen.

»Ja, der Gefangene De Mariana ist hier.«

Nachdem er Julius durch einige lange Gänge geführt hatte, blieb er vor einer Zellentür stehen, hinter der jemand vernehmlich hustete. Als die Tür geöffnet wurde, sah Vidal, daß die Zelle zwar winzig klein, aber bis auf einen stinkenden Nachttopf sauber war. Auf dem Boden lagen neben einer Waschschüssel ein dünnes Stück Seife, ein Rasiermesser und Papier und Schreibzeug. In einer Ecke stand ein Hocker, und auf der Pritsche lag ein magerer, weißhaariger Mann, den das Aufsperren der Tür aus dem Schlaf gerissen hatte. Er setzte sich auf und starrte die Eintretenden an. Sein Gesicht war glattrasiert, und seine blauen Augen glänzten eigenartig.

»Ich bin gekommen, um dir zu helfen.«

Der Mann sagte nichts.

»Ich bin Julius Vidal, ein Diamantenschleifer aus Gent in den Niederlanden. Man hat mir gesagt, wir wären Verwandte.«

Der Mann räusperte sich. »Ich habe keine Verwandten.«

»Mein Urgroßvater war Isaak ben Yaacov Vitallo.«

»Ich weiß von keinem Verwandten dieses Namens.«

»Das hier ist kein Trick. Die Inquisition braucht mich, weil ich ein seltenes Handwerk beherrsche. Vielleicht kann ich dich von deinen Qualen erlösen.«

»Ich bin nicht verdammt, also brauche ich auch nicht erlöst zu werden.«

»Ich will ja bloß deinen Körper retten. Um deine Seele mußt du dich schon selbst kümmern.«

Der Mann blickte ihn an.

Julius setzte sich auf den Hocker. »Kennst du deine Vorfahren, die Familie Vitallo?«

»Ich stamme von Conversos *ab. Das ist überall bekannt, warum sollte ich es also leugnen? Mein Vater ist als guter christlicher Priester gestorben. Und ich habe mein einziges Kind der Heiligen Mutter Kirche gegeben.«*

»Einen Sohn?«

»Eine Tochter. Meine Juana, die heute eine Barmherzige Schwester ist.«

Vidal nickte. »Merkwürdig, wie sich Verwandte oft unterscheiden. Mein Bruder ist ein Rabbi. Wir wurden in Toledo geboren, wo man die Juden für den Ausbruch der Pest verantwortlich gemacht und Tausende von ihnen umgebracht hat. Mehr als hundertfünfzig Jahre danach sitzt uns die Angst von diesem Ereignis noch immer im Nacken.«

»Als ich ein Kind war, hatte ich nie Angst«, sagte De Mariana, als wolle er etwas beweisen. »Man sagt, daß Toledo von Juden gegründet wurde. Wußtest du das?«

»Ja.«

»Mir scheint, das ist eine Lüge der Juden«, sagte der alte Mann verschlagen.

»Der Name kommt von Toledot, *was auf Hebräisch ›Generationen‹ heißt. Es ist eine wunderschöne Stadt. Das Haus meines Vaters war in der Nähe der Synagoge.«*

»Die ist jetzt eine Kirche. Ich kenne Toledo gut.«

»Vielleicht meinst du damit die Kirche der Santa Maria Blanca am Fluß Tagus, die früher auch einmal eine Synagoge gewesen war. Aber die war bereits eine Kirche, als wir noch in der Stadt lebten.«

»Auch die neuere Synagoge ist jetzt eine Kirche. Ich habe dort selbst der Heiligen Messe beigewohnt.«

»Gibt es denn den jüdischen Friedhof noch?«

De Mariana zuckte mit den Achseln.

»Im Sommer haben mein Bruder und ich dort immer auf den Gräbern gespielt, während unser Vater in der Syn-

agoge war. Ich habe am Grabstein eines fünfzehnjährigen Jungen gelernt, die hebräische Schrift zu lesen. Asher Aben Turkel hieß er. Gestorben 1349.

Dieser Stein ist ein Denkmal
Damit die kommenden Generationen wissen
Daß unter ihm eine hübsche Knospe liegt,
Ein geliebtes Kind.
So voller Wissen,
Einer, der die Bibel las,
Ein Student der *Mishna* und *Gemara*.
Er lernte von seinem Vater
Was sein Vater von seinen Lehrern lernte:
Die ewigen Gesetze Gottes.«

»Gott sei mir gnädig. Ich fange an, dir zu glauben. Wie kann ein Jude in diesem Land frei und am Leben sein?«
»Du kannst mir ruhig glauben, Vetter.« Vidal strich De Mariana über die Hand, die ihm sehr heiß vorkam. »Aber du bist ja krank. Du hast das Fieber«, sagte er besorgt.
»Es ist nur die Feuchtigkeit. Meine Kleider werden nicht trocken, weil es hier kein Feuer gibt. Es geht schon vorüber. Ich habe es schon ein paarmal gehabt.«
»Nein. Du mußt behandelt werden.« Vidal ging zur Tür und rief durch das vergitterte Sichtfenster nach dem Oberaufseher. Als er kam, sagte er ihm, daß der Gefangene krank sei und einen Arzt benötige. Er war erleichtert, als der griesgrämige Alcalde *nickte.*
»Ich lasse dich jetzt allein, damit der Arzt sich um dich kümmern kann.«
»Komm zurück, auch wenn du nur ein Trugbild bist«, sagte De Mariana.
Draußen auf dem Stadtplatz saßen alte Männer in der Sonne, und Kinder liefen laut schreiend hinter einem bel-

lenden Hund her. Vidal war hungrig und blieb an einem Stand stehen, an dem eine Frau Bohneneintopf verkaufte.
»Ist da Schweinefleisch drin?«
Die Frau sah ihn verächtlich an. »Bei dem Preis wollt Ihr auch noch Fleisch verlangen?«
Vidal lächelte und kaufte sich eine Portion. Die Bohnen hatten einen Geschmack, den er schon fast vergessen hatte. Er aß sie mit Genuß, wobei er sich mit den Rücken an eine sonnenwarme Mauer lehnte, an der viele Bekanntmachungen hingen. In ein paar Tagen sollte ein Auto da Fé, *eine Ketzerverbrennung, stattfinden. Eine eben abgekalbte Milchkuh wurde zum Verkauf angeboten, ebenso ein Schäferhund und Geflügel in lebender oder gerupfter Form. Außerdem hing da noch ein Glaubensedikt, das die Bevölkerung aufforderte, es sofort dem Inquisitionstribunal zu melden ...*

> ... falls man jemanden persönlich oder vom Hörensagen kennt, der den Sabbat nach den Gesetzen des Moses beachtet, indem er an diesem Tag saubere Kleidung trägt, frische Tücher auf Tisch oder Bett legt und vom Freitagabend an kein Licht im Haus anzündet. Desgleichen, wenn jemand das Fleisch, das er verzehrt, dadurch reinigt, daß er es im Wasser ausbluten läßt oder dem Vieh und Geflügel, das er zu essen trachtet, den Hals durchschneidet und dabei bestimmte Worte sagt und das Blut mit Erde bedeckt. Desgleichen, wenn jemand zur Fastenzeit oder zu einer anderen Zeit, in der es von der Heiligen Mutter Kirche verboten ist, Fleisch zu sich nimmt oder an den Tagen des jüdischen Fastens barfuß geht. Desgleichen, wenn jemand jüdische Gebete spricht, abends von einem anderen Vergebung erbittet, wenn Eltern ihre Hände auf die Köpfe ihrer Kinder legen,

ohne daß sie das Kreuzzeichen machen, statt dessen aber sagen »Sei gesegnet von Gott und von mir«. Desgleichen, wenn sie den Tisch auf jüdische Art segnen, oder wenn sie die Psalmen ohne das Gloria Patri lesen. Desgleichen, wenn eine Frau nach der Geburt eines Kindes vierzig Tage lang nicht zur Kirche geht, oder wenn jemand sein Kind beschneiden läßt oder ihm einen jüdischen Namen gibt. Desgleichen, wenn jemand nach der Taufe die Stelle wäscht, wohin das geweihte Salböl aufgetragen wurde, oder wenn jemand sich auf seinem Totenbett zur Wand dreht, um zu sterben, und wenn er tot ist, die anderen seine Leiche mit warmem Wasser waschen und ihm überall am Körper die Haare abrasieren ...

Als Vidal fertig gegessen hatte, sah er sich nach einer Waffe um. Er hatte noch nie ein Schwert gehabt und wußte nicht, wie er damit umgehen solle. Eine Waffe mit kürzerer Klinge war da schon eher etwas für den Schneider. *So kaufte er sich einen kurzen Dolch aus Toledo-Stahl und befestigte ihn an seinem Gürtel. Dann suchte er bei einem Pelzhändler ein besonders gut präpariertes Schafsfell aus. Als Julius damit wieder ins Gefängnis kam, war der Arzt schon gegangen. Er hatte De Mariana an der Brust geschröpft und zur Ader gelassen. Jetzt lag der alte Mann noch mehr geschwächt als vorher auf seiner Pritsche und war kaum mehr in der Lage zu sprechen.*
Vidal hüllte ihn in das Schafsfell und ging zu seinem Diamanten.

De Costa legte den Stein auf den Tisch und lächelte.
»Das ist ein besonderes Stück«, brachte Vidal mit Mühe hervor. Der Diamant war viel größer als alle, die er bisher geschliffen hatte.

»Wie lange wird es dauern?«
»Ich arbeite langsam.«
De Costa beäugte ihn mißtrauisch.
»Man kann einen solchen großartigen Stein nicht hastig bearbeiten. So ein Schliff will sorgfältig geplant werden, und das braucht Zeit.«
»Dann mußt du sofort beginnen.« Anscheinend wollte er Vidal beim Schleifen zusehen.
»Ich kann nur arbeiten, wenn ich allein bin.«
De Costa zeigte offen seine Verachtung. »Brauchst du dafür bestimmte Materialien?«
»Ich habe alles dabei«, antwortete Julius.
Als er allein war, wurde alles nur noch schlimmer.
Der Stein lag vor ihm wie ein riesiges Ei. Julius haßte ihn bereits auf den ersten Blick. Er hatte nicht die leiseste Ahnung, was er mit ihm machen sollte.

Am nächsten Tag war De Mariana immer noch nicht kräftiger als am Vortag kurz nach dem Aderlaß, aber er freute sich, als er Julius sah.
Sein Gesicht war stark gerötet, und er hustete grauen Schleim.
Vidal gab sich betont zuversichtlich. »Wenn ich dich erst einmal nach Gent gebracht habe, wirst du dich schnell erholen. Dort kann ein Jude wenigstens frei atmen.«
Die blauen Augen schienen Julius durchbohren zu wollen. »Ich bin ein Christ.«
»Auch nach ... all dem hier?«
»Was haben diese Menschen mit Jesus zu tun?«
Vidal sah ihn erstaunt an. »Wenn du so ein überzeugter Christ bist, worin bestand dann dein Rückfall ins Judentum?«
De Mariana bat Julius, ein paar der auf dem Boden verstreuten Blätter aufzuheben. »Das, woran mein ganzes

Herz hängt. Ein Herbarium der bekannten Flora.« Er zeigte Vidal Seiten mit Zeichnungen von Pflanzen. Darunter standen der lateinische und der umgangssprachliche Name des Gewächses, wo es hauptsächlich wuchs, und was es für einen Nutzen für den Menschen hatte.

»Ich wollte auch ein Kapitel über Pflanzen schreiben, die es schon zu biblischen Zeiten gab. Aber die Bibelübersetzungen sind alle schlecht, also kaufte ich mir, um sicherzugehen, eine Schriftrolle.«

»Eine Tora*?«*

»Ja. Ich kaufte sie ganz offen. Ein Priester, der Hebräischlehrer war, übersetzte sie mir. Eine ganze Weile ging das ohne jedes Problem. Aber ich weiß mehr über die medizinische Wirkung von Kräutern als die meisten anderen. Und so fragten meine Kollegen und meine Studenten mich immer, wenn ihnen etwas fehlte, nach einem Heilmittel. So fungierte ich praktisch als Arzt, obwohl ich keiner bin. Eines Tages sagte ein Bischof, der die Universität besuchte, so laut, daß meine Studenten es hören konnten, daß dies typisch für einen Juden sei. Nun, ich bin ein strenger Lehrer, manchmal vielleicht ein wenig unnachgiebig ...«

»Hat einer deiner Studenten dich denunziert?«

»Ich wurde verhaftet, Vetter. Mein Übersetzer-Priester war gestorben, und ich war auf einmal ein neuer Christ, in dessen Besitz sich eine hebräische Tora *befand. Sie warfen mich in den Kerker und sagten, ich solle ein Geständnis ablegen, wenn ich nicht in die Hölle kommen wolle.*

Aber was hätte ich gestehen sollen? Schließlich zwangen sie mich, zuzusehen, wenn andere gefoltert wurden. Sie haben da drei Lieblingsmethoden. Bei der Garrucha *werden dem Gefangenen schwere Gewichte an die Füße gebunden, bevor man ihn ganz langsam an den Handge-*

lenken mit einer Art Flaschenzug hochzieht. Dann lassen sie ihn ganz plötzlich ein Stück herunterfallen und bremsen den Fall so abrupt, daß dem Unglücklichen dabei oft ein Arm oder ein Bein abgerissen wird. Bei der Toca *wird das liegende Opfer festgebunden, ihm wird der Mund aufgerissen und ein Leintuch in den Hals gesteckt. Damit füllen sie dann große Mengen von Wasser in seinen Magen. Bei mir wendeten sie den* Potro *an. Dabei legen sie einem Seile um den nackten Leib und die Glieder und binden einen damit an einen stabilen Rahmen. Dann stecken sie Stöcke in die Seile und drehen sie so, daß sich die Fesseln immer enger ziehen.« De Mariana lächelte freudlos. »Und ich hatte immer geglaubt, ich würde einen standhaften Märtyrer für meinen Herrn Jesus Christus abgeben. Aber es genügten nur zwei Umdrehungen, dann gestand ich alles, was sie von mir hören wollten.«*
Es war still in der Zelle. »Was war deine Strafe?«
»Ich wurde von der Universität gewiesen und mußte mich sechs Freitage hintereinander öffentlich mit einem Hanfseil geißeln. Außerdem wurde mir verboten, ein öffentliches Amt zu bekleiden, Geld zu wechseln oder einen Laden zu eröffnen, auch durfte ich nicht als Zeuge auftreten. Bei der nächsten Verfehlung, sagten sie, würde ich auf den Scheiterhaufen kommen. Ein Jahr und sechs Monate mußte ich den Sanbenito *tragen, und schließlich mußte ich der Inquisition noch das Geld erstatten, das sie meine Einkerkerung angeblich gekostet hatte. Meine Frau und ich mußten eine kleine Farm verkaufen, um die Schulden zu bezahlen.«*
Vidal räusperte sich. »Lebt deine Frau noch?«
»Ich glaube, daß sie tot ist. Sie war alt und krank, und ich habe ihr großen Kummer bereitet. Nachdem ich meine Strafen abgebüßt hatte, mußte ich mein Büßergewand in meiner Pfarrkirche abgeben, damit es dort ständig zu-

sammen mit den Sanbenitos *der anderen, rückfällig gewordenen Juden ausgestellt werden konnte. Meine Frau schämte sich so ...« De Mariana seufzte.*
»Es gab noch andere Katastrophen, große und kleine. Mein Herbarium wurde noch vor seiner Vollendung auf den Index der verbotenen Bücher gesetzt.«
»Dann hast du es nicht fertiggeschrieben?«
»Oh, es wurde vollendet. Die konfiszierte Tora *brauchte ich nicht mehr dazu, denn ich hatte ja meine Übersetzung. Also schrieb ich weiter. Ich dachte daran, es vielleicht im Ausland herauszugeben. Oder in Spanien, falls dieser Wahnsinn einmal vorübersein sollte.«*
»Du wirst es in Gent veröffentlichen, Vetter.«
De Mariana schüttelte den Kopf. »Sie werden mich nie gehen lassen.«
»Sie haben es mir versprochen.«
»Daß sie mich freilassen werden?«
»Daß sie besondere Milde walten lassen werden.«
»Aber nein, du verstehst nicht, was das heißt. Besondere Milde bedeutet bei denen, daß sie mich erdrosseln, kurz bevor sie den Scheiterhaufen anzünden. Sie glauben, daß nur die Flammen meine Seele für den Eintritt ins Paradies reinigen können. Das alles wäre nicht so schlimm, wenn sie nicht an das glauben würden, was sie tun.«
Vidal spürte, wie auf einmal Übelkeit in ihm aufstieg.
»Eines kann ich noch immer nicht verstehen. Wenn du zu Hause im stillen Kämmerlein an deinem Buch gearbeitet hast, wie kam es dann, daß du ein zweites Mal verhaftet wurdest?«
De Mariana richtete sich halb auf und starrte Julius böse an. Seine Augen hatten einen wilden Ausdruck. »Meine Juana war es nicht, die mich denunziert hat! Es war nicht meine Tochter!« schrie er.

In seinem ganzen Leben hatte Vidal bisher nur drei wirklich große Steine gesehen. Der erste war ein unregelmäßig geformter Diamant gewesen, der Karl dem Kühnen, dem Herzog von Burgund, gehört hatte. Lodewyck hatte ihn geschliffen, noch bevor Julius zu ihm in die Lehre gekommen war. Etliche Jahre später war der Stein zum Reinigen zurück in die Werkstatt gekommen, und Julius war sehr beeindruckt von den symmetrischen Facetten gewesen, die die gesamte Vorder- und Rückseite des Diamanten bedeckt hatten. »Wie konntest du ihn bloß so perfekt schleifen, Onkel?«
»Mit Vorsicht«, hatte Lodewyck geantwortet.
Und er hatte Erfolg damit gehabt. Das Feuer dieses Juwels, dem man mittlerweile den Namen Der Florentiner *gegeben hatte, hatte den Wohlhabenden und Mächtigen gezeigt, daß ein gewisser Jude in Brügge das Geheimnis entdeckt hatte, wie man aus kleinen, wertvollen Steinen glitzernde Wunderdinge machen konnte.*
Als Vidal schon einige Jahre bei ihm in der Lehre gewesen war, hatte sein Onkel einen zweiten großen Stein für den Herzog geschliffen. Es war auch ein ungewöhnlicher Diamant gewesen, dünn und lang, mit einem Gewicht von vierzehn Karat. Van Berquem hatte ihn geschliffen und in einen goldenen Ring gefaßt, den der Herzog Papst Sixtus in Rom als Geschenk übersandte. Julius war damals ein Teil der Schleifarbeiten übertragen worden.
Als der Herzog sieben Jahre später einen dritten großen Stein hatte schleifen lassen, war aus dem Lehrling Julius Vidal schon fast ein Meister geworden, dem man umfangreichere Arbeiten hatte übertragen können. Zusammen mit Lodewyck hatte er dem seltsamen, etwas deformierten Edelstein eine dreieckige Form gegeben, die seiner ursprünglichen Gestalt am besten gerecht geworden war. Vidal und sein Vetter Robert hatten unter Lode-

wycks wachsamen Augen den Schliff berechnet und die Facetten geschliffen. Schließlich hatten sie den polierten Diamanten in einen großartigen, aus zwei ineinandergreifenden goldenen Händen bestehenden Freundschaftsring gesetzt, den Vidal ganz allein entworfen hatte und den der Herzog anschließend König Ludwig XI. von Frankreich als Zeichen seiner Loyalität überreicht hatte.
Lodewyck und Robert hatten fünftausend Dukaten und den Ruhm eingestrichen, hatten aber Vidal so lobend erwähnt, daß ihn daraufhin der Herzog von Burgund unter seinen persönlichen Schutz gestellt hatte.
Jetzt saß er allein und ohne jegliche Hilfe vor diesem gelben Diamanten und studierte ihn, wie er damals den dreieckigen Stein zusammen mit seinem Onkel und seinem Vetter studiert hatte.
Dann schliff er, so wie es ihm sein Onkel beigebracht hatte, ein paar glatte Stellen in die rauhe Oberfläche, durch die er ins Innere des Steines blicken konnte. Die tief herabreichenden, spanischen Fenster spendeten gutes Licht, trotzdem aber mußte Julius den Diamanten vor das gebündelte Licht eines Dutzends Kerzen halten, um drinnen etwas zu sehen. Bald zitterten seine Hände.
In den Stein hineinzusehen, kam ihm vor wie ein Traum, eine brillant funkelnde Welt aus Tausenden von explodierenden Kerzenflammen. Leider endete die goldene Schönheit des Steines abrupt in einer Trübung, die so ausgeprägt war, daß Julius aufstöhnte. Das klare, warme Gelb verschwand in einer weißen Wolke, die sich zur Unterseite des Diamanten hin häßlich verdunkelte. Es war ein schwerwiegender Makel, der Vidal große Sorgen bereitete. Dennoch war es lediglich seine Aufgabe, dem Stein in Form von Facetten eine elegante äußerliche Gestalt zu geben. Dazu mußten zuerst einmal die oberen Kanten entfernt werden. Julius untersuchte die Maserung

des Diamanten, als wäre dieser ein Stück Holz, und markierte die Stellen, an denen man ihn spalten konnte, mit Tuschestrichen.
Wie leicht konnte man so einen Stein ruinieren.
Als die Soldaten kamen, um den Diamanten für die Nacht wegzuschließen, war seine Oberfläche mit Tuschemarkierungen überzogen. Julius wandte sein Gesicht ab, so daß niemand sehen konnte, was für einen Ausdruck er in seinen Augen hatte.

»Es geht ihm schlecht«, sagte der Alcalde.
Als Vidal die Zelle betrat, sah er zu seinem Entsetzen, daß der Blick seines Vetters einen hohlen Ausdruck angenommen hatte und Mund und Nase von eiternden Geschwüren bedeckt waren. Vidal wusch ihm das Gesicht und bat den Alcalden, den Doktor zu rufen.
Nur mit Mühe konnte De Mariana sprechen. »Teil meines Manuskripts. Versteckt. Bringst du es mir?«
»Natürlich. Wo ist es?«
»Gartenhaus. Auf dem Gelände meines Hauses. Ich zeichne dir einen Plan.« Aber seine Finger waren zu schwach, um eine Feder zu halten.
»Bemühe dich nicht. Sag mir nur, wie ich hinkomme.« Vidal notierte sich den Weg, wobei er ab und zu innehielt und nachfragte.
»In einer grünen Kiste. Unter den Tontöpfen an der Nordwand.« Der Schleim blubberte in De Marianas Lungen.
»Mach dir keine Sorgen. Ich werde es finden.« Aber dann zögerte er. Er würde Stunden brauchen, bis er wieder zurück wäre. »Ich bin mir nicht sicher, ob ich dich allein lassen soll.«
»Geh. Bitte!« sagte De Mariana.

Julius verabscheute es, sein Pferd mittels Sporen oder

Peitsche anzutreiben, aber jetzt mußte er sich wirklich beherrschen, damit er es nicht tat. Fast den ganzen langen Ritt über hielt er den Wallach im Trab. Ein paarmal, wenn er durch ein Wäldchen ritt, lenkte er das Pferd von der Straße und wartete eine Zeitlang zwischen den Bäumen. Es folgte ihm niemand.
In De Marianas Heimatdorf stand die Tür der Kirche weit auf. Im Vorbeireiten sah Julius die Sanbenitos *über den Kirchenbänken. Wie an einer Wäscheleine waren die ärmellosen Büßerkleider, die die von der Inquisition Verurteilten tragen mußten, hintereinander aufgereiht. Julius fragte sich, welches von ihnen wohl De Mariana gehört haben mochte.*
Beim Anblick von De Marianas Haus wurde ihm zum ersten Mal wirklich klar, was für ein wohlhabender Mann sein Vetter war. Es war ein großes Anwesen, das allerdings den Eindruck allgemeiner Verwahrlosung machte. Niemand arbeitete auf den Feldern ringsum, kein Vieh graste auf den Weiden. Das stattliche Haus im maurischen Stil war ein Stück von der Straße zurückgesetzt. Die Vorhänge vor den Fenstern waren zugezogen, so daß Vidal nicht erkennen konnte, ob es bewohnt war.
Das Gartenhaus befand sich dort, wo sein Verwandter gesagt hatte. Es war ein langer Schuppen mit einem tief heruntergezogenen Dach. Drinnen stand inmitten eines kunterbunten Durcheinanders ein Tisch, auf dem die vertrockneten Überreste von Pflanzen standen. Vor einem Fenster, durch das man auf kleine Wäldchen und Wiesen im Westen blicken konnte, stand ein bequemer Stuhl. Von draußen drang das Gezwitscher von Vögeln herein. Es mußte schön sein, hier zu sitzen und zuzusehen, wie die Sonne über dem eigenen Besitz unterging.
Nach kurzer Suche fand Vidal das Manuskript in einer nicht abgeschlossenen Kiste. Die obersten Seiten, die Ju-

lius nicht besonders interessant fand, widmeten sich den verschiedenen Distelarten. Er ritt zurück zum Haus und betätigte den Klopfer an der Haupttür, die kurz darauf von einem Diener geöffnet wurde.
»Ist die Señora De Mariana da?«
»Wollt Ihr Doña Maria sprechen?«
»Ja«, sagte Julius und war froh, daß sie noch am Leben war. »Mein Name ist Julius Vidal.«
Die alte Frau konnte nur langsam und mit Schwierigkeiten gehen. Sie hatte ein feingeschnittenes Gesicht mit einer schmalen Nase.
»Señora, ich bin ein Verwandter Eures Gatten.«
»Mein Mann hat keine Verwandten.«
»Señora, ihr Mann und ich haben gemeinsame Vorfahren, die Vitallos von Genua.«
Die Tür wurde ihm vor der Nase zugeschlagen, und im Haus war es still.
Vidal stieg wieder auf sein Pferd und ritt fort.
Eine fürchterliche Wut braute sich in ihm zusammen, aber als er wieder beim Gefängnis von León ankam, mußte er sich um andere Probleme kümmern. Zum erstenmal ließ man ihn nach Vorzeigen seines Passes nicht ein. Er mußte draußen warten, bis die Wache den alcalde *geholt hatte.*
»De Mariana ist nicht länger mit uns«, sagte der Mönch. »Er ist tot.«
»Tot?« Vidal starrte ihn ungläubig an.
»Ja. Er starb, noch während der Arzt ihn zur Ader ließ.« Der Mönch wollte gehen.
»Wartet, alcalde. *Wo sind De Marianas Sachen? Er hatte Papiere in seiner Zelle. Aufzeichnungen.«*
»Davon ist nichts mehr übrig, wir haben alles verbrannt«, sagte der Aufseher.

Vor dem Gefängnis wartete bereits ein Trupp von De Costas Soldaten auf Julius und geleitete ihn zurück zum Haus. Jetzt, wo sein Verwandter tot war und nicht mehr als Geisel verwendet werden konnte, war er auf einmal mehr ein Gefangener als ein Gast.
Als sie ihn mit dem Stein allein ließen, holte Julius seine Werkzeuge, Päckchen und Violen aus den Satteltaschen, aber während er seine Berechnungen noch einmal durchlas, seufzte er mehrmals auf und wünschte, sein Onkel hätte aus ihm einen Rabbi und aus Manasseh einen Diamantenschleifer gemacht.
Er hatte noch nie eine so große Fläche wie bei diesem Diamanten mit Facetten versehen müssen. In seiner Verzweiflung teilte Julius den Diamanten durch imaginäre Linien in verschiedene Teile, von denen er ein jedes so behandelte, als wäre es ein einzelner, kleinerer Stein für sich. Auch die Facetten teilte er in Gruppen auf, die er dann wiederum untereinander so anordnete, als wäre jede von ihnen eine einzelne Facette des großen Steins.
Was aber, wenn dem fertig geschliffenen Diamanten das Feuer fehlte?
Lodewyck, du Bastard. Sag mir, was ich tun soll!
Aber Lodewyck konnte ihm auch nicht helfen. Schließlich machte Julius Harz weich und kittete damit den Stein fest ans Ende eines hölzernen Halters, den man in den Niederlanden Dopp *nannte.*
Der Dopp wurde in einen Schraubstock gespannt, und Julius schliff flache Kerben in den Diamanten, an denen er später den Meißel anzusetzen gedachte. Doch als er den Hammer heben wollte, gehorchten ihm seine Hände nicht mehr.
Auf einmal hörte Julius von draußen Geräusche, und als er aus dem Fenster blickte, sah er, daß sich auf der Straße eine Menschenmenge vorbeischob.

»Was ist denn da draußen los?« fragte er den Wachsoldaten vor seiner Tür.

»Sie wollen zum Spektakel, zum Glaubensakt. Da gibt es was zu sehen.« Der junge Soldat sah Vidal hoffnungsvoll an. »Sie haben wohl kein Interesse daran, Señor?«

»Nein«, antwortete Julius.

Er ging zurück ins Zimmer und arbeitete weiter an dem Diamanten. Später wußte er nicht mehr genau, weshalb er sich dann doch anders entschieden hatte. Wollte er nur Zeuge des schlimmen Treibens werden, oder war etwas Giftiges in ihm aufgebrochen, das ihm das Böse auf einmal ebenso faszinierend erscheinen hatte lassen wie den Leuten, die er verachtete. Was es auch war, er öffnete die Tür.

»Laß uns hingehen und es uns ansehen«, sagte er.

Als Vidal und der Soldat den Platz vor der Kathedrale erreichten, kam dort gerade die Spitze der Prozession an. Zivilisten mit Piken und Musketen gingen voran.

»Das sind die Kohlenhändler«, sagte der Soldat. »Sie werden geehrt, weil sie das Holz liefern, auf dem die Kriminellen verbrannt werden.« Der Soldat war guter Stimmung, weil er nun doch noch dem Auto da Fé beiwohnen konnte.

Estebán de Costa, der Graf von León, der das Banner der Inquisition trug, führte eine Abordnung von Adligen an. Hinter ihnen schritten ein paar Mönche, die ein großes, weißes Kreuz trugen. Danach kamen an die zwanzig barfüßige Gefangene, nach Männern und Frauen getrennt, alle in gelbe Sanbenitos gekleidet, auf welche man vorn und hinten rote Kreuze gemalt hatte. Hinter ihnen schlurften in weißen Sanbenitos, auf denen Teufel und Flammen abgebildet waren, zwei Männer und eine Frau, die drei zum Tode Verurteilten. Die Frau in mittleren Jah-

ren hatte wirres Haar und starrte mit glasigen Augen vor sich hin. Sie konnte kaum mehr gehen. Einer der Männer, der fast noch ein Junge war, hatte einen Knebel im Mund, der aussah wie eine Kandare im Maul eines Pferds. Der dritte Verurteilte hielt beim Gehen die Augen fest geschlossen.

»Warum ist der Junge geknebelt?«

»Er ist ein Sünder, der keine Reue zeigt, Señor. Man hat Angst, daß er den Glaubensakt durch seine Blasphemien entweihen könnte.«

Die schwarz-weiß uniformierten Wachen der Inquisition, die ein mit schwarzem Krepp bezogenes, grünes Kreuz trugen, bildeten den Schluß der offiziellen Prozession. Dahinter drängte die Menge auf den Platz.

Direkt vor der Kathedrale waren ein hölzernes Podest und ein Gerüst mit drei Pfählen errichtet worden. Die Dominikaner kletterten auf das Podest und begannen, noch während sich der Platz mit Menschen füllte, eine Messe zu lesen. Manche Leute murmelten die Gebete mit, während andere sich auf dem Markt Essen und Getränke kauften.

Nach der Messe wurden die Namen der nicht zum Tode verurteilten Verbrecher verlesen. Wenn sein Name genannt wurde, mußte ein jeder von ihnen zum Zeichen seiner Schande eine nicht brennende Kerze in die Höhe halten.

Die drei Verurteilten wurden zu den Pfählen geführt und festgebunden, woraufhin einer der Inquisitoren ihre Verbrechen verlas. Teresa und Gil de Lazuna waren Mutter und Sohn, erneut sündig gewordene Ketzer, die der Vorbereitung einer Kindsbeschneidung für schuldig befunden worden waren. Die Frau hatte ein Geständnis abgelegt, aber ihr Sohn hatte das nicht getan. Der zweite Mann hieß Bernardo Ferrer und hatte sich der Sodomie schuldig gemacht.

Ein Raunen lief durch die Menge, als einer der Henker hinter Teresa de Lazuna trat, ihr eine Garrotta *um den Hals legte und sie erdrosselte. Ein paar Augenblicke lang verzerrte sich das Gesicht der Frau vor Schmerz, dann war sie tot. Dann stiegen drei Dominikaner mit brennenden Fackeln von ihrem Podest. Einer nach dem anderen blieben sie vor Gil de Lazuna stehen und redeten auf ihn ein, bevor sie ihm die Flamme ihrer Fackel dicht vors Gesicht hielten.*
»Sie versuchen, ihn zu bekehren«, murmelte der Soldat. »Sie zeigen ihm die Flammen.«
Sogar von seinem weit entfernten Platz aus konnte Vidal erkennen, wie ein Zittern den Körper des Ketzers durchlief. Einer der Mönche nahm ihm den Knebel aus dem Mund, und der Junge keuchte. Der Mönch drehte sich zur Menge und brachte sie mit erhobener Hand zum Schweigen.
»Was hast du gesagt, mein Sohn?«
»Ich trete zum wahren Glauben über.«
Ein Freudenschauer ging durch die Gaffer. Eine Frau neben Vidal schrie so laut auf, daß das Kind auf ihrem Arm erschrak und ebenfalls losheulte.
»Ehre sei Gott in der Höhe«, sagte der Soldat mit heiserer Stimme.
Die Dominikaner hatten sich hingekniet. »Mein Sohn«, sagte der Mönch, »zu welchem wahren Glauben bist du übergetreten? Nach welchem Gesetz wirst du sterben?«
»Ich sterbe im Glauben an Jesus Christus, Vater.«
Der Dominikaner erhob sich und umarmte den Jungen. »Du bist unser Bruder«, rief er aus. »Unser geliebter Bruder.«
Die Augen des Jungen weiteten sich vor Erregung. Sein Mund zitterte unkontrolliert. Der Henker trat hinter seinen Pfahl und erdrosselte auch ihn.
Nun begannen die Kohlenhändler damit, Reisigbündel,

Holzscheite und Holzkohle herbeizutragen und unter dem Gerüst und um die an die Pfähle gebundenen Verurteilten herum aufzuschichten.
Schließlich waren sie damit fertig.
Alle Augen wandten sich jetzt dem letzten noch lebenden Verurteilten zu. Bernardo Ferrer hielt noch immer seine Augen fest vor der Realität verschlossen.
»Gibt man ihm keine Chance zu bereuen?« fragte Vidal.
»Für sein Verbrechen gibt es keine Vergebung, Señor«, antwortete der Soldat mit einem vorsichtigen Seitenblick auf die Frau mit dem Kind, die neben ihm stand.
Ein Inquisitor nickte, und ein Henker trat mit einer brennenden Fackel in der Hand vor. Als er damit den Holzstoß unter dem Gerüst berührte, ging dieser sofort in helle Flammen auf. Das trockene Reisig knackte.
Vidal wollte wegrennen, konnte das aber wegen der eng beieinander stehenden Menschen hinter ihm nicht tun. So blickte er auf das Opfer, das noch lebte.
Ferrer ließ sich in seinen Fesseln nach unten hängen, als wolle er dem Feuer entgegenkommen.
Rauch stieg auf. Durch die Hitzeschlieren in der Luft schienen die drei Gestalten an den Pfählen auf den Scheiterhaufen zu glitzern und zu tanzen.
Jetzt züngelten die Flammen durch die Spalten zwischen den Bodenbrettern und sprangen auf die Scheiterhaufen über. Wie eine Schlange wand sich das Feuer die Reisigbüschel entlang und fuhr unter den Saum der Büßergewänder. Ferrer brüllte etwas, aber seine Worte gingen im Toben des Feuers unter.
Als seine Haare Feuer fingen, sah es aus, als habe er einen Heiligenschein.
Seine Fesseln verbrannten, und er fiel um. Ein paar Augenblicke später brach der Boden des Gerüsts unter ihm mit hochaufstiebenden Funken in sich zusammen.

So schnell verbrennt ein Mensch?
Vidal sprach ein Gebet für die Toten. Die Frau neben ihm preßte ihr Kind fest an sich. Der Soldat bekreuzigte sich, und die Menge begann nach Hause zu gehen.

Es war seltsam. Als Julius wieder vor dem Diamanten saß, hatte er keine Angst mehr vor dem Stein. Vielleicht kam das daher, daß er gesehen hatte, zu was für schrecklichen Dingen die Menschen fähig waren. Jetzt nahm er Hammer und den Meißel und führt damit zwei kräftige Schläge aus. Die häßlichen Seitenteile des Steines waren zu dünn, um in einem Stück abzuspringen. Aber es machte nichts, daß sie splitterten, denn den Rest konnte Julius später mit der Schleifscheibe entfernen. Jetzt sah der Diamant wenigstens in groben Zügen so aus, wie er ihn sich vorstellte, runder und eleganter, eine Form, die ihm eine Fülle von Schliffmöglichkeiten offenhielt.
Als nächstes holte Julius die Einzelteile einer kleinen, fußbetriebenen Schleifscheibe aus seinen Satteltaschen und baute sie zusammen. In einer seiner Violen hatte er Diamantenstaub, den er nach jedem Schleif- oder Poliervorgang sorgfältig zusammengekehrt und aufbewahrt hatte. Jetzt tat er ein wenig davon in eine kleine Schüssel und mischte mit ein paar Tropfen Olivenöl daraus eine dicke Paste an, mit der er die kupferne Schleifscheibe bestrich. Nun konnte der Diamant geschliffen werden.
Dann ging er zur Tür. »Ich brauche Kerzen. Bring so viele, wie du finden kannst«, wies er den Soldaten an.
Die Kerzen stellte Vidal überall im Zimmer auf. All ihre Flammen konnten zwar nicht das Licht erzeugen, das er für den letzten Schliff brauchen würde, aber für das erste, gröbere Anlegen der Facetten würde es genügen.
Julius brachte die Scheibe zum Rotieren, dann hielt er

zum erstenmal den Diamanten an ihre kreisende Oberfläche.
Nach ein paar Minuten hatte der Druck, mit dem er den Stein dagegenpreßte, den Diamantenstaub aus der Ölpaste ins weiche Kupfer der Scheibe eingebettet und sie damit zu einem hervorragenden Schleifwerkzeug gemacht.
Das war das ganze Geheimnis, das Lodewyck dereinst entdeckt hatte und das seine Familie sorgfältig hütete: Nichts schleift Diamanten besser als Diamanten selbst.
Die ganze Nacht hindurch saß Julius über die Scheibe gebeugt und bearbeitete den großen Stein.

Als der Morgen graute, hatte Vidal die größeren Facetten angelegt und wartete ungeduldig darauf, daß die Sonne endlich aufging, so daß er Licht genug für die Feinheiten bekam. Nachdem er im ersten Tageslicht den großen Facetten den letzten Schliff verpaßt hatte, begann er damit, an den äußeren Rundungen des Diamanten kleinere Flächen einzuschleifen, womit er ihm eine Form gab, die Lodewyck eine Briolette genannt hätte.
Vom Schleifen sah der Stein jetzt wie ein stumpfgrauer Metallklumpen aus.
Um zwölf Uhr mittag klopfte ein Diener und wollte Essen bringen, aber Vidal schickte ihn fort. Er wußte jetzt, was er tun mußte und arbeitete kontinuierlich weiter.
Als das Licht am Abend wieder schlechter wurde, machte Julius eine Pause, denn seine Arbeit war mittlerweile so weit fortgeschritten, daß gutes Licht zu ihrer Vollendung unbedingt nötig war. Nun ließ er sich etwas zu essen und Wasser kommen, um zu baden, aber dann fiel er, immer noch hungrig und ungewaschen, erschöpft aufs Bett und schlief, vollständig angezogen, bis das erste Tageslicht ihn am Morgen die Augen öffnen ließ.

Etwas später wollte jemand ins Zimmer und schlug, als er es verschlossen fand, gegen die Tür.

»Geht fort!«

»Ich bin es, De Costa. Ich möchte meinen Diamanten sehen. Öffne sofort die Tür!«

»Es tut mir leid, Herr, aber dafür ist es noch zu früh.«

»Du dreckiger Jude. Ich werde die Tür einschlagen lassen. Du wirst ...«

»Herr, das wird dem Diamanten für den Papst nicht gut bekommen. Ich brauche strikte Ruhe, wenn ich ihn vollenden soll«, sagte Julius, der sich völlig bewußt war, daß nur ein erfolgreicher Abschluß seiner Arbeit es ihm ermöglichen würde, diesen Ort lebendig zu verlassen.

De Costa entfernte sich wutentbrannt.

Die Arbeit barg große Risiken. Der Diamant mußte, ähnlich wie ein Stück Holz, in Richtung seiner Maserung geschliffen werden, um Beschädigungen von Stein oder Schleifscheibe zu vermeiden. Weil er von der Oberfläche des Diamanten nur etwas abnehmen, aber nichts wieder auftragen konnte, mußte Julius verdammt aufpassen, daß er nicht zuviel Material abschliff. Außerdem mußte er die Scheibe immer wieder anhalten, damit sie und der Stein abkühlen konnten. Man konnte den Diamanten durch die Reibungswärme überhitzen, und dann würden sich an seiner Oberfläche unregelmäßige Risse bilden, die Lodewyck »Rattermarken« nannte.

Trotz der Gefahren näherte sich Vidals Arbeit ihrer Vollendung.

Ganz allmählich verwandelte sich der metallgraue Klumpen in einen gelben Stein.

Und dieser gelbe Stein wurde immer klarer.

Am Morgen des vierten Arbeitstages vollendete Julius die letzte Facette.

Er öffnete eine Phiole mit feinster Knochenasche und ver-

brachte den Rest des Tages damit, den Diamanten in mühseliger Handarbeit zu polieren.
Am Abend stand er lange da und betrachtete den fertigen Stein. Dann sprach er das Hagomel, *das jüdische Dankgebet. Zum ersten Mal in seinem Leben war ihm klar, daß Lodewyck doch die richtige Wahl getroffen hatte. Manasseh hätte dieses Werk nicht vollbringen können.*

Mit einer Feder kehrte Julius den beim Schleifen entstandenen Diamantenstaub bis zum letzten Körnchen zusammen, dann nahm er die Schleifscheibe wieder auseinander und verstaute sie mit seinen restlichen Utensilien in den Satteltaschen. Nachdem er ein Bad genommen und sich reisefertig angezogen hatte, öffnete er die Tür.
De Costa hatte die vergangenen zwei Tage über seine verdrießliche Stimmung im Alkohol ertränkt. Nun stand auf einmal der Jude vor ihm und hielt ihm den fertig geschliffenen Diamanten hin.
Der Graf nahm den Stein. Er hatte Mühe, ihn klar zu erkennen, aber als es ihm endlich gelang, brach er in entzücktes Gelächter aus. »Was willst du dafür?« fragte er Vidal. »Eine Jungfrau? Oder die beste Hure in ganz Spanien?«
Sogar in seiner betrunkenen Aufregung vermied es der Graf peinlich, eine finanzielle Entlohnung in irgendeiner Form zu erwähnen.
»Ich bin glücklich, daß ich Euch einen Dienst erweisen durfte. Jetzt möchte ich nach Hause, Herr.«
»Aber zuerst müssen wir feiern!«
Diener brachten noch ein paar Flaschen herbei. De Costa hielt den Diamanten vor die Kerzenflammen und drehte ihn in alle Richtungen.
»Durch dich werde ich ein gemachter Mann, Jude.«
Dann begann er fieberhaft zu plappern. »Ich war nicht

immer von Adel, mußt du wissen. Sogar jetzt gibt es noch einige, die verächtlich auf meine Herkunft herabblicken, aber ich werde noch doppelt so adlig werden, wie ich es jetzt schon bin. Zumindest König von Malta müßte ich werden. Der spanische Papst hat schon ganz andere für viel weniger zu Kardinälen ernannt.«
Vidal setzte sich und hörte, zuerst mürrisch, dann mit ständig wachsender Furcht zu. De Costa war imstande, jemanden, zu dem er so freimütig gesprochen hatte, ohne mit der Wimper zu zucken, umbringen zu lassen.
Der Mann war ohnehin schon kaum mehr bei Besinnung. Julius goß ihm Wein nach.
»Mit Eurer gütigen Erlaubnis, Herr. Auf Eure Gesundheit und Euer Glück.«
Julius mußte De Costas Becher noch oft füllen. Der Graf blieb eine erstaunlich lange Zeit in diesem Stadium der Trunkenheit, und erst als er eine weitere Flasche fast allein ausgetrunken hatte, sank er endlich von seinem Stuhl zu Boden.
Vidal stand auf und blickte angeekelt auf ihn herab. »Du Schwein«, murmelte er.
Nirgends waren Wachen zu sehen. Vidals Hand griff nach seinem Dolch.
Er sagte sich, daß er ein Narr sei. Noch war er frei und konnte fliehen. Sollte er wirklich sein Leben riskieren? War es das wert?
Er betrachtete den Diamanten im Kerzenlicht. In jeder seiner Facetten, die Julius selbst hineingeschliffen hatte, loderte eine Flamme, in der ein Mensch zu verbrennen schien.
Vidal nahm den Dolch und beugte sich über den bewußtlos daliegenden Mann. Der Graf zuckte einmal auf, dann stöhnte er leise und blieb still liegen. Sein Blut, ob von Adel oder nicht, klebte an Vidals Händen.

Erst am Morgen fand ihn einer seiner Soldaten. Der Mann stand wie angewurzelt da und dachte zuerst, ein Tier habe seinen Herrn angefallen. Er schrie.
Estebán de Costa zuckte und leckte sich mit einer trockenen Zunge über die Lippen.
Er dachte an den Diamanten und blickte erschrocken auf, aber der Stein lag immer noch vor den heruntergebrannten Kerzenstümpfen. Als De Costa nach ihm greifen wollte, fuhr ihm ein scharfer Schmerz durch den ganzen Körper.
Als er an sich hinabblickte, schrie er ebenso heftig auf wie zuvor der Wachsoldat. Aber sein Glied sah schlimmer aus, als es war; er war nicht kastriert, sondern lediglich beschnitten worden.
Erst später, als der Schock, anders als die Schmerzen, etwas nachgelassen hatte, fand er den Zettel.

Das könnt Ihr jetzt auch an Euren Sattel hängen.
Julio Vidal

Vidal war die ganze Nacht und den folgenden Vormittag scharf geritten. Er hatte die Straße nach Ferrol genommen, weil er dachte, daß seine Verfolger ihn wohl eher in Bilbao und Gijon, den Häfen, die León am nächsten lagen, suchen würden.
Wenn er in Ferrol kein Schiff finden sollte, wollte Julius umkehren und sich in den Bergen verstecken.
Glücklicherweise aber lag gerade eine Zweimastbark der Weberzunft am Kai, die spanische Wolle für die Niederlande geladen hatte, wo sie zu flämischem Tuch gewebt werden sollte. Julius kaufte sich eine Passage, ging an Bord des Schiffes und beobachtete, bis der Anker gelichtet und die Segel gesetzt waren, unablässig die Straße, die aus dem Osten kam.

Als das Land außer Sicht war, ließ er sich, von einer plötzlichen Schwäche übermannt, auf die Deckplanken sinken.
Julius starrte nach oben und auf die Segel, die so prall gefüllt waren wie Annas Bauch.
Der jetzt schon wieder flach sein müßte.
Er legte sich auf einen stinkenden Ballen fettiger Wolle und schaute erneut hinauf zu den schwangeren Segeln, die ihn zu seinem neuen Kind bringen würden.

Dritter Teil

Suche

15

Mea She'arim

Die Frau am Telefon in Leslaus Büro sagte Harry, daß der Professor nicht da sei.

»Ich muß mit ihm reden. Ich bin Harry Hopeman.«

»Harry wer?«

»Hopeman.«

»Ah.« Offensichtlich war ihr der Name unbekannt.

»Kann ich Professor Leslau vielleicht unter einer anderen Nummer erreichen?«

»Er hat zu Hause kein Telefon.«

»Arbeitet er zu Hause? Bitte geben Sie mir die Adresse.«

Sie antwortete nicht.

»Ich versichere Ihnen, daß er es für wichtig halten wird.«

»Rohov Chevrat Tehillim«, sagte sie zögernd. »Nummer achtundzwanzig.«

»Vielen Dank. In welchem Stadtteil liegt die Straße?«

»In Mea She'arim«, antwortete sie.

Vor mehr als einem Jahrhundert war eine Gruppe litauischer und polnischer *Chassidim* aus dem jüdischen Viertel in Jerusalem ausgezogen und hatte sich außerhalb der alten Stadt ihr eigenes, mit Mauern umgebenes Viertel gebaut, in dem es angeblich genau hundert Wohneinheiten gegeben hatte, weshalb das Viertel auch »Die hundert Türen« oder Mea She'arim genannt wurde. Heute ist die ursprüngliche Mauer fast vollständig ver-

schwunden. Überbevölkert von Menschen, für die seit Generationen die Geburtenkontrolle als Sünde gegolten hatte, war Mea She'arim ein brodelnder Slum geworden, der seine Grenzen längst gesprengt und um sich herum viele andere Viertel mit religiösen Eiferern hatte sprießen lassen.
Während Harry die Chevrat Tehillim, die Straße der Psalmengesellschaft, suchte, bemerkte er überall die offen zur Schau gestellten Zeichen religiöser Bevormundung. An einer Wand verkündete ein großes Schild in Englisch, Hebräisch und Jiddisch:

Jüdisches Mädchen!

Die Tora gebietet Dir, Dich sittsam zu kleiden.
Unzüchtig gekleideten Personen
ist es nicht gestattet,
unsere Straßen zu betreten.
Das Komitee für öffentliche Sittsamkeit

Am nächsten Häuserblock griff ein weiteres mehrsprachiges Schild die israelische Regierung an, weil sie es erlaubte, daß die Körper von Menschen, die der Herr im Himmel erschaffen habe, durch Autopsien und Obduktionen entweiht würden.
Obwohl eine Straße aussah wie die andere, gab es keine Straßenschilder. Überall standen dieselben schiefen Häuser mit Läden im Erdgeschoß, über denen sich mehrere Stockwerke mit Wohnungen befanden. Harry blickte sich hilflos um. Zwei Buben spielten Fangen, ihre langen Stirnlocken tanzten ihnen beim Rennen wie wild vor dem Gesicht herum. Eine junge Frau ging, schwer beladen mit einem Bündel Wäsche, an ihm vorbei, vermied es aber, Harry anzublicken. Im Schatten eines Gebäudes

daneben saß ein alter Mann in schwarzem Kaftan und *Streimel.* Er konnte Harry den Weg erklären, aber als dieser schließlich die Chevrat Tehillim fand, sah er, daß es nicht einmal Hausnummern gab.
Harry ging in einen Laden, der religiöse Gegenstände verkaufte, und wollte dort eigentlich nur nach dem Haus Nummer achtundzwanzig fragen, aber dann fiel sein Blick auf eine Reihe von wundervoll bestickten Käppchen, und er verbrachte ein paar Minuten damit, ein paar davon für Jeffs *Bar-Mizwa* auszusuchen. Der Ladenbesitzer sagte ihm, daß Nummer achtundzwanzig das Haus direkt neben dem Laden sei und fragte: »Zu wem wollen Sie denn dort?«
»Zu Professor Leslau.«
Der Mann sah Harry neugierig an. »Den finden Sie in der linken Wohnung auf dem dritten Stockwerk.«
Das Treppenhaus in Nummer achtundzwanzig war eng und düster. Irgend jemand im Haus kochte gerade Fisch. Als Harry die Tür der linken Wohnung im dritten Stock erreicht hatte, klopfte er an, da er keinen Klingelknopf fand. Erst blieb es lange still, dann, gerade als Harry ein zweites Mal klopfte, fragte von drinnen die Stimme einer Frau, wer denn draußen sei.
»Ich muß mit Professor Leslau sprechen.«
Einen Augenblick später öffnete Leslau selbst die Tür. »Hopeman. Wie haben Sie mich bloß gefunden?«
Harry erzählte ihm von dem Mann im Geschäft.
»Und der hat Ihnen gesagt, daß ich hier, in dieser Wohnung, bin?« Leslau preßte die Lippen aufeinander. »Der dreckige Bastard.«
Hinter Leslau erblickte Harry eine Frau, die wohl so an die Vierzig sein mußte. Sie trug ein Kopftuch, und ihr schlanker Körper steckte in einem weiten, braunen Hauskleid mit langen Ärmeln.

»Das ist Mrs. Silitsky, Mr. Hopeman.«
Die Frau nickte ernst zur Begrüßung. Sie trug kein Make-up und hatte ein vogelartiges, spitzes Gesicht mit einer scharfen Nase. »Laß doch den Herrn herein, David«, sagte sie.
»Ich werde mit ihm in meine eigene Wohnung gehen«, entgegnete Leslau.
»Wie du willst.«
»Aber ich sehe dich später, Rachel, oder?«
Sie nickte. »Guten Tag, Mr. Hopeman.«
»Guten Tag, Mrs. Silitsky.«
Harry folgte Leslau ein Stockwerk tiefer, wo dieser eine Tür auf der rechten Seite des Treppenhauses aufsperrte. »Das verstehe ich nicht«, sagte Harry. »Warum sollte der Mann mich absichtlich in die falsche Wohnung schicken.«
»Das ist eine komplizierte Angelegenheit.« Leslau wedelte mit der Hand, als wolle er damit den Ärger fortwischen. »Was kann ich für Sie tun?«
Während Leslau Harrys Ausführungen zuhörte, verschwand langsam der Zynismus aus seinen verschleierten braunen Augen. Statt dessen keimte zögerndes Interesse in ihm auf, das schließlich einer ungewollten Erregung Platz machte.
»›Ein Wächter aus Gold‹. Was ist das erste, an das Sie denken, wenn Sie das Wort ›Wächter‹ hören?« fragte er.
»An die Goldenen Cherubim, die die Bundeslade bewachten.«
»Da haben Sie verdammt recht«, sagte Leslau leise. »Dann lassen Sie uns mal einen Ausflug nach Ein Gedi machen.«
Leslaus Volkswagen stand fünf Blocks von seiner Wohnung entfernt.
»Warum parken Sie denn so weit weg?« fragte Harry.

»Früher habe ich den Wagen direkt vors Haus gestellt, aber dann hat mir jemand die Reifen aufgeschlitzt.«
Auf dem Weg zu dem Auto begegnete ihnen der Besitzer des Ladens, wo Harry die *Yarmulkas* gekauft hatte. Leslau sagte nichts, aber der Mann spuckte aus und rief ihm ein Schimpfwort nach. Harry konnte das Wort genau verstehen. Der Mann hatte Leslau einen *Noef*, einen Ehebrecher, genannt.

Als sie in Ein Gedi waren, suchten sie zuerst von der Hauptstraße aus nach zwei Hügeln, die der Beschreibung in der Schriftrolle entsprachen. Dann fuhren sie langsam die Nebenstraßen in der Nähe des Kibbuz ab.
»Die alte Stadt muß in der Nähe eines fließenden Gewässers gewesen sein«, sagte Leslau. »Also sollten wir unsere Hügel östlich von den Quellen suchen.«
Es gab zwei Hügel im Nordwesten, und im Nordosten lief eine so große Anzahl von unregelmäßig angeordneten Erhebungen auf die Berge zu, daß es Harry Kopfschmerzen bereitete; hier würde man unmöglich zwei bestimmte Hügel von den vielen anderen unterscheiden können. Als Leslau seine Miene bemerkte, schüttelte er den Kopf und deutete mit ausgestrecktem Zeigefinger.
»Da sind sie!«
Sie mußten aus dem Auto steigen und etwa sechshundert Meter zu Fuß gehen, bis sie am Fuß des kleineren Hügels standen. Der größere daneben war höchstens fünfhundert Meter hoch, wenn überhaupt. Der Boden drum herum sah unberührt und normal aus.
»Hier könnte es sein«, sagte Leslau. »Wenn wir doch bloß einen der Cherubim finden könnten! Dann würde ich sofort nach dem anderen suchen. Und irgendwo zwischen ihnen müßte auch die *Aron ha-Berit*, die Bundeslade, vergraben sein.«

Trunken von den Möglichkeiten, die ihnen dieses Stück Erde eröffnen konnte, vergaßen sie fast das Mittagessen; erst als sie wieder auf dem Rückweg nach Jerusalem waren, bemerkte Harry, wie hungrig er war. Sie aßen schließlich in einem kleinen arabischen Café an der Straße und sprachen dabei nur wenig, weil sie beide zu sehr mit ihren eigenen Gedanken und Träumen beschäftigt waren

Als sie den Kaffee tranken, blickte Harry Leslau fragend an.

»Warum wohnt ein Professor der *Hebrew Union University*, die ja wohl eher das Reformjudentum repräsentiert, denn in Mea She'arim?«

Leslau verzog das Gesicht. »Als ich nach Israel kam, erschien mir das eine tolle Idee. Ich wollte die typische Stimmung dort hautnah miterleben und später meinen Studenten davon berichten.«

»Ich glaube nicht, daß amerikanische Studenten so etwas verstehen können.«

Leslau nickte. »Die Religion wird in Mea She'arim wie ein Familienerbstück weitergegeben, und zwar genau so, wie man sie dereinst selbst empfangen hat. Die Leute dort tragen auch heute noch genau die gleiche Kleidung, die ihre Vorfahren in Europa getragen haben. Auch ihre Gebete verändern sich nicht, nicht einmal die Betonung der einzelnen Worte. Ebensowenig wie ihr schrecklicher Sittenkodex.«

»Aber das ist es ja gerade, was das Viertel so speziell und liebenswert macht«, sagte Harry mild. »Lassen Sie doch die Leute dort leben wie sie wollen.«

»Aber in Mea She'arim muß auch jeder andere so leben, wie sie wollen.«

»Es gibt weder ein menschliches noch ein göttliches Gesetz, das es Ihnen verbietet, einem dieser Frömmler zu sagen, er solle sich zum Teufel scheren. Es ist doch genau das bunte Gemisch aus Orthodoxen und Freidenkern, das das Judentum so lebendig macht.«

»Mrs. Silitsky und ich haben ein Verhältnis miteinander.«

»Na und? Das ist doch Ihre Sache, David«, sagte Harry sanft.

»Nein, es ist die Sache von Mea She'arim.« Der Archäologe war blaß geworden. »Rachel ist eine *Aguna*, eine verlassene Frau.«

»Eine *Aguna*?« Das war eine verheiratete Frau, deren Mann verschwunden war, bisher aber nicht für tot erklärt werden konnte. Harry bekam langsam das Gefühl, als befände er sich in einer jüdischen Liebesschnulze auf der Romanseite des *Jewish Daily Forward*.

»Pessah, ihr Mann, hat sie vor zwei Jahren verlassen. Sie weiß nicht, wo er ist. Nach talmudischem Gesetz darf sie sich ohne seine Einwilligung für die Dauer von sieben Jahren weder von ihm scheiden lassen noch jemand anderes heiraten.«

»Nehmen Sie sich doch einen Anwalt. Machen Sie den Behörden Feuer unter dem Hintern, so wie Sie es in Cleveland auch machen würden.«

»In Israel gibt es keine zivile Scheidung. Und Rachel ist bei den religiösen Führern *Persona non grata*. Aber die hatten sie bereits abgeschrieben, bevor sie mich kennengelernt hat.«

»Was hat sie denn getan?«

»Mea She'arim wird von religiösen Sekten wie den *Naturei Karta*, den Wächtern der Stadt, kontrolliert. Weil sie glauben, daß Gott den wahren Messias schicken und dann einen wirklichen Judenstaat gründen wird, verdammen sie das von Menschen geschaffene Israel als eine Fehlentwicklung. Deshalb weigern sie sich, Steuern zu zahlen oder ihre Kinder auf staatliche Schulen zu schicken. Und sie gehen nicht zur Wahl. Als 1973 die Regierung von Golda Meir in schrecklichen Schwierigkeiten steckte und die Ministerpräsidentin ein Vertrauensvotum für ihre Koalition brauchte, mißachtete Rachel dieses Gebot und betrat zum erstenmal in ihrem Leben ein Wahllokal.

Sie und Pessah Silitsky führten deshalb – ebenso wie über andere Glaubensfragen – einen erbitterten Streit. Rachel hatte es sogar gewagt, sich Zeitungen zu kaufen und sie in Abwesenheit ihres Gatten zu lesen. Und so hatte sie begonnen, eigentlich gegen ihren Willen, auf eine ganz neue und für sie schmerzhafte und erschreckende Art zu denken.«

Leslau erlaubte sich ein Lächeln. »Aber vielleicht hat ihr Mann sie auch bloß wegen des Sabbatessens verlassen. Rachel kocht für den Sabbat immer einen wundervollen Eintopf, weil es aber nun einmal verboten ist, an diesem Tag ein Feuer zu entzünden oder zu löschen, kocht sie Fleisch und Gemüse schon am Freitag nachmittag und stellt den Eintopf die Nacht und den ganzen Samstag über auf eine kleine Spiritusflamme, wo er leise vor sich hinköchelt und ein phantastisches Sabbatessen abgibt. Als Rachel einmal am Freitag abend zu Bett gehen wollte, brach der alte Küchentisch zusammen, und der Eintopf kippte um. Viel schlimmer aber war, daß der brennende Spiritus sich über den Teppich ergoß. Als Rachels Mann aus dem Schlafzimmer kam, fand er sie in der Küche, wo sie mit den Flammen kämpfte.«

»Und?«

»Es ist doch verboten, am Sabbat ein Feuer zu löschen.«

Leslau zuckte mit den Achseln. »Am nächsten Tag kam der Rabbi und fragte sie, ob sie denn in Lebensgefahr

gewesen sei. Sie entgegnete, daß sie das nicht genau sagen könne. In diesem Fall, sagte er, habe sie eine schwere Sünde begangen. Des weiteren, fuhr der Rabbi fort, sei ihm zu Ohren gekommen, daß sie in Läden außerhalb des Viertels eingekauft habe. Er selbst habe dafür gesorgt, daß die Läden in Mea She'arim *Glat koscher*, absolut sauber, seien. Da sie aber ihre Lebensmittel anderswo kaufe, in Läden, die der *Rabbi* nicht *persönlich* inspiziert habe, könne er, Pessah Silitsky, nicht mehr garantieren, daß seine Frau ihm in seinen eigenen vier Wänden nicht unkoscheres Essen vorsetze.
Am Nachmittag desselben Tags kam Pessah früh von der Arbeit nach Hause. Er packte ein paar Sachen zusammen und verließ ohne ein Wort die Wohnung. Sie hat ihn seitdem nie wieder gesehen.«
Leslau und Harry sahen sich an. »Ich wußte nicht, daß so etwas heute noch geschieht«, sagte Harry.
Leslau schob seinen Stuhl zurück. »Sehen Sie jetzt, wie eigen und liebenswert die Leute in Mea She'arim sind?«

»Sie sind natürlich herzlich eingeladen, an der Grabung teilzunehmen«, sagte Leslau verlegen, als er den Volkswagen vor Harrys Hotel anhielt. Harry schüttelte den Kopf und mußte sich zusammennehmen, daß er den Archäologen nicht wegen des erleichterten Ausdrucks in seinen Augen haßte. Leslau drückte ihm die Hand. Harry wußte, daß er damit seiner Dankbarkeit Ausdruck verleihen wollte, und war peinlich berührt. »*Shalom*, David. Wir bleiben in Verbindung.«
Hopeman aß im Speisesaal des Hotels allein zu Abend. Als er nach oben ging, schien ihm sein Zimmer keine so luxuriöse Zufluchtsstätte mehr wie nach der Rückkehr von Masada. Er legte sich aufs Bett und dachte an den

dicken, nicht mehr ganz jungen Leslau, seine orthodoxe Mrs. Silitsky und ihre seltsame Romeo-und-Julia-Romanze, die ihn merkwürdigerweise stark berührt hatte. Auf einmal war sich Harry seiner eigenen Einsamkeit so sehr bewußt wie noch nie in seinem Leben.
Aus einem Impuls heraus rief er seine Frau an.
Das Telefon klingelte, aber niemand ging ran. In New York war es jetzt mitten am Vormittag, vielleicht war Della beim Einkaufen. Vielleicht war sie aber auch bei einem anderen Mann, in einer Wohnung, die Harry noch nie gesehen hatte. Er untersuchte den Gedanken, ob er ihm weh tat, so, wie man mit der Zunge einen kranken Zahn berührt. Es wäre ihm lieber gewesen, wenn er dabei wirklich Schmerz verspürt hätte.
Eine Weile später suchte er im Telefonbuch von Jerusalem nach dem Eintrag »Strauss, Tamar«.
Sie schien erstaunt, als sie seine Stimme hörte.
»Kann ich zu dir kommen?« fragte er.
»Ich arbeite gerade. Morgen will ich wieder in die Arbeit gehen.«
»Aber dein Urlaub ist doch noch nicht vorbei.«
»Im Moment kann ich dir ja doch nichts helfen. Warum sollte ich dann meine Urlaubstage opfern?«
»Mach doch eine kleine Reise mit mir und zeig mir Israel.«
»Wie?« Sie zögerte. »Ich glaube nicht, daß ich das will.«
»Das bedeutet wohl, daß du dir nicht sicher bist, daß du es nicht willst. Laß mich doch kommen, dann können wir uns darüber unterhalten.«
Als sie einwilligte, klang es, als wäre es ihr gleichgültig.

Harry erwachte mitten in der Nacht und bemerkte, daß sich Tamars Körper an den seinen schmiegte wie ein Löffel, der genau in einen anderen paßt. Er schob eine

Hand unter eine ihrer schweren Brüste, als könne er damit den Kontakt mit der Erde wieder herstellen.
Tamar regte sich und fragte: »Was ist los?« Dann lag sie stumm da.
»Würdest du mir einen Gefallen tun?«
Sie stimmte verschlafen zu, und er lachte. »Nein, das nicht. Ich will, daß du deine Auftraggeber frägst, ob sie einen Mann namens Pessah Silitsky finden können.«
Tamar setzte sich auf und sah ihn an. »Und das hatte nicht bis morgen Zeit?«
»Es ist mir eben grade eingefallen.«
»Mein Gott!«
Harry stand auf und ging ins Badezimmer. Als er zurückkam, war sie von seiner Seite des Bettes fortgerückt und gab sanfte, leise Geräusche von sich, die fast ein Schnarchen hätten sein können.
Harry mochte Tamars Matratze, und es dauerte nur einen Augenblick, bis auch er wieder einschlief.

16

Eine Busfahrt

Harry hatte eigentlich eher an ein komfortables Ferienhotel mit einem guten Strand gedacht, aber Tamar stopfte ein paar Dinge in einen Seesack und ging mit ihm zu seinem Hotel, damit er dort dasselbe tun konnte. Sie sagte ihm, er solle die Kleider mitnehmen, die er auf Masada angehabt hatte.
»Wo fahren wir denn hin?« fragte er.
»Laß dich überraschen.«
»Aber kein Camping mehr.«
»Campen in dem Sinn werden wir nicht.«
In einem Obstgeschäft kauften sie einen riesigen Plastiksack voller Orangen von der Sorte, die die Amerikaner »Jaffas« und die Israelis »Washingtons« nennen. Dann nahmen sie ein *Sheroot* nach Tel Aviv, wo sie sich vor einem heruntergekommen aussehenden Hotel zu einer Gruppe von Leuten stellten, die auf dem Gehsteig warteten.
Harry wurde nervös. »Eine Rundfahrt mache ich nicht mit«, sagte er mit gedämpfter Stimme zu Tamar.
Sie lächelte.
Einige der Wartenden waren Leute in mittleren Jahren, aber es stand auch ein halbes Dutzend amerikanischer Studenten dabei. Harry sah, daß fast jeder eine Feldflasche bei sich trug.
»Fahren wir wenigstens in den Norden, wo es etwas kühler ist?«

Ein Mann, der neben ihm stand, hörte die Frage und sagte etwas auf hebräisch zu seinem Begleiter, der daraufhin grinsend herüber zu Harry blickte.
Dann kam ein alter Bus, der früher einmal blau gewesen sein mochte, um die Ecke und blieb schnaufend vor ihnen stehen. »Hören Sie bloß den Motor. Der klingt, als wäre er von einem bösen Dämon besessen«, murmelte der Mann neben Harry. Die Fenster des Vehikels waren so zerkratzt und dreckverschmiert, daß sie fast undurchsichtig wirkten, und vier der dicksten Ballonreifen, die Harry je gesehen hatte, verliehen dem seltsamen Gefährt ein lächerlich hochbeiniges Aussehen.
»Wie lange müssen wir denn mit diesem Ding fahren?«
»Jetzt komm schon«, entgegnete Tamar.
Drinnen war die Luft heiß und verbraucht. Schon als Junge war Harry in Omnibussen immer schlecht geworden. Mit einiger Mühe gelang es ihm, ein Fenster zu öffnen, wobei er sich auch noch die Hand abschürfte.
»Shimon, hier sind noch zwei Sitze. Hier drüben!« schrie ein Mädchen aus der Studentengruppe mit schriller Stimme quer durch den Bus.
Ein Mann sammelte das Fahrgeld ein und verkündete, daß er Oved heiße und der Führer sei. Er stellte auch Avi, den Fahrer, vor, der die Türen so heftig zuknallte, daß Harry das Gefühl bekam, in einer Falle zu sitzen. Ein paar Passagiere klatschten, der Bus gab ein ächzendes Geräusch von sich und setzte sich schwankend in Bewegung. Tamar nahm ein Buch über etruskische Kunst aus ihrer Tasche und begann zu lesen. Harry fühlte sich irgendwie betrogen. Statt gemeinsam mit ihm ein paar schöne Tage zu verleben, so wie er es sich vorgestellt hatte, hatte ihn diese Frau schon wieder in eine unbequeme Situation gebracht, die er zudem so gut wie nicht unter Kontrolle hatte.

»Wo, zum Teufel, fahren wir hin?« fragte er gereizt.
Tamar blätterte eine Seite um. »In die Wüste Sinai«, sagte sie.

Nacheinander durchfuhren sie Landschaften, die aussahen, als wären sie in Florida, Kansas und Kalifornien. Dann hielt der Bus kurz am Eingang zu einem Armeelager, wo ein Hauptmann und drei Soldaten mit Uzi-Maschinenpistolen zustiegen. Tamar erklärte Harry, daß diese bewaffnete Eskorte notwendig sei, weil sie sich hier außerhalb des Gebietes befanden, in dem die Regierung für ihren Schutz garantieren konnte. Während Harry gerade ein Nickerchen machte, bog der Fahrer Avi von der Hauptstraße ab, und als er wieder aufwachte, hatten sich die Felder vor dem Fenster in eine flache, weglose Sand- und Steinwüste verwandelt. Weit entfernt im Osten ragten schwarze Bergstümpfe auf, die Harry an Montana erinnerten.
»Ist das hier die Wüste Sinai?« fragte er Tamar.
Sie schüttelte den Kopf. »Nein. Die Wüste Negev.«
Der Bus fuhr an einem schwarzgekleideten Mann auf einem galoppierenden Kamel vorbei. Obwohl ihm die amerikanischen Studenten laut zubrüllten und durch die schmutzigen Fenster hindurch eine Menge Film verknipsten, würdigte er sie keines Blickes.
Eine halbe Stunde später kamen sie in eine Oase, in der eine Beduinenfamilie so etwas wie einen Wüstenkiosk betrieb. Zum Mittagessen gab es scharfe Würste, die wie abgeschnittene Stücke eines dicken Seils aussahen, und warme Orangenlimonade mit einem starken chemischen Nachgeschmack. Die Studenten hielten mit ihrer Unzufriedenheit über dieses Essen nicht hinter dem Berg.
Harry kaute und schluckte und war sich bewußt, daß er

sich Tamar gegenüber wie der häßliche Amerikaner benommen hatte.

Ein Junge aus der Oase fragte, ob er im Bus bis zur nächsten Ortschaft mitfahren könne. Tamar plauderte mit ihm ein wenig auf Arabisch, bevor sie sich wieder zu Harry setzte.
»Sein Name ist Moumad Yussif. Er ist vierzehn. Nächstes Jahr will er heiraten und viele Kinder zeugen.«
»Er ist ja selbst noch ein Kind.«
»Seine Frau wird wohl elf oder zwölf sein. So war es, als ich geboren worden bin, sogar bei den Juden.«
»Kannst du dich noch an die Zeit erinnern, als du noch im Jemen gelebt hast?«
»Nicht genau. Ich weiß nur noch, daß wir es als Juden in Sana'a, der Stadt, in der wir lebten, nicht leicht hatten. Wenn es Unruhen gab, trauten wir uns vor lauter Angst nicht auf die Straße und blieben in unseren kleinen Wohnungen, bis wir nichts mehr zu essen hatten. Um die Ecke war ein Minarett, und jeden Morgen weckte mich von dort der Muezzin. Sein ›Allaaaaaa Akbar!‹ war lauter als jeder Wecker.«
Der Junge vorn im Bus hatte die Worte verstanden. Er grinste unsicher und rief etwas nach hinten.
»Er hätte gerne eine Zigarette.«
Einer der Soldaten, der neben dem jungen Araber an der Tür des Busses stand, hielt ihm ein Päckchen hin. Der Junge nahm eine Zigarette, griff dann in seine Hosentasche und zog eine glänzende, kleine Pistole hervor, die er auf den Soldaten richtete. Als er sie abdrückte, flackerte an ihrer Mündung eine kleine Flamme auf.
Die Pistole war ein Feuerzeug.
»Großer Gott!« Harry atmete tief durch. Die Soldaten

schüttelten sich vor Lachen. Der Junge mußte wieder und wieder abdrücken und mit seiner Pistole jedem der schwerbewaffneten Soldaten eine Zigarette anzünden. Bald kamen sie zu dem Dorf, und der Junge sagte *Salem aleikum* und stieg aus.

Am Nachmittag forderten die Strapazen der Reise ihren Tribut. Die Studenten lümmelten lustlos in ihren Sitzen und erfanden alberne, arabisch klingende Wortspiele.
»He, habt ihr schon mal was im *Hamir*-Supermarkt gekauft? *Alles, was Sie brauchen, ha'm mir!*«
Die anderen stöhnten auf.
»Ich degradiere dich vom A- zum Be-duinen.«
»Da bin ich aber froh, daß du mich nicht gleich zum Zet-duinen gemacht hast.«
»Kennt ihr die *wüste Sinai*, Israels bekannteste Domina?«, fragte Harry, der sich über sich selbst wunderte.
Das Mädchen, das Tamar gegenüber auf der anderen Seite des Ganges saß, sah ihn belustigt an. »Nicht schlecht«, meinte sie. »Würden Sie's denn gerne mal bei der probieren?«
»Nein«, sagte Harry. »Ich reise mit dieser jungen Dame hier. Sie heißt Tamar. Mein Name ist Harry.«
»Ich bin Ruthie, und das ist Shimon. Er ist Israeli. Ist Tamar Ihre Frau?«
»Sie ist meine Freundin. Und er, ist er Ihr Mann?«
Das Mädchen grinste und akzeptierte die nicht ausgesprochene Retourkutsche. »Er ist eine vorübergehende Laune von mir«, sagte sie und gab ihrem Begleiter einen Kuß auf die Wange.
Der Bus fuhr jetzt durch eine Reihe von Schluchten, wo die felsigen Berge bereits längerwerdende Schatten warfen. Als sie aus der letzten Schlucht heraus und nach Elat kamen, lag das Rote Meer schon in der Dun-

kelheit verborgen, aber als der Bus um den halbkreisförmig angelegten Hafen fuhr, konnte Harry die Brandung hören. Nachdem sie in voller Fahrt an einem hellerleuchteten, modernen Hotel vorbeigerumpelt waren, hielt Avi schließlich vor einem kleinen Motel direkt am Strand an, in dem sich ihre im Reisepreis inbegriffenen Unterkünfte befanden.

Zum Abendessen gab es Schnitzel und eine Gerstensuppe, die Harry und Tamar lustlos in sich hineinlöffelten. Sie waren zu hungrig, um sich über das Essen zu beschweren. Als sich dann aber die Zimmer als dumpfe, kleine Verschläge herausstellten, deren Bettücher vor Schmutz und Flecken starrten, die zweifellos von früheren Gästen stammten, packte Harry Tamar am Arm.

»Na los, komm mit.«

»Wohin?«

»Wir gehen in das große Hotel, an dem wir eben vorbeigefahren sind. Wir können ja morgen früh, wenn der Bus weiterfährt, wieder hierherkommen.«

»Ich will aber in kein anderes Hotel.«

»Scheiße«, sagte Harry sauer. Er setzte sich aufs Bett und sah Tamar an. »Den lächerlichen Bus und das lausige Essen lasse ich mir ja noch eingehen. Aber warum soll ich nicht wenigstens in einem ordentlichen Bett übernachten?«

Tamar drehte sich um, ging hinaus und schlug die Tür hinter sich zu. Zuerst hatte er vor, sich auch ohne sie ein Zimmer in dem anderen Hotel zu nehmen, aber dann ging er aus dem Zimmer und suchte Tamar. Als er sie unten am Strand im Sand sitzend fand, hatte sie die Arme um die hochgezogenen Knie geschlungen. Harry setzte sich neben sie. Die Brandung kam mit der steigenden Flut immer näher, während sie quer über das Wasser auf die hellen Lichter des anderen Hotels starrten.

»Was ist so schlecht an diesem Hotel, Tamar?«
»Nichts. Es ist ein schönes Hotel. Ich habe dort meine Flitterwochen verbracht.«
Nach einer Weile ging Harry zu ihrem Motel zurück und ließ sich vom Nachtportier gegen ein fürstliches Trinkgeld eine saubere Decke und ein Flasche Weißwein geben. Als Harry zurück zum Strand kam, saß Tamar noch immer an derselben Stelle. Er breitete die Decke aus und öffnete die Flasche. Der Wein war nicht schlecht. Während sie ihn tranken, kam der Mond hinter den Wolken hervor und ließ den weißen Schaum aufblitzen, den die Wellen zurückließen, wenn sie zischend auf dem nassen Sand wieder ins Meer zurückliefen.
»Kann ich irgendwas für dich tun?« fragte Tamar und drückte ihren Kopf an seine Schulter.
Harry schüttelte den Kopf. »Und ich für dich?«
Sie küßte seine Hand. »Bleib bei mir. Sonst nichts.«
Sie legten sich auf die Decke und umarmten sich.
»Ich könnte dich lieben«, sagte er irgendwann mitten in der Nacht. Die Worte kamen wie von selbst aus ihm heraus, er erschrak etwas, als er sich das sagen hörte. Aber vielleicht schlief Tamar schon und hörte es nicht.

Harry schlief besser als auf Masada, aber am Morgen war er ein wenig steif. Bevor sie wieder in den Bus stiegen, aßen sie ein gutes Frühstück, wie es selbst das schlechteste israelische Restaurant zu bieten hat: Oliven, geschnittene Tomaten, Eier und Tee. Auf einer breiten, glatt asphaltierten Schnellstraße ging es weiter nach Süden. Nach einigen Stunden durften sie in Sharm'e Sheik kurz aussteigen, sich die Beine vertreten und auf die Toilette gehen.
In einem Lager der israelischen Armee gab es als Mittagessen auf Kosten des Verteidigungsministeriums ei-

nen Salat. Die jungen *Tsahal*, Soldaten, waren höflich und zuvorkommend, aber Harry, den die Panzer und Kanonen, die hier in der sengenden Sonne lagen, nervös machten, war froh, als der zuständige Kommandant ihre Reiseroute genehmigt hatte und der Bus das Lager wieder verlassen konnte. Sie fuhren an einer Stelle vorbei, wo Kamele durch ein Loch im Stacheldrahtzaun in ein Minenfeld geraten waren. Ihre sonnengebleichten Knochen lagen in weitem Umkreis verstreut herum. Oved, der Führer, teilte Salztabletten aus und warnte davor, aus den Feldflaschen zuviel Flüssigkeit auf einmal zu sich zu nehmen. Die jungen Amerikaner begannen, Lieder über Schnee, kaltes Wetter und warme Lagerfeuer zu singen. Dann gingen sie zu Weihnachtsliedern über und informierten die vor Hitze flimmernde Wüste, daß Jesus, der Erlöser, geboren worden sei.
Eine ältere israelische Frau, die allein auf einer Bank vorn im Bus saß, drehte sich um und warf den Sängern böse Blicke zu.
»Ich würde gerne einmal richtigen Schnee erleben«, sagte Tamar.
»Hast du denn noch nie welchen gesehen?«
»Doch, zweimal. Aber wenn es in Jerusalem schon einmal schneit …« Sie zuckte mit den Achseln. »Das ist erbärmlich und blitzschnell wieder weggetaut. Ich würde gerne einmal Tiefschnee erleben und Eis, und alles, was dazugehört … na, du weißt schon.«
Auf einmal packte Harry ein so heftiges Heimweh, wie er es bisher nur sehr selten verspürt hatte. »Du würdest ihn mögen, den Schnee. Da bin ich mir ganz sicher«, sagte er und sah zu, wie Tamar einen ihrer schönen Daumennägel in die Schale einer Orange bohrte.
»Ich dachte, diese jungen Leute wären amerikanische Juden.«

»Das sind sie vermutlich auch.«
Tamar hatte bereits ein Häufchen Orangenschalen auf ihrem Schoß. »Warum singen sie dann von Jesus?«
»Sie haben Angst vor der heißen Wüste. Da singen sie diese Lieder, weil sie ihnen vertraut sind.«
»Christliche Lieder sind ihnen vertraut?« Sie teilte die Orange und gab Harry eine Hälfte.
»Aber sicher. Mmmm – das schmeckt gut.« Die Orangen waren kleiner als diejenigen, die Harry aus New York kannte, dafür aber süßer. Vermutlich kam das daher, daß sie am Baum und nicht in einer Transportkiste gereift waren.
»Die meisten Kinder lernen solche Weihnachtslieder in der Schule. Amerika ist nun einmal ein christliches Land.«
Tamar nickte. »Wenn dich etwas überrascht, sagst du auch manchmal ›Jesus!‹. Ist dir das schon mal aufgefallen?«
Harry lächelte. »Stimmt, das tue ich wohl. Wollen wir noch eine Orange essen?«
Diesmal überließ sie ihm das Schälen. »Genauso, wie mein Vater Gott ›Allah‹ nennt. Und manchmal habe ich sogar abergläubische westliche Juden auf Holz klopfen sehen, wenn sie Glück gehabt hatten.«
»Na und?«
»Das ist eine christliche Angewohnheit. Die frühen Christen berührten ein Stück Holz, wenn sie Gottes Segen erbaten, denn schließlich war das Kreuz, an dem Jesus hing, auch aus Holz gewesen.«
Harry teilte die zweite Orange viel ungeschickter, als sie es mit der ersten gemacht hatte. Der Saft rann ihm über die Finger und tropfte zu Boden. Harry hatte nichts, womit er sich die klebrigen Hände hätte abwischen können. »Wir können uns unsere Gebräuche und

die Muttersprache nun einmal nicht aussuchen. Wir erben sie einfach.«

»Einen britisch-amerikanischen Ausdruck hasse ich«, sagte Tamar, »und zwar ›Fuck you‹.«

Harry aß vorsichtig seine Orange. Die Studenten hatten zu singen aufgehört.

»Wir haben hierzulande natürlich auch unsere Worte für den Liebesakt. Aber weder im Arabischen noch im Hebräischen benutzt man sie, wenn man auf jemanden wütend ist. Niemand sagt: ›Ich hasse dich, jetzt geh und mach Liebe‹. So was sollte ein Segen sein, kein Fluch. ›Möge Gott dich erleuchten und dir erlauben, Liebe zu machen.‹ Nur wenn ich richtig glücklich bin, würde ich gerne allen Leuten diese Worte entgegenschreien: ›Fuck you, alle Menschen! Fuck you, ganze Welt!‹«

Harry befürchtete, das Gelächter der Studenten würde niemals enden.

Harry hatte bereits seit einer guten Stunde die Nase voll von nicht enden wollenden, wunderschönen und verlassenen Stränden, von denen sich einer an den anderen reihte, als der Bus vor einer einsam gelegenen Villa zum Stehen kam. Oved verkündete, daß sie hier zwei Stunden lang baden könnten. Das Erdgeschoß des Hauses war zugesperrt und durfte nicht betreten werden, aber im Keller gab es zwei Umkleideräume und eine Dusche. Harry war vor Tamar am Strand; er rannte ins Wasser, tauchte unter und spürte, wie auf einmal Müdigkeit und Gereiztheit zusammen mit seinem Schweiß fortgespült wurden. Er schwamm in gerader Linie hinaus ins Meer und war glücklich, sich endlich einmal wieder körperlich betätigen zu können. Nach einer Weile drehte er sich um, trat im Wasser auf der Stelle und betrachtete die weiße Villa mit ihrem Ziegeldach

aus einer Fischaugenperspektive. Wenn man sich die schwerbewaffneten Soldaten davor wegdachte, hätte sie gut und gerne irgendwo in Florida sein können. Nicht ihre Größe oder ihr Baustil machten sie so beeindruckend, sondern die Tatsache, daß sie hier einsam am Strand stand. Ihr Besitzer, wer immer das sein mochte, hatte hier ein exklusives kleines Königreich aus Wüste und Wasser ganz für sich allein. Zwei Soldaten standen mit umgehängten Uzis auf der dem Meer zugewandten Terrasse und riefen Harry etwas zu, was er nicht verstehen konnte. Dabei winkten sie hektisch mit den Armen und bedeuteten ihm, wieder an Land zu schwimmen. Wie Bademeister, dachte Harry, die Teenager aus dem tiefen Wasser zurückpfeifen.
Harry schwamm langsam zurück und genoß dabei das kühle Wasser. An den Leuten aus dem Bus, die jetzt den Strand bevölkerten, konnte er gut studieren, wie sehr sich doch die Menschen in Anatomie und Verhaltensweisen unterschieden. Die Studentinnen zeigten viel knackiges, junges Fleisch in Bikinis und planschten wie toll im Wasser herum, während die ältere Israelin, die einen ausgebleichten, zu großen Badeanzug und einen Tropenhelm aus Bast trug, sich ins Wasser setzte, so daß nur ihr Kopf herausschaute, der verträumt hin und her wiegte. Sie erinnerte Harry an die alten Frauen, die er auf Coney Island öfter beobachtet hatte.
Tamar lag in einem schwarzen, einteiligen Badeanzug auf dem Rücken in der Brandung. Harry ließ sich neben ihr nieder und legte seinen Kopf auf ihren glatten, braunen Schenkel. Die Sonne brannte vom Himmel, und das warme Wasser umspülte die beiden. »Langsam kann ich mir fast vorstellen, was du an so einer Reise findest.«
»Aber nicht ganz?«

»Nein, noch nicht ganz.«
Oved, der Führer, der am ganzen Körper behaart wie ein Bär war, watete auf sie zu und verdarb ihnen die Stimmung.
»Schön hier, nicht?«
»Sehr schön. Wem gehört denn diese Villa?«
»Früher hat sie einmal König Faruk gehört. Als er floh, übernahm sie die ägyptische Regierung, und während des Sechstagekriegs holten wir uns das Anwesen. Jetzt wird es kaum genützt, höchstens einmal von Gruppen wie der unseren.«
Harry blickte mit zusammengekniffenen Augen hinauf zur Villa; wo er auch war, überall stieß er auf Spuren des toten ägyptischen Königs. Harry fragte sich, ob Faruk wohl jemals den *Diamanten der Inquisition* mit hierhergebracht hatte.
»Wozu die Wachen?« fragte er Oved. »Besteht denn die Gefahr, daß wir angegriffen werden?«
Der Führer grinste. »Die passen bloß auf Haifische auf. Das Wasser hier wimmelt nur so davon. Schließlich sind wir ja am Roten Meer.«
Harry schlug sich den Gedanken an ein weiteres Bad aus dem Kopf. Die Studenten sammelten Muscheln, manche davon waren sogar recht ansehnlich, aber das schönste Stück holte die alte Frau aus der Brandung, die dafür nicht einmal aufstehen mußte. Es war eine glänzende Labyrinthkoralle, so groß wie eine Grapefruit. Das einzige Souvenir, das Harry mit zum Bus nahm, war ein Sonnenbrand. Tamar cremte ihn mit Lotion ein, wobei die leichte Berührung ihrer weichen Fingerspitzen ein starkes Verlangen nach ihr auslöste. Der Geruch der Lotion wetteiferte mit dem der Orangenschalen. Avi, der Fahrer, bog auf eine steinige Nebenstraße ab. Jetzt wurde der Weg holprig und noch

unbequemer. Harry schwitzte und litt unter seinem Sonnenbrand, aber er war froh, daß er noch am Leben war.

»Was ist los?« fragte Harry, als Oved verkündete, daß das vor ihnen aufragende Gebäude das Kloster der heiligen Katharina sei. »Warum gehen wir nicht hinein?«
»Das Kloster hat nur einen Eingang, und der ist zwischen zwölf und eins und zwischen halb vier und halb sieben, wenn die Mönche ihre Gebete halten, geschlossen«, entgegnete Oved. »So ist das seit über hundert Jahren der Brauch.«
Um zwei Minuten nach halb sieben zog eine braune Hand die Tür auf, und die Leute aus dem Bus gingen einer hinter dem anderen durch die enge Pforte. In einem Innenhof führte Oved sie eine Treppe hinauf und zeigte ihnen den einzigen Zugang zum eigentlichen Kloster, eine Strickleiter, die von der hohen Steinmauer herabhing. Ein Mönch in brauner Kutte eilte vorbei, ohne die Gruppe wahrzunehmen.
»Haben die Mönche hier ein Schweigegelübde abgelegt?« fragte Tamar.
Oved schüttelte den Kopf. »Aber nur wenige von ihnen sprechen Hebräisch oder Englisch. Sie sind es gewöhnt, daß ab und zu Touristen vorbeikommen, aber sie betrachten das nicht gerade als einen Segen.« Dann erzählte er ihnen, daß das Kloster von Justinian I. im fünften Jahrhundert am Fuß eines Berges, den die Araber Jebel Moussa nannten, erbaut worden war. Hier war angeblich der Ort, an dem Gott sich Moses in einem brennenden Dornbusch gezeigt haben soll. Die Bibliothek des Klosters enthielt mehrere zehntausend Bände, darunter sehr alte Manuskripte wie zum Beispiel eine Abschrift des berühmten *Codex Sinaiticus*.

»Was ist das?« fragte jemand von hinten.
Oved machte ein peinlich berührtes Gesicht. »Es hat etwas mit dem Neuen Testament zu tun, ein Kommentar, glaube ich.«
»Nein«, sagte Harry. »Es ist das Alte Testament in griechischer Sprache.«
»Warum haben sie denn das Alte Testament abgeschrieben?« fragte Tamar.
Harry sah keine Möglichkeit, sich um eine Antwort herumzudrücken, obwohl der Führer mit offen zur Schau getragener Ablehnung zum Weitergehen drängte. »Damals gab es noch kein Neues Testament. Aber die frühen Christen wollten sich bei ihrer Meßfeier von den Juden unterscheiden. Also verwendeten sie statt Schriftrollen gefaltete Blätter aus Papyrus oder Pergament, die sie in den Falten mit Faden aneinanderhefteten. Diese Handschriften waren die ersten Bücher in unserem heutigen Sinn.«
Oved warf Harry einen finsteren Blick zu und fuhr in seiner Erklärung fort. »Das Original des *Codex Sinaiticus* wurde 1844 von Santa Katharina in das Kaiserliche Museum in St. Petersburg gebracht. 1933 kaufte es eine Gruppe von Engländern der sowjetischen Regierung für hunderttausend Pfund ab, von denen die Hälfte durch Spenden von Schulkindern aufgebracht worden war. Seither befindet es sich in London in einem Museum.«
»Können wir vielleicht die Kopie sehen, die sich noch hier befindet?« fragte Harry.
»Das ist leider nicht möglich«, sagte der Führer mit sichtlicher Genugtuung. Er ging wieder die Treppen hinunter und brachte sie in einen kleinen Raum, der irgendwie an einen Werkzeugschuppen erinnerte; nur daß in den langen Regalen an der Wand säuberlich aufgereiht statt Werkzeug menschliche Schädel und Ge-

beine lagen. Die Knochen waren nach Art und Größe sortiert; Becken- und Schienbeinknochen hier, Rippen dort, Wirbel und die kleinen Knochen von Händen und Füßen wieder woanders.

Das Mädchen namens Ruthie schnappte nach Luft und lief hinaus. Ein paar der anderen folgten ihr. »Das einzige komplette Skelett hier ist das des heiligen Stephan«, erklärte Oved. »Die anderen Gebeine stammen von Mönchen, die in den vergangenen fünfzehnhundert Jahren dem Kloster gedient haben. Wenn ein Mönch von Santa Katharina stirbt, dann bleibt er so lange begraben, bis sein Fleisch verwest ist. Danach werden seine Gebeine wieder ausgegraben, gereinigt und zu denen seiner Vorgänger gelegt.«

Tamar nahm Harry bei der Hand und führte ihn aus dem Beinhaus. Draußen im Hof versuchte Avi, der Fahrer, den bleichen jungen Amerikanern das Abendessen schmackhaft zu machen, das aus Kräckern und dem Rest der fettigen Wurst bestand, die sie bereits gestern zum Mittagessen gehabt hatten. Er sagte, daß diesmal in zwei Schlafsälen übernachtet werde, getrennt nach Männern und Frauen. »Die Regeln des Klosters verlangen es so. Aber wir können ja sowieso nur ein paar Stunden schlafen, wenn wir den Sonnenaufgang auf dem Berg erleben wollen.«

Harry und Tamar nahmen ihren Sack Orangen und begaben sich aufs flache Dach des Klosters. Es wurde sehr dunkel. Von dem Vollmond, den sie auf Masada gesehen hatten, war jetzt nur noch eine schmale, silberne Sichel übrig. Das erstemal liebten sie sich verzweifelt aneinandergekrallt; der Anblick der aufgestapelten Gebeine spukte ihnen immer noch in den Köpfen herum. Beim zweitenmal ging es besser, sie achteten beide darauf, daß der andere nicht zu kurz kam. Aber Harrys Gedanken kreisten ständig um Dinge, an die er eigentlich nicht denken wollte. Trotz Tamars redlicher Bemühungen legte ihm Gott nicht die Hand auf die Schulter und sagte: *Fuck you, Harry Hopeman.*

Dafür bohrte sich ihm am frühen Morgen ein in einem Stiefel steckender Fuß in die Rippen. Diesen Führer mußte jemand angeheuert haben, der Touristen nicht ausstehen konnte.

»Aufsteh'n!« bellte Oved. »Wenn Sie den Sonnenaufgang sehen wollen, dann müssen Sie jetzt mitkommen.«

Tamar wachte sofort auf, als Harry ihr Gesicht berührte. Mit verklebten Augen quälten sie sich in ihre Schuhe und tasteten sich die dunkle Treppe hinab.

Die anderen Touristen waren bereits im Hof versammelt.

»Hat jemand eine Taschenlampe dabei?« fragte Oved.

Niemand meldete sich.

»Na schön. Das bedeutet, daß wir mit zwei Lampen auskommen müssen. Ich werde mit der einen vorausgehen, und Avi wird mit der anderen den Schluß bilden.«

Wie schläfrige Motten folgte die Gruppe Oveds Licht. Der Boden bestand hauptsächlich aus grobem Schotter, der zwischen riesigen Felsblöcken lag. Als sich Harry schließlich fast einen Knöchel verstaucht hätte, fauchte er Oved böse an. »Um Himmels willen, gehen Sie doch ein bißchen langsamer. Die Leute kommen Ihnen ja nicht nach!«

»Wir sind gleich bei den Stufen. Dann geht es besser«, antwortete der Führer.

Die Stufen bestanden aus großen, in den Berghang eingelassenen Steinplatten. Oved erzählte, daß viele Mönche ihr Leben lang an zwei Wegen gearbeitet hatten,

einem zum Aufstieg mit 1700 und einen zum Abstieg mit 3400 Stufen. Die Treppe, die, nicht enden wollend, nach oben führte, war ein Alptraum.
Harry war ein Läufer, aber Tamar war nicht so gut trainiert, zudem ging es bergauf. So beschlossen sie, sich Zeit zu lassen, auch wenn sie dafür auf den Anblick des Sonnenaufgangs verzichten mußten.
Der Führer war schon weit voraus. Die Studenten folgten ihm dichtauf, ein paar weitere Gestalten huschten geisterhaft an Harry und Tamar vorbei. Nach einer Weile fiel es Harry ein, daß eine von ihnen eine Taschenlampe dabei gehabt hatte, und er hatte den Verdacht, daß Avi sich anscheinend doch nicht um die Nachzügler kümmern wollte.
Als sie oben angekommen waren, war es immer noch dunkel. Hier war der Weg breiter, außerdem wurde der Himmel ganz langsam hell, so daß sie jetzt schneller vorankamen, da sie sehen konnten, wo sie hintraten. Harry wurde sich plötzlich bewußt, daß er, trotz seiner Verzichtserklärung, doch gerne den Sonnenaufgang von oben aus beobachten wollte. Für das letzte Stück ergriff er Tamar bei der Hand und zerrte sie praktisch mit nach oben.
Oben auf dem Berg war ein flaches, von anderen, ähnlich stumpfen Gipfeln umgebenes Felsplateau, das eine Ausdehnung von etwa zweitausend Quadratmetern hatte. Harry wußte, daß diese Stümpfe alte, verwitterte Berge waren. Trotzdem erschienen sie ihm als schroffe, windumtoste Felstürme von ehrfurchtgebietender Schönheit. Es war nicht schwer, sich vorzustellen, daß Gott hier zu Hause war.
»Danke, daß du mich mit auf diese Tour genommen hast«, sagte er zu Tamar.
Sie küßte ihn.

Vom Wind umweht, gingen sie hinüber zu den anderen. Niemand sprach denn die Sonne ging auf. Das Licht war wundervoll.
Harry fiel auf, wie klein die Gruppe geworden war. »Wo sind denn die anderen Leute?« fragte er.
»Wir sind die einzigen, die es bis hierherauf geschafft haben«, antwortete Shimon.
Harry ging hinüber zu Oved. »Sie sollten besser wieder hinuntergehen. Ihre Touristen sind über Meilen verstreut irgendwo an diesem Berg.«
»Es sind immer welche dabei, die umkehren«, sagte Oved gelassen. »Sie finden den Weg zurück zum Kloster.«
Harry sah ihn an.
»Ich schätze, wir sollten doch besser nach ihnen sehen. Dieser Bastard macht sonst Ärger«, sagte Avi auf Hebräisch.
»Das wäre nicht das Dümmste«, sagte Harry, ebenfalls auf Hebräisch. Die beiden Männer machten sich langsam auf den Weg nach unten.
»Ich gehe auch«, sagte Harry zu Tamar. Sie begleitete ihn. Nach etlichen hundert Metern trafen sie auf den Führer und den Fahrer, die einem Paar beim Aufstieg halfen.
»Sie sagen, sie seien die letzten«, sagte Avi. »Alle anderen sind zurück nach Santa Katharina.«
»Ich gehe noch ein bißchen weiter hinunter. Sicher ist sicher.«
Es schien wirklich niemand mehr nachzukommen. Aber dann packte Tamar Harry am Arm.
»Da. Dort unten! Siehst du?«
Die beiden eilten den Weg hinunter, bis sie zu der älteren israelischen Frau kamen, die auf einem Felsen saß. Tamar blieb stehen. »Sie ist eine stolze alte Dame. Ich glaube, daß ihr nur einer von uns helfen sollte.«

Harry nickte. »Du wartest hier.«
Als er bei der alten Frau ankam, sah er, daß diese ganz blaß war.
»Ist alles in Ordnung, *Chavera*?«
Sie starrte ihn an und stand mit Mühe auf. »Ich habe nur eine kleine Ruhepause eingelegt. Ich bin auf dem Weg nach oben.«
»Aber sicher. Darf ich Sie ein Stück begleiten?« Nach zwei Schritten hängte sie sich bei ihm ein, und als sie sich endlich dem Gipfel näherten, keuchte Harry wie ein Lastesel.
Die ältere Frau schob ihn zur Seite. Harry konnte sehen, wie sie ihre letzten Kräfte mobilisierte, um mit energischen Schritten auf die anderen zuzugehen. Für ihn hatte sie nicht ein Wort des Dankes übrig.

Als sie zurück im Kloster waren, legte sich Tamar auf die Pritsche im Schlafsaal, die sie in der vergangenen Nacht verschmäht hatte. Harry war nicht müde.
Im Hof hantierte ein Mönch mit einem Rechen. Es gab kein welkes Laub, keine Steine, keinen Müll, und so zog der Mönch gewellte Muster in den Staub, die ein wenig an die Linien im Sand eines japanischen Gartens erinnerten.
»Sprechen Sie Englisch?«
»Ein bißchen.«
»Wäre es vielleicht möglich, daß ich einen Blick in die Bibliothek werfen könnte?«
»Zufälligerweise bin ich der Bibliothekar. Mein Name ist Pater Haralambos.« Sein Englisch war hervorragend.
»*Haralambos*. Das bedeutet doch ›leuchtende Freude‹. Mein Name ist Harry Hopeman, Pater.«
»Können Sie Griechisch?«
»*Poli oligon*, nicht der Rede wert.«

Der Mönch stellte den Rechen weg und führte Harry zu einer der schweren Türen, die alle gleich aussahen. Drinnen befanden sich an den weißgetünchten Wänden lange Regale mit Büchern.
»Darf ich mir die Kopie des *Codex Sinaiticus* ansehen?«
Pater Haralambos nahm den Band aus einem Bücherschrank und legte ihn auf den Tisch. Harry schlug ihn vorsichtig auf. Er entsprach genau dem Original, das er in London gesehen hatte: handgeschriebene griechische Unzialen in brauner Tinte auf Pergament. Er übersetzte die ersten Zeilen, die ihn an das Alte Testament in der Ausgabe eines jüdischen Bücherklubs erinnerten: *Am Anfang schuf Gott Himmel und Erde ...*
Harry blickte auf und sah, daß der Mönch ihn beobachtete.
»Sind Sie schon lange hier, Pater?«
»Sehr lange.«
Haralambos hatte ein schmales, aber nicht ausgemergeltes Gesicht. Harry meinte zuerst, daß seine glänzenden braunen Augen Kraft ausstrahlten, dann fiel ihm aber auf, daß es eine tiefe Gelassenheit war. Er fragte sich, ob er wohl eine ähnliche Zufriedenheit erreicht hätte, wenn er auf der Talmudschule geblieben wäre.
»Sehnen Sie sich eigentlich nie nach der Welt da draußen?« fragte er, einem Impuls folgend.
Der Mönch lächelte. »Vor dieser Versuchung bin ich gefeit. Ich mag nicht, was von draußen zu uns hereinkommt.«
»Was, zum Beispiel?«
»Heute früh haben wir auf dem Dach Verhütungsmittel gefunden. Was sind das bloß für Leute, die so etwas tun – an einem Ort wie diesem?«
»Leute, die nicht glauben, daß sie etwas Falsches tun, Pater.« Harry wandte den Blick ab und vertiefte sich wieder in den *Codex*.

»Ich glaube, daß sich die Römer kurz vor dem Untergang ihrer Zivilisation ähnlich aufgeführt haben. Und ebenso meine Griechen und Ihre Juden. Sehen Sie die Parallelen?«
»Ich versuche, sie nicht zu sehen«, antwortete Harry.

Als er draußen vor dem Kloster auf den Bus wartete, drückte ihm die ältere Frau ohne ein Wort die schöne Koralle in die Hand, die sie im Roten Meer gefunden hatte. Harry wollte protestieren, aber Tamar legte ihm die Hand auf den Arm.
»Du mußt das Geschenk annehmen«, sagte sie.
Erschöpft und schweigsam saßen sie auf der Rückfahrt in ihren Sitzen. Als sie wieder an der Küste waren, blies ihnen eine steife Brise durch die offenen Fenster Sand in die Augen, als wäre die Reise nicht schon beschwerlich genug. Am späten Nachmittag fuhr Avi den Bus in eine Tankstelle. Während die anderen auf die Toilette gingen, rief Harry beim American-Express-Büro in Jerusalem an. Der Mann dort sagte, daß kein Brief für Mr. Hopeman eingegangen sei. Mehdi hatte sich also noch nicht gemeldet.
Als sie Stunden später in Tel Aviv ankamen, waren sie froh, ihrem rollenden Gefängnis mit seinen lächerlichen Ballonreifen zu entkommen.
»Ich war noch nie in meinem Leben so müde«, sagte Tamar, als sie im Taxi nach Jerusalem saßen.
»Ich auch nicht.«
»Und ich bin schuld daran.«
»Da hast du recht.«
Sie lachten lange und ausgiebig.
»Ah, Harry. Du bist lustig.«
Im Hotel angekommen, verspürte er dieselbe übersteigerte Vorfreude auf den Luxus seines Zimmers wie bei

seiner Rückkehr von Masada. Aber diesmal war alles noch viel schöner.
Sie standen lange unter der heißen Dusche und wuschen sich gegenseitig. Tamar erschrak, als die Berührung mit dem seifigen Waschlappen bei Harry eine gewisse Reaktion auslöste. Hastig beruhigte er sie; das Fleisch war zwar willig, aber der Geist war zu schwach.
Zum Abendessen trug Tamar seinen Bademantel. Harry bemerkte zufrieden, daß der Kellner, der das Essen aufs Zimmer brachte, nur mit Mühe seine Augen von ihr abwenden konnte.
Sie waren zu müde, um ihr Dessert ganz aufzuessen.
Irgendwann vor der Morgendämmerung wachte Harry auf, lag still im Bett und dachte über eine Menge Dinge nach. Dabei stieg ihm ein merkwürdiger Geruch in die Nase, den er bis zu seiner Reisetasche zurückverfolgte. Die Koralle, die die alte Frau ihm gegeben hatte, war offensichtlich voller winziger Tiere gewesen, die sich jetzt auf diese Weise für ihren Tod rächten. Harry legte die Koralle hinaus aufs Fensterbrett, wo sie mit ihrem Gestank höchstens die Vögel belästigen konnte.
Tamar lag nackt im Bett, das Laken zwischen den Beinen zusammengeknäult. Auf einmal wußte Harry, was er mit dem roten Granat tun wollte. Er ging zu der Kommode, wo er ihn unter einem Stapel Hemden in einer Schublade versteckt hatte.
Er würde ihn nicht schleifen, lediglich polieren und ganz schlicht fassen. Dann würde er ihn an einer Goldkette...
... genau dort hinhängen.
»Laß mich in Ruhe«, murmelte Tamar auf Hebräisch.
Sie wischte den Stein, den Harry ihr zwischen die Brüste gelegt hatte, von ihrem Körper. Der Granat fiel auf den Teppichboden und rollte fort.

Harry ließ sich in einen Stuhl sinken und beobachtete, wie das erste Licht des Morgens auf ihrem Körper spielte. Dieser Anblick rührte ihn noch mehr als der Sonnenaufgang auf dem Berg Sinai.

17

Der junge Rabbi

Harry zog sich Turnhose und -schuhe an, dann verpackte er seine schmutzige Wäsche und adressierte sie an Della. Tamar schlief immer noch, als er leise aus dem Zimmer ging. Nachdem er das Paket nach New York aufgegeben hatte, stand er blinzelnd vor dem Postamt in der Sonne und fragte einen Jungen, der auf dem Gehsteig Brezen verkaufte: »Sag mal, *Chaver*, wo kann ich ein Geschäft finden, das Edelsteine poliert? Du weißt schon, für Schmuck.«
»Es gibt da einen Laden in der Altstadt, der Steine aus Elat zu Schmuck verarbeitet. Nahe beim Jaffa-Tor.«
»*Todah rabah*«, bedankte sich Harry und trabte los. Das Joggen hier in Jerusalem war anders als zu Hause in Westchester. Auf den Gehsteigen mußte er sich an Priestern, alten Juden, Kindern und einem Araber vorbeischlängeln, der mit einer Schubkarre voller Steine unterwegs war. Das Überqueren der Straßen ging nur sehr langsam, selbst dann, wenn es eine Fußgängerampel gab und diese auf Grün stand. Harry hatte gelernt, die Autofahrer von Jerusalem zu fürchten.
Sogar jetzt am Morgen war es bereits heiß. Als Harry schließlich den Laden gefunden hatte, schwitzte er aus allen Poren. Der Besitzer des Ladens arrangierte gerade Tabletts mit Ringen und Armreifen.
»Haben Sie einen Marathonlauf gemacht, bloß um bei mir etwas zu kaufen?« fragte er.

»Könnten Sie mir etwas Karborund-Pulver verkaufen?«
»Wozu brauchen Sie das denn?«
»Ich poliere Edelsteine. Das ist mein Hobby.«
»Ihr Hobby! Bringen Sie mir den Stein, ich poliere ihn Ihnen zu einem günstigen Preis.«
»Ich will ihn aber lieber selbst polieren.«
»Ich verwende kein Pulver, sondern ein Karborund-Tuch.«
»Noch besser, dann verkaufen Sie mir ein Stück davon. Außerdem brauche ich etwas Essigsäure.«
»Ich habe nur Oxalsäure.«
»Auch gut. Und haben Sie pulverisiertes Aluminiumoxid für den letzten Schliff?«
»Jetzt hören Sie mir mal zu. Dieses Zeug ist sündhaft teuer. Ich habe selbst nicht viel davon, und wenn es aufgebraucht ist, dann muß ich nach Tel Aviv fahren, um mir neues zu besorgen. Ich handle mit Schmuck, nicht mit Chemikalien.«
»Ich brauche wirklich nur ganz wenig. Ich zahle Ihnen, was Sie verlangen.«
Der Mann zuckte mit den Achseln und holte die Substanzen. Er rechnete etwas auf einem Blatt Papier aus, schrieb dann eine Summe auf und schob den Zettel zu Harry hin.
»Wunderbar. Haben Sie vielen Dank.« Harry bezahlte in Dollar. »Das war wohl Ihr erstes Geschäft heute, oder?«
Der Ladenbesitzer schloß die Registrierkasse auf. »So was nennen Sie Geschäft?«

Als sich Harry ins Zimmer schlich und an den Tisch setzte, dachte er, daß Tamar noch schlief.
Er träufelte etwas Säure auf den Granat und ließ sie eine Weile einwirken, bevor er begann, den Stein mit dem Karborund-Tuch zu reiben.

»Was tust du da?«
»Ich poliere etwas.«
Tamar stand auf und zog Harrys Bademantel an. Dann nahm sie ihre Kleider und ihre Zahnbürste und verschwand ins Badezimmer. Während sie duschte, polierte Harry weiter.
»Du kannst den Bademantel behalten«, sagte er, als Tamar wieder aus dem Bad kam. »An dir sieht er sowieso viel besser aus als an mir.«
Tamar verzog das Gesicht. »Sei nicht albern.« Sie hängte den Bademantel in den Schrank. »Meinst du, daß dieser Stein wirklich aus biblischer Zeit stammen könnte?«
»Solange es keine stichhaltigen Beweise dafür gibt, ist das egal.«
»Aber *wenn* es so wäre – wofür ist er dann damals wohl verwendet worden?«
»Er könnte ein Teil des Tempelschatzes gewesen sein oder einem der alten Könige gehört haben. Der einzige Stein, der in der Bibel beschrieben wird und diesem in etwa ähnelt, ist der Smaragd aus dem Brustschild.«
»Aber das ist doch kein Smaragd.«
Harry kicherte. »Natürlich nicht, aber damals wurden die Steine häufig falsch bezeichnet. Der Stein des Stammes Levi hätte in etwa so aussehen können wie dieser hier.«
»Oh, es wäre schön, wenn das der Levi-Stein wäre, denn ich stamme aus einer Leviten-Familie.«
»Ich auch.«
»Tatsächlich?« Tamar setzte sich neben ihn. Sie roch nach Harrys Seife. »Ist das nicht ein seltsamer Zufall? Schau mal, wie dunkel meine Haut im Vergleich zu deiner ist.«
»Stimmt.«
»Wir sprechen verschiedene Sprachen. Wir haben ver-

schiedene Bräuche. Und trotzdem sind unsere Familien vor Tausenden von Jahren aus demselben Stamm hervorgegangen.«
Harry stand auf und ließ im Waschbecken Wasser über den Stein laufen. Mit Hilfe der Säure hatte er die körnige äußere Schicht weitgehend entfernt. »Ich werde dir eine Brosche daraus machen«, sagte er und hielt den Granat hoch.
Tamar saß unbeweglich da. »Harry, ich will weder deinen Bademantel, noch will ich eine Brosche von dir.«
»Aber ich möchte dir nun einmal etwas schenken.«
»Aber ich will nichts von dir.«
Harry wußte, was sie ihm sagen wollte. Er strich ihr sanft übers Haar. »Manchmal willst du aber doch etwas.«
Tamar wurde rot. »Das ist etwas anderes.« Mit ihren langen braunen Fingern hielt sie seinen Arm fest. »Das bist nicht du. Ich will mich niemandem mehr auf eine solche Weise öffnen. Ich kann es nicht riskieren, jemals wieder so verletzt zu werden.«
Es war an der Zeit, sich zurückzuziehen. Langsam begann Harry, sie zu verstehen, zu verstehen, wovor sie sich fürchtete. »Darf ich dich nicht einmal mehr zum Frühstück einladen?«
Tamar wirkte erleichtert. »Doch, das darfst du schon.«
»Es ist noch früh. Tut mir leid, daß ich dich geweckt habe.«
»Nein, ich war schon wach. Ich habe mit Ze'ev telefoniert. Sie haben den Mann gefunden, nach dem du mich gefragt hast, diesen Silitsky.«
»Ah, Pessah Silitsky! Wo ist er?«
»In Kiryat-Shemona.«
»Das muß ich gleich David Leslau mitteilen.«

»Bitte, Harry«, sagte Leslau nervös. »Das müssen Sie einfach für mich tun.«
Sie saßen auf Campingstühlen in einem alten Zelt am Fuß des kleineren der beiden Hügel von Ein Gedi. Harry hörte, wie draußen bei der Ausgrabung gearbeitet wurde. Zunächst einmal wurde ein Netz von flachen Gräben über den unteren Teil des Hangs gezogen. Das Camp hatte Harry eher enttäuscht; die Männer hätten ebensogut Gräben für eine Abwasserleitung anlegen können. Leslau hatte ihm erzählt, daß sie bisher überhaupt nichts von auch nur geringem archäologischem Wert gefunden hätten.
»Es wäre besser, wenn Sie selbst nach Kiryat-Shemona fahren würden. Sie wollen doch Mrs. Silitsky heiraten.«
»Das ist es ja gerade. Ihr Mann wird mich von vornherein ablehnen, und er wird mir nicht einmal die Chance geben, ihn zu einer Scheidung zu überreden. Alles, was ich in dieser Sache sage, klingt verdächtig, weil ich dabei nun einmal kein Unbeteiligter bin.« Leslau nahm sein Notizbuch, schrieb etwas auf eine Seite und riß sie heraus. »Hier ist die Telefonnummer der Gesellschaft zur Erhaltung der Natur. Ich werde den ganzen Nachmittag über dort auf Ihren Anruf warten.«
Leslau sah Harry erwartungsvoll an, bis dieser seufzte und den Zettel mit der Nummer nahm.
»Das werde ich Ihnen nie vergessen«, sagte Leslau.

Als Harrys Wagen sich dem Hula-Tal näherte, erhob sich am nordwestlichen Horizont, wie von Geisterhand gezeichnet, der Berg Hermon aus dem Dunst. Glücklicherweise war die Straße schnurgerade, so daß Harry den schneebedeckten Gipfel, der vor einem wie von Gauguin gemalten Himmel immer größer wurde, ausgiebig betrachten konnte.

Kiryat-Shemona war ein kleines, ländliches Nest mit neugebauten Mietskasernen und schäbigen, alten Einfamilienhäusern. Harry sprach einen Mann an, der gerade die Straße überquerte.

»*Sleekhah.* Können Sie mir sagen, wo ich hier einen Rabbi finde?«

»Den *Aschkenasim*-Rabbi oder den *sephardischen* Rabbi?«

»Den *Aschkenasim*-Rabbi.«

»Rabbi Goldenberg. Die zweite Straße links, das drittletzte Haus auf der rechten Seite.«

Es war ein kleines Haus, dessen grüner Anstrich an einigen Stellen abblätterte. Der Mann, der auf Harrys Klopfen hin öffnete, war jung und groß und hatte einen glänzenden braunen Bart.

»Rabbi Goldenberg? Mein Name ist Harry Hopeman.«

Die riesige Hand des Rabbi umschloß mühelos die von Harry. »Kommen Sie doch herein, bitte. Sie sind Amerikaner, nicht wahr?«

»Aus New York. Und Sie?«

»Ich habe meine *smicha* in der Tora-Schule Vodaath erhalten. In Flatbush.«

Harry nickte. »Ich bin eine Zeitlang auf die Tora-Schule Torat Moshe in Brownsville gegangen.«

»Das ist ja die *Jeschiwa* von Yitzhak Netscher! Wann sind Sie dort fortgegangen?«

»Vor vielen Jahren. Ich habe es nur ein paar Monate ausgehalten.«

»Ein Abbrecher. Und was haben Sie danach gemacht?«

»Ich habe auf der Columbia-Universität studiert.«

Rabbi Goldenberg grinste. »Die ist natürlich viel größer, aber man lernt dort nicht soviel.« Er deutete auf einen Stuhl, auf den Harry sich setzen sollte. »Und was führt sie hierher nach Kiryat-Shemona?«

»Die Suche nach Gerechtigkeit.«
»Haben Sie eine Lupe dabei?«
»Ich meine es ernst. Ich habe eine Freundin, die eine *aguna* ist.«
Das Grinsen verschwand. »Ist es eine sehr gute Freundin?«
»Nein. Aber sie ist die sehr gute Freundin eines Freundes von mir.«
»Ich verstehe.« Der Rabbi fuhr sich mit den Fingern durch den braunen Bart. »War der Mann ihrer Freundin vielleicht Soldat? Gilt er als vermißt?«
»Nein. Er ist ihr davongelaufen.«
Der Rabbi seufzte. »Dann kann es keine Scheidung geben, wenn er sie nicht in die Wege leitet. Das ist einer der wenigen Fehler in unseren schönen, alten Gesetzen. Solange Sie diesen Mann nicht ausfindig machen können, kann ich leider nichts für Sie tun.«
»Wir glauben, daß er hier in Kiryat-Shemona lebt. Sein Name ist Pessah Silitsky.«
»Silitsky?« fragte der Rabbi. Dann hob er die Stimme und rief: »Channah-Leah!«
Eine junge Frau, die ein Kind im Arm hielt, dem sie gerade die Flasche gab, erschien in der Tür. Ihr Hauskleid hatte an der Schulter, wo das Baby hingespuckt hatte, dunkle Flecken, und trotz der Hitze trug sie ein Kopftuch. Sie vermied es, Harry anzuschauen.
»Kennst du einen Pessah Silitsky?« fragte der Rabbi in Jiddisch.
»Hier am Ort, Herschel?«
»Ja, hier.«
Sie zuckte mit den Achseln. »Peretz im Gemeindeamt müßte das eigentlich wissen.«
»Stimmt. Peretz weiß so was. Könntest du ihn bitte für mich anrufen?«

Sie nickte und ging.
»Peretz kennt hier alle Leute«, erklärte der Rabbi und ging zu seinem Bücherregal. »In der Zwischenzeit wollen wir einmal nachschlagen, was Maimonides zu diesem *Schlamassel* zu sagen hat.«
»Gut. Der ist mir sympathisch. Er war so etwas wie ein Kollege von mir.«
Der junge Rabbi warf Harry einen Blick zu. »Sind Sie ein Doktor, ein Rechtsgelehrter oder ein Philosoph?«
»Nein, Diamantenhändler.«
»Ah, Diamanten. Hopeman, sagten Sie? *Der* Hopeman von der Fifth Avenue?«
Harry nickte.
»Na, so was.« Er wandte sich wieder seinen Büchern zu. »Da haben wir's ja schon. *Das Buch der Frauen.*« Er setzte sich und summte, während er in dem Band herumblätterte, leise vor sich hin. Es war keine hebräische Melodie, und schließlich erkannte Harry, daß es »A Hard Day's Night« von den Beatles war.
Ein paar Minuten später kam die Frau des Rabbi zurück. »Peretz sagt, er ist ein Buchhalter im Büro der Molkerei.«
Rabbi Goldenberg nickte. »Ah, im Molkereibüro. Dann lassen Sie uns mal hingehen und ihm einen Besuch abstatten«, sagte er zu Harry.

In dem kleinen Büro der Molkerei herrschte qualvolle Enge. An einem Schreibtisch saß eine Frau und schrieb etwas in ein offenes Kontobuch, an einem anderen, direkt daneben, sortierte ein schlanker, gewöhnlich aussehender Mann einen Stapel Formulare. Sein Kopf unter dem Käppchen wurde langsam kahl, aber sein blonder Bart war noch immer dicht und voll. Er wirkte irgendwie jünger als Mrs. Silitsky; Harry fragte sich, ob das tatsächlich zutraf oder ob es bloß Rachel Silitskys orthodoxe Garderobe war, die sie älter machte, als sie wirklich war.

»Sind Sie Pessah Silitsky?« fragte Rabbi Goldenberg auf Jiddisch.

Der Mann nickte. Einer der Angestellten der Molkerei kam kurz aus dem Produktionsraum und legte einen weiteren Stapel Formulare auf den Schreibtisch. Während die Tür offenstand, erfüllte das klackende Geräusch der Sahneabscheider das kleine Büro.

»Mein Name ist Rabbi Goldenberg. Und das ist Mr. Hopeman.«

»Wie geht es Ihnen, Rabbi?« fragte Silitsky.

»Mir geht es gut, Gott dem Herrn sei Dank.«

»Gepriesen sei Sein Name.«

Der Rabbi blickte hinüber zu der Frau an dem anderen Schreibtisch. »Könnten wir uns vielleicht draußen miteinander unterhalten, Mr. Silitsky? Es geht um eine persönliche Angelegenheit.«

Silitsky hatte auf einmal einen argwöhnischen Ausdruck im Gesicht, aber er stand auf, nickte und folgte dem Rabbi und Harry nach draußen.

Als die drei Männer sich von der Molkerei entfernten, sagte Rabbi Goldenberg: »Es geht um Ihre Frau.«

Silitsky schien das nicht sonderlich zu überraschen.

»Dieser Mann hier behauptet, Sie hätten sie zu einer *Aguna* gemacht.«

Silitsky sah hinüber zu Harry. Sie gingen auf eine Bank im Schatten einer Pinie zu. »Setzen wir uns doch«, schlug Harry vor. Er bekam den unbequemen Platz in der Mitte.

»Es ist eine Sünde, eine Frau willentlich zu einer *Aguna* zu machen«, sagte der Rabbi.

»Sind Sie der amerikanische Professor?« fragte Silitsky.

Offensichtlich verwechselte ihn der Mann mit David Leslau. »Nein, nein«, sagte Harry. Ich bin ein Freund von ihm.«

Silitsky zuckte mit den Achseln. »Ich habe auch Freunde. Und die erzählen mir viele Dinge.«

Rabbi Goldenberg drehte seinen Bart um den Finger. »Wann haben Sie Ihre Frau denn verlassen.«

»Es dürfte jetzt etwa zwei Jahre her sein.«

»Schicken Sie ihr Geld?«

Der Mann schüttelte den Kopf.

»Und?« fragte der Rabbi sanft. »Wovon lebt sie?«

Silitsky war still.

»Ich glaube, sie arbeitet in einer Bäckerei«, sagte Harry.

Rabbi Goldenberg seufzte. »Die Weisen sagen, daß ein Mann seine Frau mehr ehren soll als sein eigenes Selbst.«

»Die Leute haben über mich gelacht, weil ich Rachel nicht unter Kontrolle halten konnte«, sagte Silitsky langsam. »Die Weisen sagen auch, daß eine Frau ihren Mann über alles ehren und ehrfürchtig zu ihm aufblicken soll. Stimmt das etwa nicht?«

»Sie kennen das alttestamentarische Gesetz wohl sehr gut«, sagte der Rabbi.

Silitsky zuckte mit den Achseln.

»Dann sollten Sie aber auch wissen, daß ein Mann, wenn er heiratet, nach dem biblischen Gesetz seiner Frau zehn Dinge geben muß. Sieben davon werden von den Schriftgelehrten benannt. Die restlichen drei stehen in der Tora – *der Tora*, wohlgemerkt! Danach soll ein Mann seiner Frau Essen, Kleidung und ein erfülltes Sexualleben geben.« Er beugte sich über Harry hinüber zu Silitsky. »Haben Sie vor, ins Bett Ihrer Frau zurückzukehren?«

Silitsky schüttelte den Kopf.

»Dann müssen Sie sie freigeben«, sagte der Rabbi.
Silitsky starrte hinunter auf seine Schuhe. »Das will ich ja.«
»Sie sind nicht zufällig ein *Kohen*, oder?«
»Doch, ich bin ein *Kohen*.«
»Ah. Dann wissen Sie ja sicher, daß ein *Kohen*, wenn er sich einmal von einer Frau losgesagt hat, diese nicht ein zweites Mal heiraten darf.«
»Natürlich weiß ich das.«
Der Rabbi nickte. »Die nächste Sitzung des rabbinischen Gerichts ist am Donnerstag nachmittag. Werden Sie um zwei Uhr vor dem *Beth Din* erscheinen, um sich von ihr scheiden zu lassen?«
»Ja.«
»Sie sind schon einmal weggelaufen. Werden Sie diesmal Charakter zeigen und nicht kneifen?«
Silitsky sah ihn ruhig an. »Ich habe nie vorgehabt, es so lange schleifen zu lassen. Zuerst war ich sehr verärgert, und dann ...« Er zuckte mit den Achseln.
Der Rabbi nickte. »Das rabbinische Gericht tritt in meiner Synagoge zusammen. Sie wissen, wo die ist?«
»Ja. Ich persönlich gehe immer zu Rabbi Heller in die kleine polnische *schul*.«
Rabbi Goldenberg lächelte. »Aber am Donnerstag kommen Sie zu mir, nicht wahr?«
»Ich werde dort sein.« Silitsky stand auf und war offensichtlich erleichtert. Er schüttelte den beiden die Hände.
Harry sah ihm nach, wie er langsam zurück zur Molkerei ging. »Und das war alles?« fragte er. Die Innenflächen seiner Hände waren feucht.
»Noch nicht. Er hat zwar eingewilligt, aber die Scheidung ist damit noch nicht erledigt.«
»Aber sie wird doch ausgesprochen werden?«
»Mit ziemlicher Sicherheit.«
»Kann nicht sein *rebbe* in Mea She'arim...«

Rabbi Goldenberg kratzte sich irritierend laut in seinem braunen Bart. »Mr. Hopeman, haben wir Juden etwa einen Papst? Sein *Rebbe* ist genauso ein Rabbi wie ich und meine Kollegen. Mrs. Silitsky wird ein *Get*, ein Scheidungszertifikat, von einem ordentlichen *Beth-Din* erhalten, und einundneunzig Tage danach kann sie wieder heiraten.«
Sie gingen zurück zu Harrys Wagen. »Wollen Sie mal was Verrücktes hören, Rabbi? Dieser Mann – Mrs. Silitskys Freund –, vor ein paar Wochen kannte ich ihn noch nicht. Was tue ich also hier?«
Der Rabbi lächelte. »Das macht Ihren Auftrag zu einer echten guten Tat.«
Sie fuhren durch die stillen Straßen. Harry erinnerte sich, daß er diese Stadt in den Fernsehnachrichten schon einmal ganz anders gesehen hatte. »Hier haben doch die Terroristen vor einiger Zeit die vielen Kinder umgebracht. Ist die Stelle, wo es geschah, hier in der Nähe?«
»Nicht weit von hier«, sagte Rabbi Goldenberg. »Aber dort ist nichts mehr zu sehen. Sie ist heute wieder ein ganz normales Wohnhaus. Die Einschußlöcher sind repariert und die Fassade neu gestrichen worden. Wir dürfen uns nicht an die Toten klammern.«
»Da stimme ich Ihnen zu«, sagte Harry eifrig. »Was meinen Sie, kann man einem anderen Menschen dabei helfen, sich nicht an einen Toten zu klammern?«
Der Rabbi lächelte. »Noch eine gute Tat?«
»Nein. Das geschieht ausschließlich aus Eigennutz.«
»Ich glaube, daß das jeder einzelne mit sich selbst ausmachen muß.«
Sie waren vor dem schäbigen grünen Haus angelangt. »Werden Sie einmal eine Gemeinde in New York übernehmen?« fragte Harry.

»Ich bin hier zu Hause, Mr. Hopeman«, sagte der Rabbi. Er stieg aus und schüttelte Harry die Hand. »Gehen Sie in Frieden.«
»Bleiben Sie gesund, Rabbi Goldenberg.«
Harry fuhr nur ein paar Häuserblocks weiter zum Postamt, wo es ein öffentliches Telefon gab, allerdings von einem Fabrikat, das Harry vollkommen unbekannt war. Bevor er ein Ferngespräch führen konnte, mußte er sich dafür am Postschalter spezielle Telefonmarken kaufen. Als er sie in den Apparat warf, konnte er durch ein kleines Glasfenster beobachten, wie die Marken in einen Behälter fielen. Trotzdem hatte er irgendwie zuwenig eingeworfen, denn er hörte kein Freizeichen. Also mußte er wieder zurück zum Schalter und den Beamten dort um Hilfe bitten.
Als schließlich die Verbindung doch noch zustande kam, mußte Harry erst den Leuten bei der Gesellschaft zur Erhaltung der Natur erklären, was er wollte. Dann hörte er, wie jemand auf Hebräisch sagte: *Hier ist ein Gespräch für Sie, Professor.*
»Hallo David?« Harry mußte sich zurückhalten, um nicht in die Sprechmuschel zu schreien. *»Masel-Tow!«* sagte er.

Bis Harry es zurück nach Jerusalem und zum Büro von American Express geschafft hatte, war es später Nachmittag. Eine Frau sperrte gerade die gläserne Tür zu.
»Nein. Sie können doch nicht schon schließen?«
»Doch. Wir haben jetzt zu. Wir können ja nicht ewig geöffnet haben.«
»Aber ich erwarte einen Brief.«
»Na und? Kommen Sie morgen wieder.«
»Bitte! Mein Name ist Hopeman, könnten Sie nicht noch rasch einmal nachsehen? Es ist furchtbar wichtig.«

Die Frau seufzte und nickte. »Ich erinnere mich an den Namen. Ihr Brief ist hier.« Sie sperrte die Tür wieder auf und kam einen Augenblick später mit einem Umschlag zurück. Das Trinkgeld, das Harry ihr geben wollte, lehnte sie ab. »Lassen Sie mich nur heimgehen und mein Abendessen kochen, ja?«

»Okay.« Die verkrampfte Handschrift auf dem Brief war dieselbe wie auf dem Päckchen von neulich. Harry öffnete den Umschlag und las den Brief gleich auf der Straße. Darin stand, daß ihn um acht Uhr abends am nächsten Tag ein grauer Wagen an der Yemin-Moshe-Windmühle abholen werde. Harry ging in ein Restaurant und rief von dort aus Tamar an. »Ich habe den Brief bekommen«, sagte er.

»Oh. Wann sollen wir ihn treffen?«

»Morgen abend.«

»Gut.«

»Ja. Kommst du heute nacht zu mir ins Hotel?«

»Gerne.«

»Warum packst du nicht ein paar Sachen zusammen, damit du eine Weile bei mir bleiben kannst?«

Tamar schwieg.

»Sobald ich meine Geschäfte hier abgewickelt habe, muß ich wieder nach Hause, Tamar. Ich habe nur noch ein paar Tage in Israel.«

»In Ordnung. Hol mich in einer halben Stunde ab.«

Am Abend lag er auf seinem Bett und schaute zu, wie Tamar farblosen Nagellack auf ihre Zehennägel pinselte. Daß sie sich sorgfältig pflegte, war ihm als erstes an ihr aufgefallen.

Er erzählte ihr von den übermalten Einschußlöchern in Kiryat-Shemona und daß ihm der junge Rabbi gesagt hatte, man dürfe sich nicht an die Toten klammern.

Sie hörte mit ihrem Gepinsel auf. »Na und?«
»Das war alles.«
»Willst du damit etwa andeuten, daß ich mich an Yoel klammere? Ich habe mich schon vor langer Zeit von ihm verabschiedet. Und außerdem geht dich das überhaupt nichts an.«
Harry sah in ihre Augen.
»Mein Gott. Ich habe doch gerade mit dir geschlafen.«
»Und hat es dir gefallen?«
»Natürlich«, sagte sie triumphierend.
»Aber du gestattest dir keine weiteren Gefühle. Eigentlich waren doch drei Personen vorhin im Bett.«
Tamar warf das Fläschchen mit dem Nagellack nach ihm. Die kleine Flasche traf Harrys Backenknochen und prallte von dort an die Wand. Dann stürzte sich Tamar mit gespreizten Fingern auf ihn, aber er schlang seine Arme um sie, warf sie aufs Bett und preßte ihre Hände auf die Matratze.
Sie weinte hemmungslos. »Laß mich los, du Bastard!«
Aber Harry hatte Angst, daß sie ihm entweder die Augen auskratzen oder davonlaufen würde. Seine Wange begann zu schmerzen.
»Ich will einfach nicht!« schrie Tamar. »Kannst du das denn nicht verstehen?«
»Darum geht es doch nicht. Gib dir doch eine Chance, etwas zu empfinden. Und dann erst sag mir, daß ich weggehen und dich nie wiedersehen soll.«
»Du bist verrückt. Du kennst mich doch überhaupt nicht. Warum tust du mir das an?«
»Ich glaube, daß du seit Yoels Tod viele Männer gehabt hast. Vielleicht zu viele für eine Frau wie dich.«
Tamar starrte ihn ungläubig an.
»Ich will, daß du etwas laut aussprichst. Ich will, daß du sagst: ›Harry wird niemals etwas tun, das mir weh tut.‹«

»Ich hasse dich! Fuck you!« schrie sie.
Willkommen in meiner Kultur, dachte Harry traurig. Tamars zusammengekniffene Augenlider waren feucht. Harry küßte sie. Als sie ihren Kopf wegdrehte, überfielen ihn auf einmal Selbstzweifel. Es war ihm unverständlich, daß sie nicht dieselben Gefühle hatte wie er. Und so hielt Harry ihre Hände fest, ansonsten berührte er Tamar nicht. Er sagte nichts mehr und machte auch keinen Versuch, sie zu lieben oder, wie sie es ausgedrückt hätte, Sex mit ihr zu haben. Er konzentrierte sich nur auf seine Empfindungen und wollte sie auf Tamar übertragen. Als er so auf ihrem steifen Körper lag, wurde ihm klar, daß das Ganze dennoch so etwas wie eine versuchte Vergewaltigung war, weil er mit seinem Verstand, seinem Willen, mit Gedankenübertragung oder durch Gebete verzweifelt versuchte, seine Gefühle tief in sie hineinzupflanzen.

18

Der graue Wagen

Sobald Harry Tamars Handgelenke losgelassen hatte, hatte sie sich schleunigst angezogen und war, ohne ein Wort zu sagen, fortgegangen. Harry lag die ganze Nacht wach, und am Morgen fühlte er sich scheußlich. Es war die dümmste Art und Weise, wie man einen Tag beginnen konnte, der möglicherweise ein wichtiges Geschäft bringen würde.

Harry stand auf, ging aus dem Hotel und joggte, bis er vollkommen erschöpft war. Ganz Jerusalem schien aus Pflastersteinen zu bestehen, nirgends gab es einen federnden Untergrund, auf dem man hätte laufen können, und Harry fragte sich allmählich, ob er sich hier nicht die Gelenke kaputtmachte. Als er ins Hotel zurückkam, nahm er ein heißes Bad und ließ sich weichgekochte Eier und Toast aufs Zimmer bringen. Bevor er sich wieder ins Bett legte, veranlaßte er noch, daß man ihn um vier Uhr nachmittags wecken sollte.

Harry schaffte es sogar durchzuschlafen, also hatte sich der Aufwand wohl doch gelohnt. Beim Rasieren mußte er höllisch aufpassen, denn an einer Wange hatte er eine häßliche, violette Beule.

Um halb sechs klopfte es an seiner Tür, und als Harry öffnete, stand Tamar vor ihm.

»Komm rein.«

Sie setzte sich in einen Stuhl und nahm ein Buch aus ihrer Tasche.

»Ich bin froh, daß du gekommen bist.«
»Ich habe doch versprochen, daß ich mit dir gehe.«
»Das mußt du aber nicht.«
»Ich habe es dir versprochen.«
Harry nickte.
Eine Zeitlang saßen sie beide schweigend da und lasen.
»Hast du schon zu Abend gegessen?«
»Ich habe keinen Hunger.«
Harry hatte auch keinen. »Trotzdem wäre es keine schlechte Idee, wenn wir vorher noch etwas essen würden.«
»Ich möchte lieber nicht, vielen Dank.«
Also ging Harry allein hinunter in den Speisesaal. Er würgte lustlos ein Sandwich mit Hühnchen hinunter, so, als müsse er Holz zum Heizen in einen Ofen schieben. Dann ging er wieder nach oben und nahm ebenfalls sein Buch in die Hand. Obwohl das Zimmer noch immer ganz leicht nach Sex roch, saßen Tamar und er da wie in einer öffentlichen Bibliothek.

Es waren nur ein paar Schritte vom Hotel bis zu dem Viertel, das zu Ehren von Moses Montefiore, dem Gründer Neu-Jerusalems, Yemin-Moshe hieß. Die Windmühle sah aus, als gehöre sie eher nach Holland als hierher. Während der erbitterten Kämpfe vor der Gründung des Staates Israel war in der Mühle eine Gruppe von Scharfschützen versteckt gewesen, bis die Engländer schließlich die oberen Stockwerke in die Luft gejagt hatten, was die Juden höhnisch als »Operation Don Quichotte« betitelt hatten. Seit dieser Zeit war die Windmühle in doppelter Hinsicht das ungewöhnlichste Gebäude in der ganzen Umgebung – zu ihrem seltsamen Baustil kam nun auch noch die Tatsache hinzu, daß man den oberen Teil gekappt hatte.

Sie stand auf einem kleinen offenen Platz, an dem drei Straßen vorbeiführten.
»Er hat nicht gesagt, an welcher der Straßen wir auf ihn warten sollen«, bemerkte Harry besorgt.
Sie standen an der Hebron Road. Der Verkehr lief an ihnen vorbei. Es wurde dunkel, und bald konnten sie die Farben der Autos nur noch mit Schwierigkeiten erkennen.
Ein Peugeot kam auf sie zu.
»Der ist blau, glaube ich«, sagte Tamar.
Er war grau, aber er fuhr an ihnen vorbei, ebenso einige andere Fahrzeuge derselben Farbe.
Ein paar Minuten nach acht schälte sich plötzlich ein Wagen wie eine Erscheinung aus der Dunkelheit. Beim ersten Blick auf die gigantischen Stoßstangen wußte Harry, daß es der Wagen war, auf den sie gewartet hatten, auch wenn er es kaum glauben konnte. Das chromblitzende Gefährt blieb vor ihnen am Randstein stehen. Auf den Vordersitzen saßen zwei Männer, von denen einer, ein kleingewachsener Bursche mit einem Schnurrbart, ausstieg.
»Mistär Hopeman?«
»Ja.«
Der Mann deutete auf Tamar. »Söör! Man hat uns gesagt, daß Sie allein kommen würden.«
»Das geht in Ordnung. Sie kommt mit.«
»Ja, Söör«, sagte der Mann zögernd und öffnete die hintere Tür. Die Farbe der Innenausstattung hätte man vielleicht am ehesten als »perlmutt« bezeichnen können, dachte Harry. Er ließ Tamar einsteigen und sank dann genüßlich in die weichen Polster, die mit feinstem Leder bezogen waren.
Die Tür fiel mit einem satten Geräusch ins Schloß, und die sanfte Kraft, von der Harry schon so viel gehört hat-

te, setzte den Wagen in Bewegung. Harry entdeckte einen kleinen Kühlschrank vor ihren Sitzen, der Mineralwasser, aber weder Hochprozentiges noch Wein enthielt. Anscheinend war Mehdi ein gläubiger Moslem. Dafür befanden sich aber Früchte und Käse in dem Kühlschrank, und Harry bedauerte es, daß er im Hotel das trockene Hühnersandwich hinuntergewürgt hatte.
Er griff nach dem Sprachrohr. Durch die Glasscheibe in der Mitte des Wagens konnte er sehen, wie der Mann neben dem Fahrer sich erwartungsvoll aufrichtete. »Ja, Söör?«
Die beiden Männer sahen nicht arabisch aus. »Wie heißen Sie?« fragte Harry.
»Mein Name? Ich bin Tresca, Söör.«
»Tresca? Das ist doch ein griechischer Name, nicht wahr?«
Der Mann starrte ihn an. »Vielleicht ist es ein jüdischer Name«, sagte er. Sein Begleiter lachte.
Harry grinste. »Nun gut. Tresca, gehe ich recht in der Annahme, daß dieses Automobil ein Duesenberg, Modell SJ ist?«
Die Zähne des Mannes blitzten weiß in seinem Gesicht auf. »In der Annahme gehen Sie tatsächlich recht, Söör«, sagte er.

Harry hatte sich schon gedacht, daß sie nach Süden fuhren, und als er einige Gebäude erkannte, die vor dem Fenster vorüberglitten, war er sich sicher. Sie fuhren auf der Schnellstraße, die hinaus zu Leslaus Ausgrabungsstätte führte und auf der er und Tamar in dem Touristenbus gefahren waren.
»Ein tolles Auto«, sagte Tamar.
Harry brummte. Das Auto machte ihn nervös. Der Mann, dem es gehörte, konnte sich etwas leisten, was

er selbst nicht konnte. Harrys Meinung über Mehdi kam ins Wanken.
Sie fuhren in ein paar Meilen Entfernung an Ein Gedi vorbei. Die Straße schlängelte sich jetzt nicht mehr wie ein Fluß dahin, sondern führte pfeilgerade in die nächtliche Wüste hinein. Ohne langsamer zu werden, fuhren sie durch ein paar Ortschaften, die durch weite Meilen kahlen Landes voneinander getrennt waren – niedrige Häuser, ein paar gelbe Lichtpünktchen, ein paar Menschen ... hauptsächlich Araber, die kaum die Köpfe hoben.
Zweimal fuhren sie an Lastwagen der israelischen Armee vorbei, einmal an einem Jeep. Die beiden Männer auf den Vordersitzen zeigten keinerlei Reaktion. Harry vermutete, daß ihre Papiere in Ordnung waren.
Als sie sich gerade wieder einem Dorf näherten, trat der Fahrer scharf auf die Bremse, hielt aber das Lenkrad gut fest, so daß der Wagen in der Spur blieb. Tresca öffnete das Handschuhfach, und Harry sah, wie er einen schweren Revolver mit dickem, dunklem Lauf herausnahm.
Ein kleiner Lastwagen stand, von einer schreienden Menschenmenge umgeben, in einem merkwürdigen Winkel am Straßenrand. Tresca stieg aus.
Als er zurückkam, legte er die Waffe wieder ins Handschuhfach. »Der Laster hat eine Ziege überfahren«, berichtete er. »Jetzt streiten sich der Fahrer und der Ziegenhirte um den Preis für das Tier.«
Der Fahrer drückte auf die Hupe. Die Menge teilte sich, und der schöne Wagen glitt langsam an dem blutigen Kadaver vorbei. Durch das Rückfenster sah Harry die Lichter des Dorfes in der Dunkelheit verschwinden.
Je länger sie unterwegs waren, desto wärmer wurde es. Obwohl Harry noch keine zwei Stunden in dem Wagen

saß, klebten ihm seine Kleider auf der Haut. Tamar war eingeschlafen. Harry betrachtete ihr Gesicht und sah, daß die vergangene Nacht dunkle Ringe um ihre Augen hinterlassen hatte.

Kurz nachdem die Lichter von Elat in der Ferne aufgetaucht waren, wurde der Wagen langsamer. Der Fahrer bog in eine holprige Nebenstraße ein und blieb, als der Duesenberg von einer hohen Düne vor Blicken von der Straße geschützt war, schließlich stehen.

Als Tresca wieder das Handschuhfach öffnete, klopfte Harrys Herz auf einmal bis in seinen Hals. Aber statt des Revolvers kamen aus dem Fach ein Schraubenzieher und zwei Nummernschilder mit arabischen Schriftzeichen zum Vorschein. Tresca stieg aus, hantierte am Wagen herum, und als er nach ein paar Minuten wieder einstieg, wischte er sich mit einem Taschentuch den Schweiß vom Gesicht und legte die blauen Nummernschilder der von Israel besetzten Gebiete in das Handschuhfach.

»Willkommen in Jordanien, Mistär Hopeman«, sagte er.

Bis zu Mehdis Haus waren es noch zwanzig Minuten Fahrt über schlechte Straßen. Das erfreulicherweise klimatisierte Wohnzimmer war nach westlichen Begriffen eher spärlich möbliert. An den weißgetünchten Wänden hingen Teppiche, die gut zu den Kamelsätteln und Kupfertabletts paßten, mit denen der Raum eingerichtet war. Auf einem niedrigen Tisch stand eine Schale mit Früchten und daneben eine Messingkanne mit langem Schnabel, die auf einer Holzkohlenpfanne warmgehalten wurde.

Trotz der späten Stunde hatte Mehdi auf sie gewartet. Tamars Anwesenheit schien ihn nicht zu überraschen; mit einem strahlenden Lächeln goß er ihr bitteren,

schwarzen Kaffee ein. Sie mußten ihre Tassen dreimal nachfüllen lassen, bevor Mehdi ihnen glaubte, daß sie genug hatten.
»Wollen Sie sich noch ein wenig ausruhen, bevor Sie den Stein unter die Lupe nehmen?«
Zeig mir das Ding, hätte Harry am liebsten verlangt. Aber statt dessen sagte er: »Wenn es Ihnen nichts ausmacht, dann würde ich ihn gerne bei Tageslicht untersuchen.«
»Das habe ich mir gedacht«, sagte Mehdi und klatschte in die Hände. Tresca führte sie durch den hinteren Teil des Hauses in einen Flügel ohne Klimaanlage. Tamars Zimmer lag neben dem von Harry.
Sie sagte gute Nacht und schloß die Tür.

Das Badezimmer befand sich im Gang. Es war nicht genügend heißes Wasser für die Dusche da, aber auch das kalte Wasser war lauwarm. Harry verschwendete viel zuviel Wasser, bevor ihm bewußt wurde, daß er sich hier mitten in der Wüste befand. Als er sich abtrocknete, konnte er durch das offene Fenster die Lichter eines Schiffs auf dem Roten Meer erkennen.
Die Matratze war alles andere als neu und in der Mitte ziemlich durchgelegen. Harry lag nackt und schwitzend in der Dunkelheit und dachte an den gelben Diamanten. Er war gerade im Begriff einzuschlafen, als er hörte, wie seine Zimmertür geöffnet wurde.
Eine Gestalt huschte quer durchs Zimmer und legte sich neben ihn ins Bett.
»Ich bin so froh, Tamar«, flüsterte er.
Als ihre sanfte Hand sein Bein berührte, spürte er, wie ein überwältigendes Glücksgefühl in ihm aufstieg.
Sie rieben ihre Nasen aneinander, und Harry nahm einen seltsam würzigen Geruch wahr, während seine Hän-

de an sehr schmalen Schultern und winzigen Brüsten entlangglitten.
Er tastete nach der Nachttischlampe.
Das Mädchen in seinem Bett konnte nicht älter als zwölf Jahre sein. Mehdi hatte merkwürdige Begriffe von Gastfreundschaft, dachte Harry benommen.
Als er ihren mageren, nackten Körper sah, überkamen ihn Schuldgefühle. Er stand auf und öffnete die Tür. Das Mädchen lag steif im Bett und sah ihn aus braunen Augen, die Harry an Tamar erinnerten, ängstlich an.
»Saidi?« flüsterte sie.
»Raus!«
Ihre Augen verengten sich zu kleinen Schlitzen und ihr Gesicht schien zu zerschmelzen, während sie losheulte wie ein kleines Mädchen, das sie ja auch war. Harry sah, daß sie sich vor Angst kaum bewegen konnte, also nahm er sie bei der Hand und führte sie hinaus auf den Gang. Hoffentlich wird sie deswegen nicht bestraft, dachte er, als er die Tür schloß und sich wieder aufs Bett fallen ließ.
Eine kurze Weile später stand er auf und klopfte leise an die Verbindungstür zwischen den beiden Schlafzimmern.
Tamar kam an die Tür und öffnete sie einen Spalt. »Was ist los?«
»Ist alles in Ordnung bei dir?«
»Natürlich. Dies ist ein arabisches Haus. Solange wir hier Gäste sind, wird uns unser Gastgeber bis zu seinem letzten Blutstropfen verteidigen.«
Die Tür wurde geschlossen, und Harry ging zurück ins Bett. Dann öffnete sie sich wieder.
»Danke, daß du dir Sorgen um mich machst.«
»Bitte«, entgegnete Harry.

Am Morgen erwachte er von einem rhythmischen Gejaule, das er schließlich als einen auf höchste Lautstärke gedrehten Radioapparat identifizierte. Die Hitze war unerträglich, und der schrille Sopran kreischte unablässig.
Harry verspürte ein unbezähmbares Verlangen, Mehdi zu suchen und ihn nach dem Diamanten zu fragen, aber er zog sich erst einmal Shorts und Turnschuhe an. Tresca, der ein weißes Baumwolljackett trug, deckte im Speisezimmer gerade den Tisch.
»Ich würde gerne einmal an den Strand gehen. Ist das erlaubt?«
»Natürlich, Söör.« Er stellte sein Tablett mit Gläsern ab und ging Harry nach.
Ein weißes Fischerboot schaukelte weit draußen im blauen Wasser. Das war das einzige Zeichen von der Anwesenheit menschlicher Wesen. Als Harry den harten Sand direkt an der Wasserlinie erreichte, begann er zu laufen. Tresca in seinem weißen Servierjackett trabte hinter ihm her.
»Jetzt müssen wir aber umkehren!«, rief er nach etwa einer halben Meile.
Harry blieb stehen und begann mit Schattenboxen. Er dachte kurz daran, zum Spaß ein paar Schwinger auf Trescas Kopf zu zielen, den ein oder anderen angedeuteten Haken in seine Richtung zu schlagen. Aber Tresca war keineswegs außer Atem, und Harry beschlich auf einmal das ungute Gefühl, daß dieser Mann, wenn er nur wollte, ihm erheblichen körperlichen Schaden zufügen konnte. Und so drehte er sich lammfromm um und lief langsam wieder zurück zum Haus.

Eine halbe Stunde später genoß Harry ein dem heißen Wetter angemessenes Frühstück aus Rohkost, Joghurt,

Brot, Käse und Tee. »Eßt im Namen Gottes«, wünschte ihnen Mehdi.
»*Bismilla*, im Namen Allahs«, sagte Tamar. Sie verriet ihre Nervosität dadurch, daß sie mehr redete als üblich. Tresca, der ein frisches weißes Jackett angezogen hatte, holte auf ihre Bitte hin noch einmal frischen Kaffee.
»Ein außergewöhnlicher Diener«, sagte Tamar zu Mehdi.
»Oh? Ach ja, natürlich.«
»Er ist kein Ägypter.«
»Albaner«, sagte Mehdi. »Ich habe albanische Vorfahren. König Faruk übrigens auch, wußten Sie das?«
»Wann wurde Ihre Familie denn zu Ägyptern?« fragte Tamar.
»Im frühen neunzehnten Jahrhundert. Die Mamelucken erhoben sich damals in Ägypten gegen das Ottomanische Reich, und die Türken schickten ihnen albanische Elitetruppen entgegen, befehligt von einem jungen Offizier namens Mehemet Ali. Nachdem er die Rebellion niedergeschlagen hatte, sagte er sich von den Türken los und erklärte sich zum Herrscher Ägyptens.«
»Und Sie sind der Nachfahre eines seiner Männer?«
»Mein Urgroßvater diente bei seiner Infanterie, die Nubia Sennaar und Kordofan überrannte und Khartum erbaute. Er war dabei, als sie Syrien einnahmen, und später, als Ali Pascha ein alter Mann war, besiegten sie auch noch die Türken, von denen sie einst Befehle erhalten hatten. Alis Stiefsohn und Nachfolger war Ibrahim, dessen Sohn war Ismail, der wiederum einen Sohn namens Ahmed Fuad hatte, und dessen Sohn war Faruk.«
Tamar sah aus, als wolle sie noch eine weitere Frage stellen. »Ich glaube, ich würde jetzt gerne das Tageslicht ausnützen«, sagte Harry beiläufig.

Mehdi nickte. »Entschuldigen Sie mich bitte.«
Nervös und schweigend tranken sie ihren Kaffee, bis Mehdi schließlich mit einer kleinen Kiste aus Olivenholz zurückkam. In der Kiste befand sich ein brauner Männerstrumpf, den Mehdi an den Zehen packte und schüttelte, woraufhin einer der größten Diamanten, den Harry je gesehen hatte, über den Tisch auf ihn zurollte. Selbst im schlechten Licht des Eßzimmers funkelte er. Harry nahm ihn auf und hatte seine liebe Mühe, um seine Hand am Zittern zu hindern.
»Ich brauche einen Tisch vor einem Fenster an der Nordseite des Hauses.«
Mehdi nickte. »Dann müssen Sie mit meinem Schlafzimmer vorliebnehmen.«
»Wenn es Ihnen nichts ausmacht?«
»Aber natürlich nicht. Benötigen Sie sonst noch etwas?«
»Vielleicht wäre es Ihnen möglich, das Radio abzudrehen«, bat Harry.

Er hätte auch noch verlangen sollen, daß jemand das Bett machte, denn als er das Schlafzimer betrat, fiel das Licht des Nordfensters auf ein rotes Frauennachthemd zwischen den verknitterten Laken.
Aber Harry war bereits allein. Er sank auf einen Stuhl und starrte den Diamanten an.
Der Stein überwältigte ihn. Der Historiker in ihm besiegte den Diamantenexperten und war zutiefst fasziniert von den Zeitaltern und Ereignissen, die dieser Stein bereits mitgemacht hatte.
Als er eine kurze Weile später zum Fenster ging, sah er, daß Tresca draußen im Schatten saß und Gurken schälte. Der andere Diener, den sie Bardyl nannten, stand hinter einer niedrigen Mauer auf dem flachen Dach des Nebenflügels. Als Harry das Fenster öffnete, fuhr Tresca

mit seiner Arbeit fort, aber Bardyls Hand verschwand hinter der Mauer.
Harry war zufrieden. Er fühlte sich besser, wenn er bewacht wurde.
Aus seiner Tasche holte er einen Block reinweißen Papiers, ein Poliertuch und einen kleinen braunen Umschlag, der einen halbkarätigen *Canary-Diamanten* von perfekter Farbe enthielt. Dann rieb er beide Diamanten mit dem Poliertuch und legte sie auf ein Blatt des weißen Papiers, so daß das weiche Licht von dessen Oberfläche ins Innere der Steine reflektiert wurde.
Der kleine Diamant hatte eine besonders makellose Farbe. Harry nahm ein Fläschchen mit Methylenjodid, das er bereits in New York so oft verdünnt hatte, bis es genau die gleiche optische Dichte aufwies wie der halbkarätige gelbe Diamant, und goß etwas von der Lösung in eine Glasschale. Als er den kleinen Stein hineinlegte, war dieser nicht mehr erkennbar. Da der Brechungsindex des Methylenjodids exakt derselbe war wie der des Steins, durchdrangen die Lichtstrahlen in einer geraden Linie Flüssigkeit und Diamant, ohne irgendwo gebrochen zu werden.
Der *Diamant der Inquisition*, den Harry als nächstes in die Flüssigkeit legte, verschwand nicht so vollständig wie der kleinere Stein. In seinem Inneren waren winzige Einschlüsse und eine ganz leichte Trübung zu erkennen, was man aber beides nicht als Fehler bezeichnen konnte. Hätte der Stein einen echten Fehler gehabt, so wäre er bei diesem Test in etwa so aufgefallen wie das Licht eines Leuchtturms in rabenschwarzer Nacht. Es war vollkommen eindeutig, daß dieser Diamant keinen gravierenden Makel aufwies.
Hätte ich dir erzählen müssen, hatte sein Vater gesagt.
»Verdammt noch mal, Papa.« Harry ärgerte sich über

den Mann, um den er immer noch trauerte. »*Was* hättest du mir erzählen müssen?«
Er nahm die beiden Diamanten aus der Lösung und rieb sie trocken, dann holte er seine Instrumente hervor und begann mit den Messungen. Der *Diamant der Inquisition* rollte dabei satt und schwer auf seiner Handfläche hin und her und brach funkelnd das Licht des Nordfensters.
Harry fuhr mit dem Finger über die briolettenförmig angelegten Facetten.
Einer seiner Vorfahren hatte diesen Stein geschliffen!
Im unteren Teil des Steins entdeckte Harry kleine, sorgfältig eingeschliffene Furchen. Die hatte ein anderer von Harrys Vorfahren gemacht, als er den Diamanten in die Tiara von Papst Gregor gefaßt hatte.

19

Die Kanonengießerei

Jedes Mal, wenn Isaak Hadas Vitallo zum Palast des Dogen ging, gab er dort seinen vollen Namen an, und jedes Mal mußte er hören, wie er dem Dogen als der »jüdische Juwelier aus dem Dorf Treviso« angekündigt wurde. Im Palast roch es nach feuchtem Stein und menschlichen Ausdünstungen, die starke Parfüms und dick aufgetragener Puder nicht vollständig überdecken konnten. Vitallo drehte es jedes Mal, wenn diese »Düfte« über ihm zusammenschlugen, fast den Magen um.

Der Doge hörte ihn mit warmem Lächeln und kalten Augen an. »Du ziehst Vorteil aus Unserer Gutmütigkeit«, sagte er, als rede er mit einem dummen Kind. »Wegen Unserer grenzenlosen Güte bist du von der Pflicht, den gelben Hut zu tragen, befreit. Du darfst mit deiner Familie sogar wie ein Christ in einem schönen Haus wohnen und mußt nicht zu deinesgleichen in den Ghetto *ziehen. Aber das alles ist dir nicht genug. Immer wieder kommst du zu mir und belästigst mich wegen irgendwelcher toter Juden.«*

»Unsere Begräbnisprozessionen werden auf dem Weg vom Ghetto *zu unserem Friedhof auf dem Lido immer wieder angegriffen, Euer Gnaden«, protestierte Isaak. »Seit per Gesetz bei Sonnenuntergang die drei Tore des* Ghetto *geschlossen werden müssen und erst wieder geöffnet werden dürfen, wenn vom Campanile von San Marco die Morgenglocken läuten, können wir unsere Toten auch*

nicht mehr in der Dunkelheit begraben. Wir brauchen den Schutz Eurer Soldaten.«

»Nichts leichter als das«, sagte der Doge. »Wende dich an mich, sobald wieder einer von euch stirbt.«

»Wir würden es nicht wagen, Euch so häufig zu belästigen«, sagte Isaak. Die beiden Männer wußten, daß bei einem solchen Arrangement jedes Mal, wenn ein Jude starb, massive Bestechungsgelder zu bezahlen wären. »Am besten wäre es doch, wenn Ihr einfach Befehl gäbet, daß fortan jedes Begräbnis bewacht werden muß. Ist dem nicht so, Euer Gnaden?«

»Hmm.« Der Doge musterte Isaak. »Ich habe mir sagen lassen, daß einem Mann, der einen Hyazinth-Ring trägt, weder Pest noch Fieber etwas anhaben können. Ist dir das bekannt, Juwelier?«

Isaak unterdrückte einen erleichterten Seufzer. »Ja, davon habe ich schon gehört. Und ich weiß auch, wo ich einen schönen Hyazinth herbekommen kann. Ich werde ihn für Euch in einen Ring fassen.«

»Wenn das dein Wunsch ist«, sagte der Doge gleichgültig. »Auf jeden Fall denke ich, daß du dir in Zukunft noch häufiger Sorgen über die Begräbnisse auf dem Lido machen werden wirst. Die Condotta läuft am Ende dieses Jahres aus.«

»Euer Gnaden?« Die Condotta war der Vertrag, mit dem es den Juden gestattet wurde, in Venedig zu leben. Mehrere Jahrhunderte lang war er in regelmäßigen Zeitabständen erneuert worden, und vor jeder Erneuerung hatten sich die Behörden geziert und mit nicht geringen Summen bestechen lassen. »Aber es wird doch keine Probleme mit der Erneuerung der Condotta geben?«

»Die Kirche hat Simon von Trient heiliggesprochen.«

Isaak starrte den Dogen ungläubig an.

»An seinem Grab haben sich drei Wunder ereignet. Ein

Tauber, ein Blinder und ein Gelähmter sind geheilt, und Tote sind wieder zum Leben erweckt worden. Der Knabe ist jetzt der heilige Simon.«

Vor mehr als hundert Jahren hatte ein antisemitisch eifernder Priester in Trient, einer Stadt an der deutschen Grenze nördlich von Venedig, eine Fastenpredigt gehalten, in der er den Bauern eingeredet hatte, die Juden würden Ritualmorde begehen. Sie sollten in der Zeit vor dem jüdischen Osterfest ganz besonders auf ihre Kinder achtgeben.

Am Gründonnerstag war dann ein knapp zweieinhalbjähriges Kind namens Simon verschwunden. Trotz schleunigst durchgeführter Hausdurchsuchungen, blieb der Junge verschwunden, bis am Ostermontag schließlich ein paar zu Tode erschrockene Juden seine kleine Leiche im Fluß treiben sahen. Daraufhin wurden jüdische Männer, Frauen und Kinder so lange gefoltert, bis einige von ihnen unter Schmerzen herausbrüllten, man habe den Jungen getötet, damit man sein Blut beim Osterritual verwenden konnte. Eine aufgebrachte Menge zerrte die Führer der jüdischen Gemeinde zum Brunnen vor der Stadtkirche, wo sie erst getauft und dann abgeschlachtet wurden. Aber das war erst der Anfang einer schrecklichen Welle von Gewalt gegen die Juden, die noch für eine lange Zeit durch Europa tobte. Fünf Jahre nach dem Vorfall waren in Portobuffole, einem Dorf nahe dem, in dem Isaak wohnte, drei Juden des Ritualmordes angeklagt und verbrannt worden.

»Du mußt den Senat verstehen«, heischte der Doge um Verständnis. »Sogar ohne diese Heiligsprechung gibt es in Venedig viele fromme Leute, denen der Anblick von Juden ein Dorn im Auge ist.«

Isaak ging durch die Fondamenta della Pescaria, *den alten Fischmarkt, der an den Rio Canareggio angrenzte, betrachtete die Silhouetten der Häuser in dem ummauerten Stadtviertel der Juden und fragte sich, warum sich die Leute hier tagtäglich abmühten und dann doch nur leben durften wie die Gefangenen. Das Viertel war eine ungesunde, kleine, von Kanälen umgebene Insel. Früher einmal war hier auf einem sumpfigen Gelände der* Ghetto Nuovo, *die »neue Kanonengießerei« gewesen, die im Lauf der Zeit dem Viertel seinen Namen gegeben hatte. Als man übereinkam, dort die Juden der Stadt anzusiedeln, hatten ihnen die Verantwortlichen auf der Insel ein paar wacklige Hütten errichtet. Das Recht, eigenen Grund und Boden zu besitzen, hatte man den Juden damals längst aberkannt, so daß sie im* Ghetto *Mieten bezahlen mußten, die dreißig Prozent über dem lagen, was Christen woanders für ihre Behausung ausgeben mußten. Das Viertel war viel zu klein für die vielen Menschen. Nachdem es sich in Windeseile auf den* Ghetto Vecchio, *die »alte Gießerei«, nebenan ausgedehnt hatte, blieb ihm nur noch eine Möglichkeit: Es mußte in die Höhe wachsen. Und so wurden die alten Holzhäuser aufgestockt, bis sie mehrstöckige Feuerfallen waren, die bei windigem Wetter gefährlich schwankten und ächzten. Die engen, verschlungenen Hauptstraßen waren von einem Netz winziger Gassen umgeben, in denen ein halbes Dutzend öffentliche Brunnen das Trinkwasser für zwölfhundert Menschen liefern mußten.*

Isaak überschritt die kleine Brücke am Eingang des Ghetto *und nickte dem Torwächter zu. Es gab vier Wächter, und allesamt waren sie Christen. Sie mußten aufpassen, daß keiner der Bewohner den* Ghetto *verließ, daß jeder Jude seinen gelben Hut, das verhaßte Kainsmal, trug, daß die jüdischen Männer nichts mit Christenfrauen zu tun hatten und daß sich die Geldverleiher an die vereinbarten Zinssätze hielten.*

Isaak ging zur Synagoge und wartete im Vorzimmer, während der Büttel durch das Viertel eilte und die Ratsmitglieder zusammentrommelte. Nach und nach kamen die Führer der Gemeinde in die Synagoge und setzten sich. Manche starrten Isaak ablehnend an; er und der Arzt des Dogen waren die einzigen Juden in Venedig, denen es gestattet war, außerhalb des Ghetto *zu wohnen. Aber Isaak hatte ein reines Gewissen. Trotz seiner Privilegien hatte er sich immer für seine Glaubensgenossen eingesetzt.*
Er beugte sich in seinem Stuhl nach vorn und blickte die Ratsmitglieder mit ernster Miene an.
»Es kommen große Probleme auf uns zu«, sagte er.

Das Pferd begann, ausgelassen zu traben, es spürte wohl, wie erleichtert Isaak war, daß er Venedig verlassen und zurück nach Treviso reiten konnte. Sein Land befand sich ein gutes Stück von der Stadt entfernt, der er fernblieb, so gut er konnte. Isaaks Land bestand aus kargem Kalkboden, wie er auf der felsigen adriatischen Ebene, die sich von der Küste zu den venezianischen Alpen erstreckt, recht häufig zu finden war. Der Regen versickerte rasch im kalkigen Boden und lief in unterirdischen Flüssen zum Meer. Im Sommer waren Isaak und seine Familie deshalb gezwungen, ihre Felder künstlich zu bewässern. Isaak hatte das Land vom Dogen gepachtet, der wohl angenommen hatte, daß auf diesem Boden sowieso niemand etwas zum Wachsen bringen könnte.
Elia war im Weingarten und pflügte. Sie pflegten die Weinstöcke den milden Winter über, weil sie hofften, daß dadurch der Boden etwas mehr Feuchtigkeit speicherte. Im Frühjahr trieben dann die Weinstöcke grüne Ranken und zogen die Mineralien aus der dünnen Erdschicht voller Schalen vorzeitlicher Landmollusken, Tierknochen,

römischer Metallstücke und unzähliger Chitinpanzer von Generationen von Insekten. Und irgendwie gab es im Herbst dann auf geheimnisvolle Weise dicke, schwere, fast schwarze Trauben, die aussahen, wie mit einem Hauch von Blau bestäubt, und die bis zum Platzen mit süßem, moschusartig duftendem Saft gefüllt waren – das einzige Blut, dachte Isaak grimmig, das sie bei ihrer Osterfeier benötigten.
Elia winkte seinem Vater zu und zügelte die Ochsen. Er lächelte nicht oft, und es tat Isaak leid, daß das, was er ihm zu berichten hatte, ihm im Nu die Schwermut in sein Gesicht zurückbringen würde.
»Das ist mir egal«, sagte Elia zu Isaaks Erstaunen, nachdem dieser ihm von seinem unerfreulichen Gespräch mit dem Dogen berichtet hatte. »Ich möchte sowieso fort von hier, in ein Land, wo ich meinen eigenen Grund und Boden besitzen darf.«
»So ein Land gibt es nicht. Hier geht es uns immer noch besser als überall anders. Hier bin ich immerhin der Juwelier des Dogen.«
»Hast du etwas Geld?«
»Warum?«
»Es muß doch einen Staat geben, wo ...«
»Nein. Und selbst wenn es einen gäbe? Was wäre dann mit den anderen, denen im Ghetto? *Die meisten von ihnen haben wenig oder nichts.«*
Aber der Junge ließ nicht locker. »Wir könnten doch nach Osten gehen.«
»Da war ich schon. Es ist die reinste Hölle, seit die Türken dort sind.«
»Ich meine noch weiter nach Osten.«
Isaak verzog das Gesicht. Auf den Spuren Marco Polos zu wandeln war einer von Elias Kinderträumen gewesen, aber jetzt war sein Sohn doch schon fast ein Mann. »Es

ist dreihundert Jahre her, seit die Polos in Cathay waren«, sagte er barsch. »Wenn heute jemand aus dem Westen sich dorthin wagt, wird er getötet, gleichgültig, ob er ein Jude oder ein Christ ist. Du mußt dich schon mit dem bescheiden, was wir haben.« Isaak wechselte das Thema. »Haben wir eigentlich einen Hyazinth auf Lager?«

Elia blickte zur Seite. »Das weiß ich nicht.«

»Aber es ist deine Aufgabe, das zu wissen«, sagte sein Vater. »Im Dreck herumzubuddeln und die Felder umzugraben, ist ein Freizeitvergnügen, aber die Edelsteine sind dein Geschäft. Ich brauche einen Hyazinth für den Dogen. Schau nach, ob wir einen haben, und teile es mir sofort mit.«

Während Isaak vor den Ochsen her nach Hause ritt, bedauerte er es, daß er seinen Sohn so angefahren hatte. Er wünschte, er könnte den Jungen wie früher an seine Brust ziehen und ihm sagen, wie sehr er ihn liebte. Elia hatte es nie leicht gehabt. Kurz nach seiner Geburt war Isaak von Venedig aus zu seiner ersten langen Reise aufgebrochen. Auf der Suche nach Diamanten hatte er damals die gesamte Levante bereist – Konstantinopel, Damaskus, Kairo, Jerusalem – und war mit ein paar der schönsten Steine zurückgekehrt, die man in Venedig je gesehen hatte. Diese Juwelen hatten es ihm schließlich ermöglicht, mit dem Segen des Dogen der qualvollen Enge im Ghetto *den Rücken zu kehren und hinaus aufs Land zu ziehen, aber um sie zu erwerben, hatte er mehr als vier Jahre in der Fremde verbringen müssen. Als er zurückkam, war das Mädchen, das er geheiratet hatte, zu einer Frau geworden, die ihm wie eine Fremde vorkam, und noch Wochen nach seiner Heimkehr stieß sein Sohn jedesmal, wenn er ihn erblickte, einen ängstlichen Schrei aus.*

Nach dieser ersten Reise unternahm Isaak nur noch zwei längere Fahrten, auf denen er allerdings höchstens achtzehn Monate hintereinander von zu Hause wegblieb. Er bekam noch drei weitere Söhne und zwei Töchter, Fioretta, Falcone, Meshullam, Leone und die kleine Haya-Rachel, alle altersmäßig so nahe beisammen, daß sie einander als Spielgefährten hatten. Von all seinen Kindern war nur Elia, der Älteste, praktisch allein aufgewachsen. Elia hatte nur die beiden Ochsen, das ärmliche, gepachtete Land und seine wilden Träume.

Aber waren seine Träume wirklich so wild?
Mitten in der Nacht mußte Isaak der Tatsache ins Auge blicken, daß es völlig gleichgültig war, ob er nun – wie sein Sohn – freiwillig fortgehen wollte oder nicht. Der Befehl des Dogen zwang die Juden in jedem Fall, die Stadt zu verlassen.
Isaak stieg leise aus dem Bett, um seine schlafende Frau nicht zu wecken. Es war Neumond und zudem eine so späte Stunde, daß niemand sehen konnte, wie der Jude von Treviso neben den Viehställen etwas aus der Erde grub. Der kleine Beutel aus einer Ziegenblase war noch genau dort, wo Isaak ihn vor langer Zeit vergraben hatte. Er öffnete ihn und holte den gelben Stein hervor, den er auf seiner dritten Reise erworben hatte. Dieser Diamant repräsentierte den gesamten Verdienst ganzer Generationen der Diamantenhändlerfamilie Vitallo. Das Vermögen, das er darstellte, mochte vielleicht bescheidener sein als das, was andere wohlhabende Leute, darunter auch einige Juden, zusammengetragen hatten, aber es war dennoch viel mehr, als sich Isaaks Vorfahren je hätten träumen lassen. Isaak hatte den Stein zu einer Zeit, in der er in einem bestimmten Land weit unter seinem wahren Wert zu kaufen gewesen war, günstig angeboten be-

kommen, aber trotzdem hatte er damals so gut wie seine ganzen Kapitalreserven flüssigmachen müssen. Aber der Diamant war es wert. Er ermöglichte es Isaak, sollte er einmal zu fliehen gezwungen sein, jederzeit den größten Teil seines Vermögens mit sich zu nehmen. Dafür mußte er allerdings das Risiko in Kauf nehmen, daß ihn ein Dieb mit einem Schlag zum armen Mann machen konnte. Die Angst davor war auch der Grund, warum Isaak von Zeit zu Zeit nachsah, ob der vergrabene Beutel noch immer an seinem Platz war.
Würde dieser Stein, wenn sie Venedig verlassen mußten, ihnen woanders ein gesichertes Leben ermöglichen?
Bei der großen Judenvertreibung aus Spanien hatten achthunderttausend Menschen dieses Land verlassen müssen, ohne zu wissen, wo sie hätten hingehen können. Manche waren in Booten nach Nordafrika geflohen, wo die Araber ihre Frauen vergewaltigt und auf der Suche nach verschluckten Wertsachen den Männern die Bäuche aufgeschlitzt hatten. Andere waren über die Grenze nach Portugal gegangen, wo man ihnen den Aufenthalt im Austausch ihres gesamten Besitzes gestattet hatte. Dann hatten ihnen die Portugiesen vor ihren Augen ihre Söhne und Töchter fortgeschleppt und zwangsweise getauft. Tausende von unglücklichen spanischen Juden waren als Sklaven verkauft worden, Abertausende hatten Selbstmord begangen. Im Hafen von Genua war mehreren Flotten voller hungernder Flüchtlinge der Zutritt zur Stadt verweigert worden. Reiche und arme Juden waren gleichermaßen im Hafen an Hunger gestorben, und ihre verwesenden Leichen hatten eine Seuche ausgelöst, der schließlich zwanzigtausend Genueser zum Opfer gefallen waren.
Isaak erschauderte, als er an das alles denken mußte. Er steckte den Diamanten wieder in den Beutel, vergrub ihn

und verwischte sorgfältig die Spuren seines nächtlichen Tuns.

In Venedig beteten jetzt viele Juden verzweifelt und stundenlang. Andere fasteten, als könnten sie Gottes Gnade erzwingen, indem sie sich selbst kasteiten. Isaak hatte schon vor langer Zeit die Erfahrung gemacht, daß man nicht auf die hören durfte, die händeringend ihr eigenes Schicksal beklagten. Statt dessen traf er sich mit ein paar nüchtern denkenden Männern, die der Gefahr ins Auge blicken konnten.
»Denkst du, daß sie es diesmal ernst meinen?« fragte Rabbi Rafael Nahmia.
Isaak nickte.
»Das glaube ich auch«, sagte Judah ben David, der Arzt des Dogen.
»Sie haben es schon oft gesagt«, gab der Rabbi zu bedenken.
»Aber da war Simon von Trient noch nicht heiliggesprochen«, konterte Isaak. »Jetzt, im Jahr ihres Herrn 1588, ist das etwas ganz anderes.«
Die meisten Hoffnungen setzten sie auf den Geldhandel. Seit der Römerzeit hatte man den Juden in den oberitalienischen Stadtstaaten keine Auflagen gemacht, und so hatten sie dort in großer Zahl als Bauern, Arbeiter, Kaufleute und Handwerker gelebt. Dann aber hatten sich langsam die großen italienischen Handels- und Handwerkszentren gebildet, und die Christen hatten begonnen, die Konkurrenz der tüchtigen Ungläubigen zu fürchten und die Handwerkszünfte wie einer Art halbreligiöser Vereinigungen gegründet. Langsam, aber sicher wurden so die Juden aus dem Handwerk hinausgedrängt und durften nur noch Arbeiten verrichten, die entweder so schmutzig oder erniedrigend waren, daß niemand anders sie tun

wollte, oder so esoterisch und hochspezialisiert, wie Medizin oder Diamantenschleiferei, daß Leute, die diese Künste beherrschten, sehr gefragt waren.
Zu etwa derselben Zeit wurde für die Kirche die christliche Wucherei ein immer drängenderes Problem. Obwohl das Geldverleihen eine Sünde und damit verboten war, betrieben es Kaufleute, Prinzen und Kirchenmänner oft in großem Stil. Die Zinsen waren dabei halsabschneiderisch hoch, manchmal betrugen sie bis zu sechzig Prozent. Nach einiger Zeit war die gesamte Gesellschaft von geborgtem Geld abhängig. Die Bauern liehen sich etwas, wenn sie eine schlechte Ernte gehabt hatten, die Stadtleute verschuldeten sich, wenn sie krank wurden oder wenn sie eine Hochzeit ausrichten mußten. Die Kirche verurteilte den Geldverleih aus Gewinnstreben, aber sie war nicht dazu bereit, den Armen zinslose Kredite zu gewähren, obwohl sie genau erkannte, daß deren Überleben häufig von geliehenem Geld abhing.
Damals fristeten die meisten Juden, die man aus den Zünften ausgeschlossen und denen man verboten hatte, neue Waren zu verkaufen, ihr Leben ziemlich kümmerlich als Altwarenhändler oder Lumpensammler. Die Kirche, die glaubte, damit einen Ausweg aus dem Dilemma des Geldverleihverbots gefunden zu haben, ermutigte ein paar der älteren jüdischen Familien, die früher einmal erfolgreiche Kaufleute gewesen waren, Geldhandelsgeschäfte zu gründen und Kredite zu gewähren. Nun würden fortan keine Christen mehr wegen Wucherei in der Hölle schmoren müssen, und jüdische Geldhändler waren zudem leichter unter Kontrolle zu halten, weil sie nur wenige Bürgerrechte genossen. Sogar finanziell war dieses Arrangement für Staat und Kirche ein Vorteil; die Stadt Venedig forderte von den Juden, denen sie das Privileg zum Betreiben von Geldhandel erteilt hatte, safti-

ge Steuern, und die Kirche konnte jedesmal, wenn die Condotta *erneuert werden sollte, dicke Spendengelder einkassieren.*

Der Zinssatz, den die neuen jüdischen Geldleihgeschäfte verlangen durften, wurde behördlicherseits auf vier Prozent festgesetzt, aber es war sehr schnell klar, daß der Geldhandel damit bei all den zu zahlenden Steuern und Bestechungsgeldern nicht überleben konnte. So wurde der Zins bald auf zehn Prozent mit und zwölf Prozent ohne Pfand heraufgesetzt, und auch damit konnte die venezianische Wirtschaft gut leben.

Es dauerte nicht lange, dann hatten Bürger und Kirche vergessen, daß die christlichen Geldverleiher vor noch nicht allzu langer Zeit bis zu sechzig Prozent Zinsen verlangt hatten, und brachten den jüdischen »Wucherern« Haß und Verachtung entgegen. Bald wurde so viel Druck auf die Geldhändler ausgeübt, daß sie die Zinsen schrittweise bis auf fünf Prozent senken mußten, und das Privileg, das man den alten jüdischen Familien gewährt hatte, verwandelte sich in eine unerträgliche Belastung. Weil die drei venezianischen Geldleihgeschäfte aber praktisch der einzige Grund waren, warum man die Juden in der Stadt duldete, betrachteten die Menschen im Ghetto *die Unterstützung der Geldhändler als eine Art zusätzliche Steuer und brachten jährlich fünfzigtausend Dukaten auf, um damit Drei-Dukaten-Kredite für arme Christen zu finanzieren.*

»Glauben sie denn ernsthaft, sie könnten ohne unseren Geldhandel auskommen?« fragte der Rabbi.

»Ihr Haß auf unser Volk ist momentan größer als ihre Liebe zu unseren Krediten«, entgegnete Isaak.

Das Geräusch der Betenden in der Synagoge schien ihnen noch verzweifelter als sonst zu klingen.

»Wir brauchen ein Wunder«, sagte der Rabbi bitter. »Ei-

nes, das die Wunder am Grab des heiligen Simon von Trient aufwiegt.«

Am nächsten Tag wurde Isaak in den Dogenpalast gerufen. »Wir brauchen deine Dienste, Vitallo«, sagte der Doge.

»Euer Gnaden?«

»In der Schatzkammer des Vatikans gibt es einen gelben Diamanten. Ein großer, herrlicher Bastard von einem Stein. Er wird Das Auge Alexanders *genannt, nach Papst Alexander VI., dem Stammvater der Borgias.«*

Isaak nickte. »Einer der größten Diamanten der Welt. Ich habe natürlich schon von ihm gehört. Einer meiner Vorfahren hat ihn geschliffen.«

»Der Vatikan würde nun gerne für Papst Gregor eine Tiara anfertigen lassen, in die Das Auge Alexanders *eingesetzt werden soll. Das Können meines Juweliers ist weithin bekannt«, sagte der Doge nicht ohne Stolz, »und so hat man mich gebeten, dich mit dieser Arbeit zu betrauen.«*

»Das ist eine große Ehre für mich, Euer Gnaden. Aber ich bin zutiefst betrübt.«

Der Doge blickte ihn an. »Warum betrübt?«

»Man hat uns Juden befohlen, die Stadt zu verlassen.«

»Aber das gilt doch nicht für dich. Du kannst selbstverständlich hierbleiben und deine Arbeit tun.«

»Das könnte ich nicht.«

»Aber du mußt bleiben. Ich befehle es dir.«

»Dazubleiben, während alle anderen fortmüssen, wäre für meine Familie wie ein lebendiger Tod.« Vitallo erwiderte den Blick des Dogen. »Da schrecken uns andere Formen des Todes auch nicht mehr.«

Der Doge drehte sich um und ging zum Fenster, wo er stehenblieb und hinaus aufs Meer blickte.

Zeit verging. Isaak wartete. Er wußte, daß er noch nicht entlassen war. An der seidenen Staatskappe des Dogen vorbei konnte er die zahllosen Reflexionen des Sonnenlichts beobachten, die draußen auf dem Wasser funkelten. Wie viele Karat mochte das Meer wohl haben? Gott allein schliff die wirklich perfekten Facetten, ein sterblicher Handwerker konnte nicht einmal im entferntesten an solchen Glanz herankommen.
Schließlich drehte sich der Doge um.
»Möglicherweise kann ich deinen Juden helfen. Es gibt eine Fraktion im Senat, die das Schließen der Geldleihgeschäfte bedauern würde. Ich könnte ein wenig Druck auf die andere Fraktion ausüben.«
»Euer Gnaden, unsere Dankbarkeit ...«
Der Doge hob die Hand. »Versteh mich richtig, Vitallo. Eure Dankbarkeit interessiert mich nicht. Was ich von dir will, ist ein Meisterstück, das mir die Dankbarkeit des Vatikan sichert, weil einer meiner Handwerker es geschaffen hat.« Er wedelte verächtlich mit der Hand, und Isaak wußte, daß er entlassen war.
Eilends lief er zurück in den Ghetto, *ging direkt in die Synagoge und umarmte Rabbi Nahmia.*
»Wir haben unser Wunder«, sagte er jubilierend.

Auf seiner Suche nach einem geeigneten Goldschmied wandte sich Isaak nach Neapel. Salamone da Lodi war ein außergewöhnlich talentierter Jude, der sein Handwerk bei Benvenuto Cellini in den letzten Lebensjahren dieses großen Meisters erlernt hatte. Cellini hatte ihn dazu auserwählt, weil er selbst bei Gradizio, der ebenfalls Jude war, gelernt hatte, und viele hielten Da Lodi für einen würdigen Nachfolger seines Lehrers.
Der Neapolitaner war ein grobschlächtiger Mann, ein verluderter Säufer und Hurenbock, aber Isaak zog es nun

einmal vor, mit einem Juden zusammenzuarbeiten. Gemeinsam arbeiteten Da Lodi und er einen Entwurf aus, der an den Kopfschmuck des Hohenpriesters im Tempel von Jerusalem erinnerte. Zuerst machten sie sich Sorgen, weil dafür enorm viel Gold benötigt wurde, aber als es an der Zeit war, wurde ihnen das Edelmetall problemlos zur Verfügung gestellt. Um die Kosten zu senken und weil die Tiara für Papst Gregor sonst zu schwer geworden wäre, schmolz Da Lodi das Gold ein und spann es in Fäden, aus denen er, noch bevor sie gänzlich abgekühlt waren, die Tiara wob. Diese bekam dadurch einen so satten und doch feinen Glanz, daß Isaak überwältigt war. Der Gedanke an Gottes geheimnisvolles Wirken erfüllte ihn mit tiefster Ehrfurcht – wer sonst hätte aus Isaaks Furcht, dem Ehrgeiz des Dogen und der Widerwärtigkeit von Salamone da Lodi ein Ding von so vollkommener Schönheit erschaffen können?

Der Doge war von der Tiara entzückt, ließ sie sofort streng bewachen und befahl Isaak, den Diamanten im Dogenpalast einzusetzen.
»Ich arbeite nur in meiner eigenen Werkstatt, Euer Gnaden«, sagte Isaak bestimmt. Dieses Geplänkel hatten sie in der Vergangenheit schon öfter ausgefochten.
»Dann mußt du deine Werkstatt und dein Heim in den Ghetto *verlegen.«*
»Ich kann nicht im Ghetto *leben, Herr.«*
»Und ich kann nicht für die Sicherheit deines Hauses in Treviso garantieren«, sagte der Doge.
Isaak hielt das zwar für eine Übertreibung, aber er wußte auch, daß Gewalt in der Luft lag. Das Osterfest nahte, und ein inbrünstiger Eifer, den viele Gemeindepriester mit ihren Predigten von den angeblichen Mordgelüsten derer, die auch den Herrn Jesus getötet hatten, fast täg-

lich schürten, hatte Teile der Bevölkerung erfaßt. Überall konnte man Leute sehen, die um den Hals das Bildnis des unschuldigen Kindes von Trient hängen hatten und so taten, als wäre es nicht vor einem Jahrhundert, sondern erst gestern ermordet worden. Wenn Juden es wagten, den Ghetto *zu verlassen, wurden sie mit finsteren Blicken bedacht. Es gab Stimmen, die lauthals forderten, alle Juden zwangsweise zu bekehren, wie es in anderen Stadtstaaten bereits geschehen sei.*
Der Doge erließ eine Proklamation:

> Folgende Vorkehrungen sollen verhindern, daß Nicht-Christen das heiligste Fest des katholischen Jahres entweihen:
> Die Tore des *Ghetto* werden vom Sonnenaufgang am Gründonnerstag bis zum Mittagsoffizium am Samstag der darauffolgenden Woche geschlossen, verriegelt und bewacht. Während dieser Zeit werden ebenso alle Fenster des *Ghetto*, die nach draußen blicken, versiegelt, und kein Jude darf bei Androhung schwerster Strafe sich außerhalb des *Ghetto* aufhalten.

Eine Abteilung Soldaten wurde in einem Nebengebäude von Isaaks Anwesen in Treviso einquartiert. Isaak haßte es, daß die schwerbewaffneten Männer so nahe bei seinem Haus lebten. Eine Woche vor ihrer Ankunft hatte er den kleinen Beutel bei den Viehställen ausgegraben, sonst hätte ihn vielleicht noch einer der Soldaten durch Zufall gefunden, wenn er nach Würmern zum Forellenfischen in einem der zahlreichen Bäche grub.
Einen Tag nachdem ihm die Tiara und Das Auge Alexanders *gebracht worden waren, rief Isaak Elia zu sich in die Werkstatt und verschloß die Tür. Dann holte er die*

beiden Diamanten hervor, legte sie nebeneinander auf seinen Arbeitstisch und mußte lächeln, als er den erstaunten Ausdruck auf dem Gesicht seines Sohnes sah.
»Zwei?« fragte Elia.
»Dieser hier gehört mir, und eines Tages wird er dir zusammen mit deinen Brüdern und Schwestern gehören.«
»Wieviel Land man damit kaufen könnte!« Elia berührte ehrfürchtig den kostbaren Klumpen, den er einmal erben würde. »Sie haben fast dieselbe Größe.«
»Und doch ist einer sehr viel wertvoller als der andere. Welcher von beiden?«
Isaak hatte dem Jungen von frühester Jugend an ebensoviel über Edelsteine wie über den Talmud beigebracht. Elia setzte sich neben den Stuhl seines Vaters auf den Boden und klemmte sich die Lupe ins Auge. »Der Diamant der Kirche«, sagte er enttäuscht. »Er ist perfekt, bis auf diese Schwärzung unten in der Külasse. Der beste, den du mir bisher gezeigt hast.«
»Du hast viel gelernt. Aber du mußt noch mehr lernen. Alles, was ich dir beibringen kann.«
Elia antwortete nicht.
»Von jetzt an«, sagte Isaak sanft, »wirst du weniger das Land bestellen, sondern noch mehr über Edelsteine lernen. In Zukunft wirst du vielleicht nicht mehr viel Land zu bestellen haben.«
Der Junge legte zu seines Vaters Erstaunen den Kopf auf Isaaks Schoß. »Aber ich mag das Land viel mehr als die Diamanten«, sagte er, seine Stimme war ein gedämpftes, verzweifeltes Murmeln gegen den Schenkel seines Vaters. Isaak strich ihm über seine zerzausten Haare. »Du mußt dich besser kämmen«, sagte er und streichelte den Kopf seines Sohnes. »Die Christen haben unendlich viele Leute, die das Land bestellen. Aber sie wissen nur wenig über Edelsteine. Dieses Wissen ist deine Macht und dein einzi-

ger Schutz.« Er hob mit der Hand Elias' Kopf und zeigte ihm den Diamanten des Vatikans. »Der wurde von unserem Verwandten Julius Vidal geschliffen, einem großen Meister seines Fachs.«

»Wo wohnt er?«

»Er ist schon vor langer Zeit gestorben, drei Generationen, bevor ich geboren wurde.« Isaak erzählte seinem Sohn, wie Vidal aus Gent, wo der Terror der Inquisition schließlich doch seinen Einzug gehalten hatte, geflohen und nach Venedig gekommen war, wo er im Gietto *Unterschlupf gefunden hatte.« Er hat deinem Ururgroßvater die Kunst des Diamantenschleifens beigebracht.«*

»Welcher Zweig unserer Familie stammt von ihm ab?«

»Keiner. In Venedig brach die Pest aus, und aus irgendeinem Grund wurden nur die Bewohner des Gietto *vollständig vor ihr verschont. Voller Groll warfen damals einige Christen Bündel mit Lumpen über die Mauer, die sie vorher an den Pestbeulen der Toten gerieben hatten. Die Krankheit brach daraufhin auch in dem überfüllten* Gietto *aus, und Hunderte starben, darunter Vidal, seine Frau und alle ihre Kinder.«*

»Diese gemeinen Christenhunde!«

Isaak umarmte seinen Sohn lange. Die Schultern des Jungen wurden breiter als seine eigenen. Isaak erschrak, als er spürte, daß Elias Gesicht feucht war.

»Warum lassen sie uns denn nicht in Ruhe?« heulte Elia.

»Angeblich deshalb, weil wir ihren Heiland auf dem Gewissen haben.«

»Aber ich habe ihn doch nicht umgebracht!«

»Ich weiß. Ich auch nicht«, sagte Isaak mit rauher Stimme.

In diesem Jahr wurde das jüdische Pessach-Fest sechs Wochen vor dem christlichen Osterfest gefeiert. Das An-

wesen der Vitallos war sauber und aufgeräumt, und bereits am Vortag waren das Festtagsgeschirr und -besteck bereitgelegt und ungesäuerte Brote aus der Bäckerei im Gietto *geholt worden, die jetzt unter einem sauberen Leinentuch auf den Sonnenuntergang und den Beginn des Festes warteten. Aus der Küche drangen die Gerüche von Pudding, Geflügel und Pessach-Lamm, das mit Gewürzen und Kräutern gebraten wurde. Den ganzen Tag über waren Juden mit Krügen und Flaschen zum Haus gekommen, um bei den Vitallos ihren Pessach-Wein zu kaufen.*

Es war Aschermittwoch. Die Männer der Wachmannschaft gingen nacheinander in die Kirche des Dorfes, um sich segnen zu lassen. Isaak und Elia saßen am Zeichenbrett, während die ersten Fliegen des Jahres mit lautem Gebrumm die Frühlingswärme begrüßten. Isaak machte Skizzen für die geplante Fassung des großen Diamanten. Es war nicht allzu schwer, ihn in die Tiara einzusetzen, aber trotzdem ging Isaak methodisch und mit aller nur möglichen Sorgfalt vor.

Elia zappelte gelangweilt herum und blickte aus dem Fenster auf die langsam grün werdenden Hügel. »Wenn die Weinstöcke nicht bald beschnitten werden, ist es zu spät.«

»Dann geh!« knurrte Isaak.

Der Junge nahm noch rasch sein Messer zum Beschneiden der Rebstöcke, das scharf wie eine Rasierklinge war, und rannte zum Weinberg.

Eine kurze Weile später seufzte Isaak und legte die Zeichenkohle aus der Hand. Der Tag war zu schön, um in der Werkstatt zu bleiben. Draußen schien warm die Sonne, und eine leichte Brise roch nach Meer. Isaak stieg auf einen kleinen Hügel hinter dem Haupthaus, von dem aus er einen guten Blick auf das Anwesen hatte. Im Hof halfen die jüngeren Kinder ihrer Mutter beim Verkaufen des Weines. Die Wachen lungerten herum und probierten den Wein, und Isaak mußte lächeln, als er sah, wie seine Frau ihnen mißtrauische Blicke zuwarf. Sie hatte wohl Angst, weil Fioretta, ihre älteste Tochter, bereits erste Anzeichen eines Busens zeigte.

Weiße Wolken standen hoch am Himmel, und überall, wo Isaak hinsah, erwachte die Natur. Obwohl die Erde noch feucht war, setzte er sich und beobachtete seinen Sohn beim Zurückschneiden der Rebstöcke auf dem weit entfernten Weinberg.

Auf einmal sah er, wie zwei kleine Jungen über den Kamm eines Hügels direkt auf den Weinberg zuliefen.

Ein älterer Mann hetzte ihnen in vollem Lauf nach. Warum jagte der alte Mann die beiden Buben? Und warum trug er eine Sense, wo es doch noch Monate dauerte, bis das Heu geschnitten werden mußte?

Isaak konnte die Jungen genau sehen, erkannte sogar die Aschezeichen auf ihren Stirnen. Sie rannten direkt auf seinen Sohn zu, und es sah so aus, als wollten sie mit ihren kleinen Fäusten auf ihn einschlagen. Elia hielt sie sich mit Leichtigkeit vom Leib und wartete darauf, daß der alte Mann ebenfalls zu ihm kam.

Auf einmal strömten Männer jeden Alters über den Hügel.

»Nein!« schrie Isaak.

Im Hof unten ließ Fioretta eine Weinflasche fallen. Die Soldaten griffen nach ihren Waffen.

Isaak rannte los.

Er sah, wie der alte Mann bei Elia ankam. Das Sensenblatt blitzte auf, heller als die Sonne auf dem Meer. Elia machte nicht einmal den Versuch, sich mit seinem Messer zu verteidigen. Als die Sense wieder blitzte, hatte ihr Glitzern einen rubinroten Farbton, die Farbe der schlimmsten Facette von allen.

Am dritten Tag nach dem Pessach-Fest wurde Elia auf dem Friedhof auf dem Lido begraben. Der Doge ließ den Trauerzug von seinen Soldaten bewachen und kam ein paar Tage später persönlich hinaus zu Isaaks Anwesen.

»Sag jetzt bloß nicht, ich hätte dich nicht gewarnt, Vitallo.«

Isaak blickte ihn stumm an.

»Trotzdem ist es ein großes Unglück, natürlich ... Der Mann, der dich in die Schulter gestochen hat, den dann die Soldaten verwundet haben, ist gestorben. Wußtest du das?«

Isaak nickte.

Der Doge zuckte mit den Achseln. »Ein alter Bauer.« Er schien peinlich berührt. Er war es gewöhnt, daß Christen einmal im Jahr ein Aschezeichen auf der Stirn trugen, aber anscheinend erschien ihm die Tatsache, daß Juden in ihrer Trauer sich Asche auf den Kopf streuten und sich in Sackleinen kleideten, ein weiterer Beweis für deren Barbarei. »Wie lange wird das alles deine Arbeit verzögern?«

»Um dreißig Tage, Euer Gnaden.«

»Muß es denn so lange sein?«

»Ja, Euer Gnaden.«

»Dann will ich, daß du mir, sobald die dreißig Tag vorüber sind, die fertige Tiara ablieferst, hast du verstanden?«

Sobald der Doge das Haus verlassen hatte, setzte sich Isaak wieder auf den Boden und begann zu beten.

Obwohl die Wunde in seiner Schulter schmerzte, konnte Isaak seinen Arm gebrauchen. Am Ende der dreißigtägigen Trauer legte er das Sackleinen ab und stutzte sich den Bart. Dann verschloß er die Tür der Werkstatt und stellte die Tiara auf den Tisch. Lange Zeit blieb er einfach sitzen, legte die Hand auf die Lehne des leeren

Stuhls neben dem seinen und blickte durch das Fenster hinaus auf die Weinberge.
Dann erst setzte er den Stein in die Tiara für Papst Gregor.
Zwei Tage später wurden sie aus ihrem Haus vertrieben. Sie konnten nicht alle Dinge mitnehmen, die sie in all den Jahren hier in Treviso angesammelt hatten. Ein Pferd zog den Wagen mit ihrer Habe, und sie folgten ihm schweigend, vorbei an dem Weinberg, in dem bereits die Bauern des Dogen an der Arbeit waren.
Isaaks neuer Hut war der schönste, den er hatte finden können. Vielleicht war es ja nur seine Einbildung, aber er hatte den Eindruck, daß das Pferd und der Wagen, er selbst, seine Frau, Fioretta, Falcone, Meshullam, Leone und die kleine Haya-Rachel sich beim Erreichen der Stadt in Luft auflösten und daß alles, was der Torwächter sah, als sie langsam über die kleine Brücke und durch das Tor in den Ghetto *zogen, das Gelb dieses Hutes war.*

Vierter Teil

Finden

20

Gematria

»Zwei komma drei Millionen?« Trotz der schlechten Telefonverbindung war Saul Netschers Bestürzung deutlich zu hören.
»Und selbst wenn wir das bezahlen können, heißt das noch lange nicht, daß unser Freund den Diamanten auch an uns verkaufen will. Ich glaube, er will mehr als nur Geld, vielleicht spekuliert er darauf, von Ägypten begnadigt zu werden. Oder er will dort einen Job bei der Regierung.«
»Wieso glaubst du das?«
»Ich an seiner Stelle würde so etwas anstreben.«
»Aber er ist nicht du. Versuch es weiter, Harry. Mach ihm ein vernünftiges Angebot. Vielleicht würde er gerne Bürgermeister von New York werden.«
Harry grinste. »Das glaube ich kaum. Er ist ein sehr intelligenter Mann«, antwortete er. »Ist mein Sohn bei dir?«
Netscher seufzte, sechstausend Meilen entfernt, ins Telefon. »Bleib dran.«
»Hallo, Dad!«
»Jeff! Wie geht's dir, mein Junge?«
»Die Arbeit hier ist interessanter als das Ferienlager.«
»Und wie behandelt Saul dich?«
»Gut.« Harry spürte, daß Vorsicht in der Stimme seines Sohnes mitschwang. »Du hattest recht.«
»Als ich sagte, er würde dich schuften lassen?«

»Genau.«
Sie lachten beide.
»Nun, zumindest klingst du so, als ginge es dir gut. Vergiß nur nicht, daß Industriediamanten und Schmucksteine zwei verschiedene Paar Stiefel sind.«
»Wann kommst du zurück?«
Harry zögerte. »Es dauert nicht mehr lange.« Tamar beobachtete ihn. »Grüß deine Mutter von mir, mein Sohn.«
»Okay, Dad. Wiedersehen.«
»Halt dich tapfer, Jeffie.«
Nachdem Harry aufgelegt hatte, sahen er und Tamar sich lange an. In New York war es schon fast elf Uhr am Vormittag, aber hier war es noch nicht einmal vier Uhr früh. Die halbe Nacht über waren sie müde und deprimiert in Mehdis Wagen gesessen und hatten sich nach Jerusalem zurückfahren lassen.
»Wenn du mit deinem Sohn sprichst, machst du ein ganz anderes Gesicht als sonst. Und auch deine Stimme klingt viel wärmer.«
Harry brummte. Ihre Beobachtungen berührten ihn peinlich.
»Meinst du, du würdest zu Mehdis Haus zurückfinden?« fragte sie.
Er sah sie scharf an. »Warum?«
»Einfach so. Ohne Grund.«
»Selbst wenn es möglich wäre, daß deine Freunde sich den Diamanten mit Gewalt holten, ich würde dabei nicht mitmachen. Solche linken Touren mag ich nicht.«
»Wir sind zwar nach Entebbe gegangen, um Juden zu retten, aber wir würden nie in ein fremdes Land eindringen, nur um einen Diamanten zu stehlen. Es ist mir gerade durch den Kopf gegangen, daß ich das Haus nicht wiederfinden könnte, selbst wenn ich es wollte.«

»Ich auch nicht«, sagte Harry. Nicht von der Straße aus, zumindest. Vom Meer her wäre es vielleicht etwas anderes. Aber da man ihm gestattet hatte, am Strand entlang zu joggen, wußte Harry, daß Mehdi die Villa kurz nach ihrer Abfahrt ebenfalls verlassen würde.
»Ich habe mit dem arabischen Mädchen gesprochen, während du den Diamanten untersucht hast«, sagte Tamar.
»Oh?«
»Sie sagt, du hättest sie fortgejagt.«
»Wie alt ist sie?«
»Fünfzehn.«
»Sie sieht jünger aus.«
Tamar setzte sich neben ihn. »Du bist ein netter Mann.«
»Nur, weil ich keine Kinder vögle?«
»Nein, nicht nur deshalb. Sondern weil du einfach ein netter Mann bist.«
»Danke.« Harry mochte, was sie sagte.
»Du wirst bald nach Hause fliegen.«
»In ein paar Tagen. Sobald ich definitiv weiß, daß ich keine Chance mehr habe, den Diamanten zu erwerben.«
Tamar nahm sein Gesicht in ihre Hände. »Ich werde aufhören, für Ze'ev zu arbeiten. Laß uns nett zueinander sein, Harry Hopeman. Damit wir uns als gute Freunde Lebewohl sagen können.«
Er sah sie nachdenklich an. »Ja.«
Sie küßte ihn. Dann half Harry seiner guten Freundin aus den Kleidern und zog sie müde zu sich ins Bett.

Am Morgen ging Tamar mit ihm joggen. Sie trug ihre Masada-Shorts und ein altes Sweatshirt mit abgeschnittenen Ärmeln, dessen hebräische Aufschrift quer über die Brust Harry mit Vergnügen übersetzte: »Eigentum des Ministeriums für Körperertüchtigung.« Tamar wollte ihm nicht sagen, von wem sie das Sweatshirt hatte. Sie hatte eine gute Kondition, das Laufen schien sie kaum anzustrengen, im Gegenteil, sie lachte sogar öfter herüber zu Harry, wobei die wunderbaren weißen Zähne in ihrem dunklen Gesicht leuchteten. Harry mußte sich zwingen, sie beim Laufen nicht ständig anzustarren. Wie gesund sie aussah! Wenn sie lief, war alles an ihr in Bewegung; ihr Haar wehte, ihre Brüste hoben und senkten sich wie Meereswogen, und ihre Beine pumpten, pumpten, pumpten, während sie neben ihm quer durch Menschenmengen und den Autoverkehr trabte, an johlenden Kindern, schockierten alten Juden, ungläubig starrenden Arabern, keifenden Ladenbesitzern und glotzenden Straßenhändlern vorbeilief, ganz zu schweigen von den unglücklichen Geistlichen diverser Konfessionen, die bereits der Anblick normaler Frauen in Schwierigkeiten brachte, die nicht halb so umwerfend waren wie diese gutgebaute Tamar Strauss.

Schließlich rannten sie in einen kleinen Park und ließen sich auf eine Bank im Schatten einiger großer Kakteen fallen.

Tamar wischte sich mit ihrem Unterarm den Schweiß vom Gesicht. »Hör zu«, sagte sie. »Ich habe letzte Nacht gesagt, wir sollten nett zueinander sein und nicht mehr streiten. Aber eines muß ich dir noch sagen.«

Harry lehnte sich mit geschlossenen Augen zurück. »Mmmm?«

»Ich bin keine Hure.«

Harry öffnete die Augen. »Wer hat denn gesagt, daß du eine bist?«

»Du. In der Nacht, in der du mich so böse gemacht hast.«

»Nein. Das hast du falsch verstanden.«
Tamar stützte den Kopf in eine Hand. »In einem hast du allerdings recht gehabt. Seit ich meinen Mann verloren habe, habe ich immer Angst gehabt, ... Gefühle zuzulassen. Ich glaube, daß ich mich dem jetzt stellen und irgendwann auch mal etwas dagegen tun muß.«
»Das freut mich.«
»Aber ich bin eine sechsundzwanzigjährige Witwe. Erwartest du da, daß ich wie eine alte Jungfer lebe?«
»Gott bewahre«, antwortete Harry.
»Ich meine es ernst. So sexbesessen ihr amerikanischen Männer auch seid, im Grunde eures Herzens wollt ihr doch alle, daß die Frau, die ihr heiratet, eine Jungfrau ist.«
Harry hob die Hand. »Ich habe nur gesagt, daß –«
»Du hast gesagt, daß ich vermutlich zu viele Männer gehabt habe. ›Für eine Frau wie dich‹, hast du gesagt, wenn ich mich recht erinnere.«
»Wir alle werden langsam zu gottverdammten Sexautomaten. Aber unserer Gier fehlt die Leidenschaft, von Liebe ganz zu schweigen. Das Ganze ist nicht viel mehr als ein mechanisches Herumgezapple.«
»Ich glaube, damit hast du recht«, sagte Tamar ruhig. »Aber ...« Ihre braunen Augen ließen ihn nicht los. »Woher weißt du denn, daß ich mehr Männer gehabt habe als du Frauen?«
Er sah sie an.
»Denk mal drüber nach«, sagte sie.

Tamar ging in ihre Wohnung, weil sie ein paar Sachen holen wollte. Als Harry ins Hotel kam, erfuhr er, daß David Leslau schon zweimal angerufen hatte, ohne allerdings eine Nummer zu hinterlassen. Der Archäologe wollte sich später wieder melden. Und dann war

da noch ein Anruf von einem Monsignore Peter Harrington aus Rom gewesen.
Harry rief Peter sofort zurück, aber im Vatikanischen Museum war nur zu erfahren, daß Monsignore Harrington den Nachmittag über außer Haus sei.
Nach dem Anruf nahm sich Harry den Granat vor und polierte gut zwei Stunden daran herum. Langsam begann er zu glänzen wie ein übergroßer, dunkler Blutstropfen. Als das Telefon klingelte, überlegte er sich gerade, ob er Tamar den Granat ungefaßt gleich geben oder ob er ihn ihr, als Brosche gefaßt, aus New York schicken sollte.
Leslau war am Apparat.
»Was gibt's Neues, David?«
»Ich habe eine gute und eine schlechte Nachricht.«
»Haben Sie die *Genisa* gefunden?«
»Das ist die schlechte Nachricht.«
»Mist. Gibt es da überhaupt noch eine gute?«
»Rachel hat gerade ihr *Get* bekommen, sie ist jetzt eine geschiedene Frau. Wir wollen heiraten, sobald es gesetzlich geht, also in etwa neunzig Tagen.«
»Na, wenn das keine gute Nachricht ist. *Massel-Tow*.«
»Danke. Würden Sie mit uns zusammen zu Abend essen und ein wenig feiern?«
»Gerne. Ich bringe eine Freundin mit«, sagte Harry.

Auch wenn Rachel Silitsky ihre Schwierigkeiten überwunden hatte, hatte das nichts an ihrer orthodoxen Einstellung geändert. Ihr zuliebe gingen sie in ein koscheres Restaurant, wo auf der Theke, hinter der die Köche das Essen zubereiteten, eine lange Reihe von Gläsern mit eingelegten Eiern stand. Bald plauderten die vier so unbeschwert miteinander, als wären sie alte Freunde. Leslau reagierte auf die Nachricht über das mögliche

Scheitern des Diamantenkaufs mit stoischer Ruhe. »Die Grabung ist vermutlich auch ein Reinfall. Bisher haben wir nicht die geringste Spur von unserem Schatz gefunden.«

»Wäre es möglich, daß es diesen Schatz in Wirklichkeit nicht gibt?« fragte Rachel.

Leslau legte seine Hand auf die ihre. »Es gibt ihn, meine Liebe, ich kann ihn direkt spüren. Aber diese schlauen *Mamser* haben ihn vor so langer Zeit so raffiniert versteckt, damit wir ihn nicht finden können.«

»Vielleicht haben wir irgend etwas in der Schriftrolle übersehen«, sagte Harry. »Einen Schlüssel, der uns mit einem Wort alle kryptischen Stellen enträtselt. Es gibt so viele Zahlen in dem Text – Maßangaben, die Anzahl von Objekten und so weiter. Vielleicht wendeten die Autoren der Schriftrolle die *Gematria* an?«

»Was ist denn das?« fragte Tamar.

»Das ist eine uralte jüdische Verschlüsselungsmethode«, erklärte Harry. »Jeder Buchstabe im Alphabet erhält einen Zahlenwert – *Aleph* ist eins, *Bet* ist zwei, *Gimel* ist drei und so weiter, wobei Kombinationen von Buchstaben größere Zahlen zugeordnet bekommen. Die Gelehrten erfanden die *Gematria*, um damit die Bibel mystisch interpretieren zu können, und sie haben damit unglaublich komplexe Dinge gemacht. Als ich auf der *Jeschiwa* war, haben wir mit einfachen Beispielen herumgespielt. Nehmen wir doch einmal deinen Namen, Tamar. In Zahlen ausgedrückt, hat er den Wert sechshundertvierzig. Wir könnten jetzt im sechshundertvierzigsten Vers der Bibel nachschlagen und schauen, ob dort etwas steht, das speziell auf dich bezogen ist.«

Tamar schnitt eine Grimasse, und die anderen lachten.

»Oder ich gebe euch ein besseres Beispiel. Das Buch Genesis hat genau eintausendfünfhundertvierunddrei-

ßig Verse. In der *Jeschiwa* merkten wir uns diese Zahl durch den Ausdruck *Ach Ladhashem*, denn dessen Buchstaben ergeben genau den numerischen Wert tausendfünfhundertvierunddreißig.
Oder nehmt *Herajon*, das hebräische Wort für Schwangerschaft. Es hat den numerischen Wert zweihundertsiebzig. Und neun Monate dauert es, bis ein Kind ausgetragen ist, nicht wahr? Der Sonnenmonat hat dreißig Tage, und neun davon zweihundertundsiebzig, und das ist, auf Buchstaben zurückgerechnet, das Wort *Herajon*.«
»In der Schriftrolle gibt es keine *Gematria*«, knurrte Leslau. »*Gematria* wurde erst zur Zeit der Kabbalisten in größerem Umfang eingesetzt, Hunderte von Jahren, nachdem man die Schätze des Tempels versteckt hatte.«
»Manchmal führen die Leute, um Kunstwerke auf ihre Echtheit zu prüfen, viel zu komplizierte Tests durch«, sagte Tamar, »und genauso kommt ihr mir jetzt vor. Vielleicht ist die Lösung viel einfacher.«
»Die Autoren der Schriftrolle waren schlaue, gerissene Männer«, entgegnete Harry. »Denk bloß daran, wie genial sie die beiden Verstecke in Achor angelegt haben, wo sie den gelben Diamanten nahe der Oberfläche und die für sie viel wertvolleren religiösen Gegenstände wesentlich tiefer vergraben haben. Vielleicht haben sie bei unserer *Genisa* ganz einfach die entgegengesetzten Instruktionen gegeben. In der Rolle steht, daß die *Genisa* sich am Fuß des kleineren der beiden Hügel befinden soll. Vielleicht ist sie aber in Wirklichkeit am Fuß des größeren Hügels.«
»Da haben wir auch schon gegraben, aber auch nichts gefunden«, sagte Leslau. »Manchmal gehe ich aus dem Zelt in die Wüste und rede mit den Burschen, die für den ganzen *Schlamassel* verantwortlich sind. ›Was, zum Teufel, ist denn mit euch los?‹ frage ich sie. ›Ich weiß ja,

daß ihr eure Schätze gut verstecken mußtet. Aber wieso müßt ihr so ein vertracktes Spiel mit uns spielen? Wollt ihr denn, daß diese Dinge niemals gefunden werden?«
Niemand am Tisch lächelte.
»Ist das jetzt eine Verlobungsfeier«, fragte Harry, »oder ein Begräbnis?«
Leslaus Gesicht hellte sich wieder auf. »Es ist eine Verlobungsfeier. Daran gibt es nicht den geringsten Zweifel.« Er küßte Rachel auf die Wange.
Harry schob seinen Stuhl zurück. »Dann laßt uns auch feiern«, sagte er.

Als Harry den Schlüssel ins Schloß steckte, klingelte das Telefon, aber es hörte wieder auf, bevor er die Tür ganz geöffnet hatte.
Harry und Tamar schlüpften aus ihren Schuhen.
Sie waren bis spät in einem Nachtclub gewesen, hatten getanzt und viel Wein getrunken. Die Nostalgiewelle hatte Israel in Form einer Renaissance des Jiddischen erreicht, und so hatten sie mit ein paar Soldaten stundenlang jiddische Lieder gesungen, Lieder, von denen Harry geglaubt hatte, er habe sie längst vergessen.
»Eine tolle Feier war das.«
»Wirklich toll«, stimmte Tamar zu. »Die beiden sind wirklich nett.«
»Sie haben das Glück, sich gefunden zu haben.«
»Das stimmt.«
Harry schaute zu, wie Tamar sich vor den Spiegel setzte und ihr Haar bürstete.
»Ich will dich.«
Tamar unterdrückte ein Gähnen. »In Ordnung«, sagte sie freundlich.
Harry stand auf, stellte sich hinter sie und schaute im Spiegel in ihre Augen. »Für immer«, sagte er.

»Harry, du hast zuviel Wein getrunken.«
»Nein.«
»Vergiß es. Dann muß es morgen früh keinem von uns peinlich sein.«
»Hast du jemals etwas so sehr gewollt, daß du den Gedanken an ein Leben ohne es nicht ertragen konntest?«
»Ja«, antwortete sie.
Er legte ihr seine Hand an den Nacken. »Aber so sehr willst du mich nicht.«
Sie schüttelte den Kopf. »Aber ...« Tamar griff nach oben und nahm seine Hand. »Ich habe geglaubt, daß mit dir auch eine Menge Freude aus meinem Leben verschwinden wird. Du hast mich wieder ... zu einem lebendigen Menschen gemacht.«
»Warum sollte ich dann überhaupt von dir fortgehen?«
»Wie könnte es denn klappen? Mit dir und mir. *Ya Allah*! Wir kommen doch von zwei verschiedenen Planeten.«
Das Telefon klingelte.
Es war Peter Harrington. »Harry?«
Harry war die Unterredung mit Tamar zu wichtig, als daß er sie durch ein Gespräch mit Peter Harrington unterbrechen wollte. Aber Tamar warf ihm einen Kuß zu und ging ins Badezimmer, um sich zu duschen.
»Hallo, Peter.«
»Du bist also immer noch in Israel, was wohl bedeutet, daß du mich geschlagen hast, nicht wahr?«
»Nein, verdammt noch mal. Es bedeutet lediglich, daß du weniger Zeit vergeudet hast als ich.«
»Das ist ja schrecklich, Harry ... Was bin ich bloß für ein Heuchler. Kannst du hören, wie ich mich bemühe, meine Stimme nicht allzu froh klingen zu lassen?«
Harry lächelte. »Du brauchst dir keine Vorwürfe zu ma-

chen. Auch Monsignores sind Menschen. Bist du wirklich ganz aus dem Rennen?«
»Ich war nie wirklich im Rennen.«
»Weißt du was, Peter? Ich bekomme immer mehr den Eindruck, daß es bei mir genau das gleiche ist.«
»Aber trotzdem handelt es sich bei dem Stein nach wie vor um Diebesgut, Harry.«
»Das war er bereits, als er zur Zeit der Inquisition in eure Hände geriet«, konterte Harry ärgerlich. Er hatte das Herumgestreite satt.
Peter anscheinend auch. »Wenn nicht einmal du es geschafft hast, ihn zu kaufen, dann muß ich mich wenigstens nicht wie ein totaler Versager fühlen. Komm doch nach Rom, Harry. Ich könnte dir dort ein paar neue Restaurants zeigen.«
»Ich werde versuchen, bald einmal bei dir vorbeizuschauen. Bin ich eigentlich immer noch auf Kardinal Pesentis schwarzer Liste?«
»Er ist ruhiger geworden. Aber er ist sehr daran interessiert, was bei dir drüben passiert.«
»Sag Seiner Eminenz, daß überhaupt nichts passiert. Es sieht ziemlich düster aus. Wenn ich etwas Definitives weiß, melde ich mich bei dir.«
Peter zögerte. »Gott segne dich, Harry.«
Das war Peters Art, ihm durchs Telefon die Hand zur Versöhnung zu reichen, und Harry nahm sie dankbar an. »*Ciao*, alter Priesterfreund.«
Harry legte auf. Dann nahm er die Hotelbibel aus dem Nachttisch und zählte darin die Verse im Buch Genesis ab.
Der sechshundertvierzigste Vers war der achtundvierzigste des vierundzwanzigsten Kapitels, aber er erwies sich als eine herbe Enttäuschung: *Ich verneigte mich, warf mich vor dem Herrn nieder und pries den Herrn,*

den Gott meines Herrn Abraham, der mich geradewegs hierhergeführt hat, um die Tochter des Bruders meines Herrn für dessen Sohn zu holen.
Was könnte das mit Tamar zu tun haben? Soviel zur *Gematria*.
Der sechshundertfünfzigste Vers wäre ganz nett gewesen: *Sie riefen Rebekka und fragten sie: Willst du mit diesem Mann reisen? Ja, antwortete sie.*
Aber der sechshundertfünfzigste Vers war nun einmal nicht der sechshundertvierzigste, und so legte Harry die Bibel weg und fühlte sich irgendwie betrogen.
Tamar kam aus dem Badezimmer zurück und trocknete sich die Haare. Ihre Haut war feucht, und ihr Mund schmeckte nach kaltem Wasser und amerikanischer Zahnpasta. »Meinst du, es könnte wirklich klappen mit uns?« fragte sie. Ihre braunen jemenitischen Augen glänzten.
Er mußte so ehrlich sein wie sie. »Ich weiß es nicht.« Dann nahm er das Handtuch und frottierte sie ab.
»Aber eines weiß ich sicher«, sagte sie und umarmte ihn. »Harry wird mir nie weh tun.«

21

Rosh Ha'ayin

Harry hatte dasselbe Gefühl, wie er es als Kind gehabt hatte, wenn er nach dem Aufwachen einfach dagelegen war und sich scheinbar ohne Grund wunderbar gefühlt hatte, bis ihm plötzlich eingefallen war, daß gestern der letzte Schultag gewesen war.
Alles war ganz zwanglos. Oberflächlich betrachtet war dieser Morgen nicht anders als die anderen, die sie zusammen verbracht hatten.
Beim Frühstück las Harry in der JERUSALEM POST einen Artikel, in dem ein Minister namens Kagan zitiert wurde, der die Korruption in der *Mifleget Ha'avoda*, der sozialdemokratischen Partei, anprangerte.
»Dieser Politiker hat denselben Nachnamen wie dein Freund Ze'ev.«
Tamar warf einen Blick in die Zeitung. »Er ist sein Vater.«
»Ein Kabinettsmitglied? Wäre es möglich, daß er eines Tages sogar Premierminister wird?«
»Er hat keine Chance, dazu hat er sich zu viele politische Feinde gemacht. Er ist einer der alten *Irgun*-Führer im *Likut*-Block, der Partei der Einheit.« Tamar strich Butter auf ihren Toast. »Aber Ze'ev selbst könnte vielleicht mal Premierminister werden.«
Harry lächelte. »Ze'ev ist doch nichts weiter als ein stinknormaler Armeeoffizier.«
»Aber damit steht er schon auf der untersten Sprosse

der Leiter nach ganz oben. Sein Vorgänger ist Polizeiminister geworden. Wenn man erst einmal Kabinettsmitglied ist, dann liegt es nur an einem selbst, ob man weiter vorankommt. Und Ze'evs Vater hat neben Feinden natürlich auch Freunde, die sich für Ze'ev stark machen könnten. Noch hat er eine Chance«, sagte Tamar.

Weder sie noch Harry kamen beim Frühstück auf das zurück, worüber sie in der vergangenen Nacht gesprochen hatten.

Sie nahmen sich einen Leihwagen, einen englischen Ford, und fuhren die alte Schnellstraße in Richtung Tel Aviv bis nach Beit Jimal, wo Tamar ein Salesianer-Kloster kannte, das Wein anbaute und verkaufte. Harry spazierte durch die Weinberge, wo die Mönche in der Sonne arbeiteten, und fragte sich, warum ihn, einen Mann, der den Sinnesfreuden nicht abgeneigt und zu allem Überfluß auch noch Jude war, die Einschränkungen mönchischen Lebens so faszinierten.

Ein junger amerikanischer Pater ließ sie roten und weißen Wein probieren. Beide Weine waren trocken und aromatisch. Der humorvolle Mönch schien sich hier ganz offensichtlich wohl zu fühlen, obwohl er aus Spokane kam und mit Harry viel über amerikanische Politik sprach. Außer dem Wein produzierten die Mönche eine Art Backsteinkäse, der wie Münsterkäse aussah, aber eine mehr ins Gelb gehende Farbe aufwies. Harry kaufte vier Flaschen Wein und ein Stück Käse, das so groß war, daß Tamar aufseufzte.

»Was hat einen netten jungen Demokraten wie Sie hierherverschlagen?« fragte er den Mönch.

»Ich war auf der Suche nach etwas.«

»Und, haben Sie es gefunden?«

»Ich denke schon«, sagte der Mönch.
»Da haben Sie Glück. Gefällt es Ihnen hier?«
»Eigentlich schon, wenn nur der Winter nicht wäre. Da haben wir alle Halsentzündung und rote Nasen. Am liebsten hätte ich ein Schild aufgehängt mit der Aufschrift: ›Wenn du Jesus liebst, dann niese.‹«
»Warum haben Sie das nicht gemacht?«
»Sie kennen unseren Prior nicht. Ich bin zwar ein religiöser Fanatiker, aber nicht komplett verrückt!«
Als sie zum Wagen zurückgingen, schüttelte Harry sich noch immer vor Lachen.
»Wo wollen wir hinfahren?« fragte er Tamar. »Hättest du Lust, in die Hügel von Galiläa zu fahren?«
»Harry, ich glaube, die Sache mit uns hat wenig Sinn«, sagte sie nüchtern.
Er verstand, was sie meinte. »Aber gestern nacht hast du dir eingeredet, daß sie doch Sinn hätte.«
»Ich glaube, wir sollten zusammen nach Rosh Ha'ayin fahren.«
»Was ist das?«
»Dort wohnt meine Familie«, antwortete Tamar.

»Wir könnten ihnen den Wein und den Käse mitbringen«, sagte Harry auf der Fahrt.
»Nein, meine Eltern leben koscher. Aber wenn du willst, dann könnten wir in Petah Tivka zu Mittag essen und ihnen ein Stück koscheren Käse kaufen.«
»Und ich könnte deinem Vater ein gutes Fläschchen mitbringen. Was trinkt er denn gerne?«
»Arak. Aber ich warne dich. Er ist ein Alkoholiker«, sagte Tamar.

Als sie in Rosh Ha'ayin ankamen, erklärte Tamar Harry, welchen Weg er durch die ungepflasterten Straßen nehmen sollte. Sie führten an Häusern vorbei, die wie Baracken aussahen. »Während des Zweiten Weltkriegs war der Ort ein britisches Militärlager«, erklärte sie. »Danach war es ein *Ma'barah,* ein Übergangslager für jemenitische Einwanderer. Ein paar Jahre bevor wir hierhergezogen sind, hat die Regierung das provisorische Camp zu einer permanenten Stadt erklärt.«

Harry fuhr langsamer. Ein kleines Mädchen, das vielleicht vier Jahre alt sein mochte, saß auf der Straße und ließ den Staub durch die Finger rieseln.

»Halt an«, sagte Tamar. Sie stieg aus. »Habiba, wie geht es dir, meine Süße?« fragte sie das Mädchen auf hebräisch. »War meine kleine Nichte immer artig?«

Dem Mädchen lief die Nase. Das störte Harry weniger als die Fliege, die ihr über die Wange in Richtung auf ihr linkes Auge krabbelte. Tamar nahm ein Papiertaschentuch aus ihrer Handtasche, ließ das Mädchen hineinschneuzen und verjagte das Insekt.

»Genau dort bin ich als kleines Mädchen auch immer gesessen«, sagte sie zu Harry. »Ich muß wohl genauso ausgesehen haben wie sie.«

»Dann wirst du mal eine tolle Frau werden, Habiba. Ein ganz steiler Zahn.« Als das Kind merkte, daß Harry mit ihm sprach, grinste es unsicher, weil es kein Englisch verstand. Die Fliege kam zurück, vielleicht war es auch eine andere aus dem Abfallhaufen neben dem nahegelegenen Haus.

Tamar nahm Habiba bei der Hand und ging mit ihr voraus die Straße entlang zu einem wellblechgedeckten Steinhaus, vor dem in einem kleinen Garten Kräuter und Paprika wuchsen. Eine dicke Frau, die gerade Wäsche aufhängte, ließ das feuchte Kleidungsstück fallen, das sie gerade in der Hand hatte, und begrüßte sie freudig.

Tamar stellte Harry die Frau als *ya umma* vor, was auf Arabisch ›die Mutter‹ heißt. Harry mochte den Ausdruck, und ebenso mochte er die Frau. Tamars Mutter bat sie ins Haus, wo sie Hirsekuchen mit Honig essen und süßen Kaffee trinken mußten, der *quishr* genannt und aus den Schalen der Kaffeekirsche statt aus den Bohnen gekocht wird. *Ya umma* redete in schnellem Hebräisch auf Tamar ein, dabei hielt sie die sich windende Habiba zwischen den Knien fest und wischte ihr mit einem feuchten Lappen das Gesicht ab. Sie sprach, ohne Harry anzusehen, aber er bemerkte, daß sie ihm schnelle, scharfe Blicke zuwarf, wenn sie meinte, daß er es nicht sah.

»Sie haben eine hübsche kleine Enkelin.«

Sie dankte ihm schüchtern. »Sie ist das Kind meiner jüngeren Tochter Yaffa. Ich passe auf sie auf, wenn Yaffa in Petah Tikva arbeitet.« Sie sah zu ihrer Tochter hin. »Bleibst du bis zum Abend, wenn dein Vater heimkommt?«

Tamar nickte. »Wir gehen mit Habiba ein bißchen spazieren, damit du deine Arbeit tun kannst.«

Ihre Mutter strahlte. »Mögen deine Lippen geküßt werden.«

Tamar zeigte Harry den nahegelegenen Fluß Yarkon.

Sie setzten sich ans Ufer und sahen zu, wie Habiba Steine ins trübe, grüne Wasser warf. Harry fand den Fluß nicht allzu beeindruckend, aber Tamar mochte ihn offenbar. »Das ist der zweitgrößte Fluß in Israel«, sagte sie ernsthaft. »Jetzt wird er bei Tel Aviv stark verschmutzt. Und außerdem ziehen sie ihm soviel Wasser ab, daß der arme Kerl es kaum mehr bis zum Meer schafft. Aber als ich noch ein Kind war, saß ich hier und sah meinem Bruder und meiner Schwester beim Spielen zu. Ich habe mir immer vorgestellt, wo der Fluß

wohl hinfließen, wer aus ihm trinken und welche Felder er bewässern wird.«
»Warst du glücklich als kleines Mädchen?«
Tamar warf einen Blick auf Habiba. »Ja. Ich wußte nicht, daß Frauen anderswo ganz anders leben.«
»Deine Mutter macht aber einen recht glücklichen Eindruck.«
»Ist sie aber nicht. Das ist bloß ihre Art. Bei der Geburt meiner Schwester wurde ihr die Gebärmutter entfernt, und jetzt wird sie als glücklos angesehen, weil sie nur drei Kinder bekommen hat.«
Habiba war beim Steinewerfen zu nahe ans Wasser gegangen, und ihre Tante rief ihr eine Warnung zu.
»Als wir hierhergekommen sind«, sagte sie dann zu Harry, »lebten hier weniger als sechstausend Menschen. Seit damals kamen praktisch keine neuen Einwanderer mehr aus dem Jemen, und jedes Jahr verlassen viele Männer und Frauen diesen Ort, so wie ich es auch getan habe. Und trotzdem ist die Bevölkerung hier mittlerweile auf fast dreizehntausend Seelen angewachsen, und das nur, weil die Leute so viele Kinder haben.«
»Lebt deine Schwester hier?«
Tamar nickte. »Sie und ihr Mann Shalom wohnen nur eine Straße von meinen Eltern entfernt. Sie arbeiten beide in einer Pulloverfabrik.«
»Und dein Bruder?«
»Ibrahim lebt in Dimona. Er ist ein Lastwagenfahrer für die Phosphatmine in Oron.« Sie zögerte. »Hast du schon einmal etwas von der Black-Panther-Bewegung gehört?«
Harry nickte.
»Ibrahim ist ein Black Panther. Er ist vielleicht der unglücklichste von uns allen«.
»Und dein Vater?«
»*Ya Abba?*« Tamar lächelte und legte ihre warme Hand-

fläche an seine Wange. »Den wirst du schon noch kennenlernen.«

Tamars Vater war ein jemenitischer Einwanderer. Er hatte einen schmächtigen, mageren Körper, mit hart aussehenden Muskelsträngen, die direkt unter seiner dunklen, von der Sonne fast schwarz gebrannten Haut zu liegen schienen. »Ich bin Yussef Hazani. Im Namen Gottes heiße ich Sie in meinem Haus willkommen«, sagte er mit prüfendem Blick, bevor er Harrys ausgestreckte Hand so vorsichtig ergriff, als fürchte er, dieser habe sie vorher mit irgendeinem westlichen Gift bestrichen. Er fragte Tamar etwas in schnellgesprochenem Arabisch. Das einzige Wort, das Harry verstand, war *Nasrani*, was, wie er wußte, Christ bedeutete.
»Nein, er ist ein Jude«, sagte sie ärgerlich auf Hebräisch. »Aus den Vereinigten Staaten.«
Ihr Vater wandte sich wieder Harry zu. »Dann sind Sie also auch ein Jude?«
»Ja.«
»Warum wohnen Sie dann nicht hier?«
»Weil ich eben dort drüben lebe.«
Ya Abba nickte angewidert und ging ins Nebenzimmer, wo er sich laut planschend und prustend wusch. Die Ankunft von Yaffa und Shalom war eine willkommene Abwechslung. Yaffas Freudenschrei ähnelte demjenigen, den vorher ihre Mutter bei Tamars Begrüßung ausgestoßen hatte. Als sie ihre Schwester umarmte, konnte Harry sehen, daß sie im vierten oder fünften Monat schwanger war. Ihr Körper war schön, aber etwas füllig; die Frauen der Familie Hazani schienen alle ein wenig zur Üppigkeit zu neigen. Yaffa hatte zweifarbig lackierte, rot-silberne Fingernägel und einen Ehemann, der nervös lächelte.

Vater Hazani kam zurück, segnete das Brot und eröffnete damit das Abendessen, das hervorragend schmeckte. Harry hatte den Verdacht, daß es das Sabbat-Huhn war, das in einer schmackhaften, aber für ihn wieder einmal viel zu scharfen Soße ein paar Tage zu früh auf den Tisch kam. Dazu gab es frisches Pitabrot und einen Salat aus reifen Tomaten, Kopfsalat und, was er besonders liebte, vielen großen Avocado-Stücken. Als Harry den Salat lobte, nickte Vater Hazani.
»Kommt alles aus dem Kibbuz Einat, wo ich arbeite. Ich bringe unser ganzes Essen von dort mit. Hier in Rosh Ha'ayin müssen wir nur noch scharfen Paprika und Kräuter anbauen, weil es das im Kibbuz nicht gibt.«
»Was arbeiten Sie im Kibbuz Einat?« fragte Harry.
»Alles, was so anfällt.«
»Seine Kollegen sagen, daß *Ya Abba* der beste Farmarbeiter in ganz Israel ist«, sagte Yaffa.
»Ich wußte nicht, daß im Kibbuz Leute angestellt werden.«
»Früher wurde das auch nicht getan«, antwortete Hazani. »Aber heute treten nicht genügend junge Leute ein, und so müssen sie Männer wie mich für Geld beschäftigen.« Er reckte die Fäuste hoch. »Yooh! Ich bearbeite die Erde des Staates Israel!«
Harry nickte. »Und offensichtlich macht es Ihnen Spaß.«
Hazani lächelte verächtlich. »Hier sind wir alle Juden. Die Araber würden uns am liebsten umbringen, aber wenn sie kommen, dann werden alle Juden zusammenhalten und kämpfen. Als wir noch im Jemen lebten, da wollte man uns Juden alle töten, und wir mußten uns, ohne etwas zu essen zu haben, in der Wohnung verbarrikadieren. Daran erinnern wir uns nur zu gut.«
»Mein Vater hatte ähnliche Erinnerungen«, sagte Harry.
Hazani hielt inne. »Aus welchem Land?«

»Deutschland.«
»Yooh. Noch ein *Jecheh.*« Tamar warf ihm einen kühlen Blick zu. Hazani wandte sich wieder an Harry. »Und von dort ist er nach Amerika geflogen?«
»Er fuhr mit dem Schiff.«
»Ha. Wir sind auch mit dem Schiff von Hodeida nach Aden gefahren. Erinnerst du dich noch, Frau?«
Ya Umma nickte lächelnd.
»Wir verließen Sana'a mit einer Kamelkarawane, die Kaffee nach Hodeida brachte. Meine Frau und ich gingen zu Fuß und trugen unseren Sohn Ibrahim, der damals noch ein Baby war. Sie hier«, sagte er und deutete auf Yaffa, »war damals noch nicht geboren, sie ist unsere *Sabra*. Tamar haben wir auf ein Kamel gesetzt, wo sie auf einem Kaffeesack geritten ist und ein paar Dellen in ihren kleinen *Takhat* bekommen hat.«
Die ganze Familie grinste; offensichtlich handelte es sich um eine häufig erzählte Geschichte. Trotzdem war Harry davon fasziniert. »Wie lange sind Sie mit dieser Karawane unterwegs gewesen?«
»Nur einen Tag. Wir bekamen Schwierigkeiten. Als sie das erstemal haltmachten, um nach Mekka zu beten, bemerkten sie, daß wir uns nicht hinknieten. Es gab ein Geflüster, und ich war überzeugt, daß sie uns töten und ausrauben würden. Als wir in eine Stadt kamen, kaufte ich einen ganzen Arm voll *Kat*, und die Kameltreiber fielen drüber her und kauten sich blöde. Dann kam ein Lastwagen vorbei. Ich zahlte dem Fahrer Geld, damit er uns nach Hodeida brachte.«
»Und damit waren Sie außer Gefahr?«
Hazani lächelte. »Bei weitem nicht. Aber wenigstens waren wir nicht länger allein, denn es schien so, als wäre jeder *Jehudi* aus dem Jemen in Hodeida. Bei der *Jewish Agency* dort sagte man uns, daß wir Aden ohne Hilfe

erreichen müßten, und von dort aus würde man uns helfen, nach Ha-aretz zu kommen. Also warfen ein paar Familien ihr Geld zusammen, und wir mieteten uns einen Mann mit einer *Dhau*, mit der wir die Küste des Roten Meeres entlangsegeln wollten.«

»O Gott«, sagte *Ya Umma*. »So viele Leute und so ein kleines Boot. Auf dem Meer wurde uns schlecht. Wir sahen Haie. Die Fahrt dauerte dreiundfünfzig Stunden, und wir hatten keinen Hirseschleim mehr. Mütter, die Milch in ihren Brüsten hatten, gaben sie fremden Kindern. Und als wir schließlich nach Aden kamen ...« Sie schüttelte den Kopf. »*Ya Fakri Fakra*, ach, du meine Güte, was uns da alles bevorstand!«

Ya Abba schlürfte seinen Kaffee. »Die Leute von der *Jewish Agency* fuhren uns mit Lastwagen auf ein weites Feld. Da stand ein silbernes Monster, das aussah wie ein merkwürdiger Riesenvogel. Wer von uns hatte schon jemals etwas von so einem Ding gehört? Sie öffneten ein Loch an diesem Monstrum und befahlen uns hineinzuklettern. Sie sagten, es würde uns ins Gelobte Land bringen. *Und zwar durch die Luft!* Wir starben fast vor Angst.«

»Aber schließlich sind Sie doch hineingestiegen«, unterbrach Harry, der sich köstlich amüsierte.

»Gott im Himmel! Sind Sie verrückt? Ich war der ängstlichste Mann von allen. Die Leute von der *Jewish Agency* drängten uns ständig einzusteigen. Sie sagten, daß Ägypten keinem *Jehudi* gestatten würde, den Suezkanal zu benützen. Wenn wir nicht mit dem Ding fliegen würden, würden wir Israel niemals erreichen.

Unter uns war auch ein bekannter *Mori*, so nennen wir unsere Rabbis. Sein Name war Schmuel, und er war noch jahrelang einer unserer Rabbi, als wir schon längst in Israel lebten. Jetzt ist er tot, Gott sei seiner

Seele gnädig. ›*Mori*‹, fragten wir, ›was sollen wir tun?‹ Der Rabbi zupfte seinen Bart.« Hazani griff an seinen eigenen Bart und zeigte wie.
»›Ich werde *Eretz Israel* auf die Weise erreichen, wie sie mir mein Großvater, möge er in Frieden ruhen, oft geschildert hat‹, antwortete der Rabbi. ›Ich werde zusammen mit allen *Jehudim* der Erde hinter einem weißen Esel einhertanzen, auf dem der Messias reitet.‹
Das müssen Sie sich mal vorstellen. Wir standen wie die Tölpel in der sengenden Sonne. Dann sagte ein Mann – es war ein unscheinbarer Bursche, ein Ziegenhändler, ich weiß nicht, was später aus ihm geworden ist: ›Bei meiner Ehre, ich lasse mich nicht durch irgendwelche Geschichten von Großvätern und Großmüttern von *Eretz Israel* fernhalten. Ich werde jetzt auf die lebendige Tora vertrauen und in dieses fliegende Ding da steigen. Denn steht nicht geschrieben, daß Gott zu Moses gesagt hat: *Du hast gesehen, was ich den Ägyptern getan habe und wie ich dich auf den Schwingen eines Adlers erhoben und zu mir geholt habe.*‹ Und dann nahm der Ziegenhändler seine weinende Frau und seine Kinder und stieg mit ihnen in das Ding.
›Ja, so steht es geschrieben‹, flüsterte der *Mori* und stieg ebenfalls ein.
Auf einmal drängten alle in das fliegende Ding, ein jeder hatte plötzlich Angst, daß er mit seiner Familie allein zurückbleiben würde. Die Leute von der *Jewish Agency* schnallten uns an unsere Sitze, so daß wir uns alle wie Gefangene vorkamen. Dann brach ein Geräusch los, das wohl derjenige, dessen Namen wir nicht aussprechen dürfen, wählen würde, wenn Er brüllen wollte. Der große Leib des fliegenden Dings erzitterte so heftig, als würde es uns jetzt, nachdem es uns allesamt verschlungen hatte, verdauen, und es hätte mich

nicht gewundert, wenn es uns heulend und betend wieder auf das sonnenverbrannte Feld geschissen hätte. Aber dann bewegte sich das Ding. Es schnellte mit einem Riesensatz nach vorn. Und sprang in die Luft!
Was soll ich Ihnen sagen? In einer Stunde schauten wir hinab auf Hodaida, von wo aus wir mit dem Schiff zwei Tage gebraucht hatten. Dann sagte uns eine von allen möglichen krächzenden Geräuschen begleitete Stimme, die so laut war wie die eines Engels, daß wir jetzt über die Wüste flögen, durch die sich vor mehr als dreitausend Jahren unsere Ahnen geschleppt hatten. Wir hatten unseren Schrecken kaum verdaut, da hatte uns das Ding schon wie auf den Schwingen eines Adlers ins Gelobte Land geflogen.«
Die Gesichter rund um den Tisch sahen zufrieden aus.
Harry blickte zu Tamar. »Was für eine wundervolle Art, nach Israel zu kommen.«
Hazani beugte sich vor. »Ich will Ihnen etwas sagen, Sie Amerikaner. Egal, auf welche Art man nach Israel kommt, sie sind alle wundervoll.«

Während die Frauen den Tisch abräumten, zündete Tamars Vater eine *Nargillah* an. Er reichte Harry die Wasserpfeife, aber der schüttelte den Kopf und fragte sich, ob diese Ablehnung ihn nicht in Hazanis Augen zu einem ungezogenen Menschen machte. Er war erleichtert, als Shalom die Pfeife auch nicht nahm.
»Und, was machen *Sie* denn so?« fragte Harrys Gastgeber.
»Ich verkaufe Juwelen.«
»Ah, ein Händler. Haben Sie einen Laden?«
»Auch«, antwortete Harry amüsiert.
»In Teman habe ich auch Juwelen gemacht. Das hat meine Familie schon immer getan.«

»Warum machen Sie denn heute keine mehr?«
Hazani verzog das Gesicht. »Als ich hierherkam, hat mir die *Jewish Agency* einen Job verschafft. Bei einer Firma in Tel Aviv, die Filigranarbeiten aus Kupfer fertigt. Hauptsächlich arbeiteten dort Frauen an Maschinen, die Imitationen von Temani-Schmuck am Fließband herstellen. Ich sagte dem Boß, daß ich den echten Schmuck in Handarbeit machen könnte. Er fragte mich, warum er mich dafür bezahlen sollte, wo es doch viel länger dauert und die amerikanischen Touristen auch für den billigen Schund gutes Geld bezahlen würden.
›Weil mein Schmuck viel schöner ist‹, antwortete ich ihm, aber er lachte bloß.«
Hazani zuckte mit den Achseln. »Ich mochte die Maschinen nicht, und außerdem mußte ich jeden Tag lange mit dem Bus fahren. Ich war glücklich, als ich gleich hier in der Nähe eine Arbeit im Kibbuz bekam. Der Lastwagen von dort holt mich sogar jeden Morgen hier ab und bringt mich abends wiederzurück.«
»Haben Sie irgend etwas hier, was Sie gemacht haben?«
»Ja, hat er. Ich weiß, wo es ist«, sagte Shalom. Er ging aus dem Zimmer und kam mit zwei Schmuckstücken zurück, die sein Schwiegervater angefertigt hatte, einer kupfernen Anstecknadel und einem goldenen Ohrring.
Harry untersuchte den Schmuck. »Sehr schön.«
»Die Leute kennen keinen Unterschied.«
»Manche schon. Und die sind bereit, für gutes Handwerk auch etwas mehr zu bezahlen. Vielleicht könnte ich Ihnen helfen, solche Leute zu finden.«
Tamar, die hinter ihrem Vater stand, schüttelte den Kopf.
»Ich lasse es Sie wissen, wenn ich jemanden habe«, sagte Harry.
Hazani nickte, zynisch grinsend.

»Ich könnte ihm wirklich helfen, seine Sachen zu verkaufen. Warum willst du das nicht?« fragte Harry Tamar später im Wagen.

»Laß ihn, bitte. Er hat sich mit seinem Leben abgefunden. Er ist gesund, weil er draußen arbeitet. Wenn er mehr Geld verdient, gibt er es sowieso nur für Arak aus.«

»Aber wenn er etwas tut, was ihm Spaß macht, ist er vielleicht glücklicher.«

»An seinem Unglück ist mehr schuld als nur seine Arbeit. Ich zum Beispiel.«

Harry streichelte sie. »Wie kannst denn du ihn unglücklich machen?«

»›Die *Tora* ist nichts für Frauen!‹ hat er immer geschrien. Er hat mir verboten, Rosh Ha'ayin zu verlassen. Früher wäre die Sache damit erledigt gewesen, das Wort des Vaters war Gesetz. Ich habe mich ihm widersetzt und bin auf die Universität gegangen. Danach hat er zwei Jahre nicht mehr mit mir geredet.«

»Gut. Aber jetzt? Mein Gott, du bist Kuratorin in einem Museum. Er muß doch außer sich sein vor Stolz.«

Tamar lächelte. »Das hält sich in Grenzen. Als ich gerade mein zweites Jahr auf der Uni begann, flackerte kurzzeitig so etwas wie Hoffnung in ihm auf. Der Neffe eines seiner ältesten Freunde wollte mich heiraten. Sein Name war Benjamin Sharabi. Er war eine gute Partie, er besaß ein eigenes Taxi. Und so kam er immer mit Geschenken zu mir in die Universität. Brachte mir Kaktusfrüchte, ein paar Orangen und Hirsekuchen in den Schlafsaal. Lauter Sachen zum Essen. Aber ich habe ihn abblitzen lassen. Er hat schließlich die Tochter eines Rabbi geheiratet, und ich dachte, mein Vater würde das nicht überleben. Er haßte Yoel auf den ersten Blick, nur weil er kein Jemenit war.«

»Das ist sein Problem«, sagte Harry. »Du bist nicht dazu verpflichtet, nach seinen Vorurteilen zu leben.« Harry fühlte sich hilflos. Er hätte sie so gern getröstet. »Und außerdem hat er ja noch zwei andere Kinder.«
»Die haben ihn auch verraten. Er mußte mit ansehen, wie Yaffa grinsend unter dem Hochzeitsbaldachin stand, obwohl sie bereits mit Habiba schwanger war. In früheren Zeiten wäre das ihr Ruin gewesen. Vollkommen indiskutabel. Jetzt ist es schon fast wieder vergessen. Und sein einziger Sohn? Ibrahim trägt am Sabbat, anstatt in die Synagoge zu gehen, auf Demonstrationen Transparente durch die Gegend.« Tamar schüttelte den Kopf. »Mein Vater versteht die Welt nicht mehr.«
Harry fuhr an den Straßenrand und stellte den Motor ab. Sie befanden sich in einem Industrievorort von Tel Aviv, direkt vor einer Fabrik für Schlauchboote.
»Warum hast du mich überhaupt mit zu deiner Familie gebracht?« fragte er.
»Ich wollte, daß du siehst, was ich außer einer Museumskuratorin noch bin.«
»Das habe ich schon vorher gesehen.« Harry blickte aus dem Fenster auf die Gebäude der Fabrik. Er hatte sich den falschen Ort ausgesucht, um stehenzubleiben; hier war es in etwa so romantisch wie in einem Industriegebiet von New Jersey. »Trotzdem könnte es mit uns beiden klappen.«
»Und was ist mit deiner Frau?«
»Es wird ihr nicht gerade gefallen«, antwortete Harry gleichgültig. »Aber überraschen wird es sie auch nicht.«
»Ich bin bereit, wieder zu heiraten, Harry.«
»Ich weiß.«
»Ja. Aber ich habe Angst. Du mußt mir versprechen, daß wir es uns auch wieder anders überlegen können. Wenn das passiert, dann muß es der andere akzeptie-

ren, ohne eine Szene zu machen. Denn Szenen kann ich nicht ertragen.«
»Mein Gott, Tamar ... also gut. Ich verspreche es dir.«
»Noch eines. Mein Mann braucht sich keine Sorgen um mich zu machen. Das weißt du. Nicht einen Augenblick.«
»Das muß eine Frau, die mit mir verheiratet ist, auch nicht.«
Tamar lächelte. »Mögen deine Lippen geküßt werden«, sagte sie, genau wie *Ya Umma*.
»Das ist eine tolle Idee«, sagte Harry.

22

Der Golan

In der Nacht lag Harry neben Tamar, hörte ihr flaches Atmen und dachte an seinen Sohn.
Er würde sich ein anderes Haus suchen müssen, er konnte Tamar ja nicht gut mit in die große Kolonialvilla im holländischen Stil in Westchester nehmen, denn diese war nun einmal Dellas Haus. Selbst wenn jetzt er dort lebte und Della woanders, so hatte sie doch Möbel, Vorhänge und Tafelsilber ausgewählt, sogar das Personal war mehr das ihre als das seine.
Ein kleineres Haus wäre nicht schlecht.
Oder sie könnten zusammen herumreisen.
Harry wälzte sich schlaflos herum. Er blickte zur dunklen Zimmerdecke hinauf und sah sich bereits zusammen mit Tamar auf der Chinesischen Mauer oder in einer Dschunke auf dem Gelben Fluß. Gemeinsam würden sie alles über eine alte Kultur lernen, die ihnen beiden gleichermaßen fremd war, nicht nur einem von ihnen.
»Würdest du gerne mal nach China fliegen?« fragte er sie am nächsten Morgen.
»Gerne.« Ihre Augen waren dunkel und schwer, aber ohne Begeisterung. Auch sie hatte nicht gut geschlafen.
»Ich meine es ernst. Ich fliege mit dir hin, wenn du mich heute an einen kühlen Ort bringst.«
Sie fuhren nach Norden. Die ganze Fahrt über war es brütend heiß. Die Golanhöhen waren landschaftlich

reizvoll, aber von der Sonne verbrannt. Sie kamen an zwei Armeelagern vorbei, und wenn ihnen ab und zu einmal ein Fahrzeug begegnete, dann gehörte dieses meistens dem Militär.

Je höher sie kamen, desto kühler wurde es. Auf halbem Weg hielt Harry bei einer hügeligen Wiese an, wo sie ein Picknick machten. Alles war ruhig bis auf das Zwitschern der Vögel, und Harry konnte sich kaum vorstellen, daß es vor nicht allzu langer Zeit hier ganz anders zugegangen war. Aber noch bevor sie ihre Sandwiches gegessen hatten, hörten sie einen Schuß.

»Diese Straße sollte eigentlich sicher sein«, sagte Tamar beunruhigt, aber sie machte keine Anstalten, die Sachen zusammenzupacken, also tat es Harry auch nicht. Sie setzten sich wieder und beendeten ihre Mahlzeit.

Schließlich tauchte ein Mann mit einer alten Schrotflinte in Sichtweite auf. Über seinem derben Hemd trug er zwei gekreuzte Lederriemen. An einem davon war ein totes Rebhuhn befestigt, und an seinem Gürtel baumelten ein paar kleinere Vögel, unter denen Harry Drosseln und Lerchen erkannte.

»Ein Druse«, sagte Tamar. Sie bot dem Jäger auf Arabisch etwas zu trinken an, aber der lehnte höflich ab und verschwand.

Bald hörten sie einen weiteren Schuß.

»Ich mag es nicht, daß sie die Vögel abschießen«, sagte Tamar.

»Ich auch nicht.«

»Weißt du, was Wachteln sind?«

»Natürlich.« Harry lächelte. »Dort, wo ich herkomme, gibt es viele Wachteln.«

»Im August kommen immer große Schwärme von kleinen Wachteln aus Europa auf den Sinai. Das haben sie schon immer so gemacht, es ist sogar in der Bibel beschrieben. Sie kämpfen sich über das Mittelmeer, es ist ein weiter Flug für so kleine Vögel. Wenn sie schließlich dieses Festland hier erreichen, sind sie vollkommen erschöpft. Die Araber spannen in der Gegend von El Arish große Netze aus, in denen sie die Vögel fangen, um sie zu töten und zu verkaufen. Die kleinen Tiere haben sich bei ihrem Flug über den Ozean so sehr verausgabt, daß sie vor ihren Häschern nicht mehr wegfliegen können.«

»Eines Tages wird es keine Wachteln mehr geben, die man fangen könnte.«

»Das ist mit anderen Arten auch schon passiert. Auf dem Sinai gab es früher zum Beispiel viele Steinböcke – du weißt schon, das sind so eine Art Bergziegen. Jetzt sind sie praktisch verschwunden, sind ebenso wie die Gazellen und Antilopen von den Jägern ausgerottet worden. Aber in der Negev, wo die israelischen Gesetze sie schützen, wachsen die Herden schon wieder nach.«

»Woher weißt du so viel über wilde Tiere?«

»Ze'ev ist ein Jäger«, sagte sie und sah ihn ruhig an.

Es war schon immer Harrys Fluch gewesen, daß er sich zu ehrlichen Frauen hingezogen fühlte.

In weiter Ferne kam der Berg Hermon in Sicht, er war nicht viel mehr als ein weißer Fleck am Horizont. Langsam wurde er größer, bis sie schließlich nahe genug waren, um erkennen zu können, daß es sich in Wahrheit um eine ganze Reihe von Gipfeln handelte, von denen nur noch einer schneebedeckt war.

»Laß uns zu dem Gipfel mit dem Schnee fahren«, schlug Harry vor.

»Das geht nicht, der ist in Syrien«, antwortete Tamar.

Am Fuß des Bergmassivs lagen Gemüsefelder und Obstgärten und etliche drusische und alauitische Dörfer, um

die Tamar Harry herumdirigierte, bis sie schließlich hoch oben am Hang zu einer *Moshav Shitufi*, einer Partnerschaftssiedlung, mit Namen Neve Ativ kamen.
»Im Winter kann man hier skifahren«, sagte Tamar.
Jetzt, im August, war die Ortschaft fast verlassen; in dem Restaurant, wo sie Kaffee tranken und den Blick über die felsübersäten Berghänge genossen, waren sie die einzigen Gäste. Es war warm, aber durchs Fenster drang eine kühle Brise herein. »Laß uns über Nacht hierbleiben«, schlug Harry vor.
»In Ordnung.«
Der Mann, der ihnen den Kaffee gebracht hatte, saß an einem Tisch und reparierte Skibindungen. Harry mietete bei ihm ein Zimmer und nahm den Schlüssel, sagte aber, daß sie es sich erst später ansehen würden. »Wir wollen erst eine kleine Wanderung machen.«
»Wohin denn?« fragte Tamar, als sie draußen waren.
»Ganz hoch hinauf. Ich will den Schnee sehen.«
»Dazu ist es jetzt im Sommer zu spät.«
»Was wißt ihr Israelis schon vom Schnee? Schnee. Wenn man Schnee haben will, dann kriegt man auch Schnee.«
In einer Skilifttrasse stiegen sie den Berg hinauf, da man hier für die Skifahrer die größeren Steine weggeräumt hatte und der Aufstieg nicht so beschwerlich war. Danach wurde es mühseliger.
Je höher sie kletterten, desto stärker wehte der Wind. Hier oben gab es keine Bäume mehr, nur ab und zu konnte sich in einer Geländemulde etwas Gras oder eine Blume halten. Ansonsten bestand die Landschaft aus blankem Fels, der aussah wie die Knochen des Berges, von denen der Wind jegliches Fleisch weggeblasen hatte. Nach einer Weile erreichten sie eine gute Straße und kamen wieder besser voran.

Dafür fuhren ihnen von oben zwei Soldaten in einem Jeep entgegen.
»*L'ahn atem holchim?* Wo wollen Sie hin?« fragte der Mann auf dem Beifahrersitz.
»Auf den Gipfel«, sagte Harry.
»Das ist nicht erlaubt, Sir. Da oben ist militärisches Sperrgebiet. Zivilisten dürfen sich dort nicht aufhalten.«
»Gibt es dort oben Schnee?«
»Nur in schattigen Löchern, wo die Sonne ihn nicht wegschmelzen kann.«
»Gibt es hier in der Nähe, wo wir uns noch aufhalten dürfen, ein solches Loch?«
»Da drüben.«
»*Todah.*«
Der Soldat sah den Fahrer an und grinste. Sie blieben in ihrem Jeep sitzen und beobachteten den verrückten Amerikaner, wie er mit der Frau fortging.
»Was gibt es dort oben, das wir nicht sehen dürfen?« fragte Harry Tamar.
»Elektronische Abhöranlagen, würde ich sagen, aber sie sind auch da, um uns zu beschützen. Der Libanon und Syrien haben beide Truppen auf diesem Berg stationiert. Wenige Kilometer von hier tobt der Kampf zwischen moslemischen und christlichen Milizen.«
Schließlich kamen sie zu dem Schattenplatz. Es war zwar kein Schnee mehr da, dafür aber wuchs auf seinem feuchten Boden eine einsame, rote Mohnblume. Harry kletterte hinab und pflückte sie für Tamar.
Sie sah die Blume nicht an. »Ich werde nicht von Israel weggehen.«
Sie machten sich auf den Rückweg nach Neve Ativ.
»Aber du wirst Amerika bestimmt sehr gerne haben.«
»Weißt du, wie wir hier Israelis nennen, die dieses Land verlassen? *Jordim* nennen wir sie, das bedeutet ›Men-

schen, die einen geistigen Abstieg machen‹. Und das wäre es wohl auch für mich.«

»Wir müßten ja nicht in New York leben. Wir könnten eine Weile herumreisen und Pläne schmieden. Zum Beispiel könnten wir nach China, wie ich heute vormittag angedeutet habe.«

»Hast du das angedeutet?« Tamar sah ihn verwirrt an.

Harry erzählte ihr vom Palast-Museum in Peking und von der kaiserlichen Juwelensammlung. »Du könntest dort chinesische Kunst studieren und eine Arbeit darüber schreiben.«

Tamar schüttelte den Kopf. »Du kennst mich nicht. Ich will keine Arbeiten schreiben. Wir benehmen uns wie Kinder, die zum erstenmal verliebt sind. Wir haben noch nicht einmal herauszufinden versucht, ob wir überhaupt zusammenleben können.«

Harry fühlte sich schon fast geschlagen, wollte aber trotzdem gewinnen. »Liebst du mich denn überhaupt?« fragte er.

Sie antwortete nicht. Der Wind begann wieder zu wehen und zerrte an ihren Kleidern. Harry schlang seine Arme um sie.

»Ich liebe dich«, sagte sie bebend und klammerte sich an ihn. »Ich liebe dich, Harry!« Er hörte aus ihrer Stimme die Freude ebenso heraus wie eine gewisse Überraschung.

Weil man sie nicht auf den Berg hinaufgehen ließ, fuhren sie hinunter ins Tal, in eine Ortschaft namens Majdal Shams, und hielten an einer Farm an, die dem bestaussehenden alten Mann gehörte, den Harry je gesehen hatte, einem blauäugigen Drusen mit gerader Nase und einem wie aus Stein gehauenen Gesicht. Auf seinem dichten, weißen Haar trug er einen Fez und

über der Oberlippe einen mächtigen, ebenfalls weißen Schnurrbart.
Die Farm hatte einen Obstgarten mit zwei Sorten von Äpfeln, eine davon war rot, die andere gelb. Außerdem gab es Pistazienbäume und einen kleinen Weinberg. Die Äpfel waren ungewöhnlich, runder und weicher als die Macouns, MacIntosh und Delicious, die in Harrys Obstgarten in Westchester wuchsen. Er probierte einen davon und fand ihn von ausgezeichneter Qualität. Allerdings waren sie noch nicht ganz reif, dafür war es noch zu früh im Jahr.
»Wie nennt man diese Äpfel?«
»*Hmer.*«
»Und die anderen?«
»*Sfer.*«
Tamar lächelte. »*Hmer* bedeutet rot«, sagte sie ruhig.
»Und *Sfer* –«
»Bedeutet gelb, stimmt's?«
»Ja.«
An der Wand des Hauses hing ein rundes Metallschild mit einem Apfel, der so aussah, als hätte Modigliani ihn gemalt. Er war extrem groß und schmal, buttergelb, mit einem leichten Hauch von Rot.
»*Turkiyyi*«, sagte der Bauer.
Er führte sie in den hinteren Teil des Obstgartens, wo auf drei Bäumen viele dieser türkischen Äpfeln hingen, die vielleicht noch einen Monat brauchten, bis sie reif waren, aber bereits jetzt ihre ausgeprägt längliche Form hatten. Harry pflückte einen der unreifen Äpfel, der so hart war wie Porzellan. Dann kaufte er einen Korb von den anderen Äpfeln, *Hmer* und *Sfer* gemischt, und zwei Kilo Weintrauben, von denen der Druse nur eine einzige, eine weiße Sorte, anbaute.
Sie nahmen den Korb mit hinauf nach Neve Ativ. Ihr

Zimmer im Skigasthof stellte sich als sauber, aber ziemlich kahl heraus; Boden und Wände rochen leicht nach frischem Holz. Harry legte den grünen türkischen Apfel und den roten Granat der Sippe Levi nebeneinander aufs Fensterbrett. Sie ergaben eine ansprechende Komposition. Harry und Tamar legten sich aufs Bett und betrachteten dieses Stilleben.

»Könntest du hier leben?« fragte sie.

»Das weiß ich nicht.«

Tamar hob ihren schlanken linken Fuß, und Harry schob seinen rechten Fuß darunter. »Was tust du da?« fragte sie.

»Ich stütze dich.«

»Ich kann mich selber stützen.«

Sie nahm ihren Fuß weg, aber er folgte ihm mit dem seinen. »Ich stütze dich gerne.« Seine Zehen strichen sanft über ihre Fußsohle. »Wir könnten sechs Monate hier und sechs Monate bei mir zu Hause leben.«

»Das kostet eine Menge Geld. Hast du etwa zuviel davon?«

»Ja. Ist es das, was dich beunruhigt?«

»Kaum. Ich würde es genießen, Geld auszugeben. Aber ...«

»Was aber?«

»Du kaufst immer viel zuviel von allem«, sagte sie ein wenig vorwurfsvoll. »Zuviel Wein, zuviel Käse, zu viele Trauben und zu viele Äpfel.«

»Nein, nicht zu viele Äpfel.« Er stand auf und trug den Korb ans Bett. Dann spreizte er ihr die Beine und begann, überall um sie herum Äpfel zu plazieren. Er rahmte sie mit *Hmer* und *Sfer* ein.

Dann legte er ihr die gelben Trauben auf ihre schwarzen Haare, als wolle er sie damit dekorieren. »Die Äpfel haben dieselbe Form wie deine Brüste und dein Hinter-

teil. Ich wünschte, wir hätten Birnen, das sind die erotischsten Früchte überhaupt. Gibt es im Hebräischen einen Ausdruck dafür, daß jemand eine weiche Birne hat?«
»Den nennen wir dann *Pri*, ein Früchtchen«, sagte sie. Ihr Lachen perlte in seinen Mund. Sie küßte ihn leidenschaftlich, und er brachte die Trauben in Sicherheit, damit sie nicht zerquetscht wurden.
Dann wurden beide auf einmal sehr ernst und gaben sich Mühe, den anderen zufriedenzustellen. Tamar berührte Harry sehr sanft am ganzen Körper, als wollte sie ihn auf eventuelle Schäden untersuchen. Die Muskeln in ihren Schenkeln zogen sich zusammen, ihre Brustwarzen stachen in den Himmel wie der Berg Hermon, und ihre Augen waren nur noch dünne Schlitze.
Tamar sagte etwas auf Hebräisch, was Harry nicht verstand, und er fuhr fort mit dem, was er tat.
Sie biß ihn. Fest. »Laß meinen Geliebten in den Garten kommen.«
Nicht schlecht, dachte ein Teil von Harrys Gehirn anerkennend: biblische Sexspiele.
»Ich werde in die Palme klettern«, sagte er und blickte ihr in die warmen Augen in ihrem braunen Gesicht. Sie sanken zurück und lagen bewegungslos da. Dann begannen, einer nach dem anderen, die Äpfel vom Bett herunterzufallen. Sie prallten auf, rollten irgendwohin und formten ein Zufallsmuster auf dem Boden.

Später fütterten sie sich gegenseitig mit Trauben, und Harry aß einen von den roten Äpfeln, während Tamar einen gelben versuchte. Das Zimmer roch nach ihrem Körper, nach Früchten und frischem Kiefernholz.
»Ich muß hierbleiben, in diesem Land«, sagte Tamar.
»Meinst du, daß Israel ohne dich untergeht?«

»So könnte man das sagen.«
»Das mußt du mir erklären. Danach verliere ich vielleicht meinen Sinn für Humor.«
»Israel kann es genauso ergehen wie den Wachteln, die es jedes Jahr gerade noch bis zur Küste von El Arish schaffen. Sein ständiger Kampf könnte es so erschöpfen, daß es eines Tages praktisch wehrlos ist.«
»Nach allem, was ich gesehen habe, ist Israel alles andere als wehrlos«, entgegnete Harry trocken.
»Miese Häuser und schlechte Kleidung vermögen oft mehr als Gewehrkugeln, Harry. Im Moment laufen mehr Menschen fort als hierherkommen.«
Draußen wurde es dunkel. Harry knipste die Nachttischlampe an, und Tamar stand auf und ließ das Rollo vor dem Fenster herunter. Sie zog ihren Bademantel an und kam zum Bett zurück. Eben, als sie sich geliebt hatten, hatte Harry geschwitzt, aber jetzt fror er. Er öffnete Tamars Bademantel und preßte sich an sie, aber der Mantel war nicht weit genug, um sie beide zu wärmen. Harry spürte an ihrem Hals den Pulsschlag, den er bisher noch nicht an ihr bemerkt hatte.
»Bleib mit mir hier«, sagte sie.
Sie sahen sich an. »Du brauchst mir jetzt nicht zu antworten, aber denk darüber nach«, sagte sie. »Das Leben hier in Israel wird sehr hart für dich sein«, fuhr sie fort. »Wenn du hier lebst, werden dich manche Leute in Amerika einen Kolonialisten nennen.«
»Das wäre mir völlig egal.«
»Es ist schwerer zu ertragen, als du denkst. Die ersten Siedler hier galten in der ganzen Welt als Helden, also hielten sie sich selbst auch dafür. Das gab ihnen den Mut zu kämpfen, sogar den alten Männern und den Kindern. Ze'evs Vater kam als zwölfjähriger Waise hierher und hat sofort gekämpft.«

»Warum erwähnst du ständig diesen Ze'ev?«
»Das tue ich doch nicht.«
»Könntest du mir einen Gefallen tun? Ich will jetzt nicht über Ze'ev Kagan sprechen. Nicht über ihn, nicht über seine Hobbys, seine politischen Ansichten und Hoffnungen und auch nicht über seinen Vater.«
»Dann tu *du* mir auch einen Gefallen. Scher dich zum Teufel. Oder zurück nach New York, mir ist es gleichgültig!« Tamar schloß die Augen. Sie lagen schweigend nebeneinander.
Tamars Körper wärmte Harrys Vorderseite, aber am Rücken hatte er eine Gänsehaut. »Ich gehe unter die heiße Dusche«, sagte er schließlich. Aber im Badezimmer kam aus allen Wasserhähnen nur kaltes Wasser. Zitternd stand Harry unter der Brause und hatte das Gefühl, daß der letzte Rest seiner guter Laune im Ausguß verschwand.
Als er zurück ins Zimmer kam, kroch Tamar auf Händen und Knien auf dem Boden herum und sammelte die Äpfel auf.
»Laß sie doch, wo sie sind.«
»Etwas zu essen läßt man nicht auf dem Fußboden liegen.«
Harry half ihr beim Einsammeln. »Wir lassen sie nicht verderben.« Er brauchte eine Weile, bis er bemerkte, daß sie weinte.
»Tamar!«
Sie sah ihn an. »Warum hast du dich überhaupt mit mir eingelassen?« fragte sie bitter.

In der Nacht wachte Harry auf und verspürte ein so übermächtiges Liebesgefühl, daß es ihn selbst überraschte. Dieses Gefühl war anders als dasjenige, das er Tamar gegenüber empfand; schon seit längerer Zeit war

ihm klar, daß er außer ihr auch etwas anderes liebte. Israel.
Warum nicht?
Er war noch jung. Er würde sich hier einleben können.
Harry starrte zur dunklen Zimmerdecke hinauf, als könne er dort den Bauplan seines Lebens studieren. Er würde schon irgendwie an der Diamantenbörse in Ramat Gan seinen Lebensunterhalt verdienen. Vielleicht könnten sie sich hier ein Stück Land kaufen, wo er mit Blick auf den Berg Hermon türkische Äpfel anbauen würde.
Der Puls an Tamars Hals schlug unter Harrys küssenden Lippen, und sie wachte auf.
»Schlaf wieder ein«, flüsterte Harry auf Hebräisch.

23

Der Brunnen in Ghájar

Am nächsten Morgen weckte sie ein ferner Kanonendonner, der von irgendwoher aus dem Libanon kam. Sie brachen früh in Neve Ativ auf, fuhren den Berg hinunter nach Ghájar und frühstückten in einem Café im Freien, wobei sie, so schien es ihnen zumindest, die gesamte Bevölkerung des Ortes beobachten konnte. Ein paar von den Leuten erwiderten ihre Blicke, aber die meisten von ihnen wandten ihre Aufmerksamkeit dem Dorfbrunnen zu, in den gerade ein Mann hinabgelassen worden war.

Der Besitzer des Cafés erklärte Tamar und Harry, daß der Mann den Schlick entfernte, der sich am Boden des Brunnens angesammelt hatte, damit dieser bei den Regenfällen im kommenden Frühling möglichst viel Wasser speichern konnte. Als Tamar und Harry ihren Kaffee serviert bekamen, enthielten die Eimer, die ständig aus dem Brunnen heraufgezogen wurden, schon keinen Schlick mehr, sondern schlammbraunes Wasser, und die Zuschauer strahlten und nickten anerkennend.

»Das sind *Alauiten*, sehr nette Menschen«, sagte Tamar.

»Sind sie Moslems?«

»Ihre Religion ist eine Abart des Islams. Sie verehren Ali, Mohammeds Schwiegersohn.« Sie erklärte Harry rasch die Grundzüge dieses Glaubens, wobei sie aber ständig in eine bestimmte Richtung blickte.

»Was beobachtest du denn so aufmerksam?« fragte er.

»Du hältst mich bestimmt für blöd«, sagte sie.
»Du mußt lernen, mir zu vertrauen.«
Tamar lächelte. »Nun gut. Schau dir mal das Kind dort an.«
Neben der Stelle, wo die Eimer aus dem Brunnen entleert wurden, formte ein Junge kleine Sandhäufchen. Nicht jeder Eimer trüben Wassers traf einen seiner Haufen, aber weil er sie immer dort hinbaute, wo er hoffte, daß der nächste ausgegossen werden würde, schwemmte von Zeit zu Zeit eine kleine Flutwelle eines seiner Häufchen weg.
»Nimm doch mal an, daß vor langer Zeit der kleinere der beiden Hügel an David Leslaus Ausgrabungsstätte weggespült wurde.«
»Aber es sind doch zwei Hügel dort, nicht einer«, erinnerte Harry sie.
»Das Land ist voller *Tells.* Das sind von Menschen aufgeschüttete Hügel, die aus dem Schutt alter Ansiedlungen bestehen, die schichtweise eine über der anderen angelegt wurden. Davids Ausgrabung befindet sich östlich von der Quelle, wo es ziemlich wahrscheinlich ist, daß sich dort genau so eine Ansiedlung befunden hat. Und jetzt nimm an, der Hügel, von dem die Schriftrolle spricht, wäre wirklich weggespült worden und David würde am Fuß eines *Tells* graben, der von einer Ortschaft in der Nähe übriggeblieben ist.« Tamars Augen leuchteten. »Was hältst du davon?«
»Ich halte dich bestimmt nicht für blöd, aber ...«
Tamar seufzte und goß Kaffee nach, während die Dorfleute den Mann aus dem Brunnen holten, einen schlammverschmierten Jungen, der ganz offensichtlich glücklich war, wieder aus dem dunklen Loch heraus zu sein. »Fährst du mit mir nach Ein Gedi, bitte?« fragte Tamar. »Ich möchte mit David Leslau reden.«

»Nein.«
»Wenn du mit mir hinfährst, dann mache ich dich später sehr glücklich«, sagte sie hintersinnig. »Alles, was du willst. Wassermelonen. Granatäpfel. Zwei verschiedene Arten von Zitrusfrüchten...«
»Ihr Israelis habt wirklich einen goldenen Humor.«
»Nun komm schon, Harry.«
»Das kann ich nicht. Meine amateurhafte Einmischung hat David schon zuviel Zeit und Geld gekostet. Und du wirst mich später sowieso sehr glücklich machen, weil ich dich jetzt gleich glücklich machen werde.«
Er nahm ihre Hand, aber Tamar zog sie weg. »Die *Alauiten* mögen es nicht, wenn man eine Frau in der Öffentlichkeit berührt.«
»Schade.«
»Du bringst mich nach Ein Gedi.« Tamar saß vor ihm, schön, gesund und munter in der Morgensonne und schenkte ihm ein sanftes Lächeln. »Du wirst mich hinbringen, weil du mich liebst«, sagte sie.

Vom Ausgrabungscamp war nicht mehr allzuviel übrig. Leslaus Zelt stand zwar noch da, aber die anderen beiden waren bereits abgebaut worden. Der Archäologe erzählte ihnen, daß er zwei Männer mit einem Lastwagen und einem Großteil der Ausrüstung nach Jerusalem zurückgeschickt habe. Die ihm noch verbliebenen Helfer, ein englischer Student und zwei arabische Arbeiter, schaufelten die Löcher wieder zu, die Leslau am Fuß des kleineren der beiden Hügel in die steinige Erde hatte graben lassen.
»Wir wollen alles so verlassen, wie wir es vorgefunden haben«, erklärte Leslau.
»David«, sagte Tamar und erklärte ihm, warum sie nach Ein Gedi gekommen waren.

Leslau hörte ihr ruhig zu und zog ab und zu einmal an seiner Pfeife.
»Es ist kein gewachsener Berg, das kann ich Ihnen bestätigen«, sagte er und schaute dabei auf den kleineren Hügel. »Aber warum muß es gleich ein *Tell* sein?«
»Es wäre doch nicht schwer, das herauszufinden, oder?« fragte Tamar.
»Sie haben recht, meine liebe Tamar, allzuviel Mühe würde es nicht bereiten. Aber ich muß Ihnen leider auch sagen, daß die Enttäuschung, die wir hier erlebt haben, unseren Enthusiasmus neuen Ideen gegenüber ziemlich gedämpft hat.« Er seufzte. »Aber was soll's? Warum sollten wir nicht noch ein weiteres Mal unvernünftig sein?«
Sie folgten ihm über die zerwühlte Erde. Harry schwitzte und bereute es bereits, daß er sich von Tamar hatte überreden lassen, hierherzufahren. »Tut mir leid, David«, murmelte er.
»Ich verstehe schon«, sagte Leslau.
Sie stolperten hinter dem Archäologen her. Harry war von der Hitze ganz benommen. Das Sprichwort von den verrückten Hunden und Engländern, die die einzigen sind, die sich der Mittagssonne aussetzen, war vollkommen zutreffend. »Das ist doch vergebliche Liebesmühe.«
»Wie bitte?« fragte Leslau.
»Sie jagen einem Hirngespinst nach.«
»Ach so«, sagte Leslau geistesabwesend. Er war stehengeblieben und hatte ein paar Steine vom Boden aufgehoben, die er sich kurz besah und wegwarf, bevor er wieder neue aufhob.
Er warf Tamar einen seltsamen Blick zu.
»Gehen wir weiter«, brummte Harry.
»Harry?« sagte Leslau.
»Ja, was ist?«

»Halten Sie den Mund.«
Schweigend folgten sie ihm noch etwa dreißig Meter.
»Wissen Sie, wo wir uns befinden?« fragte Leslau dann.
»Nein«, sagte Harry, der sich bemühte, nicht beleidigt zu klingen.
»Im Bett eines *Wadi*«, sagte Tamar.
»Stimmt, im Bett eines *Wadi*.« Leslau führte sie zu der Stelle zurück, wo er die Steine aufgehoben hatte. »Sehen Sie's?« fragte er Harry.
Harry bemühte sich, etwas zu sehen, konnte aber keinen Unterschied zum anderen Wüstengebiet erkennen. Er schüttelte den Kopf.
»Ein *Wadi* ist ein Trockental, in dem vor langer Zeit ein Fluß geflossen ist.« Leslau hob einen Stein auf und zeigte ihn den beiden.
»Ich sehe bloß einen stinknormalen Kalkstein«, sagte Harry, »den Sie mitten in einer Kalksteinwüste aufgehoben haben. Was soll ein solcher Stein uns schon groß sagen?«
»Eine ganze Menge«, antwortete der Archäologe. »Die meisten Kalksteine hier sind cenomanischen oder turonischen Ursprungs und vor einhundertdreißig Millionen Jahren in der Kreidezeit entstanden. Selbst Ihnen als Laien müßte eigentlich auffallen, daß dieser Stein hier viel glatter ist als die anderen, die herumliegen. Er dürfte wohl vor etwa fünfundfünfzig Millionen Jahren im Eozoikum entstanden sein, möglicherweise auch im Senon, aber das spielt keine Rolle. Wichtig aber ist, daß das Wasser, das jahrhundertelang jeden Winter hier entlanggeflossen ist, mit Leichtigkeit einen Berg aus Kalkstein hätte abtragen können. Und das, was von dem Berg übrigblieb, liegt hier in Form von Steinen herum, genau dort, wo es das Wasser hingespült hat. Das sieht man ganz deutlich.«

Harry blinzelte, weil ihm der Schweiß in die Augen lief. »Wollen Sie damit etwa sagen, daß Tamar recht hat?«
Leslau sah sie an. »Nein.«
»Was meinen Sie *dann*, um Himmels willen?«
»Alles, was ich meine, ist, daß es hier einmal – vor langer Zeit – noch einen Hügel gegeben hat. Was bedeuten könnte, daß sich ursprünglich drei Hügel an dieser Stelle befunden haben und wir am vollkommen falschen Ort stehen. Aber ...« – Leslau atmete tief durch – »... dieser kleine Hügel dort drüben könnte sich möglicherweise wirklich als *Tell* herausstellen.« Er ergriff Tamars Hände. »Und wenn er ein *Tell* sein sollte, dann hätten Sie vollkommen recht gehabt«, sagte er. »Auf eine ganz wunderbare Weise recht gehabt. Und ich wäre meinem Schatz vielleicht näher als je zuvor.«

Sie warteten im Zelt, dessen Inneres ihnen im Vergleich zu der brutalen Sonne draußen direkt wie eine kühle, grüne Höhle vorkam.
»Es tut mir leid«, sagte Harry.
Sie küßte ihn.
»Wie bist du bloß draufgekommen? Bloß weil dieses Kind da mit dem Sand gespielt hat und ...«
»Das passiert mir bei meiner Arbeit ständig. Es bin nicht ich, die auf etwas kommt. *Es* kommt auf mich zu.« Sie zögerte. »Und außerdem ist es ja noch nicht sicher, daß ich recht hatte, nicht wahr?«
»Nein, noch nicht.«
Leslau hatte, nachdem er den Hügel sorgfältig studiert hatte, den Studenten und die beiden Arbeiter vom Auffüllen der Löcher abgezogen und sie an drei verschiedenen Stellen am Nordhang des Hügels graben lassen. Dort war die Oberfläche ein wenig eingesunken, und dies wies möglicherweise darauf hin, daß irgendwo

im Inneren des Hügels vor langer Zeit ein Gebäude oder etwas Ähnliches zusammengebrochen war und die Erde sich gesetzt hatte.
»Wird es lange dauern?« hatte Tamar gefragt.
Leslau hatte mit den Achseln gezuckt. »Vielleicht Stunden, vielleicht auch Tage. Ein *Tell* wächst Schicht um Schicht. Wenn Häuser zerfallen, bleiben ihre Baumaterialien liegen. Regen und Wind lagern Staub und Abfälle ab, Pflanzen wachsen und verrotten auf ihnen. Wenn der Mensch dann irgendwann einmal wieder von dem *Tell* Besitz ergreift, baut er auf den Humus, der mittlerweile die erste Schicht bedeckt, neue Gebäude, und das Spiel beginnt von vorn. Die Schichten sind oft von ganz unterschiedlicher Dicke. Wenn dieser kleine Hügel wirklich ein *Tell* ist und die Spuren der Menschen, die ihn zuletzt bewohnt haben, nur von einer dünnen Bodenschicht bedeckt sind, dann haben wir vielleicht Glück und finden bald etwas. Aber wenn die Deckschicht, in der wir momentan graben, dick ist, könnte es auch ziemlich lange dauern.«
Harry und Tamar hatten trotzdem beschlossen, den Rest des Tages hierzubleiben und die Grabungen zu beobachten.

Tamar gelang es, sich zu entspannen und ihr Buch zu lesen, aber Harry rieb nervös so lange an dem bereits polierten Granat herum, bis dieser in rotem Glanz erstrahlte. Ab und zu wechselte er ein paar Worte mit Leslau, aber eigentlich waren sie beide nicht besonders gesprächig. Wie sie so zu dritt auf ihren Klappstühlen um den von der Firststange des Zeltes herabhängenden leinenen Wassersack saßen, sahen sie aus wie drei wortkarge Neuengländer, die sich im Winter um einen Kanonenofen scharen. Von Zeit zu Zeit kam der Student oder einer der Arbeiter herein, trank schweißtriefend etwas Wasser und ruhte sich ein wenig aus. Der Student und einer der Araber waren noch junge Männer, aber Leslau sagte, daß der ältere Araber am besten arbeitete.

Als dieser zu einer Rast hereinkam, sagte Harry ihm, er könne sich etwas länger ausruhen. »Ich mache in der Zwischenzeit Ihre Arbeit«, sagte er.

»Nein!« unterbrach Leslau scharf. Er und Harry sahen sich an. »Die Männer draußen sind diese Arbeit gewöhnt, aber Sie sind das nicht.«

Auch Harry war sich nicht sicher, ob seine Idee wirklich so gut gewesen war, aber da war er schon an Leslau vorbei aus dem Zelt gegangen und stieg den Hügel hinauf. Der ältere Araber kam auch nach draußen und setzte sich grinsend in den Schatten des Zeltes.

Am Anfang war es nicht so schlimm, aber bald merkte Harry, daß er Probleme bekam.

Es war Jahre her, seit er das letzte Mal Pickel und Schaufel in der Hand gehabt hatte. Man mußte bei dieser Arbeit seinen eigenen Rhythmus finden, soviel wußte er noch. Und so hob und senkte er den Pickel in annähernd gleichmäßigem Takt.

Die Haut an Harrys Händen war viel zu zart, damit begann es schon mal. Das Atmen hingegen bereitete ihm weniger Probleme, dann durch sein tägliches Joggen war er gut in Form, jedoch zum Laufen benötigte man ganz andere Muskeln als bei dieser Arbeit.

Am schlimmsten aber war die Sonne. Bald nahm Harry, wenn er aufblickte, die Landschaft nur noch wie ein flaches, verblaßtes Bild eines schlechten Schwarzweißfernsehers wahr.

Nach einer Weile kam Leslau den Hügel heraufgestiegen. »Hören Sie doch endlich mit diesem Unsinn auf«,

sagte er, geleitete Harry zurück ins Zelt und sah zu, wie sich dieser auf den abgetretenen Gebetsteppich in der Mitte fallen ließ. Sein Schweiß trocknete in der Hitze ebenso rasch, wie er geflossen war. Harry hatte das Gefühl, als hätte ihn jemand in Salz gewälzt, und an beiden Handflächen hatten sich bereits Blasen so groß wie halbe Weintrauben gebildet.
Tamar betrachtete ihn ruhig, nicht allzu besorgt, aber mit einem nachdenklichen Interesse, das Harry irgendwie beunruhigend fand.

Obwohl Leslau fast seine ganzen Vorräte zurückgeschickt hatte, fanden sich doch noch ein paar Dosen mit Hühnerfleisch, und außerdem hatten sie ja noch Harrys Äpfel, die durch die Hitze schon etwas mehlig geworden waren.
Als auf einmal Bewegung in die Männer auf dem Hügel kam, schöpften die drei im Zelt schon etwas Hoffnung, aber es war nur eine Auseinandersetzung zwischen dem Studenten und den beiden Arabern, die nach dem Essen erst wieder arbeiten wollten, wenn sie sich eine Tasse Kaffee gemacht hatten. Schließlich kochte ihn der ältere Arbeiter auf einem Benzinkocher in einer malerisch zerbeulten, langschnäuzigen Kanne, die so alt war, daß das Kupfer schon an mehreren Stellen durch die dünne Nickelschicht schimmerte.
Harry fragte den Mann, ob er ihm die Kanne verkaufen wolle, und Tamar sagte etwas auf Arabisch.
»Was hast du zu ihm gesagt?«
»Daß die Kanne eine Menge Geld wert ist. Ich habe ihm geraten, sie nicht zu billig herzugeben.«
Der Mann fragte Harry auf Arabisch, ob er ihm so viel Geld für die Kanne geben werde, daß er sich davon ein neues Haus kaufen könne.

»Ich will doch bloß die Kanne kaufen und nicht seine Schwester heiraten.«
Der Arbeiter hatte ihn offensichtlich verstanden, denn er sagte sofort etwas.
»Er sagt, daß die Kanne, ebenso wie seine Schwester, seinem Vater gehört hat«, übersetzte Tamar. »Und deshalb verkauft er beide nicht.«
Der Kaffee war gut, und die Antwort des Arabers machte ihn noch besser. Kurz nachdem die Arbeit wieder aufgenommen worden war, bemerkte Harry, daß es schon ziemlich spät am Nachmittag war. »Ich muß nach Jerusalem«, sagte er und warf Leslau einen besorgten Blick zu. Harrys eigenmächtiger Ausflug auf den Hügel hatte das zaghaft gewachsene Vertrauen zwischen ihm und dem Archäologen empfindlich gestört.
Leslau holte eine Flasche Scotch unter seinem Feldbett hervor und bot sie den anderen an.
»Einen kleinen Schluck, bevor Sie fahren?«
Tamar schüttelte den Kopf.
»Aber ich nehme einen«, sagte Harry.
»Bist du sicher, daß du dich von der Hitze schon wieder erholt hast?« fragte Tamar. »Wenn nicht, dann wäre dies das Dümmste, was du tun könntest.«
»Es geht mir gut.«
Sie tranken den Whisky aus Plastikbechern. Obwohl es Harry wirklich gut ging, stieg ihm der Alkohol in kürzester Zeit in den Kopf. Vielleicht kam das von der Hitze, vielleicht wurde in Israel aus diesem Grund so wenig Whisky getrunken, und nicht nur deshalb, weil er furchtbar teuer war.
Leslau goß noch einmal ein, und sie prosteten sich zu.
»Ich muß mal«, sagte Harry.
»Ich komme mit.«
Draußen waren die Schatten schon länger geworden.

»Sie mußten wohl unbedingt den Job dieses armen Arbeiters übernehmen, was?« fragte Leslau, dem der Schnaps offensichtlich die Zunge gelöst hatte. »Sie konnten ihm nicht einmal dieses *klitzekleine* Erlebnis lassen, ohne es zu dem Ihren machen zu müssen. Ist das bei Ihnen eine Art Krankheit oder was?«
»Es ist keine Krankheit«, sagte Harry.
Sie gingen noch ein wenig weiter, blieben stehen und ließen ihren Urin in den Staub plätschern.
Harry schüttelte die letzten Tropfen sorgfältig ab. »Es ist bloß so, daß ich manchmal einfach der Versuchung nicht widerstehen kann, mich wie ein Arschloch zu benehmen.«
Sie sahen sich an.
Leslau grinste. »Ich glaube, Sie sind doch kein so hoffnungsloser Fall.« Als sie wieder zurück im Zelt waren, war zwischen ihnen wieder alles in Ordnung.
Aber auf dem Hügel war Unruhe entstanden. Die beiden anderen Arbeiter knieten vor einem Loch, das der jüngere Araber geschaufelt hatte.
»Was gibt's?« rief Leslau, während er und Harry den Hügel hinaufeilten.
Es kam keine Antwort. Jetzt standen beide Araber in dem Loch und schaufelten so eifrig, daß die Erde nur so herausflog.
Das Loch war etwa zwei Meter tief, aber erst als der junge Araber herausgeklettert war, konnte Harry etwas erkennen. Es waren zwei übereinanderliegende Reihen von behauenen Steinen, die ihn irgendwie an Kopfsteinpflaster erinnerten, und eben legte der ältere Araber mit vorsichtigen Pickelschlägen eine dritte Reihe frei. Die Steine lagen immer noch so sauber aufeinander, wie sie ihr unbekannter Erbauer vor langer Zeit aufeinandergeschichtet hatte. Es war eine Mauer.

Harry, Tamar und Leslau gingen zusammen hinaus in die Wüste.
»Stellen Sie sich das bloß vor«, sagte Leslau aufgeregt. »Vielleicht finden wir am Ende doch die Schätze, von denen unsere Schriftrolle berichtet. Ich sehe ihre Verfasser direkt vor mir, Sie nicht? Eine fremde Armee ist im Anmarsch, und sie holen eilig die wertvollsten Dinge aus dem Tempel – Reichtümer wie den gelben Diamanten, den Sie suchen, Harry, und die heiligsten der Kultgegenstände – und vergraben sie irgendwo in der Erde, bevor sie diese Verstecke in der Kupferrolle beschreiben.«
»Und zweitausendfünfhundert Jahre später graben *Sie* diese Schriftrolle irgendwo aus«, sagte Tamar.
»David, was meinen Sie? Wurden viele der *Genisot* geplündert, so wie die *Genisa* im Tal Achor, aus der der Diamant stammt?« fragte Harry.
»Die meisten der aufgeführten Gegenstände dürften wohl immer noch vergraben sein. Ich weiß es, ich kann es direkt in meinen Knochen spüren. Aber andererseits bin ich mir auch sicher, daß sich eine Anzahl der Verstecke in den besetzten Gebieten befinden dürfte. Und sollte das Geschick der Welt einmal eine verrückte Wendung nehmen, dann entsteht dort vielleicht eines Tages ein Palästinenserstaat, und ich werde nie mehr die Gelegenheit bekommen, unser kulturelles Erbe auszugraben. Deshalb muß ich jetzt graben wie ein Verrückter, jetzt, wo wir dank Tamars Einfall endlich eine Chance haben, eines der Verstecke wirklich zu finden.«
Leslau deutete auf die Stelle, wo die Überbleibsel des früheren Kalksteinhügels in der Wüste verstreut lagen. »Das Wasser ist immer in dieselbe Richtung geflossen, und so brauchen wir nur dem Geröll so lange den Wadi hinauf zu folgen, bis es aufhört. Wenn wir erst einmal

wissen, wo sich der Fuß des verschwundenen Hügels befand, werden wir systematisch zu graben anfangen. Und irgendwo muß sich dort in etwa dreiundzwanzig Ellen Tiefe der erste der von mir gesuchten Schätze verbergen.«

Leslau blickte an den beiden vorbei auf die vom Abendlicht geröteten Hügel und schüttelte seine Faust.

»*Hört zu, ihr alten Mamser!* Hört zu, ihr Bastarde!« rief er hinaus in die Wüste. »Ich werde das Zeug finden, das schwöre ich euch!« Dann schüttelte er wieder die Faust.

»David!« sagte Tamar ruhig.

Leslau blinzelte, drehte sich um und ging mit den beiden zurück zum Zelt.

Als Harry ihn später fragte, ob er ihm einen Blick auf das Original der Schriftrolle gestatten wolle, schien Leslau überrascht. »Das ist doch jetzt wirklich nicht wichtig. Lassen Sie uns doch erst einmal hier draußen die Grabung beenden.«

Harry schüttelte den Kopf. »Es geht mir dabei nicht um Ihre Arbeit. Es geht um den Diamanten. Ich würde gerne den Absatz sehen, wo auf der Rolle das Versteck beschrieben ist. Er ist in meiner Fotokopie teilweise unleserlich.«

Leslau zuckte mit den Achseln. »John«, rief er dem Studenten zu, »du fährst mit diesen Leuten nach Jerusalem zurück und zeigst ihnen das, was sie sehen wollen. Und sag den anderen, sie sollen gleich morgen mit dem Lastwagen wieder hierherkommen.«

24

Tiberias

Die kupferne Schriftrolle war sauber gereinigt und poliert worden. Obwohl die Schriftzeichen mit Sicherheit nicht mehr so klar wie kurz nach dem Prägen waren, konnten Tamar und Harry sie ohne Mühe entziffern. In Leslaus chaotischem Büro beugten sie sich über die Schriftrolle, als beteten sie einen Kultgegenstand an. Tamar las den ersten Absatz laut vor:

Dies sind die Worte des Baruch, Sohn des Neriah ben Maasiah, Sproß der Priester aus Anatoth im Lande Benjamins, der im neunten Jahr der Regierung des Zedekiah, Sohn des Josias, König von Judäa, von Jeremias, dem Sohn des Hilkiahu Kohen, den Befehl erhielt, den Schatz des Herrn zu verstecken.

Als sie zu dem Absatz kamen, der die *Genisa* im Tal Achor beschrieb, konnte Harry die paar Worte, die auf seiner Fotokopie verwischt gewesen waren, problemlos lesen.
Der Diamant wurde dort mit den Worten *Haya Nega* beschrieben.
»*Haya Nega*, das bedeutet ein verunreinigtes, mit einem Makel behaftetes Ding«, übersetzte Tamar.
»Ich weiß.« Harry tat einen unregelmäßigen Atemzug, er wollte das Offensichtliche einfach nicht wahrhaben. »Gibt es noch eine andere Interpretationsmöglichkeit?«

»Nein, Harry«, sagte Tamar bestimmt. »Diese Stelle beschreibt einen Diamanten, der eindeutig einen Fehler hat.«

»Mein Gott«, sagte Harry. »Ich bin derjenige, der einem Hirngespinst nachjagt! Der Diamant, den Mehdi zum Kauf anbietet, hat keine größeren Fehler. Und das bedeutet wiederum, daß Mehdis Diamant nicht der Stein sein kann, der hier in der Schriftrolle beschrieben wird – der Diamant, der aus dem Tempel in Jerusalem genommen und versteckt wurde.«

Im Hotel wartete eine Nachricht auf Harry, der sofort die zittrige Schrift erkannte – hatte Mehdi sie vielleicht von einem europäischen Lehrer oder einer Erzieherin gelernt? Harry riß den Umschlag auf.

Mein lieber Mr. Hopeman,

dürfte ich Sie bitten, sich noch einmal mit mir zu treffen?

Ich bin mir vollkommen bewußt, daß Sie es waren, der schon mehrmals zu mir gekommen ist, manchmal sogar unter nicht unbeträchtlichen Schwierigkeiten, aber ich möchte Ihnen versichern, daß diese Umstände wirklich notwendig waren. Ich hoffe darauf, daß wir in Zukunft noch recht viele Geschäfte miteinander abwickeln können, und verspreche Ihnen, dabei so häufig wie nur möglich zu Ihnen zu kommen.

Bitte kommen Sie am Mittwoch nachmittag um zwei Uhr zur Bushaltestelle in Elat.

Ich verbleibe mit herzlichen persönlichen Grüßen Ihr

Yosef Mehdi

»Da gehst du doch nicht hin, oder?« fragte Tamar.
»Ich glaube, es wäre besser, wenn ich ginge.«
»Wenn Mehdis Stein nicht der *Diamant der Inquisition* ist, dann ist es auch nicht der Diamant, den du kaufen sollst. Warum machst du dir dann die Mühe, das Geschäft weiter zu verfolgen?«
»Es handelt sich um einen sehr wertvollen gelben Diamanten. Und ich bin Diamantenhändler. Verstehst du?«
Sie nickte. »Aber ... mach kein so trauriges Gesicht«, sagte sie sanft.
Trotz Tamars Kuß sah Harry keinen Grund, warum er nicht traurig sein sollte. »Ich glaube nicht einmal, daß ich diesen falschen Stein bekomme. Meiner Meinung nach hat Mehdi schon einen anderen Käufer dafür.«
»Warum will er dich dann sehen?« fragte Tamar.
Der deutliche Hinweis auf die gemeinsamen Geschäfte in der Zukunft war es, der Harry die Hoffnung auf ein Zustandekommen der Transaktion genommen hatte. »Dieses letzte Treffen dient nicht dazu, den gelben Diamanten zu verkaufen. Es ist nur dazu da, daß wir ein wenig versöhnter auseinandergehen, damit wir eines Tages wieder Geschäfte miteinander machen können.«
Harry las den Brief noch einmal und hoffte, daß ihn sein Gefühl beim ersten Lesen getäuscht hatte, aber es verließ ihn nicht. »Das bedeutet, daß ich fünf weitere Tage warten muß.«
»Laß uns in Jerusalem bleiben«, sagte Tamar.

Harry spürte, daß er verloren hatte, und dieses Gefühl hatte er noch nie mit Würde ertragen können. Es heiterte ihn ein wenig auf, die Stadt Jerusalem an einem Freitagabend zu beobachten – es kam ihm vor, als wäre er kurz vor Weihnachten in Amerika. Viele Leute erledigten hastig in letzter Minute ihre Einkäufe, denn

Büros und Läden schlossen frühzeitig, um ihren Angestellten Gelegenheit zu geben, noch vor Sonnenuntergang nach Hause zu kommen. Menschen, die Weinflaschen und Blumensträuße nach Hause trugen, eilten durch die Straßen. Es war beeindruckend, wie die alte Stadt in hektische Betriebsamkeit verfiel, die dann urplötzlich zum Stillstand kam. Es fuhren keine Busse, und die Straßen waren wie leergefegt, weil praktisch alle Leute bei Freunden oder in der Familie den Sabbat mit einem gemeinsamen Abendessen feierten. Für Nichtgläubige war das ein angenehme Tradition, und die orthodoxen Juden bereiteten sich damit auf den Synagogenbesuch am heiligen Sabbat vor.
Am Samstagmorgen blieben die Geschäfte geschlossen, dafür promenierten die jüdischen Bürger Jerusalems auf den Straßen. Liebespärchen spazierten Arm in Arm, Eltern schoben abwechselnd den Kinderwagen, und alte Leute genossen die Sonne. Harry und Tamar gingen in die Altstadt, wo die arabischen Händler ihre Geschäfte geöffnet hatten und mit Verkäufen an die Juden ein gutes Geschäft machten, genauso wie ihre jüdischen Kollegen es am Freitag, dem moslemischen Sabbat, mit den arabischen Kunden machten.
Dann gingen sie ins alte jüdische Viertel. Als es während des Unabhängigkeitskriegs von den Arabern besetzt gewesen war, waren die Synagogen und Wohnhäuser zerstört worden. Mittlerweile hatte man sie mit viel Liebe zum Detail restauriert, und Harry kam es vor, als wäre er an diesem Ort, der so viel schöner war als Neu-Jerusalem mit seinen schwindelerregenden Wolkenkratzern, in eine gänzlich andere Zeit versetzt.
Er schwieg lang.
»Nimm mal an, eines dieser schönen Steinhäuser hier gehörte uns«, sagte er schließlich.

»Um dort zu wohnen? Dazu bräuchte man entweder eine große Familie oder ein viel kleineres Haus.«
»Nein, nicht um dort zu wohnen.«
Harry blieb mitten auf der Straße stehen und betrachtete das renovierte Viertel. »Es müßte ein außergewöhnliches Gebäude sein. Entweder ein altes Haus, das alles überlebt hat, oder ein sehr gut restauriertes, so wie dieses hier. Drinnen würde ich alles einfach und nahöstlich einrichten, mit einem Hauch von Luxus, aber nur so viel, um es nicht zu kahl wirken zu lassen. Vielleicht würde ich nicht einmal ein Schild an der Tür anbringen, und die Welt würde sich daran gewöhnen müssen, sich zu Alfred Hopeman & Son in Jerusalem durchzufragen ... ich weiß noch nicht recht. Vielleicht ist das außergewöhnlich genug.«
Tamar half ihm, die niederschmetternde Enttäuschung zu überwinden, daß Mehdis gelber Stein nicht der *Diamant der Inquisition* war. Sie sprachen immer wieder über ihren Triumph in Ein Gedi, liebten sich, aßen zu viele Datteln und schmiedeten Pläne für das nobelste Juweliergeschäft der Welt. Aber am Montagmorgen wurde sie reizbar.
»Ich bekomme meine Periode«, sagte sie am Nachmittag. »Ich glaube, ich ziehe besser wieder in meine eigene Wohnung, Harry.«
Harry war froh, daß es eine plausible Erklärung für ihre schlechte Laune gab. »Nein, bleib hier bei mir«, sagte er, strich ihr die Haare zurück und küßte sie auf die Stirn. »Ich werde mich um dich kümmern, dann wird es dir bald bessergehen. Laß uns doch nach Tiberias fahren und bis morgen abend dort bleiben. Wir essen Fisch, der soll dort besonders gut sein. Und du kannst ein bißchen im See Genezareth herumwaten.«
Sie blickte ihn amüsiert an. »Ich kann schwimmen.«

»Um so besser.«
»Weißt du, was ich an unserer Beziehung ganz besonders schätze?«
»Was denn?«
»Sie ist so ruhig und erholsam.«

Am See Genezareth gab es hochmoderne Ferienzentren, aber Tamar und Harry nahmen sich ein Zimmer in einem der älteren Luxushotels. Als sie ankamen, war es dunkel, und vom Zimmerfenster aus konnte Harry im Licht der Lampen am Seeufer erkennen, daß gerade irgendwelche Insekten ausgeschlüpft sein mußten, denn überall im Wasser kamen schnappende Fische an die Oberfläche.
In der Nacht hatte Tamar Schmerzen in den Brüsten und Krämpfe im Unterleib, und Harry machte sich schon auf eine längere Enthaltsamkeit gefaßt, weil Della, kurz bevor sie die Periode bekam, regelmäßig das Interesse an der Liebe verloren hatte.
»Aber ich will«, sagte Tamar und überraschte ihn mit ihrem Eifer. Später schlief er mit seiner Hand auf ihrem Bauch ein, während durch das offene Fenster vom See her eine fast feuchte Brise in ihr Zimmer wehte. Am Morgen blickten sie aus dem Fenster auf steinerne Kais, die sich wie lange graue Finger in den See schoben, und auf ein behäbiges Fischerboot, das kleine Rauchwölkchen ausstieß, als stammte es direkt aus einem Bilderbuch.
Tamar freute sich an den Sonnenstrahlen. Beide schwammen von einem der Kais, den laut Hotelportier bereits die Römer erbaut hatten, hinaus in den See. Es war ein schöner Tag, nicht zu heiß, mit einem weißblau gefleckten Himmel.
Harry und Tamar sahen nur ein paar andere Gäste, die

meisten von ihnen schienen Israelis zu sein. Tamar erkannte in einem dickbäuchigen alten Mann, der mit ruhigen, gleichmäßigen Brustzügen schwamm, einen berühmten General. Am Nachmittag kam ein Paar mit zwei wunderschönen Barsoi-Windhunden auf den Kai. Die Herrin der Hunde war klein und schlank, mit Spielzeugbrüsten und einem harten, kleinen Hintern, und Harry und Tamar waren sich einig, daß ihre strammen Wadenmuskeln darauf hindeuteten, daß sie eine Tänzerin war. »Sie sind reich«, sagte Tamar. »Aber du bist ja wahrscheinlich die ganze Zeit mit reichen Leuten zusammen.«

»Das ist keine Strafe. Sie sind interessant.«

»Aber arme Leute sind interessanter.« Tamar lächelte. »Deshalb ist Israel so ein interessantes Land.«

Beim Abendessen saßen Harry und Tamar mit dem General, den Besitzern der Barsois und einem Paar am Tisch, das zu Hause ein Reisebüro betrieb und, als Opfer des eigenen Berufsstands, am Nachmittag an einer organisierten Bustour teilgenommen hatte. Die beiden erzählten Harry mehr über das Grab des Märtyrers Rabbi Meir, als er wissen wollte.

Sie aßen Fische, die aussahen wie Barsche, deren Fleisch jedoch eher nach Forelle schmeckte. Es waren St.-Peters-Fische aus dem See. Der General informierte die anderen darüber, daß diese Fische Maulbrüter seien. »Wie schlau von ihnen«, murmelte Tamar, deren Unterleibskrämpfe sich verschlimmert hatten.

Die Besitzer des Reisebüros schienen sich in dem teuren Tiberias-Hotel wie zu Hause zu fühlen, während die Leute mit dem Windhund eher nach Monaco gepaßt hätten. Die Frau, die einmal dem Kirov-Ballett angehört hatte, war vor ein paar Jahren aus Rußland geflohen. Als sie nach Israel kam, hatte sie eigentlich erwartet, einen Kulturschock und eine harte Anfangszeit zu erleiden, statt dessen hatte sie ihren Mann kennengelernt, der Fernsehgeräte fabrizierte, und war durch ihn schnell zu Reichtum gekommen. Das Gespräch am Tisch führte über die Produkte ihres Gatten auf das israelische Fernsehprogramm. Momentan war in ganz Israel am Sonntagabend die amerikanische Serie *All in the Family* mit hebräischen Untertiteln ein wahrer Straßenfeger.

»Wie kann man diese Serie hier überhaupt verstehen?« fragte Harry amüsiert.

»Wir verstehen sie sehr gut. Es ist die Geschichte eines liebenswerten Frömmlers, der sich große Sorgen macht, weil seine Tochter einen Mann heiraten will, den er als einen Polacken bezeichnet. Hier in Israel gibt es überall liebenswerte Frömmler, die sich ähnliche Sorgen machen. Manche *Aschkenasim* machen sich zum Beispiel Sorgen, daß ihre Töchter marokkanische Juden heiraten«, sagte der Unternehmer und warf einen Blick auf Tamars dunkle Haut. »Obwohl Marokkaner natürlich reizende Menschen sind«, fügte er, an sie gewandt, hinzu.

»So wie die Jemeniten auch«, sagte sie ruhig.

Der Mann erhob sein Weinglas.

»Am Ende werden unsere Enkel eine Mischung aus allen jüdischen Völkerschaften sein«, sagte die Russin.

»Aber sie werden nicht wie der Rest der Juden sein«, sagte Harry. Alle am Tisch blickten ihn an.

»Glauben Sie, daß wir dann eher wie Moslems werden?« fragte der Reisebüroinhaber mit ausgesuchter Höflichkeit. »Oder mehr wie Christen?«

Harry schüttelte den Kopf. »Sie sind ja heute schon Israelis, und die unterscheiden sich erheblich von den Juden überall sonst in der Welt.« Er aß seinen Fisch zu Ende.

Der General schien interessiert. »Sagen Sie uns doch bitte, inwiefern wir uns unterscheiden.«
»Sie sind Gewinner. Und um zu überleben, müssen Sie auch in Zukunft immer wieder gewinnen. Wir restlichen Juden stammen von einer langen Reihe von Verlierern ab. Unsere unbewußten Reaktionen stehen in der Tradition von Menschen, die den Atem anhalten mußten, wenn es nachts an ihre Türen klopfte. Solche Leute entwickeln mit der Zeit ein übersteigertes Bewußtsein für soziale Gerechtigkeit.«
Die anderen Gäste am Tisch sagten nichts. »Auch wir stammen von denselben Vorfahren ab«, meinte schließlich der General, »und wir kennen diese unbewußten Reaktionen, von denen Sie gerade gesprochen haben, ebenfalls. Meinen Sie, daß wir durch das Überleben vergessen haben, was es bedeutet, wenn man sein eigenes Schicksal nicht bestimmen kann?«
»Nein, das meine ich überhaupt nicht. Ich denke nur, daß es eine Gefahr ist, der man sich bewußt sein sollte.«
»Wenn Sie so besorgt um die israelische Identität sind«, fragte der Industrielle in betont jovialem Tonfall, »warum leben Sie dann nicht hier?«
»Ich denke gerade daran, dies zu tun«, sagte Harry gleichmütig. Das zustimmende Murmeln der anderen kam ihm wie ein Applaus vor.
»Mr. Hopeman, haben Sie Kinder?« fragte der General.
»Einen Sohn.«
»Würden Sie ihn opfern, damit Sie weiter als ein empfindsamer Mensch leben können?«
»Ich glaube nicht an Opfer. Wenn die Geschichte von Abraham und Isaak stimmt, dann war Abraham eher verrückt als fromm.«
Der General nickte. »Wir müssen nicht unbedingt unsere Kinder opfern, um unsere Menschlichkeit zu bewah-

ren. Aber wir müssen dazu bereit sein, und, sollte es doch dazu kommen, dabei so wenige unserer Söhne verlieren wie möglich. Damit die Juden in aller Welt auch in Zukunft wissen, daß es ein Israel gibt, in das sie kommen können, sollte sich einmal die Notwendigkeit dafür ergeben.«

»Wie alt ist Ihr Sohn?« fragte die Frau des Reisebüroinhabers.

»Er wird bald dreizehn.«

»Wir haben auch zwei Teenager. Sollten Sie sich in der Nähe von Haifa niederlassen, dann rufen Sie uns an. Wir können Ihnen eine gute Schule empfehlen.«

»Das ist sehr freundlich.« Harry hatte den Eindruck, daß er noch mehr erzählen sollte. »Aber er wird in Amerika bleiben. Wenn ich hierherziehe, dann ist das meine individuelle Entscheidung. Mein Sohn wird sich später selbst entscheiden müssen.«

»Können Sie denn diese Entscheidung nicht für ihn treffen? Hat denn Israel nicht genug zu bieten?« fragte der Fernsehapparatehersteller sanft.

»Ich bin das, was man früher einmal einen Liberalen genannt hat«, antwortete Harry. »Ich habe protestiert. Ich habe mit Transparenten demonstriert. Ich habe die Vereinigten Staaten häufig kritisiert. Aber selbst in seinen dunkelsten Stunden ist Amerika immer noch das beste, aufregendste, verheißungsvollste Land für jedermann geblieben, und das schließt auch einen dreizehnjährigen Jungen mit ein.«

Etwas später wurde Tamar immer blasser, stand auf und zog sich ins Zimmer zurück. Als Harry nachkam, fand er sie zusammengerollt wie einen Embryo im Bett liegen.

»Soll ich dir einen Doktor holen?«

»Sei nicht albern. Meine Blutung hat ja schon begonnen, es wird bald wieder besser, ich kenne das.«
»Soll ich heute nacht bei dir bleiben?« fragte er. Er war sich peinlich bewußt, daß er am nächsten Tag in Elat sein mußte.
»Nein. Aber nimm mich bitte mit nach Jerusalem.«
Auf der Rückfahrt saß sie still, mit zurückgelehntem Kopf neben Harry.
Einmal, als er zu ihr hinübersah, bemerkte er, daß sie ihn beobachtete. »Es tut mir leid, daß du den *Diamanten der Inquisition* nicht gefunden hast, Harry.«
Er drückte ihre Hand.
»Meinst du, daß es ihn überhaupt gibt?«
»Ich weiß es nicht.«
Sie bat ihn, sie zu ihrer Wohnung zu fahren.
»Wir müssen über eine Menge Dinge reden«, sagte Harry.
»Gern, solange es nicht heute abend sein muß.«
»Ich rufe dich an, sobald ich zurück bin«, versprach er.
An der Tür gab er ihr einen zarten Kuß. »*Shalom-Shalom*. Gute Besserung, Tamar.«
»*Shalom*, mein lieber Harry«, sagte sie.

25

Der SJ Duesenberg

Harry hatte einen Weckruf um sechs Uhr früh bestellt. Als das Telefon klingelte, kam es ihm vor, als wäre es noch viel zu früh. Er lag noch eine Weile benommen im Bett und brauchte dann viel zu lange unter der Dusche, aber schließlich bekam er doch die Augen auf und war wach. Die Fahrt nach Elat würde gute fünf Stunden dauern, und Harry beschloß, nicht selbst zu fahren. Also ging er nach dem Frühstück aus dem Hotel und hielt das erste Taxi an, das vorbeikam.

»Nach Elat.«

Der Fahrer glotzte ihn ungläubig an. »Kann ich erst meine Frau anrufen?«

»Sie haben zwei Minuten.«

Der Fahrer brauchte nicht einmal so lange, bis er zufrieden grinsend wieder zurückkam. Harry hatte es sich bereits auf dem Rücksitz bequem gemacht. »Ich zahle Ihnen etwas extra, wenn Sie nicht reden und das Radio nicht anschalten. Ich würde gerne etwas schlafen.«

Der Fahrer ließ den Motor an. »*Ai-la-lu-lu*, Baby«, sagte er.

Acht Minuten vor zwei stand Harry an der Busstation von Elat und entdeckte Mehdis Fahrer.

»Hier bin ich, Tresca!«

Der Albaner kam auf ihn zu und strahlte wie ein alter Freund. »Guten Tag, Söör.«

Als Harry ihm nach draußen folgte, freute er sich schon auf den Duesenberg, aber Tresca führte ihn zu einem Chrysler, der, bis auf die Farbe, genau dasselbe Modell war wie Harrys eigener Zweitwagen.
»Ist der andere Wagen kaputt?«
»Nein, Söör. Aber wenn ich in der Stadt parken muß, nehmen wir ihn nicht. Wir passen sehr auf ihn auf.«
»Ach so.«
Tresca fuhr mit ihm in dieselbe Richtung zurück, aus der Harry mit dem Taxi gekommen war. Die Fahrt dauerte mehr als eine Stunde, bis sie von der Hauptstraße abbogen, aber dieses Mal mußten die Nummernschilder nicht gewechselt werden, denn sie fuhren immer tiefer in den israelischen Teil der Wüste Sinai hinein. Auf der holprigen Straße wurden sie ziemlich durchgeschüttelt, bis sie schließlich zu einer kleinen, wettergebleichten Villa kamen, die sich kaum von den kargen Hügeln ringsum abhob. An der Nordseite des Hauses stand der Duesenberg im Schatten.
»Mein Freund!« begrüßte ihn Mehdi an der Tür.
»Wie haben Sie bloß dieses Haus hier gefunden?« fragte Harry und schüttelte ihm die Hand.
»Bardyl hat es gefunden, nicht ich. Bardyl sucht alle Häuser für mich aus.«
»Aber hier draußen ist nichts.«
»Überhaupt nichts«, stimmte Mehdi zu. »Aber neun Kilometer südlich von hier gibt es eine kleine Kupfermine.«
Bardyl erschien, brachte Pfefferminzlimonade und begrüßte Harry scheu. Harry trank drei Gläser davon, während Mehdi wie ein arabischer Gastgeber plauderte und ihn über alle Einzelheiten seiner unbequemen Anreise befragte.
»Sie haben vor, diesen gelben Stein an jemand anders zu verkaufen, stimmt's?« fragte Harry schließlich.

Mehdi musterte ihn. »Sind Sie in der Lage, meinen Preis zu bezahlen, mein Freund?«
»Nein, er ist zu hoch.«
»Aber doch nicht für einen Diamanten mit einer so außergewöhnlichen Geschichte.«
»Die Geschichte Ihres Steins kenne ich nicht. Aber eines weiß ich sicher: Er ist nicht der *Diamant der Inquisition.*«
Das Erstaunen auf Mehdis Gesicht war nicht gespielt, dessen war sich Harry sicher.
»So etwas ist unter Ihrer Würde, Mr. Hopeman.«
»Die Wahrheit ist niemals unter meiner Würde«, entgegnete Harry.
»Es *ist* der *Kaaba-Diamant*!«
»Nein.«
»Haben Sie Beweise dafür?«
»Der *Kaaba* hat einen schweren Makel. Ihr Stein hat das nicht.«
»Woher wissen Sie das mit dem Makel?«
»Das kann ich Ihnen leider nicht sagen.«
Mehdi schnaubte verächtlich.
»Es hat etwas mit einem wichtigen archäologischen Projekt zu tun, das noch nicht abgeschlossen ist. Ich kann Ihnen nicht mehr sagen, ohne daß ich einen Vertrauensbruch begehe.«
Mehdi schüttelte den Kopf. »Es tut mir leid, mein Freund, aber wenn Sie mir keine Beweise vorlegen können ... Die Leute, denen ich den Stein verkaufen werde, sind sich sicher, daß es der *Kaaba-Diamant* ist. Und ich bin es auch.«
»Sie verkaufen ihn unter Vorspiegelung falscher Tatsachen.«
»Das ist ausschließlich Ihre Meinung«, sagte Mehdi steif. »Ihre Zweifel geben mir zwar zu denken, aber sie

haben keinen Einfluß auf den Verkauf des Diamanten. Denn glücklicherweise verkaufe ich ihn nicht an Sie.«
»Sie hatten nie vor, ihn mir zu verkaufen«, sagte Harry. »Sie haben mich aus einem anderen Grund hierhergeholt.«
»Ja.«
»Wegen der anderen Steine, die Faruk Ihnen übergeben hat?«
»Ich würde gerne von Ihnen wissen, wann ich sie am besten abstoßen soll. Vielleicht könnten Sie mir einen Plan mit den günstigsten Zeiten für den Verkauf aufstellen. Natürlich würde ich Sie für Ihren Rat gut bezahlen.«
»Aber wenn ich Ihnen einen Rat umsonst gebe, wie zum Beispiel bezüglich des angeblichen *Kaaba-Diamanten,* dann nehmen Sie ihn nicht an.«
Mehdi schwieg. Harry gab auf. »Ich verkaufe meinen Rat nicht. Aber vielleicht haben Sie vor, die restlichen Steine mir zu verkaufen?«
»Das habe ich gehofft.«
»Dann werde ich dabei auf meine Kosten kommen. Kann ich sie sehen?«
»Nein, momentan nicht. Aber ich habe Expertisen für jeden dieser Steine«, sagte Mehdi und deutete auf einen Stapel Papiere auf dem Tisch.

Die Kollektion war interessanter als Harry gedacht hatte. Mehdi war ein schlauer und vorsichtiger Mann, und so stammten die Expertisen von hochrangigen Spezialisten aus verschiedenen Teilen der Welt; die meisten waren von Männern unterzeichnet, deren Namen Harry kannte und schätzte. Er nahm sich Zeit und las die Beschreibungen der Steine aufmerksam, sah nach, wann die Expertise erstellt worden war, und überlegte, wie sich der Marktwert des jeweiligen Steins in der Zwi-

schenzeit verändert haben könnte. Mehdi hatte auch Kopien der Expertisen von den vier Steinen, die er bereits verkauft hatte, beigelegt, ebenso wie die Preise, die er dafür erzielt hatte.
Harry sagte ihm, daß er zwei von den Steinen weit unter Wert verkauft hatte.
Mehdi nickte. »Ich weiß. Deshalb bin ich ja an Ihrem Rat so interessiert.«
»Es ist nicht leicht, einen Zeitplan für den Verkauf der einzelnen Steine aufzustellen«, sagte Harry. »Es hängt davon ab, wann Sie Geld brauchen. Für viele Leute wäre der Preis, den sie für einen einzigen dieser Steine erzielen könnten, genug, um bis zum Lebensende ein komfortables Leben führen zu können.«
»Ich habe mein ganzes bisheriges Leben wie ein König gelebt. Warum sollte ich jetzt damit aufhören, bloß weil der König tot ist und ich am Leben bin? Und, was noch wichtiger ist, manchmal machen gewisse unsichere Umstände die Sicherung meiner Existenz zu einer ziemlich kostspieligen Angelegenheit.«
Also arbeitete Harry einen Plan für den sukzessiven Verkauf der Edelsteine aus und kam sich dabei vor wie ein Versicherungsvertreter, der für einen Klienten eine Leibrente berechnet. Den ersten Stein würde Mehdi nach diesem Zeitplan in drei Jahren verkaufen müssen.
»Eines allerdings spricht dafür, alle Steine auf einmal zu verkaufen«, sagte Harry. »Sie könnten sterben, bevor Sie die ganze Kollektion verkauft haben.«
»Wenn ich sterbe, werde ich das mir entgangene Geld auch nicht mehr vermissen.«
»Sie nicht, aber *ich*«, sagte Harry.
Mehdi lachte wie ein Kind. »Ich mag Sie, Mr. Hopeman.«
»Ich mag Sie auch, Mr. Mehdi.« Das stimmte, auch wenn der Ägypter Harry nicht glauben wollte, was die-

ser über den gelben Diamanten gesagt hatte. »Ich weiß nicht, ob ich Sie gemocht hätte, als Sie noch für König Faruk tätig waren. Aber jetzt mag ich Sie sehr.«
»Nein, damals hätten Sie mich bestimmt nicht gemocht«, sagte Mehdi ruhig. »Am Ende mochten wir uns selber nicht mehr, wir wußten, daß wir nichts weiter waren als zwei fette, abgeschlaffte Wüstlinge. Aber am Anfang ... am Anfang waren wir einfach wunderbar. Als Faruk und ich als Jungen zusammen auf der Königlichen Militärakademie in England waren, kamen die besten Männer, die angesehensten Köpfe Europas, nach Woolwich, saßen bis spät nachts in unseren Zimmern und entwarfen mit uns Pläne für eine bessere ägyptische Monarchie der Zukunft. Sie sagten, wir sollten uns doch einmal das schwedische Modell ansehen.«
»Und was ist daraus geworden? Aus all diesen Plänen, meine ich.«
»Diese Geschichte höre ich selber nicht gerne, und erzählen möchte ich sie erst recht nicht.« Mehdi schenkte Harry ein merkwürdig bitteres Lächeln.
»Aber früher waren wir wie zwei junge Löwen«, sagte er.

Bardyl servierte ihnen ein ausgezeichnetes Abendessen mit drei verschiedenen Weinen. Jetzt, wo das Geschäft abgeschlossen war, konnten sie sich zum ersten Mal gemeinsam erholen. Der Ägypter war ein exzellenter Gesellschafter, und Harry bedauerte es fast, als man ihm sagte, daß sie nicht in diesem Haus übernachten würden.
»Wir werden Sie in einem guten Hotel absetzen. Sie sind heute ja schon weit genug gereist«, sagte Mehdi mitfühlend.
»Nein, ich möchte lieber nach Jerusalem zurück. Brin-

gen Sie mich bitte an einen Ort, wo ich mir ein Taxi nehmen kann.«
»Ich weiß etwas Besseres. Wir fahren ohnehin an Jerusalem vorbei, da können wir Sie mitnehmen.«
Sie verabschiedeten sich von Bardyl, der das Haus saubermachen und dann mit dem Chrysler nachkommen würde. Als sie draußen waren, wollte Harry nicht gleich in den Duesenberg steigen. Er ging erst einmal um ihn herum und bewunderte die Formen, die man in Detroit jahrzehntelang zu kopieren versucht hatte.
Harry konnte der Versuchung nicht widerstehen. »Haben Sie eigentlich jemals daran gedacht, Ihren Wagen zu verkaufen?«
Mehdi war entzückt. »Was habe ich darauf gewartet, daß Sie mich das endlich fragen würden. Ich bin so froh, daß Sie es schließlich doch noch getan haben.« Er machte sich nicht einmal die Mühe, Harrys Angebot abzulehnen. »Dieser Wagen ist der Grund, warum ich den ersten Stein so billig verkauft habe.«
»Den Rubin von Katharina II.?«
»Ja. Dieser Wagen war in Ägypten vier Jahre lang in der prallen Sonne gestanden. Man hatte ihn nicht einmal aufgebockt, sondern ihn einfach auf seinen kaputten Reifen stehen lassen. Sogar Elstern hatten schon in ihm genistet. Bardyl mußte nach Ägypten fahren und eine Menge Leute bestechen, damit wir den Wagen in die Einzelteile zerlegen und außer Landes bringen konnten. Was für eine Aufgabe! Allein das Chassis wiegt zweieinhalb Tonnen.«
»Darf ich ein Stück mit ihm fahren?«
»Das müssen Sie sogar«, sagte Mehdi. »Ich setze mich nach vorn, neben Sie.« Er hielt dem Fahrer die hintere Tür auf. »Heute abend wird zur Abwechslung einmal Tresca chauffiert.«

Als Harry den Motor anließ, ging ein Zittern durch den Wagen. Die Lenkung bot erheblichen Widerstand, fand Harry. Man brauchte fast mehr Kraft als bei einem schweren Lastwagen.
»Wenn er erst einmal in Bewegung ist«, sagte Tresca besorgt von hinten, »dann geht alles wie von selbst.«
Es stimmte. Selbst bei Schrittgeschwindigkeit in Bewegung gehorchte der Duesenberg willig dem Steuer. Das Fahrerlebnis war einzigartig. Harry genoß es besonders, daß er höher als bei modernen Autos über der Fahrbahn saß. Die Dächer normaler Wagen reichten dem SJ nicht einmal bis an die obere Türkante. Am Anfang fuhr Harry noch vorsichtig und zu langsam, was aber auch der schlechten Straße zuzuschreiben war, obwohl sich der Duesenberg wie von selbst seinen Weg durch den Schotter zu suchen schien.
Als sie die geteerte Hauptstraße erreichten, griffen die Reifen besser, und der Wagen reagierte sofort. Harry brauchte nur ganz leicht aufs Gas zu treten, und schon waren sie bei hundertvierzig Stundenkilometern, wobei der Motor noch ganz ruhig vor sich hinblubberte.
»Er fährt auch doppelt so schnell«, sagte Mehdi.
»Bitte treten Sie nicht zu abrupt auf die Bremse, Söör, sonst schlagen wir uns die Köpfe an«, warnte Tresca eindringlich.
Harry bremste ganz sanft. Während sie durch die Dunkelheit glitten, fühlte er sich ein wenig wie ein moderner Ben Hur, vor dessen Streitwagen dreihundertzwanzig prächtige Pferde gespannt waren, die in herrlichem Gleichmaß dahingaloppierten.

Wenn sie durch ein Dorf kamen, fuhr Harry langsam. Auch als er nach etwa einer Stunde Fahrt wieder die Lichter einer Ansiedlung aus der Dunkelheit auftau-

chen sah, verlangsamte er die Fahrt. Auf einmal flutete eine ganze Herde von grauen Gestalten über die Straße.
»Was ist denn das?« fragte Mehdi.
»Ich glaube, das sind Schafe« sagte Harry und stellte den Motor ab, um Sprit zu sparen. Hinter den Tieren mühte sich ein Eintonnenlaster ab, einen Landrover an einem straff gespannten Abschleppseil quer über die Straße zu ziehen. Der mächtige Lastwagen schien große Schwierigkeiten zu haben, den viel kleineren Geländewagen zu bewegen.
Tresca beugte sich nach vorn. »Kennen Sie diese Stelle noch?« fragte er Harry. »Hier wurden wir auch aufgehalten, als ich Sie das letzte Mal nach Jordanien fuhr.«
Harry erinnerte sich daran. Ein Laster hatte eine Ziege überfahren und für einen Verkehrsstau gesorgt.
»Das gefällt mir nicht«, sagte Tresca zu Mehdi. »Wann wird man schon zweimal an genau derselben Stelle gestoppt? Vielleicht gilt das Ihnen. Zweimal kann kein Zufall sein.«
Mehdi öffnete das Handschuhfach, in dem der Revolver lag. Harry starrte angestrengt durch die Windschutzscheibe. Im Licht der Scheinwerfer begann sich die Herde zu teilen; Männer schritten zwischen den Schafen hindurch. Harry erkannte sechs oder sieben Gestalten. Einer von ihnen trug einen weißen Turban mit dunklen Streifen. Kurz dahinter ging ein anderer, der eine engsitzende Stoffkappe aufhatte. Der Mann mit dem Turban war offensichtlich nervös oder ängstlich, denn er drehte sich ständig um, als wolle er sich versichern, daß die anderen auch wirklich hinter ihm waren.
Jetzt konnte Harry ihre Hände sehen.
»O mein Gott!« rief er.
Tresca sagte etwas auf Arabisch, und Mehdi zerrte den Revolver aus dem Handschuhfach, aber der Araber mit

der Stoffmütze hatte bereits etwas gegen die Windschutzscheibe des Autos geschleudert. Das Glas splitterte, aber es zersprang nicht, und die Handgranate prallte ab. Dann ging alles sehr schnell.

Harry beugte sich über Mehdi und öffnete die Beifahrertür. Dann stieß er den Ägypter mit dem Fuß aus dem Wagen und rutschte selbst hinterher, bis sie beide draußen im Straßengraben lagen. Er hatte aus purem Instinkt gehandelt und wußte nicht, nach welcher Seite die Handgranate abgeprallt war. Vielleicht hatte er Mehdi direkt zu ihr hingestoßen.

Dann explodierte sie auf der anderen Seite des Wagens, und fast gleichzeitig begannen die Araber, mit Schnellfeuergewehren wie wild auf den Duesenberg zu schießen.

Harry packte Mehdi und zog ihn fort von dem Wagen. Während sie wie blind durch die Dunkelheit stolperten, hielten sie sich bei den Händen wie zwei kleine Kinder. Selbst für einen dicken Mann lief Mehdi ziemlich langsam, was Harry das Gefühl gab, als würden sie bei jedem Schritt am Boden kleben bleiben. Er fürchtete, daß Mehdi einen Herzinfarkt erleiden würde. Durch das Knattern der Schüsse konnte er das rasselnde Geräusch seines Atmens hören.

Sie rannten in einen Stacheldrahtzaun, an dem sich Harry den Arm aufriß. Der Draht fühlte sich alt und rostig an, höchstwahrscheinlich war er ein Überbleibsel aus einem der Kriege, und während Harry die Stränge auseinanderhielt und sich beim Hindurchschlüpfen noch mehr zerkratzte, mußte er kurz an die Möglichkeit einer Tetanus-Infektion denken.

Mehdi hatte sich mit der Kleidung im Stacheldraht verfangen, nur mit Mühe konnte Harry ihn befreien. »Allah!« keuchte Mehdi, als schließlich sein Hemd zerriß. Und während der ganzen Zeit feuerten die Araber weiter wie verrückt in den Wagen hinein. Gerade als Mehdi aus dem Stacheldraht freikam, explodierte der Benzintank, und die beiden warfen sich flach auf den Boden, um im hellen Licht der Flammen nicht entdeckt zu werden.

Harry sah, daß Mehdi noch immer Trescas dickläufigen Revolver in der Hand hielt, und hatte Angst, daß sich ein Schuß lösen und ihren Standort verraten könnte. Als er aber versuchte, ihm die Waffe abzunehmen, wollte Mehdi sie nicht loslassen.

»Benutzen Sie ihn bloß nicht«, sagte er, aber seine Worte gingen in einem erneuten Feuerstoß unter.

Harry zwickte Mehdi in seine plumpe, fleischige Hand.

»Benutzen Sie den Revolver nicht«, flüsterte er ihm ins Ohr.

Mehdi sah ihn stumpf an.

Harry versuchte, seinen Kopf hinter ein paar Steinen zu verbergen, die neben dem Zaun lagen. Früher oder später, vermutete er, würden sie ihn finden. Als Junge hatte er einmal von einem Mann gehört, der denselben Namen gehabt hatte wie früher Harrys Vater, und er hatte jahrelang davon geträumt, daß er sich im Keller vor diesem Bruno Hauptmann verstecken müsse, der gekommen war, ihn zu entführen. Auch jetzt kam es ihm so vor, als befände er sich in diesem Alptraum, der sich nur unwesentlich verändert hatte.

Aber der Entführer des Lindbergh-Babys kam nicht, statt dessen hörte Harry das Geräusch von Motoren und noch heftiger werdendem Gewehrfeuer. Als er den Kopf hob, sah er, daß die Araber nicht mehr auf den brennenden Wagen feuerten. Sie schossen jetzt daran vorbei und, was viel wichtiger war, jemand anders schoß auf sie. Im Feuerschein konnte Harry nur zwei der Araber

sehen, und beide wurden getroffen. Sie fielen zu Boden, aber wer immer auf sie schoß, hörte damit nicht auf, und jedesmal, wenn eine Kugel ihre Körper traf, zuckten sie zusammen, so daß es aussah, als wänden sich die beiden Leichen in spastischen Krämpfen.
Dann drehte sich einer der anderen Araber um und lief direkt auf ihr Versteck zu. Er war in Panik, so, wie Harry und Mehdi es vor ein paar Sekunden gewesen waren, und als er ihnen so nahe gekommen war, daß sie seinen schweren Atem hören konnten, rannte auch er in den Stacheldraht, schrie vor Schmerz und wäre fast auf Mehdi gefallen. Dann steckte er Kopf und Brust durch den Zaun und wollte hindurchschlüpfen, so wie Harry es kurz zuvor auch getan hatte.
Er und Mehdi sahen zu ihm hoch, und der Araber blickte auf sie herab. Mehdi hob den Revolver mit seinen beiden feisten Händen, preßte die Mündung an den Hals des Mannes und drückte ab.

Harry stand da und hatte noch immer die Arme um den dicken Mann gelegt.
»Ich hatte nie vor, den Diamanten jemand anders zu verkaufen als meinem eigenen Volk«, flüsterte Mehdi. »Ich wollte ihm einen Teil seines arabischen Erbes zurückgeben.«
Er schien einen leisen, unterdrückten hysterischen Anfall zu haben. »Und trotzdem lassen sie mich noch immer nicht zurück. Sie werden mir nie verzeihen!« klagte der Ägypter, der seinen Fez verloren hatte.
»*Chaim atah margish beseder*?« fragte einer der israelischen Soldaten. »Sind Sie in Ordnung?«
Harry nickte. »Ja«, sagte er und sah zu, wie die Soldaten dem brennenden Wagen mit einem Schaumlöscher zu Leibe rückten.

Was ihn später teils beschämte, teils mit Furcht erfüllte, war die Tatsache, daß er, während er den zitternden Mehdi im Arm hielt, während tote Männer um ihn herum verstreut dalagen, während das Ding, das einmal Tresca gewesen war, noch immer im verkohlten Wagen seines Herrn saß, es mehr als alles andere bedauerte, daß es jetzt nur noch neunundzwanzig SJ Duesenbergs auf der Welt gab.

Was ihn sonderlich beschämte, [illegible] war die Tatsache, daß er, während er den stummen Mönch am Arm hielt, willig wie [illegible] [illegible] während das Ding, das einmal [illegible] [illegible] [illegible] [illegible] auf den W[illegible] gab.

[illegible]

26

Glück und Segen

Sie wurden in ein Armeelager gebracht und von einem jungen, dunkelhaarigen Major vernommen, der ihnen geduldig immer wieder die gleichen Fragen stellte, bis er schließlich ihre Darstellung des Überfalls sekundengenau erfahren hatte. Der Offizier stellte ihnen keine Fragen zur Person; Harry war sich sicher, daß er bereits alles über sie wußte.

Nur zwei der Angreifer waren noch am Leben. Einer war nach Jerusalem ins Krankenhaus geflogen worden. Der zweite saß in einer Zelle, und der Offizier führte Harry und Mehdi zu ihm.

»Kennen Sie ihn?«

Der Araber mochte etwa neunzehn Jahre alt sein. Er trug Arbeitsschuhe, eine braune Baumwollhose und ein blaues Netzhemd. Seine Haare waren ungekämmt, er hatte dunkle Schatten unter den Augen und einen blauen Fleck an seinem unrasierten Kinn.

Harry und Mehdi schüttelten beide den Kopf.

»Es waren elf. Alles Studenten aus Ägypten.« Der Major blickte Mehdi an. »Sie töteten den Mann auf dem Rücksitz des Duesenberg, weil sie ihn für Sie hielten.«

Mehdi nickte.

»Der Gefangene sagt, Sie wollten einen heiligen moslemischen Kultgegenstand an Ungläubige verkaufen.«

Alles an dem Jungen wirkte entspannt, nur die Augen nicht.

»Ich würde ihn niemals einem Nicht-Moslem verkaufen«, sagte Mehdi auf arabisch.
»O doch, das würden Sie«, sagte der Junge. »Sie feilschen mit ihnen wie eine geschlechtskranke Hure, Sie sind imstande, unsere Seele zu verkaufen. Sie verhandeln mit Christenschweinen, ja, sogar mit den Judenbastarden, die uns alles, alles wegnehmen wollen, über einen heiligen Gegenstand aus der Acre-Moschee. Wir wissen das genau. Wir haben Sie beobachtet.«
»Aber ich habe ihn nicht an sie verkauft. Ich hatte andere Pläne damit.«
Der Major nickte. »Beide Gefangenen waren darüber informiert, daß Sie auch mit den Ägyptern über Ihre Rückkehr in die dortige Regierung verhandelt haben.«
Der Junge sprach wieder zu Mehdi. »Aber wir wußten, daß Sie niemals kommen würden. In Ägypten würden Sie keine Stunde überleben.«
»Halt den Mund, du Bestie! Neun junge Männer sind gestorben. Und warum? Als ich Ägypten verließ, war noch kein einziger von euch auf der Welt.«
»Aber unsere Väter erinnern sich noch gut an Sie«, erwiderte der Junge.
Dann sagte er nichts mehr.
»Und wie war das mit unserer Sicherheit?« fragte Harry den Major, als sie aus der Gefängnisbarracke gingen.
»Wir waren doch schnell zur Stelle.«
»Das nenne ich nicht Sicherheit. Wenn wir hinten gesessen wären...«
Der Major zuckte mit den Achseln. »Sie hatten Glück. Jeder, der behauptet, eine Sicherheitsüberwachung könnte Kugeln aufhalten, ist ein Lügner.«
Als der Major mit ihnen fertig war, fragte er sie, ob sie mit dem Hubschrauber ins Hadassah-Krankenhaus geflogen werden wollten. Mehdi schüttelte vehement den Kopf.

»Nein«, sagte Harry.
Ein Armeearzt gab jedem von ihnen zwei Beruhigungstabletten. »Ich brauche sie nicht«, sagte Harry.
Der Doktor drückte sie ihm trotzdem in die Hand. »Sie sind kostenlos«, sagte er.
Dann ließen sie sich in einem Stabswagen zu einem Motel in Dimona fahren. Es war fast zwei Uhr früh, als sie dort ankamen, und die Straßen waren leer. Harry war froh, einen Lastwagen mit einer Militärpatrouille zu sehen.
Als er schließlich allein in seinem Zimmer war, begann Harry zu zittern. Er versuchte, das Zittern zu beherrschen, aber es gelang ihm nicht. Er schluckte eine der Tabletten und zog sich aus. Dann nahm er die zweite, legte sich aufs Bett und wartete darauf, daß das Beruhigungsmittel zu wirken begannen.

Am Morgen bestellten sich er und Mehdi je ein großes Frühstück, und während sie aßen, ergriffen sie Schuldgefühle.
»Die Leiche«, sagte Mehdi. »Ich muß die Armee dazu bringen, sie freizugeben.« Er stocherte in seinem Rührei herum. »Mein armer Tresca. Ich habe schon Bardyl verständigt.«
»Waren die beiden miteinander verwandt?«
»Sie waren mehr als das. Sie waren Freunde.«
»Jetzt hat sich für Sie vieles verändert, stimmt's?«
»Sie werden mich nie zurück nach Ägypten lassen. Nun, der Job, den mir die Regierung gegeben hätte, wäre nicht viel mehr, als der eines normalen Verwaltungsangestellten gewesen. Sicher hätte ich mich über kurz oder lang schrecklich gelangweilt.« Mehdi seufzte und schob den Teller mit dem Rührei zur Seite.
»Die Ironie bei der ganzen Sache ist die, daß man ver-

sucht hat, Sie zu töten, weil sie mir angeblich den *Kaaba-Diamanten* verkaufen wollten«, sagte Harry. »Dabei besitzen Sie den *Kaaba-Diamanten* nicht.«
Mehdi verzog das Gesicht.
»Das ist die Wahrheit.«
»Ich möchte Sie nicht beleidigen, mein Freund, aber ...«
»Ich sagte Ihnen doch schon, der *Kaaba-Diamant* hat einen Makel! Einen wirklich gravierenden Fehler. Sie müssen doch eine Möglichkeit haben, das nachzuprüfen.«
Der Ägypter sah ihn mit zusammengekniffenen Augen an. »Es gibt umfangreiche Aufzeichnungen in der Moschee von Acre. Vielleicht ist auch eine Beschreibung darunter, wie der Diamant ausgesehen hat, der einst die *Maksura* zierte. Aber verstehen Sie bitte eines. Wenn eine solche Beschreibung den Makel nicht erwähnt, dann gibt es auch keinen Makel.«
»Haben Sie jemanden, der an diese Aufzeichnungen herankommt?«
Mehdi zuckte mit den Achseln. »Dem wahren Gläubigen ist alles möglich«, antwortete er.

Mehdi leistete schnelle Arbeit. Noch vor zehn Uhr rief er Harry in seinem Zimmer an und schlug ihm vor, sich mit ihm im Café des Hotels treffen.
»Nun, haben Sie die Aufzeichnungen überprüfen lassen?« fragte Harry.
Der Ägypter nickte. »Es ist so, wie Sie gesagt haben«, sagte er langsam.
Harry verspürte eine leichte Genugtuung.
»Der *Kaaba*-Stein hat wirklich einen großen Makel. Also kann der Diamant, den ich besitze, nicht der Stein sein, den die Kreuzfahrer aus der Moschee von Acre gestohlen haben.«

»Dann ... könnten Sie ihn ja auch mir verkaufen.«
»Ich habe jetzt keine religiösen Gründe mehr, die mich daran hindern. Dieser Diamant ist kein Heiligtum. Wenn wir uns über den Preis einig werden, können Sie ihn haben.«
Harry hütete sich davor, erleichert aufzuatmen, auch wenn er es gerne getan hätte. »Wie Sie schon sagten, der Stein ist kein Heiligtum. Ich kann also nur das bezahlen, was er als ganz normaler Edelstein wert ist«, sagte er vorsichtig.
»Auch als das ist er noch eine Menge wert, wie wir beide wissen.«
»Der Stein ist zwar nicht von allerbester Qualität, aber seine Größe macht das einigermaßen wett.«
Mehdi wartete.
»Eins komma eins Millionen.«
Der Ägypter nickte.
»Ich wünsche Ihnen viel Glück mit dem Diamanten, Mr. Hopeman.« Mehdi streckte Harry die Hand entgegen.
Harry ergriff sie und drückte sie.
»*Massel un Brocha*, Bardissi Pascha«, sagte er.

Immer wenn Harry einen Diamanten kaufte, mußte er an das Gold denken, das Maimonides mit sich herumtragen mußte und das ihn auf seinen Reisen verwundbar für die Angriffe von Banditen gemacht hatte. Gott sei Dank sorgte heutzutage die moderne Technik dafür, daß diese Last leichter zu tragen war. Am nächsten Morgen drückte in der Chase Manhattan Bank, auf Saul Netschers Anweisungen hin, ein Spezialist die richtigen Knöpfe und gab dem Computer eine Zahlenfolge ein, die ein von Saul Netscher verbürgtes Akkreditiv darstellte. Als nächstes tippte er eine kodierte Botschaft und die Nummer von Mehdis Konto bei der Credit

Suisse in Zürich ein, und schon wurde das Geld auf elektronischem Weg von New York in die Schweiz transferiert. Noch in Dimona hatte Harry einen Kaufvertrag zu Papier gebracht, und Mehdi und er hatten ihn unterschrieben. So sauber und einfach ging das. Ein Problem hatte Harry aber immer noch mit Maimonides gemeinsam, denn er mußte den neuerworbenen Diamanten schließlich sicher nach Hause bringen.
Es war fast Mittag, bis er wieder in seinem Hotelzimmer in Jerusalem eintraf.
Er sah den Zettel sofort. Weil Tamar eine praktisch veranlagte Frau war, hatte sie ihn an die Badezimmertür geklebt.

Liebster Harry,

vergib mir, daß ich mit dem, was ich jetzt tue, gewartet habe, bis Du mir den Rücken zugekehrt hast.
Ich wußte schon eine ganze Weile, daß es mit uns nicht funktionieren würde, aber ich bin nun mal ein Feigling, der jede Auseinandersetzung scheut.
Es ist nicht so, daß ich es nicht gerne mit Dir versucht hätte, denn Du bist ein liebenswerter Mann, aber spätestens in einem Jahr wäre es wieder vorbei gewesen. Es ist mir lieber, Dich in guter Erinnerung zu behalten.
Wenn Du dasselbe für mich empfunden hast wie ich für Dich, dann versuche bitte nicht, mich wiederzusehen. Ich wünsche Dir ein langes Leben voller Freuden.

T.

Harry setzte sich und rief in Tamars Wohnung an, aber es ging niemand ans Telefon. Im Museum sagte man ihm, daß Mrs. Strauss ihren Urlaub verlängert habe.

Nein, sie wußten auch nicht, wo Mrs. Strauss war.
Harry konnte sich schon vorstellen, wo er sie finden würde. Trotzdem blieb er, nachdem er aufgelegt hatte, zwanzig Minuten lang still sitzen und versuchte, sich zu beruhigen.
Dann ging er methodisch an die Dinge heran, die getan werden mußten. Er fuhr den englischen Ford zurück zum Autoverleih und bezahlte seine Rechnung. Dann verpackte er seine Wäsche, und als er sie zur Post brachte, blieb er in der Hotelhalle am Schalter der Fluggesellschaft stehen und buchte zwei Plätze für einen Flug, der am späten Nachmittag vom Ben-Gurion-Flughafen abging. Er hatte nicht mehr viel Zeit, also packte er rasch seine Sachen zusammen und bezahlte die Hotelrechnung.
Dann nahm er sich ein Taxi und sagte dem Fahrer, er solle ihn nach Rosh Ha'ayin fahren.

Das kleine Mädchen saß, so, wie Harry es das erste Mal gesehen hatte, im Staub am Straßenrand. Harry bat den Fahrer anzuhalten.
Er stieg aus und kniete sich neben dem Mädchen nieder.
»*Shalom*, Habiba. Erinnerst du dich an mich?«
Habiba blickte ihn mit leeren Augen an.
»Ist Tante Tamar da?«
Das Mädchen deutete zum Haus seiner Großmutter.
Als Harry dort ankam, klopfte er an die Fliegengittertür, und die beiden Menschen drinnen sahen ihn an.
»Kommen Sie rein, wenn Sie wollen«, sagte *Ya Umma*. Sie stand mit dem Rücken zur Wand. *Ya Abba* saß am Tisch und trank Arak.
»Ich möchte mit Tamar sprechen«, sagte Harry, aber er erhielt keine Antwort. Hinter der geschlossenen Tür

zum Zimmer nebenan kicherte jemand. Harry hörte, wie Tamar kurz und intensiv zischte, woraufhin das Kichern verstummte.

Ya Abba schüttelte den Kopf. »Sie will nicht«, sagte er auf Englisch.

»Zum Teufel damit«, sagte Harry. »Das soll mir Tamar schon selbst sagen.«

»Drei Dinge kann ich nicht verstehen«, sagte *Ya Abba*, jetzt auf Hebräisch. »Eigentlich sind es vier Dinge, die ich nicht weiß. Wie ein Adler durch die Luft fliegt, wie sich eine Schlange über den Felsen schlängelt, wie ein Schiff über das Meer schwimmt, und wie ein Mann mit einer Frau auskommt.« Er trank aus, goß wieder Arak ins Glas und verdünnte ihn mit Wasser aus einem Krug. Alle drei beobachteten, wie sich die beiden farblosen Flüssigkeiten zu einer milchigen Brühe vermischten.

Harry ging zu der verschlossenen Tür und klopfte. »Tamar«, sagte er.

Stille.

»Laß uns doch wenigstens darüber reden«, sagte er.

Sie antwortete nicht.

»Ich muß bald fort, noch heute nachmittag. Ich habe ein Flugticket für dich.« Er wartete.

»Um Himmels willen, sprich doch mit mir. Bist du immer so, wenn du deine Periode hast?«

Harry hörte, wie hinter ihm ein Stuhl geschoben wurde, dann traf ihn ein Schlag. Als er sich umdrehte, holte *Ya Abba* gerade erneut aus. »He!« sagte Harry. Der alte Mann war stark. Harry hoffte, daß sein Wangenknochen nicht gebrochen war. Aber *Ya Abba* war betrunken, und so konnte Harry sich ihn auf Armeslänge vom Leib halten. »Halten Sie ihn zurück«, rief er. *Ya Umma* begann zu heulen wie ein arabisches Klageweib. »Nehmen Sie ihn weg von mir.«

Als *Ya Abba* von seiner Frau zurück an seinen Platz geführt wurde, hupte draußen Harrys Taxi.
»Verdammt noch mal, kannst du das denn nicht verstehen?« schrie Harry durch die verschlossene Tür. »Ich liebe dich!«
Die Tür öffnete sich.
Tamars Schwester schlüpfte so schnell, wie es mit ihrem schwangeren Bauch möglich war, heraus. Yaffas Gesicht war voll freudiger Erregung, als sie Harry einen Zettel zuwarf. Er entfaltete ihn und seufzte.
Harry wird mir nie weh tun.
Harry blickte auf und sah, daß Yaffa ihn mit interessierter Sympathie beobachtete. Ihr Blick berührte ihn mehr als der Schmerz in seiner Wange.
»*Shalom*«, flüsterte *Ya Umma*, als Harry aus der Tür ging.
Während er sich langsam von dem Haus entfernte, steckten die drei jemenitischen Frauen am Fenster die Köpfe zusammen, verfolgten ihn mit den Augen und murmelten vor sich hin. Das Kind saß immer noch im Straßenstaub. Es hatte schon wieder eine Fliege auf der Wange, und Harry verscheuchte sie, bevor er ins Taxi stieg und dem Fahrer sagte, er solle ihn zum Flughafen bringen.

27

Der Makel

Nach seiner Rückkehr kam es Harry vor, als habe er jahrelang Scheuklappen vor Augen und Ohren gehabt, die jetzt auf einmal abgefallen waren. Mit einem Mal sah er Amerika mit ganz anderen Augen, zum Beispiel die Wiesen und Wälder, die sein Haus in Westchester umgaben. Er hörte das Quaken der Frösche, das Rollen des Moorhuhns, das Geheul einer weitentfernten Motorsäge. In Manhattan kamen ihm die Wolkenkratzer plötzlich viel höher und der Verkehr vor seinem Laden viel dichter vor als früher. Die Straßengeräusche in New York waren viel aggressiver als in Jerusalem, aber irgendwie gehörten sie so sehr hierher, daß Harry sie fast beruhigend fand.
Harrys Wange war dort, wo *Ya Abba* ihm den Faustschlag verpaßt hatte, immer noch violett und geschwollen, und Harry rieb sich die Stelle mehrmals täglich mit einer Salbe ein.
Della, die sich mit ihm zum Mittagessen verabredet hatte, starrte ihn an, stellte aber keine Fragen.
»Ich habe jemanden kennengelernt, Harry«, sagte sie.
»Ist es ... ernst, Della?« Harry hatte ein ungutes Gefühl, als würde er ihr nachspionieren.
»Wir wollen heiraten.« Sie war blaß.
»Das freut mich für dich.« Er freute sich wirklich, aber er brachte es nicht richtig heraus. Es war erstaunlich: Harry war direkt ein wenig betroffen.

In der folgenden Woche ging er mit Della und ihrem Freund zum Abendessen; es war eine höfliche und steife Angelegenheit. Der Mann hieß Walter Lieberman und war Börsenanalytiker an der Wall Street. Geschieden. Er hatte ein gutes Einkommen und dünnes Haar. Sein Gesichtsausdruck war berufsbedingt besorgt, aber er schien sanftmütig und solide zu sein. Unter anderen Umständen hätte Harry ihn vielleicht gemocht.

Es war alles sehr einfach. Della würde die Scheidung einreichen, und Harry würde keine Einwände erheben.

»Ich würde gerne das Haus behalten«, sagte er.

Auch Della liebte das Haus, aber sie nickte zustimmend und machte danach viel Aufhebens darum, daß Walter soviel Rücksichtnahme und Takt zeigte und darauf verzichtete, an Jeffs *Bar-Mizwa* teilzunehmen.

Diese *Bar-Mizwa* bestimmte ihr gegenwärtiges Leben. Della hatte alles dafür vorbereitet: Sie hatte den Saal neben der Synagoge angemietet, einen Party-Service bestellt und ein Festmenü ausgewählt. Alles war fertig bis auf Jeffrey Martin Hopeman, der die *Haftara* so holprig vorlas, als hätte er nie gelernt, wie er mit den Tropen, den musikalischen Symbolen, umgehen mußte, die im Text für die richtige Betonung standen. Schuldbewußt machte sich Harry klar, daß sein Sohn ihn dringend gebraucht hätte, während er in einem fernen Land einem seltsamen Schatz nachgejagt war. Und so machte er sich zusammen mit Jeff an die Arbeit und studierte mit ihm die *Haftara* ein. Jeffs *Bar-Mizwa* fand an einem Sabbat statt, der in die Zeit des *Sukkot*, des Erntedankfestes, fiel, und so mußte er den Abschnitt von Gog und Magog vorlesen, den Jeff noch nicht einmal in der englischen Übersetzung verstand.

»Wer war Gog?« fragte er seinen Vater.

»Der Anführer einer feindlichen Armee, die Israel vom Norden her überfiel«, erklärte Harry.
»Und wer war Magog?«
»Nicht wer. Was war Magog? Magog war das Land, aus dem Gog kam. Möglicherweise war es kein wirkliches Land. Vielleicht symbolisiert es die Feinde Israels.«
»Dann weiß man also nicht einmal genau, wovon der Abschnitt handelt, den ich bei der *Bar-Mizwa* vorlesen muß?«
»Im Lauf der Jahrhunderte ist eine Menge an Bedeutung verlorengegangen, und heute klingt der Abschnitt ziemlich geheimnisvoll«, sagte Harry. »Er ist eben schon sehr alt. Aber das macht doch erst wirklich Spaß, nicht wahr? Eine Geschichte zu erzählen, die über so lange Zeit weitergegeben wurde.«
Jeff murrte.
Aber er mochte die Kappen, die Harry in Mea She'arim gekauft hatte, und suchte sich eine blaue aus, die mit kleinen pastellfarbenen Blümchen bestickt war.
»Hast du ihm auch einen Gebetsschal gekauft?« fragte Della.
»Daran habe ich nicht gedacht«, gab Harry zu.
Della seufzte. »Dann mußt du schnell noch einen besorgen.«
Also ging er zu einem jüdischen Buchladen in der Lower East Side und kaufte seinem Sohn einen *Tallit*, made in Israel.
Es war klar, was Jeff als *Bar-Mizwa*-Geschenk haben wollte. Überall entdeckte Harry Seiten, die sein Sohn aus Jagdmagazinen herausgerissen und absichtlich dort hingelegt hatte, wo er sie finden mußte. Die vierfarbigen Anzeigen priesen die 6-mm Remington, die .250-3000 Savage und die .257 Roberts an.
»Ich kaufe dir keine Jagdflinte«, sagte Harry zu seinem Sohn.

»Warum nicht? Wenn wir das Wild nicht dezimieren, dann verhungert es im Winter.«
»Es gibt Raubtiere. Die dezimieren das Wild viel effektiver.«
»Eine Menge guter Leute geht auf die Jagd.«
»Manche von ihnen brauchen das Fleisch. Das akzeptiere ich. Aber wenn du die Jagd als Sport betreiben willst, dann mußt du warten, bis ich dir nicht mehr dreinreden kann.«
Sie kauften ihm eine Reiseschreibmaschine, und dann ging Harry noch einmal los und erstand eine wunderschöne, zwei Meter lange Angelrute aus Bambus, die weniger als hundert Gramm wog, aber er war sich nicht sicher, ob sich ein Junge, der von einem Bärentöter träumte, dafür würde begeistern können.

Harry schenkte bestimmten Artikeln in der TIMES, die er vor ein paar Monaten noch überblättert hätte, mittlerweile große Aufmerksamkeit. In Argentinien hatten Banden von Neonazis jüdische Geschäfte und Synagogen mit Maschinengewehren und Handgranaten angegriffen und zwei jüdische Familien als Geiseln genommen. In Bayern trainierten junge Antisemiten in paramilitärischen Wehrsportgruppen. Die sowjetische Regierung schickte jüdische Dissidenten immer häufiger in psychiatrische Kliniken. Ein Professor aus Wisconsin hatte ein Buch geschrieben, in dem der Holocaust als eine gigantische jüdische Lüge bezeichnet wurde.
Der Präsident verurteilte Israel dafür, daß es in den besetzten Gebieten Siedlungen anlegte, und unterstützte auf einmal die Russen bei ihrer Forderung nach der Gründung eines Palästinenserstaates. Am Tag, nachdem diese gemeinsame Erklärung herausgegeben worden war, ging Harry in den Tresorraum seines Ge-

schäfts und nahm das Vaseline-Töpfchen, in dem die sechs kleinen gelben Diamanten versteckt waren, heraus und brachte es an den gleichen Platz, an dem es auch sein Vater aufbewahrt hatte. Es war zwar ein anderer Tisch, aber Harry benützte, genau wie sein Vater, die zweite Schublade rechts für Briefmarken, Büroklammern, Gummiringe und jetzt auch für kleine gelbe Pretiosen, die ihm, falls er einmal bei Nacht und Nebel würde fliehen müssen, womöglich das Leben retten konnten.

Fünf Wochen, nachdem Harry sie in Israel aufgegeben hatte, kam seine schmutzige Wäsche an. Er öffnete das Paket und holte den gelben Diamanten heraus, den er zwischen einer verschwitzten Socke und einer Unterhose mit einem peinlichen Fleck gut verpackt hatte. Am nächsten Morgen ging er zum Zollamt und füllte auf dem U.S.-Regierungsformular Nr. 3509 eine offizielle Einfuhrerklärung aus, die er dann zusammen mit einem von der Bank beglaubigten Scheck ins Büro eines Zollinspektors namens McCue im World Trade Center brachte.

McCue schüttelte den Kopf, als er Harry sah. »Haben Sie schon wieder etwas geschmuggelt, Mr. Hopeman?«

Harry hatte so etwas schon ein paarmal gemacht. Obwohl er damit eigentlich gegen das Gesetz verstieß, verstand man beim Zoll, daß er es ausschließlich aus Sicherheitsgründen tat, und außerdem kam Harry immer sofort vorbei und bezahlte den fälligen Einfuhrzoll, der vier Prozent des Einkaufspreises bei Steinen unter einem halben Karat und fünf Prozent bei größeren Steinen betrug.

Unmittelbar danach traf er sich mit Saul Netscher, der den Diamanten nachdenklich betrachtete. »Ha, so groß!

Bist du wirklich sicher, daß das nicht der *Diamant der Inquisition* ist?«
Harry nickte.
»Wo, zum Teufel, ist dann *der*?«
»Das weiß ich nicht.«
»Was sage ich den Leuten, die das Geld dafür zusammengekratzt haben?«
»Die Wahrheit. Ich kann ihnen entweder sofort ihr Geld zurückgeben, oder sie können warten, bis ich diesen Diamanten verkauft habe. Wenn sie das tun, werde ich lediglich meine Ausgaben vom Profit abziehen und den Rest zwischen ihnen aufteilen«, sagte Harry verdrießlich.

Vier Tage hintereinander regnete es ohne Unterlaß. Dann brachte ein Hoch kalte Luft aus Kanada, und als die Sonne sich schließlich wieder sehen ließ, kam sie Harry vor wie ein Überbleibsel des Sommers. Was vorher grün gewesen war, verfärbte sich allmählich. Harry verspürte auf einmal das dringende Verlangen, ein Reh zu sehen. Im Obstgarten lagen viele heruntergefallene Äpfel herum, die schon etwas angefault waren, also genau das, was Rehe gern fraßen. So waren auch überall ihre Spuren und ihr körniger Kot zu sehen, aus dem sich schließen ließ, daß sie den Äpfeln schon kräftig zugesprochen hatten. Als aber Harry an diesem Morgen den Pfad am Fluß entlanglief, sah er nichts außer Vögel und Eichhörnchen. Rehe waren wie Polizisten – wenn man eines brauchte, war keines da.
Jeff kam aus dem Haus und fand seinen Vater am Flußufer sitzend, den Rücken an einen Baum gelehnt. Zwischen ihnen war alles in Ordnung. Harry und Della hatten ihm gemeinsam die Situation erklärt, und Jeff hatte, soweit er konnte, verstanden, daß seine Eltern

sich auseinandergelebt hatten. Aber er wußte auch, daß einige Dinge sich nicht verändern würden.
Jeff setzte sich neben Harry. Die Buchen hatten rotbraunes, die Birken und Weiden gelbliches Laub. Eichen und Ahorne zeigten rote und orangefarbene Flekken auf den Blättern, und eine einzeln stehende Weißesche hatte eine fast purpurrote Farbe angenommen. Dazwischen leuchtete hier und da ein Färberbaum wie eine Fackel aus den anderen Gehölzen heraus. All die Farben spiegelten sich auch noch im Wasser des Flusses.
»Ich habe mir gerade überlegt, was ich wohl tun würde, wenn irgend jemand versuchen sollte, uns dieses Haus wegzunehmen, nur weil wir Juden sind«, sagte Harry.
Jeff war erstaunt. »Würde jemand denn so etwas tun?«
»Ich glaube nicht.« Harry warf einen Stein ins Wasser. »Aber woanders ist so etwas schon passiert. Viele Male. Eines habe ich in Israel gelernt: Sollte so etwas jemals hier geschehen, dann kaufe ich dir dein Gewehr. Und mir selbst auch eines.«
»...aber ich würde damit nicht auf Menschen schießen.«
»Aber dazu sind Gewehre nun mal da«, sagte Harry ruhig. »Man kann mit ihnen Menschen genauso wie Tiere töten.« Obwohl es ihm als Vater schmerzte, bemerkte Harry, wie weh Jeff diese Worte taten.
»Meinst du damit, daß du es nicht zulassen würdest, daß sie mit uns hier das machen, was sie den Juden in Europa angetan haben?«
Harry nickte.
Jeff zog die Schultern zusammen. »Es ist auf jeden Fall besser, um sein Leben zu kämpfen. Ich hasse das ... aber ich würde mitmachen.« Er packte Harry am Arm. »Das würde ich wirklich, Dad.«
»Ich weiß.«

Als Harry wieder im Haus war, beschloß er, die sechs kleinen Diamanten aus ihrem Versteck zu holen und zu verkaufen. Männer, die bereit sind, für ihr Stück Land zu sterben, müssen keine Fluchtpläne mehr schmieden.

Am Abend legte er ein Handtuch auf seinen Arbeitstisch und holte das Vaseline-Töpfchen aus der Schreibtischschublade.
Die sechs Steine waren klein, und wegen ihrer Farbe war es nicht so leicht, sie in der gelblichen Salbe zu finden. Harry mußte mit den Fingern nach ihnen tasten, was eine ziemlich glitschige Angelegenheit war. Nachdem er den großen falschen Stein, der nur wenig unterhalb der Oberfläche wie ein Wächter über den kleineren Diamanten gelegen war, herausgenommen hatte, fischte er sie einen nach dem anderen aus dem Töpfchen.
Sie waren sehr hübsch und eigneten sich hervorragend für Verlobungsringe.
Als Harry die Salbe abgewischt hatte, merkte er, daß immer noch ein leichter Film auf den Steinen lag, der ihr Feuer dämpfte. Harry hatte noch etwas Waschbenzin zum Grillanzünden im Haus. Er goß ein wenig davon in eine flache Schale, legte die Diamanten hinein und ließ das Benzin den dünnen Fettfilm auflösen. Harry tupfte die Steine sorgfältig trocken, und dabei fiel sein Blick auf den großen falschen Diamanten.
An seiner mit Goldbronze angestrichenen unteren Hälfte klebte noch immer die Vaseline, aber trotzdem bemerkte Harry jetzt etwas, was ihm als zwölfjähriger Junge entgangen war.
Dieser Stein war nicht aus Glas.
Harry sah ihn genau an und summte dabei leise vor sich hin. Fast scheute er sich, den Stein anzufassen.

Als er dann schließlich doch die Vaseline abwischte, konnte er seine Hände kaum mehr unter Kontrolle halten.
Der Diamant war in einer wunderschönen Briolett-Form geschliffen, deren Facetten denjenigen des Steines, den Mehdi ihm verkauft hatte, stark ähnelten. Aber dieser Diamant war viel früher als der von Mehdi geschliffen worden, zu einer Zeit, in der die raffinierteren Schliffe noch nicht entwickelt worden worden waren.
Die unteren zwei Drittel des Edelsteins waren mit der Goldfarbe zugekleistert. Harry kratzte sie mit zitternden Händen an einer Stelle weg und wusch den Diamanten in der Schale, wobei er in seiner Aufregung das Waschbenzin verschüttete.
Dann legte er den Stein auf sein Mikroskop, schaltete die Lampe darunter ein und blickte durch das Okular in die innere Struktur des Diamanten.
Seine Farbe war wunderbar, noch wärmer als Gold. Wie intensives Sonnenlicht.
Was für ein herrliches Feuer!
Was für eine Reinheit!
Die aber unvermittelt in einer milchigen Verfärbung endete, die sich in einen häßlichen, dunklen Schatten verdichtete.
Noch bevor Harry den Makel sah, wußte er, was für ein Diamant das war. »*Das* war es also, was du mir sagen wolltest!« sagte Harry zu seinem Vater.
Dann blieb er lange unbeweglich sitzen.
Und berührte den Diamanten.
Stellte mit seinen Fingerspitzen den Kontakt mit der uralten Verheißung des Tempels von Jerusalem her.
Mit der langen Stille in der *genisa* im Tal von Achor.
Mit der heiligen *maksura* in der Moschee von Acre.
Mit den blutigen Sünden der spanischen Inquisition.

Mit der heiligen Majestät des Papsttums.
Und all das hatte fast die ganze Lebenszeit seines Vaters über in einem Töpfchen mit chemisch hergestellter Salbe geschlummert.
Kurz darauf fiel Harry auf, daß er Geräusche von sich gab. Verrückte Geräusche.
Im oberen Stockwerk wurde die Tür des Lawrenson-Schlafzimmers geöffnet.
»Ich sage dir, es ist Mr. Hopeman. Vielleicht ist er krank«, hörte Harry seine Haushälterin zu ihrem Gatten sagen. Sid Lawrensons Schritte kamen sich die Treppe herab.
Obwohl es mitten in der Nacht war, griff Harry zum Telefon.

»Mehdis Stein ist doch derjenige, der aus dem Museum des Vatikans gestohlen wurde«, sagte Harry zu Saul Netscher.
»Verdammt noch mal, entscheide dich endlich für etwas! Du hast doch gesagt, daß er nicht der Diamant der Inquisition ist!«
»Das ist er auch nicht. Es sind zwei verschiedene Steine. Ich möchte diesen Diamanten gerne nach Rom bringen lassen. Würden deine Geldgeber ihn denn auch dem Vatikan spenden? Für diesen Fall würde ich auf die Erstattung meiner Kosten verzichten.«
Netscher wurde ärgerlich. »Was verlangst du da? Die Leute haben sich bereit erklärt, ein wichtiges jüdisches Kulturgut anzukaufen. Sie werden mir sagen, ich solle mir einen Haufen reicher Katholiken suchen.«
»Hör zu, Saul, sie werden mehr bekommen als das, wofür sie bezahlt haben.« Dann erklärte er seinem Freund lange und ausführlich den Sachverhalt.
»Ich habe vierzehn Spender«, sagte Netscher schließlich

beeindruckt. »Mit zwölf von ihnen kann ich reden, auch wenn es nicht leicht werden wird. Aber zwei von ihnen würden unter gar keinen Umständen jemals etwas der katholischen Kirche spenden.«

»Dann werde ich diese beiden Anteile eben selbst beisteuern«, sagte Harry.

»Das ist eine Menge Geld. Was kümmert es dich, ob sie den Diamanten zurück in ihre päpstliche Tiara stecken oder nicht?«

»Es handelt sich schließlich noch immer um Diebesgut. Und außerdem ist es eine ... familiäre Verpflichtung.« Fast haßte Harry Peter Harrington, weil dieser sein Gewissen so genau kannte. »Sag deinen Leuten, daß der Papst ihnen ganz offiziell seine Anerkennung aussprechen wird. Du wirst sie schon herumkriegen, Saul, dessen bin ich mir sicher.«

Netscher seufzte.

Monsignore Peter Harrington holte Harry in Rom am Flughafen ab und fuhr mit ihm direkt in den Vatikan. Harry hatte Kardinal Pesenti ein Telegramm geschickt, in dem er ihm mitteilte, daß eine Gruppe von Menschenfreunden den gestohlenen gelben Diamanten gekauft hätte und ihn nun dem Vatikanischen Museum zurückgeben wollte.

Der Kardinal eilte ihnen entgegen. »*Grazie, tante grazie*«, murmelte er. »Wie gütig und großzügig!« Er führte Harry und Peter in sein Arbeitszimmer. Sie nahmen am Refektoriumstisch Platz, und Harry holte den Diamanten aus seinem Aktenkoffer. Der Kardinal umklammerte den Stein mit einer Hand, als könne er es noch immer nicht glauben. »Ich danke Gott, daß er Sie gesandt hat, um das Auge Alexanders zur Tiara Papst Gregors zurückzubringen, Mr. Hopeman.«

»Der Stein ist nicht *Das Auge Alexanders*, Euer Eminenz.«
Der Kardinal schien verwirrt. »Aber in Ihrem Telegramm stand doch, daß Sie den gestohlenen Diamanten zurückbringen wollten.«
»Das ist der Stein, den ich in Israel gekauft habe – der Diamant, den die Diebe in Ihrem Museum aus der Tiara gebrochen haben. Aber er ist nicht derjenige, den mein Vorfahre Julius Vidal geschliffen hat und der später der Kirche gespendet wurde.«
»Das verstehe ich nicht.«
»Der Diamant, den Sie jetzt in Händen halten, wurde an Stelle des Originals in die Tiara gesetzt. Und zwar lange bevor die Diebe ihn aus dem Museum stahlen.«
Die beiden Priester starrten Harry voller Bestürzung an. Peter Harrington schüttelte den Kopf. »Wir haben ganz ausgezeichnete Beschreibungen in unseren Archiven. Ich kann mir nicht vorstellen, wie ein solcher Austausch möglich gewesen wäre.«
»Der Diamant wurde nur zweimal aus dem Vatikan herausgegeben«, sagte Harry. »Einmal hatte mein Vater die Tiara in Berlin, wo er den Diamanten neu faßte. Ihre Aufzeichnungen werden bestätigen, daß der Stein, den er Ihnen durch die Firma Sidney Luzzatti & Söhne aus Neapel zurückgeschickt hat, derselbe war, den Sie ihm geschickt haben und den Sie jetzt in Ihren Händen halten. Aber mein Vater wußte schon damals, daß es sich dabei nicht um den echten *Diamanten der Inquisition* handelte, denn der befand sich zu dieser Zeit bereits in seinem Safe. Aber er beschrieb den makellosen Stein aus der Tiara dennoch in seinem Tagebuch als den *Diamanten der Inquisition* und trug damit seinen Teil zu einem dreihundertfünfzig Jahre alten Verwirrspiel bei. Der Stein konnte also nur bei der anderen Gelegenheit

vertauscht worden sein, um das Jahr 1590 herum, als ihn ein weiterer Vorfahr von mir in die Hände bekam. Es war Isaak Vitallo aus Venedig, der Juwelier, der den Diamanten für die Tiara faßte.«

Harry erzählte von der Entdeckung, die er vor zwei Nächten in seinem Arbeitszimmer gemacht hatte. »Vielleicht war Vitallo ein ganz gewöhnlicher Dieb. Vielleicht aber meinte er auch, er habe ein Recht, so zu handeln. Ich weiß nur, daß meine Familie seit dieser Zeit das Geheimnis – und den Diamanten – gehütet hat.«

»Das ist eine lange Zeit«, sagte Harrington.

Harry nickte. »Eine Zeit, in der es uns Juden oft furchtbar schlecht ging. Vielleicht hat sie diese kleine, persönliche Rache mit einer gewissen Genugtuung erfüllt.«

»Warum hat Ihr Vater Ihnen nie davon erzählt?« fragte der Kardinal.

»Er hat zu lange damit gewartet. Ich glaube, der Besitz des Diamanten war ihm peinlich, er kam ihm wie ein lästiger Anachronismus vor.« Harry zuckte mit den Achseln. »Aber Rache ist ja auch ein Anachronismus. Es ist an der Zeit, daß wir mit dem Versteckspiel aufhören.«

Kardinal Pesenti war fasziniert. »Dieser Stein ist unglaublich wertvoll«, sagte er und hielt den Diamanten ans Licht. »Daher ist derjenige, gegen den Vitallo ihn ausgetauscht hat – das echte *Auge Alexanders* – bestimmt eine Menge mehr wert, stimmt's.«

»Er ist praktisch unbezahlbar.«

»Sie werden ihn doch der Kirche zurückgeben«, sagte der Kardinal wie aus der Pistole geschossen.

»Nein, Euer Eminenz.«

Harry und der Kardinal blickten sich an.

Auf einmal war die Atmosphäre eisig geworden.

»Der Stein wurde der Kirche gestohlen, und Sie geben

uns jetzt einen weniger wertvollen Stein zurück. Dabei haben wir einen berechtigten Anspruch auf *Das Auge Alexanders*, oder etwa nicht?«

»Wir nennen diesen Stein den *Diamanten der Inquisition*. Bevor er in den Besitz der Kirche kam, gehörte er einem Mann, der verbrannt wurde, weil er Jude war.«

Peter Harrington räusperte sich in die Stille hinein, die dieser Erklärung gefolgt war. »Du hast kein Recht, den Stein zu behalten, Harry.«

»Ich habe alles Recht der Welt. Anders als die Stadt Jerusalem kann man den Besitz eines Diamanten sehr wohl teilen. Ich habe bereits Schritte unternommen, den Stein zu gleichen Teilen dem Israelischen Museum, Ihrem Museum hier im Vatikan und dem Jordanischen Nationalmuseum in Amman zu spenden. Er soll alle fünf Jahre in einem anderen dieser drei Museen ausgestellt werden.«

Der Kardinal hatte seine Kiefer so fest aufeinandergepreßt, daß seine Lippen nur noch ein dünner Strich waren. Harry beobachtete, wie er mühsam seine Emotionen unter Kontrolle hielt, und bemerkte zu seinem Erstaunen, daß es keine Wut war, was in den Augen des Priesters lag.

Bernardino Kardinal Pesenti nickte. »Sie haben recht. Es ist wirklich an der Zeit.«

Er streckte seine Hand aus und berührte Harrys Hand. »Es ist an der Zeit, daß wir alte Wunden heilen lassen, Mr. Hopeman«, sagte er.

28

Der Wächter

Harry rief David Leslau an und verbrachte lange und teure Zeit damit, die aufgeregten Fragen des Archäologen zu beantworten.
Schließlich mußte David schallend lachen. »Sagen Sie das noch mal. *Wo* haben Sie ihn gefunden? In einem Töpfchen mit was? ... Mein Gott, jetzt weiß ich, was mein größter Fehler war. Ich hätte in meinem Hinterhof in Cincinnati nach den biblischen Schätzen graben sollen.«
Irgendwie mißfiel Harry Leslaus Fröhlichkeit. »Wie geht es denn mit der Ausgrabung voran?« fragte er schließlich.
»Nicht schlecht. Wir haben schon einige vielversprechende Anzeichen dafür gefunden, daß wir auf der richtigen Spur sind. Aber der ganz große Durchbruch läßt bisher noch auf sich warten.«
»Was für Anzeichen?«
»Ich werde Ihnen einen ausführlichen Brief darüber schreiben.«
Harry versuchte, wieder in eine Art Arbeitsroutine zurückzufinden. Da Zeitungsberichte über Museumsdiebstähle oft zu weiteren Museumsdiebstählen anregen, bestanden die drei betroffenen Museen darauf, die Presse selbst, und zwar mit der nötigen Vorsicht, von dem wiedergefundenen *Diamanten der Inquisition* zu informieren. Harry war damit einverstanden. Publicity

war zwar gut fürs Geschäft, aber kein Diamantenhändler sieht sein Gesicht gerne in der Zeitung, weil es dort auch potentielle Diebe oder Entführer sehen könnten.

Er fing an, mehr Zeit als nötig in der Forty-seventh Street zu verbringen. Irgendwie spürte er das Bedürfnis, zu seinen eigenen Anfängen zurückzukehren. Am Abend, wenn die Läden und Werkstätten schlossen, ging Harry in einen kleinen Feinkostladen mit Imbiß und setzte sich zu den wenigen hartgesottenen Diamantenhändlern an den Tisch, besah sich, wenn sie es wollten, ihre Steine und hörte und erzählte Geschichten aus der Branche. Hier traf er Leute, die er bisher nicht gekannt hatte. Komischerweise waren sie fast alle Israelis, und auch auf der Straße hörte Harry jetzt plötzlich mehr Hebräisch als früher.

Er wußte genau, wozu er sich zwingen mußte. Er hatte bei der Diamantenhändlervereinigung eine schöne Frau kennengelernt, die nach Seife und ganz leicht nach etwas anderem roch, und ging mit ihr zweimal zum Mittagessen. Als er sie fragte, ob sie ein paar Tage mit ihm wegfahren wollte, sagte sie sofort zu. Sie fuhren in ein Hotel in Pennsylvania, wo sie aus dem Fenster auf Amish-Farmen blicken konnten, die aussahen, als wären sie einer Kitschpostkarte entsprungen. Die Frau machte gerade ihr juristisches Examen am *Fordham-College* und wollte bei der Diamantenhändlervereinigung zur Anwältin aufsteigen. Sie sagte ihm offen, daß sie dabei seine Hilfe sehr zu schätzen wüßte.

Sie sprach viel darüber, daß es in der Industrie nicht immer nach dem Buchstaben des Gesetzes zuging. Ihr magerer Körper war sexy, aber ihre Persönlichkeit war ebenso blaß wie ihre Haut.

Bei der Heimfahrt machten sie in Newark Mittagspause, und dort las Harry in einem Artikel oben links auf der ersten Seite der TIMES, daß ein gewisser Professor Leslau vom *Hebrew Union College* einen der Cherubim aus dem Tempel Salomons gefunden habe.

Obwohl die Statue mit etwa vierzig Zentimetern Höhe ziemlich klein war, war sie dennoch kein pausbäckiger Rauschgoldengel. Sie stellte ein Wesen dar, das halb Mensch, halb Tier war, den Kopf eines Mannes und den Körper eines Löwen hatte, an dem Adlerschwingen herunterhingen, die einst – man konnte es kaum glauben! – die Bundeslade bedeckt hatten.
Die Figur war aus Holz geschnitzt, dessen Art man aber bisher noch nicht herausfinden hatte können, denn es zerbröselte, sobald man es berührte. Das Holz war mit einer dünnen Haut aus getriebenem Gold überzogen. Die TIMES zitierte einen Metallurgen, der schätzte, daß dieses Gold vier Prozent Silber als natürliche Verunreinigung enthielt und daß ihm des weiteren absichtlich zehn Prozent Kupfer beigemischt worden waren, um es härter und widerstandsfähiger zu machen. Dennoch war die Goldlegierung rein genug, um so gut wie keine Spuren von Oxidation zu zeigen. Die Statue war lediglich von einem dünnen, braunen Film überzogen, der höchstwahrscheinlich von, im Laufe der Jahrhunderte aus dem Boden ausgetretenen Salzen herrührte.
Harry wollte sofort losfahren und das nächste Flugzeug nehmen, aber dann schickte er doch nur ein Telegramm an Leslau, das lediglich aus zwei Worten bestand: *Yasher koach.* Gut gemacht. Dann vertiefte er sich wieder in die Zeitungsartikel.
Bei seiner Entdeckung war die Statue vom Spaten eines Arbeiters eingedellt worden, und ein alter, unregelmäßiger Schnitt an ihrer Unterkante deutete darauf hin, daß sie früher einmal an etwas befestigt gewesen war –

am Deckel der Bundeslade. In den Artikeln war keine Rede von der kupfernen Schriftrolle oder von irgenwelchen Leuten, die an dem Projekt mitgearbeitet hatten, aber am Nachmittag riefen die ersten Reporter bei Harry an. Er verwies alle Anrufer an das *Hebrew Union College*. Ein paar Tage später wurden fast alle Informationen freigegeben, darunter auch eine Beschreibung der Schriftrolle. Es war offensichtlich, daß es David selbst war, der die Presse informiert hatte, aber im TIME-MAGAZIN wurde als Quelle der »Diamantenhändler und archäologische Dilettant Harry Hopeman« genannt. NEWSWEEK nannte ihn einen »Amateur-Kryptologen«.

U.S. NEWS & WORLD REPORT sprach davon, Professor Leslau habe Frau Tamar Strauss-Kagan, der Gattin des Staatssekretärs im israelischen Innenministerium, für ihre Mithilfe bei der Entdeckung der *Genisa* gedankt.

Sie war verheiratet!

Harry versuchte, nicht an sie zu denken, aber sein Unterbewußtsein weigerte sich, sie aufzugeben. Noch vor ein paar Monaten hätte er nicht geglaubt, daß er solchen Schmerz empfinden konnte.

AI 138 BZ LB NY ZEITUNGSARTIKEL SIND QUATSCH STOP SIND KEIN DILETTANT STOP SO VIEL ARBEIT RUFEZEICHEN KOMMEN SIE HELFEN
LESLAU

Lieber David,

ich bin stolz auf Sie, daß Sie diesen goldenen Wächter gefunden haben. Lag er wirklich in einer Tiefe von dreiundzwanzig Ellen im Lehm? Davon stand in keinem der Zeitungsberichte etwas.

Wie ich Ihnen schon sagte, sehe ich einige Probleme auf uns zukommen. Ich möchte bezweifeln, daß es einen generellen Schlüssel zum Entziffern der Schriftrolle gibt. Vermutlich hat jede Genisa *ihr eigenes Rätsel, das gelöst werden muß. Ich habe gelesen, daß Sie den Cherubin mit dem Gesicht nach Norden gefunden haben. Ohne Zweifel wurde der andere mit dem Gesicht nach Süden vergraben, und die Bundeslade liegt irgendwo zwischen diesen beiden* Genisot. *Aber der zweite Cherubin könnte sich weit entfernt von Ein Gedi befinden – auf dem Berg Hermon zum Beispiel. Das würde Ihre Suche praktisch auf das ganze Land ausdehnen.*

Die gelehrten Schakale werden versuchen, Löcher in die Authentizität des Cherubins zu beißen; einer dieser »Experten« hat bereits behauptet, daß die Figur babylonischen Ursprungs sei. Sie müssen unbedingt bald damit anfangen, dies in Artikeln der Fachzeitschriften richtigzustellen.

Was Sie brauchen, ist ein Team von Spezialisten. Und zwar die allerbesten. Und was wahr ist, ist wahr: Als Gelehrter bin ich wirklich ein Dilettant, der seine bisher wichtigste Entdeckung in der eigenen Schreibtischschublade gemacht hat. Als Händler bin ich ein Profi (Hopeman ist der Name, und Diamanten sind mein Geschäft), und darüber hinaus das, was Dylan Thomas einmal so verächtlich als einen »verdammten Handlungsreisenden« bezeichnet hat. Man soll den Toten ja nichts Schlechtes nachsagen, aber der Mann war ein hochbegabter Narr. Die Welt braucht Händler ebensosehr wie Poeten.

Als ich Ihr freundliches Telegramm erhielt, dachte ich einen sehnsüchtigen Moment lang, ich könnte Ihnen im kommenden Sommer wirklich bei Ihrer Arbeit helfen. Aber irgend jemand muß hier auf den Laden aufpassen, und außerdem will ich meinem Sohn in den Sommer-

ferien einen ersten Unterricht in der Kunst des Diamantenschleifens geben.
Ich freue mich darauf, Sie zu wiedersehen, wenn Sie einmal nach New York kommen.
Bis dahin grüßen Sie Rachel herzlich von mir
Ihr Freund

Harry

Harry konnte nur schwer vergessen. In einem Obstgeschäft an der Madison Avenue sah er längliche, Modigliani-artige Äpfel mit einer Haut wie rot angehauchtes Porzellan, die genauso aussahen wie der Apfel auf dem Metallschild am Schuppen des drusischen Bauern in Majdal Shams.
Als Harry den Verkäufer nach den Äpfeln fragte, wußte dieser nur, daß sie aus der Türkei kämen. Der Großhändler müßte die genaue Sorte kennen.
Sie hießen Kandil Sinap. Sogar der Name gefiel Harry. Er rief in der *Cornell University* an, und ein Apfelexperte sagte ihm, daß die Bäume für das rauhe Klima im Staat New York geeignet seien. Er gab ihm die Adresse einer Baumschule in Michigan, wo er sich die Setzlinge kaufen konnte. Harry bestellte drei Bäumchen, die im Frühjahr in seinen Obstgarten gepflanzt werden sollten.
Eines Morgens, als er auf der Park Avenue in Richtung Innenstadt ging, sah er Tamar.
Regierungen schickten ihre Beamten ständig in der Welt herum. Und die Beamten nahmen ihre Frauen mit. Harry drängelte sich durch die Menge, bis er sie wieder entdeckte. Es war Tamar. Bis an sein Ende würde er diesen Gang überall erkennen. *Dein Wuchs gleicht der Palme und deine Brüste Weintrauben.*
Tamar blieb stehen, um sich ein paar Kleider in einem Schaufenster anzusehen, und Harry trat von hinten auf

sie zu, berührte ihren Arm und sagte ihren Namen, und ein braunes Gesicht, das er noch nie zuvor gesehen hatte, blickte ihn einen sprachlosen Moment lang an. Dann ging die fremde Frau weiter.

Bei der *Bar-Mizwa* saßen sie in der ersten Reihe. Della hatte für ein paar Überraschungen gesorgt, indem sie Jeff selbst die Leute hatte benennen lassen, die geehrt werden sollten. So wurde Saul Netscher zur *Tora* gerufen, um den Segen des Patriarchen an Stelle von Jeffs toten Großvätern zu sprechen. Als danach Harry aufgerufen wurde, verspürte er nichts als Freude. Erst als es zur *Haftara* kam, wurde er nervös, aber sein Sohn rezitierte die Geschichte von Gog und Magog so ernst und melodiös, als habe er noch nie etwas anderes getan. Etwa bei der Hälfte fand Harrys Hand die von Della. Warum nicht, zum Teufel, schließlich war Walter Lieberman nicht da. Sie hielten sich fest, selbst als der Rabbi sie bat, aufzustehen und das Gebet zu wiederholen: *Gelobet seist Du, O Herr, König des Universums, der Du uns behütest und ernährst und uns diesen glücklichen Tag hast erleben lassen.*

Am nächsten Morgen weckte ihn Jeff sehr früh und ging mit ihm und der neuen Angelrute hinunter zum Fluß. Sie kletterten über die Felsen hinab zum Wasser, und Jeff band einen rotweißen Schwimmer an die Angelschnur. Der Wind kam von hinten, und so gelang ihm beim zweiten Versuch ein guter, weiter Wurf. Ein leichter Nebel lag über dem Fluß, und ein kleines Tier – ein Fuchs? – huschte am gegenüberliegenden Ufer entlang. Harry wußte nicht, ob Jeff es gesehen hatte.
»Peng« sagte sein Sohn leise und lachte über Harrys erschrockenes Gesicht.

»Gestern war ein schöner Tag«, sagte Harry.
»Mmmm ...« Jeff kurbelte an der Angel. »Weißt du, was ich nicht ganz verstanden habe? Daß du als zweiter zur Tora gerufen wurdest.«
»Das ist, weil ich zum Stamme Levi gehöre.«
»Ein Stamm? Wie bei den Indianern?«
»Ganz genau«, antwortete Harry und erklärte, wie die ursprünglichen zwölf jüdischen Stämme zu dreien zusammengeschmolzen waren. »Kahanes, die Nachkommen von Priestern, werden als erste aufgerufen. Dann kommen die Levis, die die Nachfahren von Tempelbeamten, Poeten und Musikern sind, und erst danach die Israeliten, die aus allen anderen Stämmen bestehen, die zu einem zusammengefaßt wurden.«
Jeff warf seinen Haken wieder aus. »Woher weißt du denn, daß du ein Levi bist?«
»Mein Vater hat es mir gesagt. Und der weiß es von seinem Vater.«
»Hey!« Jeff hatte einen Fisch an der Angel, verlor ihn sofort wieder, aber kurze Zeit später biß ein anderer an. Dieses Mal behielt Jeff die Angel oben und holte eine hübsche kleine Forelle aus dem Wasser.
»Was meinst du, hat sie die Mindestgröße?«
»Die wird unser Mittagessen.«
»Ich werde es meinem Sohn auch sagen.« Der Junge gab Harry den Fisch. Einen Moment lang hielten sie ihn beide in Händen, hart und kalt und lebendig. Es war fast wie ein Ritual.
»Das hoffe ich«, sagte Harry.

Im November kam ein Brief, der Harry aufforderte, De Beers die Vorauszahlung für die nächste Lieferung zu überweisen, und der ihm gleichzeitig die Termine für die weiteren Vorauszahlungen des kommenden Jahres mitteilte. Das bedeutete, daß man ihn für würdig befunden hatte, den Platz seines Vaters unter den zweihundertfünfzig Auserwählten einzunehmen. Er erfuhr nie, warum das nicht schon früher geschehen war, oder aus welchen Gründen man sich schließlich doch für ihn entschieden hatte, aber er wußte, daß sich von nun an sein Leben nach dem Eintreffen von Paketen richten würde, die zehn Mal im Jahr mit normaler Post aus London kamen.

Daß er soviel Glück im Leben hatte, bereitete Harry keine Schuldgefühle, aber als er von einem weiteren Raketenangriff auf Kiryat Shemona las, bei dem mehrere Menschen verwundet worden waren, machte er sich Sorgen. Er dachte an den Rabbi in Kyriat Shemona, der ihm geholfen hatte, Rachel Silitskys verschwundenen Mann ausfindig zu machen, und er hoffte, daß der Rabbi, seine Frau und ihr Baby nicht unter den Verletzten waren.

Manchmal parkte Harry am Morgen, anstatt direkt zu seinem Geschäft in der Fifth Avenue zu fahren, seinen Wagen in der Nähe der Forty-seventh Street. Er ging dann an kleinen, bärtigen Männern vorbei, die paarweise auf dem Gehsteig oder in schäbigen Hauseingängen, die ihre Büros darstellten, leise verhandelten, bis sie schließlich ein kleines Vermögen in einem verknitterten Briefumschlag aus ihren Taschen zogen. Im Diamantenhändlerklub ging er am Schauraum vorbei, in dem andere Händler im weichen Licht der Nordfenster Steine begutachteten, direkt in die Kapelle. Manche Gläubige nahmen bereits in den eigens angemieteten Bussen, die sie jeden Morgen in die Forty-seventh Street brachten, an einer Andacht teil, aber es gab immer noch genügend andere, die in die Kapelle im Klub gingen und dort eine Gemeinde von zehn Personen bildeten, die nötig war, um das Gebet der Trauernden sprechen zu können. Harry schien es zwar ziemlich unlogisch, das *Kaddisch* für seinen Vater in so unregelmäßigen Abständen zu beten, aber so wichtig war die Logik nun auch wieder nicht.

Der Winter wurde hart, und Amerika verbrannte hemmungslos arabisches Öl. Taub vor Kälte hackten Harry und Sid Lawrenson Feuerholz und schnitten die Apfelbäume im Obstgarten zurück. Harry nutzte die Gelegenheit, um die Standorte für die drei Kandil-Sinap-Bäume auszusuchen, die er im Frühjahr neu pflanzen würde. Manchmal fühlte er sich selbst wie ein Baum, der endlich tiefe Wurzeln gebildet hatte.

Sein Leben drehte sich um Edelsteine, wurde in Edelsteinen bemessen. Auf dem Friedhof sah er, daß andere Besucher sieben Steine auf das Grab seines Vaters gelegt hatten, und im Frühling, wenn es wärmer wurde, hatte er vor, ihm einen Grabstein zu setzen. Er hatte sich entschlossen, den biblischen Granat Jeff zu schenken, vielleicht würde er fortan als Stein ihres Stammes ganz offen von Generation zu Generation weitergereicht werden, was bestimmt keine schlechte Tradition wäre.

Harry dachte praktisch nie mehr an den gelben Diamanten, den er in Israel gekauft hatte und der sich längst wieder in der Tiara Papst Gregors befand. Schon etwas häufiger dachte er an den *Diamanten der Inquisition* und fragte sich manchmal, ob eine gewisse dunkelhäutige Frau auf dem Weg zu ihrem Arbeitsplatz im Museum manchmal vor diesem Stein stehenblieb und ihn betrachtete.

In Stunden, in denen er, gequält von namenlosen Ängsten, die aus der Vergangenheit gekrochen kamen, nicht schlafen konnte, wenn er ohne Grund zitternd und verfolgt von Schreien, die er nie wirklich gehört hatte, dalag, dachte er an Alfred Hopemans sechs Diamanten. Niemals aber bereute er es, daß sie nicht länger in seinem Schreibtisch in dem alten Haus in Westchester County lagen.

Glossar

Aguna: hebräisch, verlassene Frau.

Alauiten: Anhänger einer islamischen Geheimsekte.

Aschkenasim: hebräisch, Juden, die aus dem mittel- und osteuropäischen Kulturraum stammen.

Auto da Fé: spanisch; vom Lateinischen *Actus fidei*, Glaubenshandlung, Glaubensgericht. Die öffentliche Verbrennung von Ketzern, die von der spanischen Inquisition zum Tode verurteilt wurden.

Bar-Mizwa: hebräisch, Sohn der Pflicht. Die Festlichkeit, durch die der dreizehnjährige Junge die religiöse Mündigkeit erlangt und als vollwertiges Mitglied in die Gemeinde aufgenommen wird.

Bema: Tribüne in der Synagoge, von der aus die Tora verlesen wird.

Beseder: hebräisch, alles in Ordnung.

Beth-Din: rabbinischer Gerichtshof, der in Israel in religiösen und personenrechtlichen Angelegenheiten entscheidet.

Boker-Tow: hebräisch, Guten Morgen.

Chaver, Chavera: hebräisch, Freund, Freundin.

Chassid, Pl. *Chassidim:* hebräisch, Frommer. Angehöriger einer Mitte des 18. Jahrhunderts in Osteuropa (Polen) entstandenen, mystisch-religiösen jüdischen Bewegung.

Converso: ein Jude, der zum christlichen Glauben übergetreten ist.

Drusen: Angehörige einer islamischen Sekte.

Eretz Israel: hebräisch, Der Staat Israel.

Erev-Tow: Guten Abend.

Gaon: hervorragender Gelehrter. In alter Zeit der Amtstitel für den Leiter einer rabbinischen Schule.

Gemara: hebräisch, wörtl.: vervollständigte Erklärung, Erläuterung. Diskussion der babylonischen und palästinensischen Talmudisten über die Mischna, mit der zusammen die Gemara den Talmud bildet. Gemara bezeichnet auch den Talmud überhaupt.

Gematria: Methode der Bibelauslegung, bei der jedem Buchstaben sein Zahlenwert im hebräischen Alphabet zugeordnet wird.

Genisa, Pl. *Genisot:* Aufbewahrungsort für heilige Bücher und andere Kultgegenstände, die in einer Gemeinde nicht mehr gebraucht werden.

Get: Scheidungsurkunde.

Haftara: hebräisch, abschließen. Jener Teil aus den Prophetenbüchern, der am Sabbat und an den Festtagen in der Synagoge vorgelesen wird.

Hagomel: jüdisches Dankgebet.

Irgun: kurz für: Irgun Zvai Leumi (hebräisch: Nationale Militärorganisation). Jüdische militärische Untergrundorganisation in Palästina, 1937 für den Widerstand gegen die Briten gegründet.

Jecheh: israelische Bezeichnung für Juden deutscher Abstammung.

Jehudi: hebräisch, Jude.

Jeschiwa: hebräisch, Sitz; höhere Lehranstalt. Hochschule für das Studium des Talmud.

Jewish Agency: kurz für: Jewish Agency for Palestine. Einrichtung, die vor der Gründung des Staates Israel die Interessen der in Palästina lebenden Juden bei der britischen Mandatsregierung, dem Völkerbund und später der UNO vertrat.

Jom Kippur: hebräisch, Tag der Sühnungen. Versöhnungstag, der höchste jüd. Feiertag bildet den Abschluß der mit dem Neujahrsfest beginnenden zehn Bußtage (Lev. 23,27 ff.).

Kaddisch: aramäisch, heilig. Trauergebet, das von den Trauernden elf Monate lang als Schlußteil des täglichen Gebets und an Gedenktagen der Verstorbenen gesprochen wird.

Kohen: Jude, der von Priestern abstammt und für den besondere religiöse Gebote gelten.

L'Chaim: hebräisch, Prost.

Levit, Leviten: Tempelpriester aus dem Stamme Levi, Hüter der Tempelheiligtümer.

Maimonides: Moses ben Maimon (1135–1204) Rabbi, Religionsphilosoph und Theologe, Leibarzt Saladins; schrieb Kommentare zu Bibel und Talmud und formulierte das Glaubensbekenntnis im jüdischen Gebetbuch.

Mamser: Kind, das aus einer unerlaubten, z. B. inzestuösen Beziehung stammt, umgangssprachlich wie »Bastard« gebraucht.

Menorah: achtarmiger, jüdischer Leuchter.

Mikwe: jiddisch, Ansammlung (von Wasser), rituelles Tauchbad.

Minjan: hebräisch, Zahl. Bedeutet die Mindestanzahl von zehn Männern, die zur Abhaltung eines Gottesdienstes in der Synagoge anwesend sein müssen.

Mischna: hebräisch, Wiederholung. Kern der (ursprünglich mündlichen) Lehre des Judentums, eines der beiden Teile des Talmud; Sammelwerk von Lehrsätzen und Ausführungsbestimmungen zum Pentateuch um 200 n. Chr.

Mogen David: Davidstern, israelische Staatsflagge.

Mohel: Beschneider.

Mori: jemenitisch, Rabbi.

Nargillah: Wasserpfeife

Pentateuch: griechisch, die fünf Bücher Mose.
Peri'a: Vorgang der Beschneidung.
Pessach: hebräisch, Vorüberschreiten, Verschonung. Fest, wird zu Beginn des Frühjahrs zur Erinnerung an den Auszug der Kinder Israel aus Ägypten gefeiert.
Rebbe: jiddisch, Rabbi.
Reformjudentum: Eine Bewegung, die etwa seit Beginn des 19. Jahrhunderts das Judentum den Erfordernissen der modernen Zeit anzupassen bestrebt ist. Hauptsächlich in den USA verbreitet.
Rosch Haschana: hebräisch, Anfang des Jahres, jüdisches Neujahrsfest im Herbst.
Sabra: in Israel geborenes Mädchen.
Sanbenito: spanisch; abgeleitet vom lateinischen *Saccus benedictus*, Büßerhemd.
Schiwe sitzen: Schiwe, jiddisch für »Sieben«, die sieben Trauertage, die man nach dem Tod eines Familienangehörigen auf einem Schemel sitzend – und ohne Schuhe – zubringt.
Schul: jiddisch für Synagoge.
Sephardim: Juden, die aus dem süd- und westeuropäischem Kulturraum stammen.
Sesh Besh: Backgammon-Spiel.
Sharav: sehr heiße, trockene Wetterlage.
Sheroot: Taxi, das immer eine bestimmte Route (z. B. vom Flughafen nach Jerusalem) fährt.
Sleekhah: hebräisch, Entschuldigung.
Smicha: Ernennung zum Rabbi.
Streimel: Hut mit Pelzbesatz.
Takhat: hebräisch, Po.
Tallit: hebräisch, Gebetsmantel; viereckiger, weißer Überwurf aus Wolle oder Seide mit Schaufäden an den Ecken, der zum Morgengebet und bei feierlichen Zeremonien getragen wird.

Talmud: hebräisch, Belehrung, Lehre, Studium. Große Sammlung von rabbinischen Interpretationen und Erläuterungen zur Bibel, abgeschlossen im 5. Jhd. n. Chr. Die früheren Teile (Mischna) ordnen die bibl. Gesetze und kommentieren sie, die späteren Teile (Gemara) ergänzen, erklären und paraphrasieren die Mischna. Der babylonische, nicht der jerusalemische Talmud ist maßgebend.

Tefillin: hebräisch, Gebetsriemen, die Bibeltexte enthalten; sie werden beim Morgengebet am linken Arm (Herznähe) und an der Stirn angelegt.

Temani: Jemeniten.

Todah rabah: hebräisch, Dankeschön.

Tora: hebräisch, Lehre; die fünf Bücher Mose des Pentateuch und allgemein das gesamte religiöse Schrifttum oder Wissen. Im Gottesdienst wird in 52 Teilen ein Abschnitt daraus von einer handgeschriebenen Pergamentrolle verlesen.

Unzialen: abgerundete Großbuchstaben.

Ya Abba: arabisch, Der Vater.

Ya Umma: arabisch, Die Mutter.

Yom Hakkipurim: siehe Jom Kippur.